KB093702

해커스 보카
수능 완성 1800+

단어 하나를 외워도 **전략적**으로 외우니까!

3 쓰임새를 같이 익혀
실전에 더욱 강해지는
진짜 기출 예문

4 편리하고 효과적인
복습을 위한
**미니 암기장 &
Daily Quiz**

해커스 어학연구소 자문위원단 3기

강원
박정선 잉글리쉬클럽
최현주 최샘영어

경기
강민정 YLP김진성열정어학원
강상훈 평촌RTS학원
강지인 강지인영어학원
권계미 A&T+ 영어
김미아 김앤영어학원
김설화 업라이트잉글리쉬
김성재 스윗스터디학원
김세훈 모두의학원
김수아 더스터디(The STUDY)
김영아 백송고등학교
김유경 벨트어학원
김유경 포시즌스어학원
김유동 이스턴영어학원
김지숙 위디벨럽학원
김지현 이지프레임영어학원
김해빈 해빛영어학원
김현지 지앤비영어학원
박가영 한민고등학교
박은별 더킹영수학원
박재홍 록키어학원
성승민 SDH어학원 불당캠퍼스
신소연 Ashley English
오귀연 루나영어학원
유신애 에듀포커스학원
윤소정 ILP이화어학원
이동진 이룸학원
이상미 버밍엄영어교습소
이연경 명품M비욘드수학영어학원
이은수 광주세종학원
이지혜 리케이온
이진희 이엠원영수학원
이충기 영어나무
이효명 갈매리드앤톡영어독서학원
임한글 Apsun앞선영어학원
장광명 엠케이영어학원
전상호 평촌이지어학원
정선영 코어플러스영어학원
정준 고양외국어고등학교
조연아 카이트학원
채기림 고려대학교EIE영어학원
최지영 다른영어학원
최한나 석사영수전문
최희정 SJ클쌤영어학원
현지환 모두의학원
홍태경 공감국어영어전문학원

경남
강다희 더(the)오르다영어학원
라승희 아이작잉글리쉬
박주언 유니크학원
배송현 두잇영어교습소
안윤서 어썸영어학원
임진희 어썸영어학원

경북
권현민 삼성영어석적우방교실
김으뜸 EIE영어학원 옥계캠퍼스
배세왕 비케이영수전문고등관학원
유영선 아이비티어학원

광주
김유희 김유희영어학원
서희연 SDL영어수학학원
송승연 송승연수학영어
오진우 SLT어학원수학원
정영철 정영철영어전문학원
최경옥 봉선중학교

대구
권익재 제이슨영어
김명일 독학인학원
김보곤 베스트영어
김연정 달서고등학교
김혜란 김혜란영어학원
문애주 프렌즈입시학원
박정근 공부의힘pnk학원
박희숙 열공열강영어수학학원
신동기 신통외국어학원
위영선 위영선영어학원
윤창원 공터영어학원 상인센터
이승현 학문당입시학원
이주현 이주현영어학원
이헌욱 이헌욱영어학원
장준현 장쌤독해종결영어학원
최윤정 최강영어학원

대전
곽선영 위드유학원
김지운 더포스둔산학원
박미현 라시움영어대동학원
박세리 EM101학원

부산
김건희 레지나잉글리쉬 영어학원
김미나 위드중고등학교
박수진 정모클영어국어학원
박수진 지니킹글리쉬
박인숙 리더스영어전문학원
옥지윤 더센텀영어학원
윤진희 위니드영어전문교습소
이종혁 대동학원
정혜인 엠티엔영어학원
조정래 알파카의영어농장
주태양 솔라영어학원

서울
Erica Sull 하버드브레인영어학원
강고은 케이앤학원
강신아 교우학원
공현미 이은재어학원
권영진 경동고등학교
김나영 프라임클래스영어학원
김달수 대일외국어고등학교
김대니 채움학원
김문영 창문여자고등학교
김정은 강북뉴스터디학원
김혜경 대동세무고등학교
남혜원 함영원입시전문학원
노시은 케이앤학원
박선정 강북세일학원
박수진 이은재어학원
박지수 이플러스영수학원
서승희 함영원입시전문학원
양세희 양세희수능영어학원

우정용 제임스영어앤드학원
이박원 이박원어학원
이승혜 스텔라영어
이정욱 이은재어학원
이지연 중계케이트영어학원
임예찬 학습컨설턴트
장지희 고려대학교사범대학부속고등학교
정미라 미라정영어학원
조민규 조민규영어
채가희 대성세그루영수학원

울산
김기태 그라티아어학원
이민주 로이아카데미
홍영민 더아안영어전문학원

인천
강재민 스터디위드제이쌤
고현순 정상학원
권효진 Genie's English
김솔 전문과외
김정아 밀턴영어학원
서상천 최정서학원
이윤주 트리플원
최예영 영웅아카데미

전남
강희진 강희진영어학원
김두환 해남맨체스터영수학원
송승연 송승연수학영어
윤세광 비상구영어학원

전북
김길자 맨투맨학원
김미영 링크영어학원
김효성 연세입시학원
노빈나 노빈나영어전문학원
라성남 하포드어학원
박재훈 위니드수학지앤비영어학원
박향숙 STA영어전문학원
서종원 서종원영어학원
이상후 나는학원
장지원 링컨더글라스학원
지근영 한솔영어수학학원
최성령 연세입시학원
최혜영 이든영어수학학원

제주
김랑 KLS어학원
박자은 KLS어학원

충남
김예지 더배움프라임영수학원
김철홍 청경학원
노태겸 최상위학원

충북
라은경 이화윤스영어교습소
신유정 비타민영어클리닉학원

해커스 보카
수능완성 1800⁺ 가 특별한 이유!

수능 1등급 필수 어휘가 모두 있으니까!

1 수능·모평·학평·EBS
연계교재에서 엄선한
수능 1등급
절대 어휘 1800

2 서술형·어휘
문제에 대비하는
추가 어휘 및
Plus Voca

중·고등 영어도 역시 1위 해커스다.

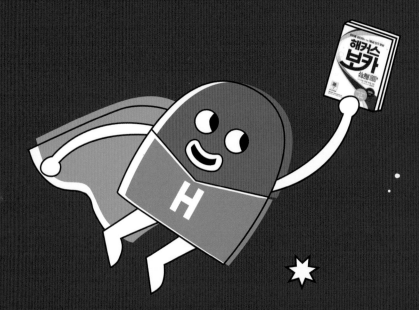

해커스북 중·고등
HackersBook.com

최빈출 영단어로 수능 1등급 단기 완성

해커스 보카

수능완성 1800+

해커스 어학연구소

목차

이 책의 구성과 특징

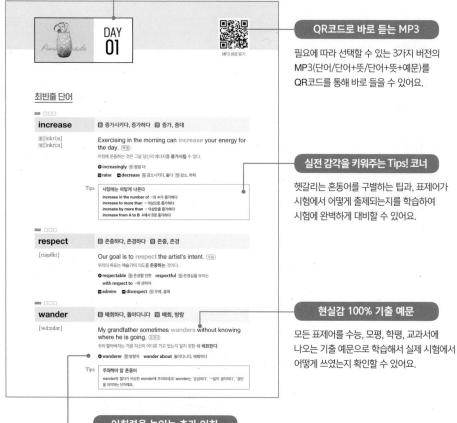

45일 만에 1등급 절대 어휘 1800+ 완성

수능, 모평, 학평, EBS 연계교재에서 엄선한 1800개 이상의
수능 1등급 절대 어휘를 45일 만에 완성할 수 있어요.

QR코드로 바로 듣는 MP3

필요에 따라 선택할 수 있는 3가지 버전의
MP3(단어/단어+뜻/단어+뜻+예문)를
QR코드를 통해 바로 들을 수 있어요.

실전 감각을 키워주는 Tips! 코너

헷갈리는 혼동어를 구별하는 팁과, 표제어가
시험에서 어떻게 출제되는지를 학습하여
시험에 완벽하게 대비할 수 있어요.

현실감 100% 기출 예문

모든 표제어를 수능, 모평, 학평, 교과서에
나오는 기출 예문으로 학습해서 실제 시험에서
어떻게 쓰였는지 확인할 수 있어요.

어휘력을 높이는 추가 어휘

표제어의 파생어, 유의어, 반의어, 그리고 자주 쓰이는 형태의 핵심 표현까지
한 번에 학습해서 쉽고 빠르게 어휘력을 확장하고 어휘 문제에 효과적으로
대비할 수 있어요.

● 교재에 사용된 약호

명 명사　동 동사　형 형용사　부 부사　전 전치사　접 접속사
➕ 파생어/핵심 표현　➖ 유의어　↔ 반의어

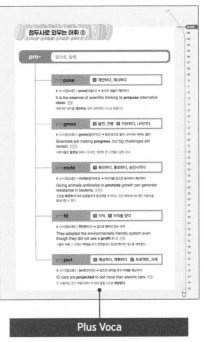

Daily Quiz

영어는 우리말로, 우리말은 영어로 쓰세요.

01	extinct	11	미망인, 과부
02	interpret	12	풍경, 경치
03	sphere	13	미신
04	nightmare	14	초과하다, 넘다
05	utmost	15	재개되다, 이력서
06	vacant	16	협상하다, 성사시키다
07	metabolism	17	지나다, 보충하다
08	bold	18	위원회
09	solid	19	난민, 망명자
10	compassion	20	증가시키다, 증가

다음 빈칸에 들어갈 가장 알맞은 것을 박스 안에서 고르세요.

compel	inspect	paste	spice	wander

21 If the bus had been _____(e)d, the accident wouldn't have happened.
만약 그 버스가 점검되었더라면, 사고는 일어나지 않았을 것이다.

22 My grandfather sometimes _____(e)s without knowing where he is going.
우리 할아버지는 가끔 자신이 어디로 가고 있는지 알지 못한 채 배회한다.

23 A maetdol is used to grind grains like rice or beans into flour or _____.
맷돌은 쌀이나 콩 같은 곡물들을 가루나 반죽으로 가는 데 사용된다.

24 We habitually do what we do because the culture we belong to _____(e)s us to.
우리는 습관적으로 하던 것을 하게 되는데 이는 우리가 속한 문화가 그렇게 하도록 강요하기 때문이다.

25 Saffron is the most expensive _____ in the world.
사프란은 세계에서 가장 비싼 향신료이다.

Daily Quiz

매 Day마다 제공되는 Daily Quiz를 통해 학습한 내용을 복습하고 학업 성취도를 확인할 수 있어요.

접두사로 외우는 어휘 ①

pro- 앞으로, 앞에

propose A 제안하다, 제시하다

progress A 발전, 진행 B 진보하다, 나아가다

promote A 촉진하다, 홍보하다 B 승진시키다

profit A 이익 B 이익을 얻다

project A 예상하다, 계획하다 B 프로젝트, 과제

Plus Voca

다양한 단어를 손쉽게 외울 수 있는 어원별 어휘와 다의어 암기를 통해 어휘력을 쉽고 빠르게 확장하여 서술형 및 어휘 문제에도 대비할 수 있어요.

➕ 추가 학습 자료로 어휘 실력 업그레이드!

미니 암기장
미니 암기장을 가지고 언제 어디서나 간편하게 단어를 학습할 수 있어요.

단어가리개
단어가리개를 이용한 셀프테스트로 단어의 암기 여부를 쉽고 빠르게 확인할 수 있어요.

3회독 학습플랜

START

1회독 표제어 + Daily Quiz

1. 하루에 1 Day씩 표제어를 학습하고 예문을 통해 어휘의 쓰임을 학습하세요.
2. Daily Quiz로 배운 내용을 복습하세요.

1

2회독 표제어 + 파생어 + 핵심 표현 + 유의어 + 반의어

2

1. 하루에 2개 Day씩 학습하면서 1회독 때 외웠던 표제어를 복습하세요. 잘 외워지지 않는 어휘는 따로 체크하세요.
2. 표제어의 파생어, 핵심표현, 유의어, 그리고 반의어도 꼼꼼하게 학습하세요.

3회독 잘 외워지지 않는 단어 + Plus Voca

1. 1~2회독 때 잘 외워지지 않았던 어휘를 복습하며 다시 암기하세요.
2. Plus Voca에서 핵심 어원별 어휘와 필수 다의어도 함께 암기하세요.

3

FINISH

단어암기 TIP

- 미니 암기장을 이용하면 언제 어디서나 간편하게 복습할 수 있어요.
- 2회독부터는 부가물로 제공되는 나만의 단어장 양식을 활용해서 단어장을 만들면, 잘 안 외워지는 단어를 더 효율적으로 암기할 수 있어요.

✏️ 학습을 완료한 Day에 체크 표시를 해서 학습 여부를 기록해보세요.

DAY 01	DAY 02	DAY 03	DAY 04	DAY 05
☐ ☐ ☐	☐ ☐ ☐	☐ ☐ ☐	☐ ☐ ☐	☐ ☐ ☐

DAY 06	DAY 07	DAY 08	DAY 09	DAY 10
☐ ☐ ☐	☐ ☐ ☐	☐ ☐ ☐	☐ ☐ ☐	☐ ☐ ☐

DAY 11	DAY 12	DAY 13	DAY 14	DAY 15
☐ ☐ ☐	☐ ☐ ☐	☐ ☐ ☐	☐ ☐ ☐	☐ ☐ ☐

DAY 16	DAY 17	DAY 18	DAY 19	DAY 20
☐ ☐ ☐	☐ ☐ ☐	☐ ☐ ☐	☐ ☐ ☐	☐ ☐ ☐

DAY 21	DAY 22	DAY 23	DAY 24	DAY 25
☐ ☐ ☐	☐ ☐ ☐	☐ ☐ ☐	☐ ☐ ☐	☐ ☐ ☐

DAY 26	DAY 27	DAY 28	DAY 29	DAY 30
☐ ☐ ☐	☐ ☐ ☐	☐ ☐ ☐	☐ ☐ ☐	☐ ☐ ☐

DAY 31	DAY 32	DAY 33	DAY 34	DAY 35
☐ ☐ ☐	☐ ☐ ☐	☐ ☐ ☐	☐ ☐ ☐	☐ ☐ ☐

DAY 36	DAY 37	DAY 38	DAY 39	DAY 40
☐ ☐ ☐	☐ ☐ ☐	☐ ☐ ☐	☐ ☐ ☐	☐ ☐ ☐

DAY 41	DAY 42	DAY 43	DAY 44	DAY 45
☐ ☐ ☐	☐ ☐ ☐	☐ ☐ ☐	☐ ☐ ☐	☐ ☐ ☐

HackersBook.com

해커스 보카

수능완성 1800+

DAY

01-45

최빈출 단어

0001 ☐☐☐

increase

통[inkríːs]
명[ínkriːs]

통 증가시키다, 증가하다 **명** 증가, 증대

Exercising in the morning can **increase** your energy for the day. 〔학평〕
아침에 운동하는 것은 그날 당신의 에너지를 **증가시킬** 수 있다.

➕ **increasingly** 〔부〕 점점 더

🟰 **raise** ⊟ **decrease** 〔통〕 감소시키다, 줄다 〔명〕 감소, 하락

Tips

> **시험에는 이렇게 나온다**
>
> **increase in the number of** ~의 수가 증가하다
> **increase to more than** ~ 이상으로 증가하다
> **increase by more than** ~ 이상만큼 증가하다
> **increase from A to B** A에서 B로 증가하다

0002 ☐☐☐

respect

[rispékt]

통 존중하다, 존경하다 **명** 존중, 존경

Our goal is to **respect** the artist's intent. 〔수능〕
우리의 목표는 예술가의 의도를 **존중하는** 것이다.

➕ **respectable** 〔형〕 존경할 만한 **respectful** 〔형〕 존경심을 보이는
with respect to ~에 관하여

🟰 **admire** ⊟ **disrespect** 〔명〕 무례, 결례

0003 ☐☐☐

wander

[wάːndər]

통 배회하다, 돌아다니다 **명** 배회, 방랑

My grandfather sometimes **wanders** without knowing where he is going. 〔교과서〕
우리 할아버지는 가끔 자신이 어디로 가고 있는지 알지 못한 채 **배회한다**.

➕ **wanderer** 〔명〕 방랑자 **wander about** 돌아다니다, 배회하다

Tips

> **주의해야 할 혼동어**
>
> wander와 철자가 비슷한 wonder에 주의하세요! wonder는 '궁금하다', '~일까 생각하다', '경탄'
> 을 의미하는 단어예요.

0004 ☐☐☐

conduct

동 수행하다, 지휘하다　명 행위, 지휘

동[kəndʌ́kt]
명[kɑ́:ndʌkt]

A social neuroscientist conducted a study on the neural mechanisms of lonely and non-lonely people. 학평

한 사회 신경 과학자가 외로운 사람들과 외롭지 않은 사람들의 신경 메커니즘에 관한 연구를 **수행했다.**

➕ conductor　명 지휘자

➖ carry out, run

0005 ☐☐☐

direction

명 방향, 지시, 감독

[dirékʃən]

Are we going in the right direction? 학평

우리가 올바른 **방향**으로 가고 있는 중인가요?

➕ direct　동 ~로 향하다, 지시하다　형 직행의, 직접적인

0006 ☐☐☐

landscape

명 풍경, 경치

[lǽndskeip]

He began to paint landscapes in a fresh new style. 학평

그는 신선하고 새로운 기법으로 **풍경들을** 그리기 시작했다.

➖ scenery, view

0007 ☐☐☐

interpret

동 해석하다, 이해하다, 통역하다

[intə́:rprit]

Puppies only a few weeks old could interpret human signals. 학평

생후 몇 주밖에 안 된 강아지들이 인간의 신호를 **해석할** 수 있었다.

➕ interpretation　명 이해, 해석, 통역　interpreter　명 통역사

➖ understand

Tips **시험에는 이렇게 나온다**

interpret는 behavior(행동), terms(조건, 용어), information(정보) 등의 명사와 함께 자주 사용돼요.

0008 ☐☐☐

access

명 접근, 입장　동 접근하다, 이용하다

[ǽkses]

The seminar takes place at an art museum with easy access to public transportation. 학평

그 세미나는 모든 대중교통으로 **접근이** 편한 미술관에서 열린다.

➕ accessible　형 접근 가능한

possess

[pəzés]

동 지니다, 보유하다, 소유하다

The creativity that children **possess** needs to be cultivated. (수능)

아이들이 **지닌** 창의력은 함양될 필요가 있다.

⊕ possession 명 소유(물)　**possessive** 형 소유의, 소유욕이 강한

目 own, have, hold

capture

[kǽptʃər]

동 붙잡다, 체포하다, (사진 등에) 담다　**명** 포획

Geckos are hard to **capture** once they are set loose in a house. (학평)

도마뱀붙이는 일단 집 안에 풀어주게 되면 **붙잡기** 어렵다.

⊕ captive 형 사로잡힌, 포로의　명 포로

目 catch, trap　**■ release** 동 풀어주다, 석방하다　명 석방

committee

[kəmíti]

명 위원회

The students' **committee** decided to join the foundation. (학평)

그 학생 **위원회**는 재단에 가입하기로 결정했다.

solid

[sá:lid]

명 고체　**형** 단단한, 견고한

A raw egg is fluid inside, whereas a hard-boiled egg is **solid**. (학평)

날달걀은 내부가 유체인 반면, 완숙된 달걀은 **고체**이다.

⊕ solidity 명 견고함, 확실성　**solidarity** 명 연대, 결속　**solidify** 동 굳어지다, 굳히다

目 hard, firm　**■ unsubstantial** 형 견고하지 않은　**unstable** 형 불안정한

resume

동[rizú:m]
명[rézumèi]

동 재개되다, 다시 시작하다　**명** 이력서 (résumé)

Soon after the match **resumed**, his opponent made a critical mistake. (학평)

경기가 **재개된** 지 얼마 되지 않아, 그의 상대는 결정적인 실수를 했다.

目 continue　**■ discontinue** 동 중단하다

Tips

> **시험에는 이렇게 나온다**
>
> '이력서'를 뜻하는 resume(résumé)는 프랑스어에서 유래되었어요. 또한 '이력서'는 시험에 CV(curriculum vitae)로 나오기도 해요.

0014 ☐☐☐

exceed

[iksíːd]

동 초과하다, 넘다

The maximum speed shall not **exceed** 200 km/h. 학평
최고 속도는 시속 200킬로미터를 **초과해서는** 안 된다.

⊕ excess 명 초과 형 초과의 **excessive** 형 지나친, 과도한

0015 ☐☐☐

multiply

[mʌltiplai]

동 증식하다, 곱하다, (수·양을) 크게 증가시키다

Over time, the resistant genes among bacteria
multiply. 교과서
시간이 지남에 따라 박테리아 사이에 있는 저항하는 유전자가 **증식한다**.

⊕ multiplication 명 곱셈, 증식 **multiplicity** 명 다수, 다양성
◨ increase, reproduce

빈출 단어

0016 ☐☐☐

extinct

[ikstíŋkt]

형 사라진, 멸종된

One language becomes **extinct** every day somewhere
in the world. 학평
매일 하나의 언어가 세계의 어딘가에서 **사라지게** 된다.

⊕ extinction 명 멸종, 소멸
◨ existent 형 존재하는, 실존하는 **extant** 형 현존하는

Tips **시험에는 이렇게 나온다**
extinct의 명사형인 extinction은 '멸종', '소멸'을 의미하며 특히 환경, 생태계, 생물학, 역사 관련
지문에 자주 나와요.

0017 ☐☐☐

automatic

[ɔ̀ːtəmǽtik]

형 자동의, 무의식적인

Nowadays, **automatic** machinery and industrial robots
are taking the place of human workers. 모평
오늘날, **자동** 기계와 산업용 로봇이 인간 노동자들을 대신하고 있다.

⊕ automatically 부 자동으로 **automate** 동 자동화하다

0018 ☐☐☐

nightmare

[náitmeər]

명 악몽, 아주 끔찍한 일

You must have had a **nightmare**. 학평
악몽을 꿨나 보군요.

0019 ☐☐☐

compel

[kəmpél]

통 강요하다, 강제하다

We habitually do what we do because the culture we belong to **compels** us to. 학평

우리는 습관적으로 하던 것을 하게 되는데 이는 우리가 속한 문화가 그렇게 하도록 **강요하기** 때문이다.

➕ compulsion 명 강요, 충동　**compulsory** 형 강제적인, 의무적인

🟰 force, constrain

0020 ☐☐☐

inspect

[inspékt]

통 점검하다, 검사하다

If the bus had been **inspected**, the accident wouldn't have happened. 학평

만약 그 버스가 **점검되었더라면**, 사고는 일어나지 않았을 것이다.

➕ inspection 명 점검, 검사　**inspector** 명 검사관, 감독관

🟰 check, examine, investigate

0021 ☐☐☐

reception

[risépʃən]

명 접수처, 환영 (연회)

For more information, you can get a pamphlet at the **reception** desk. 학평

더 많은 정보를 원하신다면, **접수처**에서 소책자를 얻을 수 있습니다.

➕ receptive 형 수용적인　**receptionist** 명 접수 담당자

0022 ☐☐☐

metabolism

[mətæbəlìzm]

명 신진대사, 대사 (작용)

For many plants, **metabolism** is stimulated by animal and insect feeding. 학평

많은 식물에 있어서, **신진대사**는 동물과 곤충의 섭취 활동에 의해 촉진된다.

➕ metabolic 형 신진대사의

0023 ☐☐☐

commonplace

[káːmənplèis]

형 아주 흔한, 평범한　**명** 흔히 있는 일, 다반사

Backbreaking labor is still **commonplace** in parts of the world. 학평

몹시 힘든 노동이 여전히 세계 각지에서 **아주 흔하다**.

🟰 ordinary　**◀ rare** 형 드문

0024 ☐☐☐

negotiate

[nigóuʃieit]

동 협상하다, 성사시키다

Rather than going on strike, we want to **negotiate**. (학평)

파업을 하기보다는, 우리는 **협상하고** 싶습니다.

➕ negotiation 명 협상, 교섭
🟰 bargain

0025 ☐☐☐

funeral

[fjúːnərəl]

명 장례식

Formal wear is required at weddings and **funerals**. (학평)

결혼식과 **장례식**에서는 예의를 갖춘 복장이 요구된다.

0026 ☐☐☐

sphere

[sfiər]

명 구(체), (활동·영향 등의) 영역

The church's spires are topped with **spheres** that resemble fruits. (교과서)

교회의 첨탑 꼭대기에는 과일과 비슷한 **구들**이 얹혀 있다.

0027 ☐☐☐

compassion

[kəmpǽʃən]

명 연민, 동정(심)

Animals can play a huge role in the development of **compassion**. (학평)

동물들이 **연민**의 발달에 중요한 역할을 할 수 있다.

➕ compassionate 형 동정하는 동 동정하다

0028 ☐☐☐

spice

[spais]

명 향신료, 양념, 묘미 동 양념을 치다

Saffron is the most expensive **spice** in the world. (학평)

사프란은 세계에서 가장 비싼 **향신료**이다.

➕ spicy 형 양념을 넣은, 양념 맛이 강한
🟰 seasoning

0029 ☐☐☐

refugee

[rèfjudʒíː]

명 난민, 망명자

Our volunteers will deliver the contents to a **refugee** child or family. (학평)

우리 자원봉사자들은 **난민** 아동이나 가족에게 그 내용물을 전달할 것이다.

➕ refuge 명 피난(처), 의지가 되는 것

0030 ☐☐☐

carriage

뗑 마차, 운반, 수송

[kǽridʒ]

The trains were much faster than the old **carriages**. (학평)

기차는 낡은 **마차**보다 훨씬 더 빨랐다.

■ wagon

0031 ☐☐☐

explode

뗑 폭파시키다, 폭발하다

[iksplóud]

Technicians **explode** the mines safely. (학평)

기술자들은 지뢰를 안전하게 **폭파시킨다**.

➕ explosion 뗑 폭파, 폭발   explosive 뗑 폭발하는 뗑 폭약

0032 ☐☐☐

sensation

뗑 느낌, 감각, 세상을 떠들썩하게 하는 사건

[senséiʃən]

I have a stinging **sensation**, and I itch all over. (모평)

나는 따끔한 **느낌**이 있고, 온몸이 가렵다.

➕ sensational 뗑 세상을 떠들썩하게 하는

■ feeling, sense

0033 ☐☐☐

paste

뗑 반죽, 풀 뗑 (풀로) 붙이다

[peist]

A maetdol is used to grind grains like rice or beans into flour or **paste**. (학평)

맷돌은 쌀이나 콩 같은 곡물들을 가루나 **반죽**으로 가는 데 사용된다.

0034 ☐☐☐

bold

뗑 과감한, 뚜렷한, (선 등이) 굵은

[bould]

Once you begin making **bold** choices, courage will follow. (교과서)

당신이 일단 **과감한** 선택을 하기 시작하면, 용기는 뒤따라올 것이다.

■ brave, fearless   ⇄ timid 뗑 소심한   shy 뗑 수줍은

0035 ☐☐☐

cluster

뗑 밀집하다, 무리를 이루다 뗑 무리, (열매 등의) 송이

[klʌ́stər]

Most rural people live in houses **clustered** in a village with forest and grassland lying beyond. (학평)

대부분의 시골 사람들은 너머에 숲과 초원이 펼쳐져 있는 마을에 **밀집된** 주택에 산다.

■ gather, group

0036 ☐☐☐

transplant

명 이식, 이전 동 이식하다, 옮겨 심다

명[trǽnsplæ̀nt]
동[trænsplǽnt]

The Eye Bank in Washington supports over 400 cornea **transplants** each year. (학평)

워싱턴에 있는 안구은행은 매년 400회 이상의 각막 **이식**을 지원한다.

➊ **transplantation** 명 이식 (수술)

0037 ☐☐☐

vacant

형 빈, 비어 있는, 공석인

[véikənt]

A **vacant** room has become available. (학평)

빈방이 이용 가능하게 되었다.

➊ **vacancy** 명 공석, 빈방
🔲 **empty** 🔳 **occupied** 형 사용 중인, 점령된

0038 ☐☐☐

widow

명 미망인, 과부 동 남편[아내]을 잃게 하다

[wídou]

My mother has been a **widow** for 19 years. (학평)

나의 어머니는 19년 동안 **미망인**으로 지내왔다.

➊ **widowed** 형 남편[아내]을 잃은

0039 ☐☐☐

utmost

형 최고의, 극도의 명 최대한도

[ʌ́tmoust]

Security, justice, and conversation are things of the **utmost** importance to human happiness. (수능)

안전, 정의, 그리고 대화는 인간의 행복에 **최고로** 중요한 것들이다.

🔲 **greatest, highest**

Tips

시험에는 이렇게 나온다
utmost는 명사 importance(중요성)와 짝을 이루어 '최고로 중요한 것'을 의미하는 'utmost importance'로도 자주 사용돼요.

0040 ☐☐☐

superstition

명 미신

[sùːpərstíʃən]

Some people believe in **superstitions**. (학평)

어떤 사람들은 **미신**을 믿는다.

➊ **superstitious** 형 미신적인, 미신을 믿는

Daily Quiz

영어는 우리말로, 우리말은 영어로 쓰세요.

01	extinct		11	미망인, 과부
02	interpret		12	풍경, 경치
03	sphere		13	미신
04	nightmare		14	초과하다, 넘다
05	utmost		15	재개되다, 이력서
06	vacant		16	협상하다, 성사시키다
07	metabolism		17	지니다, 보유하다
08	bold		18	위원회
09	solid		19	난민, 망명자
10	compassion		20	증가시키다, 증가

다음 빈칸에 들어갈 가장 알맞은 것을 박스 안에서 고르세요.

compel	inspect	paste	spice	wander

21 If the bus had been _____(e)d, the accident wouldn't have happened.
만약 그 버스가 점검되었더라면, 사고는 일어나지 않았을 것이다.

22 My grandfather sometimes _____(e)s without knowing where he is going.
우리 할아버지는 가끔 자신이 어디로 가고 있는지 알지 못한 채 배회한다.

23 A maetdol is used to grind grains like rice or beans into flour or _____.
맷돌은 쌀이나 콩 같은 곡물들을 가루나 반죽으로 가는 데 사용된다.

24 We habitually do what we do because the culture we belong to _____(e)s us to.
우리는 습관적으로 하던 것을 하게 되는데 이는 우리가 속한 문화가 그렇게 하도록 강요하기 때문이다.

25 Saffron is the most expensive _____ in the world.
사프란은 세계에서 가장 비싼 향신료이다.

접두사로 외우는 어휘 ①

pro- 앞으로, 앞에

pro**pose** 동 제안하다, 제시하다

▶ pro[앞으로] + pose[내놓다] → 앞으로 내놓아 제안하다

It is the essence of scientific thinking to **propose** alternative ideas. 학평

대안적인 생각을 **제안하는** 것이 과학적인 사고의 본질이다.

pro**gress** 명 발전, 진행 동 진보하다, 나아가다

▶ pro[앞으로] + gress[걸어가다] → 점점 앞으로 걸어 나아가며 이루는 발전

Scientists are making **progress**, but big challenges still remain. 교과서

과학자들은 **발전**을 이루고 있지만, 여전히 큰 도전들이 남아 있다.

pro**mote** 동 촉진하다, 홍보하다, 승진시키다

▶ pro[앞으로] + mote[움직이다] → 무언가를 앞으로 움직여서 촉진하다

Giving animals antibiotics to **promote** growth can generate resistance in bacteria. 교과서

성장을 **촉진하기** 위해 동물들에게 항생제를 투여하는 것은 박테리아에 대한 저항력을 발생시킬 수 있다.

pro**fit** 명 이익 동 이익을 얻다

▶ pro[앞으로] + fit[행하다] → 앞으로 행하여 얻는 이익

They adopted the environmentally friendly system even though they did not see a **profit** in it. 학평

그들은 비록 그 안에서 **이익**을 보지 못했음에도 환경친화적인 제도를 채택했다.

pro**ject** 동 예상하다, 계획하다 명 프로젝트, 과제

▶ pro[앞으로] + ject[던지다] → 앞으로 생각을 던져 미래를 예상하다

IC cars are **projected** to sell more than electric cars. 학평

IC 자동차는 전기 자동차보다 더 많이 팔릴 것으로 **예상된다**.

MP3 바로 듣기

최빈출 단어

0041 ☐☐☐

individual

[ìndəvídʒuəl]

명 개인, 개체 **형** 개인의, 개개의

Many individuals choose careers in healthcare out of a strong humanitarian impulse. 학평

많은 **개인들**이 강한 인도주의적 충동에서 의료 분야의 직업을 선택한다.

➕ individually 〔부〕 개별적으로 individualistic 〔형〕 개인주의적인
individualism 〔명〕 개인주의 individualist 〔명〕 개인주의자

Tips **시험에는 이렇게 나온다**

individuals and communities 개인과 공동체 individuals and cultures 개인과 문화
individuals and teams 개인과 단체 individuals and societies 개인과 사회

0042 ☐☐☐

suffer

[sʌ́fər]

통 (부상·고통 등을) 겪다, 시달리다

If you suffer from a sleep disorder, register for this free seminar on sleep health. 학평

만약 당신이 수면장애를 **겪는다면**, 수면건강에 관한 무료 세미나에 등록하라.

➕ suffer from (고통 등을) 겪다, ~으로 고통받다
🟰 undergo, experience

0043 ☐☐☐

novel

[nάːvəl]

명 소설 **형** 새로운, 신기한

Marjorie K. Rawlings wrote novels with rural themes. 수능

Marjorie K. Rawlings는 시골을 주제로 한 **소설들**을 썼다.

➕ novelty 〔명〕 새로움, 신기함
🟰 fiction, story ↔ ordinary 〔형〕 보통의, 일상적인

Tips **시험에는 이렇게 나온다**

novel은 주로 '소설'을 의미하는 명사로 사용되지만, '새로운', '신기한'을 의미하는 형용사로 시험에
나오는 경우도 있어요.
We can mobilize our old areas in novel ways. 수능
우리는 새로운 방법으로 우리의 옛 지역들을 결집할 수 있다.

0044 ☐☐☐

destroy

[distrɔ́i]

동 파괴하다, 전멸시키다

The villagers were busy rebuilding their old houses, which had been **destroyed** during the war. (수능)

마을 사람들은 전쟁 중에 **파괴되었던** 그들의 오래된 집을 재건하느라 분주했다.

➕ **destructive** 형 파괴적인　**destruction** 명 파괴

➖ **ruin, devastate**

0045 ☐☐☐

capable

[kéipəbəl]

형 할 수 있는, 유능한

Sound waves are **capable** of traveling through solid materials as well as through air. (학평)

음파는 공기뿐만 아니라 고체 물질도 통과하여 이동**할 수 있다**.

➕ **capability** 명 능력, 역량

➖ **able**　➗ **incapable** 형 할 수 없는, 무능한

> Tips　**시험에는 이렇게 나온다**
>
> capable이 '~할 수 있는'의 의미일 때는 주로 'be capable of -ing(~할 수 있다)'의 형태로 사용돼요.

0046 ☐☐☐

previous

[prí:viəs]

형 이전의, 앞의

Except for the **previous** winners, anyone can participate in the contest. (학평)

이전 수상자를 제외하고, 누구나 그 대회에 참가할 수 있다.

➕ **previously** 부 이전에, 미리

➖ **past, preceding**　➗ **subsequent** 형 다음의, 차후의

0047 ☐☐☐

firm

[fəːrm]

형 확고한, 단단한　명 회사

Sometimes patients form **firm** views about what treatment they wish to receive. (학평)

가끔 환자들은 그들이 어떤 치료를 받기를 원하는지에 관해 **확고한** 견해를 가진다.

➕ **firmly** 부 확고히, 단호히

➖ **determined**　➗ **wavering** 형 흔들리는, 주저하는　**soft** 형 부드러운, 푹신한

> Tips　**시험에는 이렇게 나온다**
>
> '확고한'이라는 의미의 형용사 firm은 주로 decision(결정), knowledge(지식) 등과 함께 사용돼요.

philosophy

[filάːsəfi]

명 철학, 인생관

Philosophy is, simply put, a way of thinking. (모평)
간단히 말해서, **철학**은 사고하는 방식이다.

➕ **philosopher** 명 철학자　**philosophic** 형 철학의, 철학에 조예가 깊은

qualify

[kwάːləfài]

동 자격을 주다, 자격이 있다

This course will **qualify** you for a better job. (학평)
이 강의는 당신에게 더 좋은 일자리를 위한 **자격을 줄** 것입니다.

➕ **qualified** 형 자격이 있는　**qualification** 명 자격(증), 자질
➖ **disqualify** 동 자격을 박탈하다

indicate

[índikeit]

동 나타내다, 가리키다

Audience feedback often **indicates** whether listeners understand the speaker's ideas. (학평)
청중의 피드백은 흔히 듣는 사람들이 연설가의 생각들을 이해하는지를 **나타낸다**.

➕ **indication** 명 암시, 조짐　**indicator** 명 지표, 표시
➖ **show, reveal**

fancy

[fǽnsi]

형 화려한, 고급의　**명** 상상, 공상

Blouses with **fancy** decorations are this autumn's trend. (학평)
화려한 장식이 달린 블라우스가 이번 가을의 유행이다.

➖ **plain** 형 수수한, 명백한

prosper

[prάːspər]

동 번영하다, 번창하게 하다

Many people, as they begin to **prosper**, immediately start expending money on luxuries. (학평)
많은 사람들은 **번영하기** 시작하면서, 즉시 사치품에 돈을 쓰기 시작한다.

➕ **prosperity** 명 번영, 번창　**prosperous** 형 번영한, 번창한
➖ **flourish**

Tips

주의해야 할 혼동어
prosper와 철자가 비슷한 proper에 주의하세요! proper는 '적절한', '올바른'을 의미하는 단어예요.

0053 ☐☐☐

athletic

[æθlétik]

형 운동의, (몸이) 탄탄한

Coaches should help to foster a positive athletic atmosphere for players. (학평)

코치는 선수들을 위해 긍정적인 **운동** 분위기를 조성하도록 도와야 한다.

➕ athlete **명** 운동선수

0054 ☐☐☐

swell

[swel]

동 증가하다, 팽창하다, 붓다 **명** 증가, 팽창

By 2045, Earth's population will likely have swelled from seven to nine billion people. (모평)

2045년쯤에는, 지구의 인구는 70억 명에서 90억 명으로 **증가할** 가능성이 높다.

➕ swelling **명** 부기   swollen **형** 팽창한, 부어오른
➡ expand, increase   ➡ shrink **동** 수축하다, 줄어들다 **명** 수축

0055 ☐☐☐

remote

[rimóut]

형 외딴, 동떨어진, 원격의

Tristan da Cunha is a group of remote volcanic islands in the South Atlantic Ocean. (학평)

트리스탄다쿠냐는 남대서양에 있는 **외딴** 화산섬들의 집합이다.

➡ far, distant   ➡ nearby **형** 인근의 **부** 인근에

빈출 단어

0056 ☐☐☐

consult

[kənsʌ́lt]

동 상담하다, 상의하다

If your feet often become painful, don't hesitate to consult with your physician. (학평)

만약 여러분의 발이 자주 아프다면, 주저하지 말고 의사와 **상담하세요**.

➕ consultant **명** 상담가   consultation **명** 상담, 협의(회), 자문
➡ counsel, ask

0057 ☐☐☐

devise

[diváiz]

동 고안하다, 창안하다

We have always used invention to devise better ways to feed ourselves. (학평)

우리는 우리 자신을 먹여 살릴 더 나은 방법들을 **고안하기** 위해 항상 발명을 이용해왔다.

➡ design, invent

0058 □□□

workforce

[wə́ːrkfɔ̀ːrs]

명 노동(력), 노동자

The demand for the required **workforce** is expected to grow. (수능)

필요한 **노동력**에 대한 수요가 증가할 것으로 예상된다.

目 labor force

0059 □□□

downward

[dáunwərd]

형 하향의, 내려가는 부 아래쪽으로

People sometimes make **downward** social comparisons to feel better about themselves. (모평)

사람들은 가끔 그들 자신에 대해 더 낮게 느끼기 위해 사회적으로 **하향** 비교를 한다.

目 descending **⇔** upward 형 상승하는, 위쪽을 향한 부 위쪽으로

0060 □□□

district

[dístrikt]

명 구역, 지구

Paris bans cars in many historic **districts** on weekends. (학평)

파리는 주말마다 역사적으로 유명한 많은 **구역**에서 자동차 운행을 금지한다.

0061 □□□

chant

[tʃænt]

동 (구호를) 외치다, 노래를 부르다 명 구호, 성가

The baseball fans **chanted** in the stands, waving flags and blowing horns. (학평)

야구팬들은 깃발을 흔들고 경적을 울리며 관중석에서 **구호를 외쳤다**.

0062 □□□

elegant

[éligənt]

형 우아한, 품격 있는, 고상한

Some architects designed buildings that looked simple and **elegant** but didn't in fact function very well. (학평)

몇몇 건축가들은 단순하고 **우아해** 보였지만 사실 아주 잘 기능하지는 못하는 건물들을 설계했다.

➕ elegance 명 우아함, 고상함

0063 □□□

dawn

[dɔːn]

명 새벽, 동이 틀 무렵 동 동이 트다

By the full moon hanging low in the west, he knew that it was near the hour of **dawn**. (수능)

서쪽으로 낮게 떠 있는 보름달을 보고, 그는 시간이 **새벽**에 가까워졌다는 것을 깨달았다.

0064 ☐☐☐

mold

[mould]

명 틀, 거푸집, 곰팡이　동 (틀에 넣어) 만들다

Pour the soap into the **mold** and allow it to completely harden. 〔학평〕

비누를 **틀**에 붓고 그것이 완전히 굳도록 해라.

0065 ☐☐☐

sled

[sled]

명 썰매　동 썰매를 타다, 썰매로 운반하다

I wanted to see a dog **sled**, but it was not snowy enough for them yet. 〔교과서〕

나는 개 **썰매**를 보고 싶었지만, 아직 그것들이 지나다니기에 눈이 충분히 쌓이지 않았다.

0066 ☐☐☐

scrub

[skrʌb]

동 문질러 씻다, 문지르다　명 문질러 씻기

You shouldn't **scrub** your face with a sponge. 〔학평〕

스펀지로 얼굴을 **문질러 씻으면** 안 된다.

0067 ☐☐☐

sarcastic

[sɑ:rkǽstik]

형 빈정대는, 비꼬는, 풍자적인

The speaker is being **sarcastic**. 〔모평〕

발표자가 **빈정대고** 있다.

✚ **sarcastically** 부 비꼬아서, 풍자적으로　**sarcasm** 명 빈정댐, 풍자

0068 ☐☐☐

formula

[fɔ́:rmjulə]

명 (수학·화학 등의) 공식, 상투적인 문구

There is no one simple **formula** for meeting a baby's needs. 〔학평〕

아기의 욕구를 충족시키는 데 하나의 간단한 **공식**은 없다.

0069 ☐☐☐

addict

명[ǽdikt]
동[ədíkt]

명 중독자, 애호가　동 중독되게 하다

People often refer to themselves as mystery book **addicts** or cookie **addicts** in conversation. 〔모평〕

사람들은 종종 대화에서 자신을 추리 소설 **중독자**나 쿠키 **중독자**라고 부른다.

✚ **addictive** 형 중독성의　**addiction** 명 중독

Tips　| **시험에는 이렇게 나온다**
| addict의 명사형인 addiction은 '중독'을 의미하는 단어로, 주로 Internet(인터넷), drug(약물), computer game(컴퓨터 게임) 등의 단어와 함께 쓰여요.

0070 ☐☐☐

summary

[sʌ́məri]

명 요약, 개요

It is best to quote the exact words, and not to give a **summary** of them in your own words. (학평)

정확한 말을 그대로 인용하는 것, 그리고 그것들을 자신만의 말로 **요약**하지 않는 것이 가장 좋다.

➕ summarize 통 요약하다 in summary 요약하면, 요컨대

0071 ☐☐☐

gorgeous

[gɔ́ːrdʒəs]

형 아주 멋진, 화려한

The dresses you made are **gorgeous**. (학평)

당신이 만든 드레스들은 **아주 멋지네요.**

➖ magnificent

0072 ☐☐☐

formulate

[fɔ́rmjuleit]

통 (세심히) 만들어내다, 표현하다, 공식화하다

Upper management **formulated** exacting plans for every aspect of the operations. (학평)

고위 경영진은 운영의 모든 측면을 위한 엄격한 계획을 **만들어냈다.**

➕ formulation 명 공식화, 체계화

➖ devise, develop

0073 ☐☐☐

equator

[ikwéitər]

명 (지구의) 적도

The earth is 40,044 kilometers round at the **equator**. (교과서)

지구의 둘레는 **적도**에서 40,044킬로미터이다.

0074 ☐☐☐

bid

[bid]

통 입찰하다, 값을 매기다 명 입찰, 호가

The person who **bids** the most money gets to buy the item. (학평)

가장 많은 돈을 **입찰하는** 사람이 그 물품을 살 수 있게 된다.

0075 ☐☐☐

sewage

[súːidʒ]

명 하수, 오물

Water flows to the sea, carrying **sewage** and other wastes with it. (학평)

물은 바다로 흘러가며, **하수**와 다른 쓰레기들을 함께 운반한다.

➕ sewer 명 하수관

complement

동 보완하다, 보태다 **명** 보완물

동[kάːmpləmènt]
명[kάːmpləmənt]

They work well together because their personalities **complement** each other. (교과서)

그들은 함께 잘 협력하는데 이는 그들의 성격이 서로를 **보완하기** 때문이다.

➕ **complementary** 형 상호 보완적인

Tips | **주의해야 할 혼동어**
complement와 철자가 비슷한 compliment에 주의하세요! compliment는 '칭찬', '칭찬하다'를 의미하는 단어예요.

lure

동 유인하다 **명** 유혹, 매력, 미끼

[luər]

Fish had been **lured** to the floating bread. (학평)

물고기가 물에 떠 있는 빵에 **유인되었다**.

🟰 tempt, attract

unify

동 통합하다, 통일하다

[júːnəfai]

The government has decided to **unify** all the international Korean language schools. (학평)

정부는 모든 국제 한국어 학교를 **통합하기로** 결정했다.

➕ **unified** 형 통합된, 통일된 **unification** 명 통합, 통일

🟰 unite, combine

adorn

동 장식하다, 꾸미다

[ədɔ́ːrn]

Caves in southern France are **adorned** with paintings of white horses with black spots. (학평)

프랑스 남부 지방의 동굴들은 검은 점이 있는 하얀 말 그림들로 **장식되어** 있다.

🟰 decorate, ornament

paradox

명 역설, 모순된 일

[pǽrədàks]

It is the **paradox** of wisdom, that the faster we try to master it, the slower it comes to us. (학평)

그것은 지혜의 **역설**인데, 우리가 지혜를 더 빠르게 습득하려고 노력할수록 더 느리게 얻게 된다는 것이다.

➕ **paradoxical** 형 역설의 **paradoxically** 부 역설적으로

🟰 contradiction, irony

Daily Quiz

영어는 우리말로, 우리말은 영어로 쓰세요.

01 consult _____
02 capable _____
03 adorn _____
04 devise _____
05 mold _____
06 sewage _____
07 workforce _____
08 athletic _____
09 prosper _____
10 swell _____

11 빈정대는, 비꼬는 _____
12 입찰하다, 입찰 _____
13 보완하다, 보완물 _____
14 소설, 새로운 _____
15 새벽, 동이 트다 _____
16 아주 멋진, 화려한 _____
17 썰매, 썰매를 타다 _____
18 이전의, 앞의 _____
19 나타내다, 가리키다 _____
20 확고한, 단단한, 회사 _____

다음 빈칸에 들어갈 가장 알맞은 것을 박스 안에서 고르세요.

| individual　　formula　　remote　　qualify　　workforce |

21 Tristan da Cunha is a group of _____ volcanic islands in the South Atlantic Ocean.
트리스탄다쿠냐는 남대서양에 있는 외딴 화산섬들의 집합이다.

22 Many _____(e)s choose careers in healthcare out of a strong humanitarian impulse.
많은 개인들이 강한 인도주의적 충동에서 의료 분야의 직업을 선택한다.

23 There is no one simple _____ for meeting a baby's needs.
아기의 욕구를 충족시키는 데 하나의 간단한 공식은 없다.

24 This course will _____ you for a better job.
이 강의는 당신에게 더 좋은 일자리를 위한 자격을 줄 것입니다.

25 The demand for the required _____ is expected to grow.
필요한 노동력에 대한 수요가 증가할 것으로 예상된다.

정답
01 상담하다, 상의하다　02 할 수 있는, 유능한　03 장식하다, 꾸미다　04 고안하다, 창안하다　05 틀, 거푸집, 곰팡이, (틀에 넣어) 만들다
06 하수, 오물　07 노동(력), 노동자　08 운동의, (몸이) 탄탄한　09 번영하다, 번창하게 하다　10 증가하다, 팽창하다, 붓다, 증가, 팽창　11 sarcastic
12 bid　13 complement　14 novel　15 dawn　16 gorgeous　17 sled　18 previous　19 indicate　20 firm　21 remote
22 individual　23 formula　24 qualify　25 workforce

접두사로 외우는 어휘 ②

pre-   미리, 앞서

predetermine   图 미리 결정하다

▶ pre[미리] + determine[결정하다] → 미리 결정하다

Following a strict schedule would lead you to feel that your whole life is **predetermined**. 학평

엄격한 스케줄을 따르는 것은 당신의 모든 삶이 **미리 결정되어** 있다고 느끼게 할 것이다.

premature   图 때 이른, 시기상조의, 조급한

▶ pre[앞서] + mature[무르익은] → 무르익기에 앞서 때가 이른, 시기상조의

There are some useful tips on how you can prevent **premature** gray hair. 학평

당신이 **때 이른** 백발을 예방할 수 있는 몇 가지 유용한 조언들이 있다.

precaution   图 예방책, 경계

▶ pre[미리] + caution[주의] → 미리 주의를 주어 경계하게 하는 예방책

As a **precaution**, we suggest you take the following measures in preparation for the storm. 학평

예방책으로서, 우리는 폭풍에 대비해서 당신이 다음과 같은 조치를 취할 것을 제안합니다.

preoccupy   图 사로잡히게 하다, 몰두하게 하다

▶ pre[앞서] + occupy[차지하다] → 한 생각이 앞서 머리를 차지해 사로잡히게 하다

It's easy to become **preoccupied** with the stresses of everyday life. 학평

일상생활의 스트레스에 **사로잡히게** 되기란 쉽다.

preserve   图 보존하다, 지키다, 보호하다

▶ pre[미리] + serv(e)[지키다] → 어떤 것이 손상되기 전에 미리 지키다, 즉 보존하다

That the best way to **preserve** Africa is for tourists to stay away. 학평

아프리카를 **보존하는** 가장 좋은 방법은 관광객들이 거리를 두는 것이다.

 **DAY 03**

최빈출 단어

0081 ☐☐☐

provide

[prəváid]

통 제공하다, 공급하다

Airplanes **provide** quick transportation over long distances. (수능)
비행기는 신속한 장거리 수송을 **제공한다**.

➕ **provision** 몡 제공, 공급   **provide for** ~을 대비하다, ~를 부양하다
🟰 supply, offer

> Tips | **시험에는 이렇게 나온다**
> provide는 전치사 with와 자주 함께 쓰이며 수동형으로도 종종 나와요.
> **provide A with B** A에게 B를 공급하다   **be provided with** ~이 갖추어져 있다

0082 ☐☐☐

request

[rikwést]

통 요청하다, 요구하다   몡 요청, 요구

To **request** an order form, please call the Music Office. (학평)
주문 양식을 **요청하려면**, Music Office로 전화해 주십시오.

➕ **make request for** ~을 요청하다   **by request** 요청에 의해
🟰 demand, ask for

0083 ☐☐☐

spare

[sper]

혱 남는, 여분의   통 할애하다   몡 예비품

Use your **spare** time wisely. (교과서)
남는 시간을 현명하게 사용하라.

🟰 extra, leftover   ↔ necessary 혱 필요한, 불가피한

0084 ☐☐☐

gather

[gǽðər]

통 모으다, 모이다

You will have to **gather** data first. (학평)
당신은 우선 자료를 **모아야** 할 것이다.

🟰 collect, assemble   ↔ scatter 통 (흩)뿌리다, 흩어지다

attack

[ətǽk]

동 공격하다, 습격하다 명 공격, 습격

The hunting dogs attacked and severely injured several of the lambs. (학평)

사냥개들이 새끼 양들 중 몇 마리를 **공격했고** 심각한 상처를 입혔다.

■ defend 동 방어하다

contrary

[kɑ́:ntreri]

형 반대되는, 반대의

We tend to give more attention and weight to data that support our beliefs than we do to contrary data. (학평)

우리는 우리의 생각에 **반대되는** 자료보다 우리의 생각을 뒷받침하는 자료에 더 많은 관심과 비중을 두는 경향이 있다.

➊ contrary to ~에 반해   on the contrary 이에 반하여, ~과는 반대로
■ opposite

demonstrate

[démənstreit]

동 증명하다, 설명하다, 시위하다

Researchers have demonstrated how laughing affects our bodies. (수능)

연구자들은 웃음이 우리 몸에 어떻게 영향을 미치는지 **증명했다**.

➊ demonstration 명 증명, 설명, 시위
■ prove, show, verify

convince

[kənvíns]

동 설득하다, 납득시키다

When writers want to convince people of something, they generally rely on two means of persuasion. (학평)

작가들이 어떤 것에 대해 사람들을 **설득하고** 싶을 때, 그들은 일반적으로 두 가지 설득 수단에 의존한다.

➊ convince A of B A에게 B를 납득시키다
■ persuade, induce

interrupt

[ìntərʌ́pt]

동 방해하다, 중단시키다, 저지하다

When a patient removes a wound dressing to check for infection, the healing process is interrupted. (학평)

환자가 감염을 확인하기 위해 상처 드레싱을 제거하면, 치유 과정이 **방해받는다**.

➊ interruption 명 방해, 중단   interruptive 형 방해하는
■ disturb

0090 ☐☐☐

mature

[mətjúər]

혱 성숙한, 숙성한 동 성숙하다, 다 자라다

Deep reflection on yourself turns into a stepping-stone on the path to being a mature person. (학평)

자신에 대한 깊은 성찰은 **성숙한** 사람이 되는 길의 디딤돌이 된다.

➕ **maturity** 몡 성숙함
➖ **immature** 혱 미숙한

0091 ☐☐☐

burst

[bəːrst]

동 터뜨리다, 터지다 명 파열, 폭발

I managed to overcome my urge to burst into tears, and expressed my joy and delight. (학평)

나는 갑자기 눈물을 **터뜨리고** 싶은 충동을 겨우 이겨내고, 나의 기쁨과 환희를 표현했다.

➕ **burst into** 갑자기 ~하다, ~에 난입하다
  burst out 갑자기 ~을 터뜨리다, 버럭 소리를 지르다
🟰 **explode**

0092 ☐☐☐

temporary

[témpəreri]

혱 일시적인, 임시의

Jet lag is a temporary physical condition that occurs when a change of time zones affects your body. (학평)

시차증은 시간대의 변화가 신체에 영향을 줄 때 발생하는 **일시적인** 신체 상태이다.

➕ **temporarily** 뮈 일시적으로, 임시로
➖ **permanent** 혱 영구적인, 영속적인 **eternal** 혱 영원한, 끊임없는

0093 ☐☐☐

persuade

[pərswéid]

동 설득하다, 납득시키다

Students need to learn how to persuade other people of the value of their ideas. (모평)

학생들은 자신들의 생각의 가치에 대해 다른 사람들을 **설득하는** 방법을 배울 필요가 있다.

➕ **persuasion** 몡 설득 **persuasive** 혱 설득력 있는
  persuade A to A가 ~하도록 설득하다
🟰 **convince** ➖ **dissuade** 동 단념시키다

0094 ☐☐☐

ignore

[ignɔ́ːr]

동 무시하다, 간과하다

We can't ignore complaints about the staff. (모평)

우리는 그 직원에 대한 불만을 **무시할** 수 없다.

➕ **ignorance** 몡 무지, 무식 **ignorant** 혱 무지한, 무식한
🟰 **neglect**

assess

[əsés]

동 평가하다, 측정하다

It is our policy to **assess** employee performance and award raises annually. (학평)

일 년에 한 번 직원들의 성과를 **평가하고** 임금 인상을 해주는 것이 우리의 방침이다.

➕ **assessment** 명 평가

➖ estimate, evaluate

Tips

주의해야 할 혼동어

assess와 철자 및 발음이 비슷한 access에 주의하세요! '평가하다'를 뜻하는 assess는 [어세스] 라고 발음하고, '접속하다', '접근'을 뜻하는 access는 [액세스]라고 발음해요.

빈출 단어

considerate

[kənsídərət]

형 사려 깊은, 배려하는

By being a little more **considerate**, you can make your conversations enjoyable. (교과서)

조금 더 **사려 깊게** 행동함으로써, 당신의 대화를 즐겁게 만들 수 있다.

➕ **consideration** 명 숙고, 고려   **consider** 동 고려하다, 여기다

➖ **thoughtful, attentive**   ➖ **inconsiderate** 형 사려 깊지 못한

invade

[invéid]

동 침략하다, 침입하다, 침해하다

When the Muslims **invaded** southern Europe, they passed a law forbidding the sale of pork. (학평)

이슬람교도들이 남유럽을 **침략했을** 때, 그들은 돼지고기 판매를 금지하는 법을 통과시켰다.

➕ **invasion** 명 침략, 침입   **invasive** 형 침략적인, 침입하는

➖ attack, raid

anonymous

[ənάːniməs]

형 익명의, 익명으로 된, 특색 없는

Look at the tiger on this page by an **anonymous** artist in the late Joseon period. (교과서)

이 페이지에 있는 조선 시대 후기 **익명의** 화가가 그린 호랑이를 보세요.

➕ **anonymously** 부 익명으로

➖ **unnamed**   ➖ **identified** 형 확인된, 식별된

uneasy

[ʌníːzi]

형 불안한, 걱정되는

Almost everyone has the **uneasy** feeling that they have wasted a good deal of their time in the past. (모평)

거의 모든 사람들은 그들이 과거에 많은 시간을 낭비했다는 **불안한** 감정을 가지고 있다.

🔁 worried, anxious ✴ relaxed 형 느긋한, 편안한

verse

[vəːrs]

명 (노래의) 절, (시의) 연, 운문

Let's take it from the second **verse**. (모평)

2**절**부터 시작합시다.

✴ prose 명 산문(체) 형 산문(체)의

stalk

[stɔːk]

명 (식물의) 줄기 동 몰래 접근하다

Flowers with long, thin **stalks** attract more insects. (모평)

길고 가느다란 **줄기**를 가진 꽃들은 더 많은 곤충들을 끌어들인다.

🔁 stem

impede

[impíːd]

동 방해하다, 지연시키다

Excessive co-suffering **impedes** and may even paralyze the physician into a state of inaction. (모평)

과도하게 고통을 함께하는 것은 의사를 **방해하고** 심지어는 그를 어떤 행동도 하지 못하는 상태로 무력하게 만들 수도 있다.

➕ impediment 명 방해, 장애(물)
🔁 hinder

cruel

[krúːəl]

형 잔인한, 잔혹한

The Chinese emperor Qin Shihuang was a **cruel** ruler. (모평)

중국의 황제 진시황은 **잔인한** 통치자였다.

➕ cruelty 명 잔인함, 학대
🔁 brutal ✴ kind 형 친절한, 다정한 명 종류, 유형

Tips

주의해야 할 혼동어

cruel과 철자가 비슷한 crucial에 주의하세요! crucial은 '중대한', '결정적인'을 의미하는 단어예요.

0104 ☐☐☐

arithmetic

몡 산수, 연산

[əríθmətik]

Writing, **arithmetic**, science are all recent inventions. (수능)

작문, **산수**, 과학은 모두 최근 발명된 것들이다.

0105 ☐☐☐

subtract

동 (수·양을) 빼다

[səbtrǽkt]

The educator would add or **subtract** a few subjects. (수능)

그 교육자는 몇 개의 과목을 더하거나 **뺄** 것이다.

➕ **subtraction** 몡 뺄셈, 삭감

↔ **add** 동 첨가하다, 더하다

0106 ☐☐☐

ridicule

몡 조롱, 조소 동 비웃다, 조롱하다

[rídikjuːl]

Ridicule turned to awe. (학평)

조롱이 경외심으로 변했다.

➕ **ridiculous** 혱 터무니없는, 우스운

➡ **mock**

0107 ☐☐☐

solemn

혱 장엄한, 엄숙한

[sá:ləm]

Those **solemn** but sweet organ notes had set up a revolution in him. (모평)

그 **장엄하지만** 감미로운 오르간 음표들이 그에게 대변혁을 일으켰다.

↔ **cheerful** 혱 발랄한, 쾌활한

0108 ☐☐☐

scope

몡 범위, 기회, 여지

[skoup]

After identifying the existence of a problem, we must define its **scope** and goals. (학평)

문제의 존재를 확인한 후, 우리는 그것의 **범위**와 목표들을 규정해야 한다.

➡ **range**

0109 ☐☐☐

overhear

동 (남의 대화 등을) 우연히 듣다

[òuvərhír]

I **overheard** you talking to your son yesterday. (학평)

저는 어제 당신이 아들과 얘기하는 것을 **우연히 들었어요**.

jury

[dʒúəri]

명 배심원단, (시합의) 심사위원단

Ten people are called to sit in the **jury** box to be questioned by the lawyers in the case. 학평
열 명의 사람들이 그 사건의 변호인단의 질문을 받기 위해 **배심원단** 좌석에 앉도록 소집된다.

➕ **juror** 명 배심원

spear

[spiər]

명 창 **동** 찌르다, (물고기를) 작살로 잡다

The pilum was a heavy **spear**, used for thrusting or throwing by Roman soldiers. 학평
투창은 무거운 **창**이었으며, 로마 병사들에 의해 찌르거나 던지는 데 사용되었다.

chilly

[tʃíli]

형 추운, 쌀쌀한, 냉랭한

The climate here varies from sweaty summers to **chilly** winters. 학평
이곳의 기후는 땀나게 하는 여름부터 **추운** 겨울까지 가지각색이다.

➕ **chill** 명 냉기, 오한　**chilling** 형 으스스한, 냉정한
➖ **warm** 형 따뜻한 동 따뜻하게 하다　**friendly** 형 친절한, 상냥한

frontier

[frʌntíər]

명 국경, 경계, 한계 **형** 최첨단의

Johnny Appleseed traveled the **frontiers** of America in the 1840s. 학평
조니 어플시드는 1840년대에 미국의 **국경**을 여행했다.

➖ **border**

veteran

[vétərən]

명 참전 용사, 노련한 사람

In the distance, the young boy saw the **veteran** turn and wave goodbye. 학평
멀리서, 그 어린 소년은 **참전 용사**가 돌아서서 손을 흔들며 작별 인사하는 것을 보았다.

➖ **novice** 명 초보자, 초심자

Tips

> **주의해야 할 혼동어**
> veteran과 철자가 비슷한 veterinarian에 주의하세요! veterinarian은 '수의사'를 의미하는 단어예요.

0115 ☐☐☐

outgoing

[àutgóuiŋ]

형 외향적인, 사교적인

He was a happy, **outgoing** man who made friends easily. (학평)

그는 친구를 쉽게 사귀던 행복하고 **외향적인** 남자였다.

🔁 sociable, extroverted

0116 ☐☐☐

populate

[pá:pjuleit]

동 살다, 거주하다

The Mediterranean Sea is **populated** by deep-sea fishes. (학평)

지중해에는 심해어들이 **살고** 있다.

➕ **population** 명 인구, 주민, 개체 수

0117 ☐☐☐

masculine

[mǽskjulin]

형 남성적인, 남성의 명 남성

In Western culture, playing the **masculine** role has traditionally required traits such as independence. (학평)

서양 문화에서, **남성적인** 역할을 하는 것은 전통적으로 독립성과 같은 특징들을 요구해왔다.

🔄 **feminine** 형 여성스러운, 여성의 명 여성

0118 ☐☐☐

underneath

[ʌ̀ndərní:θ]

전 ~의 아래에 부 밑에, 하부에, 낮게

Miles **underneath** the ice in Antarctica lie liquid lakes. (학평)

남극 빙하의 수 마일 **아래에** 액체 형태의 호수가 있다.

🔁 beneath

0119 ☐☐☐

suck

[sʌk]

동 빨아들이다, 빨다

The bladder opens up the door, **sucking** in the flea. (교과서)

그 공기주머니는 입구를 활짝 열어 벼룩을 **빨아들인다**.

➕ **suction** 명 빨아들이기, 흡인(력)

0120 ☐☐☐

veterinarian

[vètərənéəriən]

명 수의사

They took the cat to the **veterinarian** to treat it. (학평)

그들은 고양이를 치료하기 위해 **수의사**에게로 데려갔다.

Daily Quiz

영어는 우리말로, 우리말은 영어로 쓰세요.

01 provide _____

02 verse _____

03 interrupt _____

04 cruel _____

05 jury _____

06 assess _____

07 spare _____

08 masculine _____

09 invade _____

10 stalk _____

11 설득하다, 납득시키다 _____

12 추운, 쌀쌀한, 냉랭한 _____

13 창, 찌르다 _____

14 모으다, 모이다 _____

15 ~의 아래에, 밑에 _____

16 익명의, 특색 없는 _____

17 살다, 거주하다 _____

18 장엄한, 엄숙한 _____

19 (수·양을) 빼다 _____

20 일시적인, 임시의 _____

다음 빈칸에 들어갈 가장 알맞은 것을 박스 안에서 고르세요.

| veterinarian | demonstrate | ridicule | considerate | outgoing |

21 He was a happy, _____ man who made friends easily.
그는 친구를 쉽게 사귀던 행복하고 외향적인 남자였다.

22 _____ turned to awe.
조롱이 경외심으로 변했다.

23 By being a little more _____, you can make your conversations enjoyable.
조금 더 사려 깊게 행동함으로써, 당신의 대화를 즐겁게 만들 수 있다.

24 Researchers have _____(e)d how laughing affects our bodies.
연구자들은 웃음이 우리 몸에 어떻게 영향을 미치는지 증명했다.

25 They took the cat to the _____ to treat it.
그들은 고양이를 치료하기 위해 수의사에게로 데려갔다.

접두사로 외우는 어휘 ③

| re- | 다시, 뒤로, 뒤에 |

revive
동 회복하다, 되살아나게 하다

▶ re[다시] + viv(e)[살다] → 다시 살아나다, 즉 회복하다

Breaks are necessary to **revive** your energy levels. (학평)

휴식 시간은 당신의 체력 수준을 **회복하기** 위해 필요하다.

restore
동 복구하다, 회복시키다

▶ re[다시] + store[서다] → 무너진 것이 다시 서도록 복구하다

Formally trained technicians from our shop will **restore** your electrical products to like-new condition. (학평)

정식으로 교육을 받은 저희 매장의 기술자들이 당신의 전기 제품들을 새 것과 같은 상태로 **복구할** 것입니다.

reproduce
동 번식하다, 재생하다, 복사하다

▶ re[다시] + produce[생산하다] → 다시 생산하다, 즉 번식하다

Many illness-causing microbes cannot **reproduce** in the higher temperatures caused by a fever. (학평)

질병을 유발하는 많은 세균들은 발열에 의해 야기된 더 높은 온도에서는 **번식할** 수가 없다.

reflect
동 반영하다, 반사하다, 숙고하다

▶ re[다시] + flect[구부리다] → 들어온 빛을 다시 구부려 반사하다 또는 반영하다

The right side of the face **reflects** our intelligence and self-control. (학평)

우측 얼굴은 우리의 지성과 자제심을 **반영한다**.

remark
명 의견, 비평 **동** 비평하다, 발언하다

▶ re[다시] + mark[표시하다] → 다시 표시하여 내놓는 의견

Children and adults alike want to hear positive **remarks**. (수능)

아이들이나 어른들 모두 똑같이 긍정적인 **의견**을 듣고 싶어한다.

DAY 04

MP3 바로 듣기

최빈출 단어

0121 ☐☐☐

create
[kriéit]

동 창조하다, 창작하다

You can **create** anything from your imagination. 학평
당신은 상상에서 무엇이든 **창조할** 수 있다.

➕ **creation** 명 창조, 창작   **creative** 형 창조적인, 창의적인
🟰 **make, invent**   ✖ **destroy** 동 파괴하다

0122 ☐☐☐

define
[difáin]

동 정의하다, 규정하다

The dictionary **defines** courage as a quality which enables one to pursue the right course of action. 수능
사전은 용기를 사람이 올바른 행동을 취할 수 있게 하는 자질로 **정의한다**.

➕ **definition** 명 정의, 의미   **definite** 형 확실한, 분명한

0123 ☐☐☐

separate
형[sépərət]
동[sépəreit]

형 분리된, 별개의   동 분리하다, 떼어놓다

The primitive society had no need to create a **separate** institution of education. 수능
원시 사회는 **분리된** 교육 기관을 만들 필요가 없었다.

➕ **separation** 명 분리, 구분   **separately** 부 개별적으로, 따로따로
✖ **connect** 동 연결하다, 잇다   **join** 동 합치다, 참여하다

0124 ☐☐☐

embarrass
[imbǽrəs]

동 당황스럽게 만들다, 곤란하게 만들다

Cyberbullying is the act of using technological devices with the intent to hurt or **embarrass** another person. 교과서
사이버 폭력은 다른 사람에게 상처를 주거나 **당황스럽게 만들** 의도로 기술적인 장치를 사용하는 행위이다.

➕ **embarrassment** 명 당황, 곤란한 상황   **embarrassing** 형 당황하게 하는
embarrassed 형 당황한, 곤란해하는

0125 ☐☐☐

content

명[kάːntent]
형동[kəntént]

명 내용(물), 목차, 함량 형 만족하는 동 만족시키다

We need a measure of a student's content understanding. 학평

우리는 학생들의 **내용** 이해에 대한 측정이 필요하다.

➕ contentment 명 만족
🟰 substance

0126 ☐☐☐

overcome

[òuvərkʌ́m]

동 극복하다, 이겨내다

I hope I can overcome my fear of driving. 학평

나는 내가 운전에 대한 두려움을 **극복할** 수 있으면 좋겠다.

🟰 get over, surmount

0127 ☐☐☐

diverse

[divə́ːrs]

형 다양한, 다른, 가지각색의

It's important that the media provides us with diverse and opposing views. 수능

매체가 우리에게 **다양하고** 상반되는 관점들을 제공하는 것은 중요하다.

➕ diversify 동 다양화하다 diversity 명 다양성
🟰 various ⬛ identical 형 동일한, 똑같은

Tips

> **시험에는 이렇게 나온다**
>
> diverse는 highly(대단히), extremely(극도로), more(더) 등의 부사와 함께 자주 사용돼요.

0128 ☐☐☐

arise

[əráiz]

동 발생하다, 생겨나다

Two-thirds of CO_2 emissions arise from transportation and industry. 수능

이산화탄소 배출의 3분의 2는 교통수단과 공업으로부터 **발생한다**.

🟰 happen, occur

0129 ☐☐☐

gaze

[geiz]

동 응시하다, 가만히 보다 명 응시, 시선

Everyone gazed in wonder as the train slowly backed up and returned to the station. 학평

기차가 천천히 후진하여 역으로 되돌아오자 모두가 의아해하며 **응시했다**.

🟰 look, stare

cooperate

[kouá:pəreit]

🔲 협력하다, 협동하다

We should **cooperate** to get the best result. 〔학평〕

우리는 최고의 결과를 얻기 위해 **협력해야** 한다.

➕ **cooperation** 🔲 협력, 협조   **cooperative** 🔲 협력하는

🔲 collaborate

Tips

시험에는 이렇게 나온다
cooperate는 전치사 with나 on과 함께 자주 쓰이며, with 다음에는 협력하는 대상(사람)이, on 다음에는 협력하는 업무(일)가 와요. **cooperate with** ~와 협력하다   **cooperate on** ~에 대해 협력하다

estimate

🔲[éstəmeit]
🔲[éstəmət]

🔲 추정하다, 평가하다   🔲 견적(서), 추정(치)

People **estimate** the temperature of a room with cool colors to be cooler than the actual temperature. 〔학평〕

사람들은 차가운 색으로 된 방의 온도가 실제 온도보다 더 서늘하다고 **추정한다**.

➕ **estimation** 🔲 판단, 평가

🔲 guess, calculate

Tips

시험에는 이렇게 나온다
estimate에 접두사가 붙은 overestimate(과대평가, 과대평가하다), underestimate(과소평가, 과소평가하다)도 시험에 자주 나와요.

nevertheless

[nèvərðəlés]

🔲 그럼에도 불구하고, 그렇기는 하지만

Nevertheless, family dinners are clearly well worth the time. 〔학평〕

그럼에도 불구하고, 가족 저녁 식사는 분명히 시간을 들일 만한 가치가 있다.

Tips

시험에는 이렇게 나온다
nevertheless는 '그럼에도 불구하고'라는 의미의 부사로 앞 문장과 뒤 문장을 자연스럽게 이어주는 접속부사의 역할을 해요. 비슷한 의미의 접속부사로는 nonetheless가 있어요.

enthusiastic

[inθù:ziǽstik]

🔲 열의가 있는, 열광적인

We're looking for new members who are **enthusiastic** about improving the environment of our city. 〔수능〕

우리는 우리 도시의 환경을 개선하는 것에 **열의가 있는** 새로운 구성원들을 찾고 있다.

➕ **enthusiastically** 🔲 열광적으로, 열심히   **enthusiasm** 🔲 열정, 열광

🔲 passionate, eager

0134 ☐☐☐

transform

[trænsfɔ́:rm]

图 바꾸다, 변환하다

The new discovery could **transform** buildings into energy plants. (학평)

그 새로운 발견은 건물들을 에너지 발전소로 **바꿀** 수 있을 것이다.

➕ **transformation** 명 변화, 변신

🟰 **change, convert**

0135 ☐☐☐

grant

[grænt]

图 주다, 수여하다, 승인하다　명 보조금

Parents are commonly reluctant to **grant** their grown children equal footing with them as adults. (학평)

부모들은 성장한 자녀들에게 그들과 동등한 어른으로서의 자격을 **주는** 것을 보통 꺼린다.

Tips

시험에는 이렇게 나온다

grant는 'take A for granted(A를 당연하게 여기다)'라는 표현으로도 자주 나와요.

They may take each other for granted and not make enough effort at communicating. (학평)

그들은 서로를 당연하게 여기고 의사소통에 충분한 노력을 기울이지 않을 수도 있다.

<u>빈출 단어</u>

0136 ☐☐☐

merchant

[mə́:rtʃənt]

명 상인, 무역상　형 해운의, 상선의

The **merchant** had done good business at the market in the big city. (학평)

그 **상인**은 대도시의 시장에서 장사가 번창했었다.

➕ **merchandise** 명 물품, 상품 동 판매하다　**merchandiser** 명 상인

0137 ☐☐☐

tumor

[tjú:mər]

명 종양

A blood sample is taken and tested for the presence of **tumor** DNA. (학평)

혈액 샘플은 채취되어 **종양** DNA가 있는지 검사된다.

0138 ☐☐☐

shield

[ʃi:ld]

명 방패, 보호물　동 보호하다, 가리다

The Persians used short spears and **shields** that were superior in an open field. (학평)

페르시아인들은 탁 트인 평야에서 유리한 짧은 창과 **방패**를 사용했다.

0139 □□□

clarify

[klǽrəfai]

통 명확히 하다, 분명히 하다, 정화하다

Students frequently **clarify** and interpret their teacher's instructions concerning what they should be doing. (학평)

학생들은 흔히 자신이 무엇을 하고 있어야 하는지에 관한 선생님의 지시를 **명확히 하고** 해석한다.

➕ **clarification** 명 정화, 해명

0140 □□□

accuse

[əkjúːz]

통 고발하다, 비난하다

A person **accused** of a crime is considered innocent until the court proves that the person is guilty. (수능)

범죄로 **고발된** 사람은 법정이 그 사람이 유죄라는 것을 증명하기 전까지는 무죄로 간주된다.

➕ **accusation** 명 고발, 비난   **accuse A of B** A를 B라는 이유로 고발하다

0141 □□□

virtue

[vɜ́ːrtʃuː]

명 덕목, 미덕, 선행, 장점

Adherence to familiar form emerges as a significant **virtue** in architecture. (학평)

익숙한 형태를 고수하는 것은 건축에서 중요한 **덕목**으로 나타난다.

➕ **virtuous** 형 도덕적인, 고결한

➖ **vice** 명 악덕 행위 형 대리의

Tips

주의해야 할 혼동어

virtue와 철자가 비슷한 virtual에 주의하세요! virtual은 '사실상의', '가상의'를 의미하는 단어예요.

0142 □□□

commission

[kəmíʃən]

명 위원회, 수수료 통 의뢰하다, 주문하다

In November, an international **commission** banned the fishing of some sharks. (학평)

11월에, 국제 **위원회**는 일부 상어들에 대한 포획을 금지했다.

➖ **committee**

0143 □□□

adjacent

[ədʒéisnt]

형 인접한, 가까운

Wavelength is the horizontal distance between the troughs of two **adjacent** waves. (학평)

파장은 **인접한** 두 파동의 골 사이의 수평 거리이다.

➕ **adjacency** 명 인접, 근방   **adjacent to** ~에 인접한

➖ **nearby, adjoining**   ➖ **remote** 형 원격의, 먼

navigate

동 길을 찾다, 항해하다

[nǽvigeit]

A global positioning system (GPS) helps you **navigate** while driving. (수능)

위성 위치 확인 시스템(GPS)은 당신이 운전 중에 **길을 찾는** 데 도움을 준다.

➕ **navigation** 명 항해, 조종

timber

명 목재, 재목, 삼림지

[tímbər]

Abundant **timber** would do away with the need to import wood from Scandinavia. (모평)

풍부한 **목재**는 스칸디나비아로부터 나무를 수입할 필요를 없애줄 것이다.

dynasty

명 왕조, 왕가

[dáinəsti]

This chest of drawers was made in the Joseon **Dynasty**. (학평)

이 서랍장은 조선 **왕조** 때 만들어졌다.

antibody

명 항체

[ǽntibɑːdi]

Antibodies pass from the mother to her unborn baby. (학평)

항체는 어머니로부터 아직 태어나지 않은 그녀의 아기에게 전달된다.

alien

형 생소한, 생경한, 외국의 명 외국인

[éiljən]

In 1958, backpacking was still an **alien** concept to most Americans. (학평)

1958년에 배낭여행은 대부분의 미국인들에게 여전히 **생소한** 개념이었다.

🟰 **foreign, unfamiliar** ↔ **familiar** 형 익숙한, 친숙한

versus

전 (소송·스포츠 경기 등에서) ~ 대, ~에 비해

[və́ːrsəs]

The timing of positive **versus** negative behavior seems to influence attraction. (모평)

긍정적 행동 **대** 부정적 행동의 적절한 시점은 매력도에 영향을 주는 것처럼 보인다.

Tips

> 시험에는 이렇게 나온다
>
> **light versus dark** 빛 대 어둠   **nature versus nurture** 타고난 것 대 길러지는 것

incur

[inkə́:r]

동 (손해·비용 등을) 발생시키다, 초래하다

"Low-balling" describes the technique where two individuals arrive at an agreement and then one increases the cost to be **incurred** by the other. (수능)

"뒤통수 치기"란 두 사람이 합의에 도달한 다음, 한 사람이 상대방에 의해 **발생될** 비용을 인상하는 수법을 말한다.

➕ **incurrence** 명 (책임·손해 등을) 초래함

partial

[pá:rʃəl]

형 부분적인, 불완전한, 편파적인

The problems of health sectors in poor places will find at least **partial** solutions. (학평)

가난한 지역의 건강 분야 문제들은 적어도 **부분적인** 해결책이라도 찾을 것이다.

➕ **partially** 부 부분적으로

◼ **total** 형 총, 전체의 명 합 **impartial** 형 공정한

faculty

[fǽkəlti]

명 (대학의) 교수진, 학부, 능력

The sessions will be directed by the Busselton University physics and astronomy **faculty**. (학평)

그 수업들은 Busselton 대학교의 물리학 및 천문학 **교수진**에 의해 지도될 것이다.

◼ **staff**

transit

[trǽnsit]

명 교통편, 수송, 통과 **동** 통과하다, 횡단하다

City dwellers have the option of walking or taking **transit** to work, shops, and school. (모평)

도시 거주자들은 직장, 상점, 학교까지 걷거나 **교통편**을 이용하는 선택권이 있다.

➕ **transition** 명 변화, 전환

◼ **transportation**

proponent

[prəpóunənt]

명 지지자, 제안자

Proponents of the player piano thought that it would lead to an almost universal music education. (모평)

자동 피아노의 **지지자들**은 그것이 거의 보편적인 음악 교육으로 이어질 것이라고 생각했다.

◼ **advocate, supporter** ◼ **opponent** 명 상대, 반대자

0155 □□□

lick

[lik]

동 핥다, 핥아먹다

The lion came near him, started **licking** his hand. (학평)

사자는 그에게 가까이 다가와 그의 손을 **핥기** 시작했다.

01
02
03
04 DAY
05
06
07
08
09
10
11
12
13
14
15
16
17
18
19
20
21
22
23
24
25
26
27
28
29
30
31
32
33
34
35
36
37
38
39
40
41
42
43
44
45

0156 □□□

sole

[soul]

형 유일한, 혼자의, 독점적인   명 발바닥

I was the **sole** visitor to my childhood beach. (학평)

나는 내 어린 시절의 해변에 **유일한** 방문객이었다.

✚ solitude 명 고독   solely 부 오로지, 단지
☰ only, exclusive, alone

0157 □□□

mortgage

[mɔ́:rgidʒ]

명 (담보) 대출, 융자   동 저당 잡히다

You need to figure out your **mortgage** payment. (학평)

당신은 **담보 대출** 상환액을 계산해야 한다.

0158 □□□

conspicuous

[kənspíkjuəs]

형 눈에 잘 띄는, 뚜렷한

However, the **conspicuous** or easily detected prey were eaten much less than the hidden prey. (학평)

하지만, **눈에 잘 띄거나** 쉽게 발견되는 먹잇감이 몸을 숨긴 먹잇감보다 훨씬 적게 잡아먹혔다.

☰ noticeable, obvious   ✖ inconspicuous 형 눈에 잘 안 띄는

0159 □□□

shrink

[ʃriŋk]

동 줄어들다, 감소하다, 수축하다

When the pine cone gets wet, the shell **shrinks**, keeping the inner seed nice and dry. (학평)

솔방울이 젖게 될 때, 껍데기가 **줄어들어** 속씨를 좋은 상태로 건조하게 유지한다.

✚ shrinkage 명 감소, 수축
✖ grow 동 커지다, 자라다   expand 동 확대되다, 확대하다

0160 □□□

inward

[ínwərd]

부 (자기) 내부로, 안쪽으로   형 내부의, 안쪽으로 향한

Many of us turn our attention **inward** and reflect on ourselves to make our lives better. (학평)

우리 중 많은 이들은 삶을 더 낫게 만들기 위해 **자기 내부로** 관심을 돌리고 자기 자신을 성찰한다.

✖ outward 부 바깥쪽으로   형 표면상의, 밖으로 향하는

Daily Quiz

영어는 우리말로, 우리말은 영어로 쓰세요.

01 commission	_____	11 눈에 잘 띄는, 뚜렷한	_____
02 clarify	_____	12 생소한, 외국인	_____
03 create	_____	13 부분적인, 편파적인	_____
04 estimate	_____	14 당황스럽게 만들다	_____
05 diverse	_____	15 목재, 재목, 삼림지	_____
06 content	_____	16 열의가 있는	_____
07 navigate	_____	17 줄어들다, 수축하다	_____
08 nevertheless	_____	18 주다, 승인하다, 보조금	_____
09 proponent	_____	19 인접한, 가까운	_____
10 arise	_____	20 극복하다, 이겨내다	_____

다음 빈칸에 들어갈 가장 알맞은 것을 박스 안에서 고르세요.

virtue	merchant	lick	accuse	transit

21 A person _____(e)d of a crime is considered innocent until the court proves that the person is guilty.

범죄로 고발된 사람은 법정이 그 사람이 유죄라는 것을 증명하기 전까지는 무죄로 간주된다.

22 City dwellers have the option of walking or taking _____ to work, shops, and school.

도시 거주자들은 직장, 상점, 학교까지 걷거나 교통편을 이용하는 선택권이 있다.

23 The lion came near him, started _____ing his hand.

사자는 그에게 가까이 다가와 그의 손을 핥기 시작했다.

24 The _____ had done good business at the market in the big city.

그 상인은 대도시의 시장에서 장사가 번창했었다.

25 Adherence to familiar form emerges as a significant _____ in architecture.

익숙한 형태를 고수하는 것은 건축에서 중요한 덕목으로 나타난다.

접두사로 외우는 어휘 ④

in/im-   안에, 아닌

intake   명 섭취(량), 흡입(물)

▶ in[안에] + take[취하다] → 어떤 것을 취해서 몸 안에 받아들임, 즉 섭취

Food **intake** is essential for the survival of every living organism. (수능)

음식 **섭취**는 모든 생물의 생존을 위해 필수적이다.

inherent   형 내재하는, 고유의, 타고난

▶ in[안에] + her[붙다] + ent[형·접] → 원래부터 안에 붙어 있는, 즉 내재하는

Language is an ability, **inherent** in us. (학평)

언어는 우리 안에 **내재하는** 능력이다.

inevitable   형 불가피한, 필연적인

▶ in[아닌] + evit[피하다] + able[할 수 있는] → 피할 수 없는, 즉 불가피한

Conflict with the finite nature of resources is **inevitable**. (모평)

자원의 유한성에 관한 갈등은 **불가피하다**.

impractical   형 비현실적인, 실용적이지 않은

▶ im[아닌] + practic(e)[실행] + al[형·접] → 실행할 수 없는, 즉 비현실적인

Inventors came to the army leaders with the idea but the army rejected it as **impractical**. (학평)

발명가들은 그 아이디어를 가지고 군의 지도자들에게 왔지만, 군대는 그것을 **비현실적이라고** 거부했다.

indispensable   형 필수적인, 없어서는 안 되는

▶ in[아닌] + dispens(e)[분배하다] + able[할 수 있는] → 분배할 수 없을 만큼 필수적인

This intense light source is **indispensable** for photosynthesis. (교과서)

이 강렬한 광원은 광합성에 **필수적이다**.

최빈출 단어

0161 ☐☐☐

effect

[ifékt]

명 결과, 효과, 영향

We naturally think in terms of cause and effect. 학평
우리는 자연스럽게 원인과 **결과**의 측면에서 생각한다.

➕ effective 형 효과적인   effectively 부 효과적으로
🟰 result, outcome

Tips

┌───┐
│ **주의해야 할 혼동어**   │
│ effect와 철자 및 발음이 비슷한 affect에 주의하세요! '결과', '효과'를 뜻하는 effect는 [이펙트]라 │
│ 고 발음하고, '영향을 미치다'를 뜻하는 affect는 [어펙트]라고 발음해요.   │
└───┘

0162 ☐☐☐

describe

[diskráib]

동 묘사하다, 서술하다

The term "multitasking" was used to describe the actions of computers, not people. 수능
"멀티태스킹"이라는 용어는 사람이 아니라 컴퓨터의 행동을 **묘사하기** 위해 사용되었다.

➕ description 명 묘사, 서술
🟰 explain, depict, portray

0163 ☐☐☐

identify

[aidéntifai]

동 식별하다, (신원 등을) 확인하다

Doctors should identify root causes of disease to come up with a personalized treatment. 수능
의사들은 개인에 맞는 치료를 찾아내기 위해 질병의 근본 원인을 **식별해야** 한다.

➕ identified 형 식별된, 확인된   identification 명 신원 확인

0164 ☐☐☐

logic

[láːdʒik]

명 논리, 타당성

Logic is the set of rules for valid reasoning. 학평
논리는 타당한 추론을 위한 일련의 규칙이다.

➕ logical 형 논리적인, 타당한

submit

[səbmít]

동 제출하다, 복종하다, 굴복하다

Linda forgot to submit an important paper. (학평)

Linda는 중요한 과제물을 **제출하는** 것을 잊어버렸다.

➕ **submission** 명 제출 **submissive** 형 순종적인

🟰 **hand in**

Tips | **시험에는 이렇게 나온다**

submit는 주로 application(지원서, 신청서), report(보고서) 등 서류나 양식을 의미하는 명사와 자주 함께 사용돼요.

comfort

[kʌ́mfərt]

명 편안함, 위로 **동** 위로하다

Modern industrial robots have significantly contributed to comfort and safety in work environments. (교과서)

현대 산업용 로봇은 노동 환경의 **편안함**과 안전성에 크게 기여했다.

➕ **comfortable** 형 편안한

➖ **discomfort** 명 불편 **distress** 명 고통, 고민 동 괴롭히다

threat

[θret]

명 위협, 협박

The barrier protects Zeeland from the constant threat of flooding. (모평)

그 장벽은 홍수의 지속적인 **위협**으로부터 Zeeland를 보호한다.

➕ **threaten** 동 위협하다, 협박하다 **threatening** 형 위협하는, 협박하는

derive

[diráiv]

동 얻다, 끌어내다, 유래하다

Biodiesel refers to a diesel-equivalent fuel derived from biological sources. (학평)

바이오디젤은 생물학적인 원천에서 **얻어지는** 디젤에 상응하는 연료를 가리킨다.

➕ **derivation** 명 파생, 기원, 유도 **derive from** ~에서 얻다, 유래하다

🟰 **obtain, gain**

relate

[riléit]

동 관련시키다, 관련이 있다

When you read your textbooks, try to relate the information to your own life. (학평)

교과서를 읽을 때, 그 정보를 여러분의 삶과 **관련시키도록** 노력해보세요.

➕ **relative** 형 관련 있는 명 친척 **relation** 명 관련(성), 관계

expose

[ikspóuz]

图 노출하다, 드러내다, 폭로하다

The new species may be **exposed** to a disease for which it has not yet developed immunity. 학평

새로운 종은 아직 면역력을 발달시키지 않은 질병에 **노출될** 수 있다.

➕ **exposure** 몡 노출, 폭로

🟰 **uncover, reveal, show**　🔲 **hide** 몡 감추다　**conceal** 몡 감추다, 숨기다

Tips | **시험에는 이렇게 나온다**
expose는 주로 전치사 to와 함께 'be exposed to(~에 노출되다)'의 형태로 나와요. expose의 명사형인 exposure 또한 전치사 to를 사용하는 점도 함께 알아두세요.

urge

[ə:rdʒ]

몡 충동, 욕구　**图** 권고하다, 촉구하다

I managed to overcome my **urge** to burst into tears. 학평

나는 울음을 터뜨리고 싶은 **충동**을 가까스로 이겨냈다.

➕ **urgent** 혱 긴급한, 다급한　**urgency** 몡 긴급, 시급

🟰 **impulse**　🔲 **reluctance** 몡 꺼림, 내키지 않음　**discourage** 图 좌절시키다

Tips | **시험에는 이렇게 나온다**
irresistible urge 억제할 수 없는 충동　　**resist an urge** 충동을 억제하다
urge A to do A가 ~하도록 권고하다　　**fight the urge** 욕구와 싸우다

core

[kɔ:r]

몡 중심부, 핵심　**혱** 핵심의

The sun is slowly getting brighter as its **core** contracts and heats up. 모평

태양의 **중심부**가 수축하고 뜨거워지면서 태양은 서서히 더 밝아지고 있다.

🟰 **center**

rapid

[rǽpid]

혱 빠른, 급속한

When people sleep, breathing becomes less **rapid** and more relaxed. 학평

사람들이 잠을 잘 때, 호흡은 덜 **빨라지고** 더 편안해진다.

➕ **rapidly** 위 급속히

🟰 **fast, swift**　🔲 **slow** 혱 느린 위 느리게, 천천히　**gradual** 혱 점진적인

Tips | **시험에는 이렇게 나온다**
rapid는 increase(증가), decrease(감소), expand(팽창), growth(성장) 등 수치의 증감을 나타내는 명사와 함께 자주 사용돼요.

0174 ☐☐☐

frequent

[frí:kwənt]

형 잦은, 빈번한　동 (특정 장소에) 자주 다니다

Eye doctors recommend that you take frequent breaks from your computer. 학평

안과 의사들은 컴퓨터로부터 **잦은** 휴식을 취할 것을 권장한다.

➕ frequently 부 자주　frequency 명 빈도, 빈발

➖ infrequent 형 잦지 않은, 드문　rare 형 드문

Tips | **시험에는 이렇게 나온다**

frequent visitor 단골손님　　frequent absence 잦은 결석
frequent use 빈번한 사용　　frequent contacts 잦은 연락

0175 ☐☐☐

terrific

[tərífik]

형 훌륭한, 아주 멋진

You can buy terrific books, CDs, and magazines at a low price. 학평

당신은 **훌륭한** 책, CD, 그리고 잡지를 저렴한 가격에 살 수 있다.

➕ terrify 동 무섭게[겁먹게] 하다　terrified 형 겁이 난

🟰 excellent, outstanding　🔲 awful 형 끔찍한, 지독한

Tips | **시험에는 이렇게 나온다**

terrific은 듣기 영역 대화에서 '좋다!'라는 뜻으로 상대방의 말에 강한 긍정을 보일 때 하는 대답으로 나오기도 해요.

빈출 단어

0176 ☐☐☐

extract

동[ikstrǽkt]
명[ékstrækt]

동 추출하다, 끌어내다　명 추출물, 발췌

Huge machines were used to extract new materials. 학평

거대한 기계들이 새로운 재료들을 **추출하기** 위해 사용되었다.

➕ extraction 명 추출, 뽑아냄

🟰 pull out, draw

0177 ☐☐☐

dread

[dred]

명 두려움　동 두려워하다

We began to shiver at the sense of dread. 학평

우리는 **두려움**에 떨기 시작했다.

➕ dreadful 형 두려운, 지독한

🟰 fear, terror

royal

[rɔ́iəl]

형 국왕의, 왕족의

A foot was the length of the **royal** foot, and an inch was the width of the **royal** thumb. (학평)

1피트는 **국왕의** 발 길이였고, 1인치는 **국왕의** 엄지손가락 너비였다.

➕ **royalty** 명 왕권, 왕족

sprout

[spraut]

동 싹트다, 생기다 **명** 싹, 새싹

For the seeds of the calvaria tree to **sprout**, they needed to first be digested by the Dodo bird. (학평)

칼바리아 나무의 씨앗이 **싹트려면**, 먼저 도도새에 의해 소화되어야 했다.

simulation

[sìmjuléiʃən]

명 모의실험, 흉내 내기

The **simulation** makes the written material more understandable by presenting it in a visual way. (학평)

모의실험은 문서 자료를 시각적인 방식으로 제시하여 더 쉽게 이해할 수 있도록 한다.

➕ **simulate** 동 모의실험을 하다, 흉내 내다

maze

[meiz]

명 미로, 미궁

The researchers fed the bacteria to mice and then tested the mice in a **maze**. (학평)

연구원들은 쥐에게 박테리아를 먹이고 나서 쥐들을 **미로**에서 시험했다.

by-product

[báiprɑ̀:dəkt]

명 부산물

The Information Age is a **by-product** of collective intelligence. (학평)

정보화 시대는 집단지성의 **부산물**이다.

discord

[dískɔːrd]

명 불화, 다툼

Even the happiest family will experience some **discord** because disagreements will arise. (학평)

가장 행복한 가족도 의견 차이가 생길 것이므로 어느 정도의 **불화**를 경험할 것이다.

🔲 **conflict, dispute** 🔳 **accord** 명 일치, 조화

0184 ☐☐☐

gratitude

[grǽtətjuːd]

> 명 감사, 고마움

Energize your life by starting each day with **gratitude**. 학평
매일을 **감사**로 시작함으로써 당신의 삶에 활력을 불어넣어라.

🔳 thankfulness　🔳 ingratitude 명 은혜를 모름, 배은망덕

0185 ☐☐☐

bundle

[bʌ́ndl]

> 명 묶음, 꾸러미　동 (짐을) 꾸리다

Roses are ten dollars per **bundle** and tulips are five dollars per **bundle**. 학평
장미는 한 **묶음**에 10달러이고 튤립은 한 **묶음**에 5달러이다.

🔳 bunch, group, pile

0186 ☐☐☐

temperate

[témpərət]

> 형 (기후가) 온화한, 차분한

Artists attracted to Mexico like the unhurried way of life and enjoy the **temperate** climate. 수능
멕시코에 매료된 예술가들은 서두르지 않는 삶의 방식을 좋아하고 **온화한** 기후를 즐긴다.

🔳 mild, moderate　🔳 intemperate 형 난폭한, 무절제한

0187 ☐☐☐

impair

[impér]

> 동 손상시키다, 악화시키다

As long as neither your brain nor your ears are **impaired**, hearing is involuntary. 학평
당신의 뇌와 귀 중 어느 것도 **손상되지** 않는 한, 청각은 본능적인 것이다.

➕ impairment 명 (신체적·정신적) 장애
🔳 improve 동 나아지다, 향상하다

0188 ☐☐☐

vendor

[véndər]

> 명 노점상, 행상(인)

Street **vendors** are not allowed on this street. 학평
이 거리에서는 길거리 **노점상**이 허용되지 않는다.

🔳 seller, salesperson

0189 ☐☐☐

cradle

[kréidl]

> 명 요람, 발상지　동 요람에 넣다, 부드럽게 잡다

In Scandinavia, the welfare state is characterized by the phrase "**cradle** to grave." 수능
스칸디나비아에서, 사회 복지 제도는 "**요람**에서 무덤까지"라는 구절로 특징지어진다.

inflow

명 유입(량), 유입물

[ínflou]

The evaporation exceeded the **inflow** of fresh water, and reduced the size of the lake. (수능)

증발량이 민물의 **유입량**을 초과했고, 호수의 크기를 감소시켰다.

⊟ **outflow** 명 유출, 분출

contemplate

통 고려하다, 심사숙고하다

[káːntəmpleit]

Perspective and creative strengths are all important in any career you can **contemplate**. (학평)

통찰력과 창의력은 당신이 **고려할** 수 있는 어떤 직업에서든 모두 중요하다.

➕ **contemplation** 명 숙고, 명상
⊟ **consider, ponder**

durable

형 내구성이 있는, 오래가는

[djúərəbl]

Metal is more **durable** than silicone. (학평)

금속은 실리콘보다 더 **내구성이 있다**.

➕ **durability** 명 내구성, 튼튼함
⊟ **sturdy, lasting**　⊟ **fragile** 형 부서지기 쉬운, 연약한

plow

통 일구다, 갈다　**명** 쟁기

[plau]

He changed how he **plows** his fields. (학평)

그는 자신의 밭을 **일구는** 방법을 바꿨다.

sovereign

형 독립된, 자주적인　**명** 군주, 국왕

[sáːvrin]

A **sovereign** state is one that can determine its own affairs without interference from the outside. (모평)

독립국은 외부의 간섭 없이 스스로의 일을 결정할 수 있는 국가이다.

➕ **sovereignty** 명 주권, 통치권

attendee

명 참석자, 출석자

[ətèndíː]

Prom **attendees** must arrive by 7 p.m. (학평)

졸업 파티 **참석자들**은 오후 7시까지 도착해야 한다.

➕ **attend** 통 참석하다, ~에 다니다　**attendant** 명 수행원, 종업원 형 수반되는

0196 □□□

concur

[kənkə́ːr]

동 동의하다, 일치하다, 동시에 일어나다

There were a host of possibilities, but the experts **concurred** on the one point. (학평)

여러 가지 가능성이 있었지만, 전문가들은 그 한 가지 의견에 **동의했다**.

➕ concurrent 형 동시에 일어나는

🟰 agree, coincide ⊟ disagree 동 반대하다

0197 □□□

deficient

[difíʃənt]

형 부족한, 결핍된

When your body is **deficient** in water, the skin's surface eventually shows the problem. (학평)

당신의 몸에 수분이 **부족하면**, 결국 피부 표면에 문제가 나타난다.

➕ deficiency 형 부족, 결핍 deficit 명 적자, 부족액

🟰 lack, inadequate ⊟ sufficient 형 충분한 excessive 형 과도한

0198 □□□

monarch

[mɑ́ːnərk]

명 군주

Buffon was a famous zoologist and botanist during the reign of the French **monarch** Louis XVI. (모평)

뷔퐁은 프랑스 **군주** 루이 16세의 통치 기간에 유명한 동물학자이자 식물학자였다.

➕ monarchy 명 군주제

🟰 ruler, king

0199 □□□

torment

동[tɔ́ːrment]
동[tɔːrmént]

명 고통, 고민거리 동 괴롭히다, 고통을 주다

She missed several days of school to avoid **torment**. (교과서)

그녀는 **고통**을 피하기 위해 며칠 동안 학교를 결석했다.

➕ tormenting 형 고통스러운

🟰 suffering, distress

0200 □□□

tyrant

[táiərənt]

명 독재자, 폭군

E-mail has become an electronic **tyrant**. (학평)

이메일은 전자적 **독재자**가 되었다.

➕ tyranny 명 폭정, 독재 정치

🟰 dictator

Daily Quiz

영어는 우리말로, 우리말은 영어로 쓰세요.

01	plow	_____	**11**	독재자, 폭군	_____
02	derive	_____	**12**	위협, 협박	_____
03	simulation	_____	**13**	고통, 고통을 주다	_____
04	logic	_____	**14**	두려움, 두려워하다	_____
05	relate	_____	**15**	내구성이 있는	_____
06	by-product	_____	**16**	빠른, 급속한	_____
07	attendee	_____	**17**	유입(량), 유입물	_____
08	deficient	_____	**18**	싹트다, 새싹	_____
09	describe	_____	**19**	감사, 고마움	_____
10	impair	_____	**20**	편안함, 위로하다	_____

다음 빈칸에 들어갈 가장 알맞은 것을 박스 안에서 고르세요.

identify	discord	submit	expose	royal

21 Linda forgot to _____ an important paper.
Linda는 중요한 과제물을 제출하는 것을 잊어버렸다.

22 Doctors should _____ root causes of disease to come up with a personalized treatment.
의사들은 개인에 맞는 치료를 찾아내기 위해 질병의 근본 원인을 식별해야 한다.

23 Even the happiest family will experience some _____ because disagreements will arise.
가장 행복한 가족도 의견 차이가 생길 것이므로 어느 정도의 불화를 경험할 것이다.

24 The new species may be _____(e)d to a disease for which it has not yet developed immunity.
새로운 종은 아직 면역력을 발달시키지 않은 질병에 노출될 수 있다.

25 A foot was the length of the _____ foot, and an inch was the width of the _____ thumb.
1피트는 국왕의 발 길이였고, 1인치는 국왕의 엄지손가락 너비였다.

접두사로 외우는 어휘 ⑤

ex- 밖으로, 밖에

exotic
형 이국적인, 외국의

▶ ex(o)[밖으로] + tic[형·접] → 나라 밖으로부터 온, 즉 이국적인

People visit Morocco to enjoy its **exotic** culture. (교과서)

사람들은 **이국적인** 문화를 즐기기 위해 모로코를 방문한다.

execute
동 실행하다, 집행하다, 처형하다

▶ ex[밖으로] + (s)ec(ute)[따라가다] → 밖으로 따라가며 명령을 실행하다

Once something becomes automated, it gets **executed** in a rapid string of events. (학평)

어떤 것이 자동화되면, 그것은 빠른 일련의 사건들로 **실행된다**.

exchange
동 교환하다 명 교환, 환전

▶ ex[밖으로] + change[바꾸다] → 가진 것을 밖으로 내어 서로 바꾸다, 즉 교환하다

On Valentine's Day, millions of people **exchange** heart-shaped gifts of all kinds, from candy to cards. (학평)

발렌타인데이에, 수백만 명의 사람들이 사탕에서 카드까지 모든 종류의 하트 모양의 선물을 **교환한다**.

explore
동 탐험하다, 조사하다

▶ ex[밖으로] + plore[소리치다] → 밖으로 크게 소리치며 미지의 장소를 탐험하다

Today you'll discover and **explore** the beauty of wildlife beyond your imagination. (학평)

오늘 당신은 상상을 초월하는 야생동물의 아름다움을 발견하고 **탐험할** 것입니다.

explicit
형 명백한, 숨김없는

▶ ex[밖으로] + plic[접다] + it[형·접] → 접은 것을 밖으로 펼쳐 명백한

The raw data of observation rarely exhibit **explicit** regularities. (모평)

미가공된 관찰 데이터는 **명백한** 규칙성을 거의 보이지 않는다.

DAY 06

MP3 바로 듣기

최빈출 단어

0201 ☐☐☐

possible

[pάːsəbəl]

형 가능한, 있음 직한

Language makes communication possible because its users share the same code. (교과서)
언어는 사용자들이 동일한 규칙을 공유하기 때문에 의사소통을 **가능하게** 한다.

➊ possibility 명 가능성   as soon as possible 가능한 한 빨리
🟰 feasible   ✖ impossible 형 불가능한

0202 ☐☐☐

annual

[ǽnjuəl]

형 연례의, 연간의

Fremont Art College will be hosting its 7th Annual Art Exhibition for one week. (수능)
Fremont 예술 대학은 일주일 동안 제7회 **연례** 미술 전시회를 주최할 것이다.

➊ annually 부 일 년에 한 번
🟰 yearly

Tips   시험에는 이렇게 나온다
annual competition 연례 대회   annual conference 연례 학회
annual contest 연례 대회   annual event 연례행사

0203 ☐☐☐

respond

[rispάːnd]

동 반응하다, 대응하다, 대답하다

In one study, researchers looked at how people respond to life challenges. (학평)
한 연구에서, 연구자들은 사람들이 인생의 난제에 어떻게 **반응하는지** 살펴보았다.

➊ response 명 반응, 대답   respondent 명 응답자
🟰 react

Tips   시험에는 이렇게 나온다
respond는 전치사 to와 함께 'respond to(~에 반응하다, 대답하다)'의 형태로 자주 사용돼요.

0204 ☐☐☐

labor

[léibər]

명 노동(력) 동 노동하다

The movement of labor is closely controlled by immigration policies. (학평)

노동력의 이동은 이민 정책에 의해 면밀히 통제된다.

0205 ☐☐☐

status

[stéitəs]

명 지위, 신분, 상태

In traditional societies, high status has been extremely hard to acquire. (모평)

전통 사회에서, 높은 지위는 얻기가 극히 어려웠다.

🔁 rank, position

Tips 시험에는 이렇게 나온다

social status 사회적 지위　　financial status 재정 상태
status symbol (높은) 신분의 상징　　status quo 현재의 상태

0206 ☐☐☐

accompany

[əkʌ́mpəni]

동 동행하다, 동반하다

Children under 14 must be accompanied by an adult. (학평)

14세 미만의 어린이는 반드시 성인과 동행되어야 한다.

0207 ☐☐☐

encounter

[inkáuntər]

동 직면하다, 마주치다　명 (뜻밖의) 만남, 마주침

As a foreign student, you may encounter language problems in America. (학평)

외국인 학생으로서, 당신은 미국에서 언어 문제에 직면할 수도 있다.

🔁 confront, face

0208 ☐☐☐

sufficient

[səfíʃənt]

형 충분한, 흡족한

We have sufficient foresight into the future. (학평)

우리는 미래에 대한 충분한 선견지명이 있다.

➕ sufficiently 부 충분히　sufficiency 명 충분함, 충분한 양
🔁 insufficient 형 불충분한, 부족한

Tips 주의해야 할 혼동어

sufficient와 철자가 비슷한 efficient에 주의하세요! efficient는 '효율적인', '유능한'을 의미하는 단어예요.

succeed

동 성공하다, 뒤를 잇다

[səksíːd]

We all want to succeed in everything we try and to avoid failure. (교과서)

우리 모두가 시도하는 모든 것에서 **성공하고자** 하고, 실패를 피하고 싶어 한다.

➕ successful 형 성공적인 **successive** 형 잇따른, 연속적인

➡ win, triumph **⬛ fail** 동 실패하다 **precede** 동 앞서다

stem

명 줄기, 대 **동** 유래하다, 생기다

[stem]

The rafflesia has no stem or leaves. (학평)

라플레시아는 **줄기**나 잎이 없다.

➕ stem from ~에서 유래하다, 생겨나다

➡ stalk

restrict

동 제한하다, 금지하다

[ristríkt]

It is difficult to restrict internet access by children. (학평)

아이들의 인터넷 접속을 **제한하는** 것은 어렵다.

➕ restriction 명 제한, 규제 **restrictive** 형 제한하는

➡ limit

compensation

명 보상(금), 보충

[kàːmpənséiʃən]

People accept offers when the monetary compensation is near the amount that they were hoping for. (학평)

사람들은 금전적 **보상**이 자신의 바라고 있던 액수와 근사할 때 제안을 받아들인다.

➕ compensate 동 보상하다, 보충하다

departure

명 출발, 떠남

[dipáːrtʃər]

Cancellations received at least one day prior to the departure date can be fully refunded. (학평)

출발 날짜 최소 하루 전에 접수된 취소는 전액 환불될 수 있습니다.

➕ depart 동 출발하다, 떠나다

➡ leave, take off **⬛ arrival** 명 도착

Tips | **시험에는 이렇게 나온다**
departure day 출발일 **departure gate** 출발 탑승구 **departure time** 출발 시각

0214 ☐☐☐

pretend

[priténd]

동 ~인 척하다, 가장하다, (거짓으로) 주장하다

You don't have to try to **pretend** to be happy. 교과서

행복한 **척하려고** 애쓸 필요 없다.

➕ **pretension** 명 허세, 가식

0215 ☐☐☐

infer

[infə́:r]

동 추론하다, 추측하다, 암시하다

Galileo **inferred** that if the ramp were flat, the ball would roll forever at a steady rate. 학평

만약 경사면이 평평했다면, 공은 일정한 속도로 영원히 구를 것이라고 갈릴레오는 **추론했다**.

➕ **inference** 명 추론 **inferable** 형 추론할 수 있는
🟰 **deduce, reason**

빈출 단어

0216 ☐☐☐

noble

[nóubəl]

명 귀족 형 고귀한, 웅장한, 귀족의

After the war, the king made the man a **noble**. 학평

전쟁 이후, 왕은 그 남자를 **귀족**이 되게 했다.

➕ **nobility** 명 귀족, 고귀함

Tips | **주의해야 할 혼동어**
noble과 철자가 비슷한 novel에 주의하세요! novel은 '소설', '새로운'을 의미하는 단어예요.

0217 ☐☐☐

regulate

[régjuleit]

동 조절하다, 규제하다

The human body changes in order to **regulate** body temperature more efficiently. 학평

인간의 몸은 체온을 더 효율적으로 **조절하기** 위해 변화한다.

➕ **regulation** 명 조절, 규제 **regulatory** 형 조절하는, 규제하는
🟰 **control, manage**

0218 ☐☐☐

barter

[bá:rtər]

명 물물 교환 동 물물 교환하다

Before the invention of money, mankind used the **barter** system. 수능

화폐의 발명 이전에, 인류는 **물물 교환** 제도를 사용했다.

0219 ☐☐☐

bilingual

형 이중 언어의, 이중 언어를 사용하는 명 이중 언어 사용자

[bailíŋgwəl]

The US tried to eliminate their skills by reducing existing **bilingual** programs. (수능)

미국은 기존의 **이중 언어** 프로그램을 축소함으로써 그들의 기술을 없애려고 했다.

0220 ☐☐☐

credible

형 신뢰할 수 있는, 믿을 만한

[krédəbl]

Nonverbal cues are more **credible** than verbal cues, especially when verbal and nonverbal cues conflict. (모평)

비언어적 단서는 언어적 단서보다 더 **신뢰할 수 있으며**, 특히 언어적, 비언어적 단서가 상충할 때 더욱 그렇다.

➕ credibility 명 신뢰성

➖ unreliable 형 신뢰할 수 없는 unbelievable 형 믿을 수 없는

0221 ☐☐☐

magnificent

형 장엄한, 멋진, 훌륭한

[mægnífəsənt]

What a **magnificent** view! (학평)

정말 **장엄한** 경관이네요!

➗ splendid, impressive

0222 ☐☐☐

vibrate

동 진동하다, 떨다, 흔들리게 하다

[váibreit]

I thought I felt my phone **vibrate**, but I didn't receive any calls or texts. (학평)

나는 내 전화기가 **진동하는** 것을 느꼈다고 생각했지만, 어떤 전화나 문자도 받지 않았다.

➕ vibrant 형 활기찬 vibration 명 진동, 떨림

0223 ☐☐☐

rotten

형 썩은, 부패한, 형편없는

[rá:tn]

If the birds pecked at the tree, that indicated it was **rotten**. (학평)

만약 새가 나무를 쪼았다면, 그것은 나무가 **썩었다는** 것을 나타냈다.

0224 ☐☐☐

replicate

동 모사하다, 복제하다 형 반복되는

동[répləkeit]
형[réplikət]

No one's been able to **replicate** the research. (모평)

아무도 그 연구를 **모사할** 수 없었다.

➕ replication 명 모사, 복제, 응답

0225 ☐☐☐

arouse

[əráuz]

图 불러일으키다, 자극하다, 각성시키다

Warm colors can **arouse** various emotions, ranging from comfort to anger. (교과서)
따뜻한 색상은 편안함에서 분노에 이르기까지 다양한 감정들을 **불러일으킬** 수 있다.

➕ **arousal** 圕 각성, 환기
🟰 cause, bring about

0226 ☐☐☐

consent

[kənsént]

圕 동의, 승낙 图 동의하다, 승낙하다

Civil organizations have asked to ban mail marketing to children without the **consent** of their parents. (학평)
시민 단체은 부모의 **동의** 없이 아이들에게 우편 마케팅하는 것을 금지할 것을 요구했다.

🟰 agreement ↔ refusal 圕 거절, 거부 refuse 图 거절하다, 거부하다

0227 ☐☐☐

assert

[əsə́:rt]

图 주장하다, 확고히 하다

The members **assert** their well-reasoned points of view while pointing out flaws in other members' logic. (교과서)
그 회원들은 다른 회원들의 논리의 결점을 지적하면서 자신들의 타당한 견해를 **주장한다**.

➕ **assertive** 圗 자기주장이 강한, 단정적인 **assertion** 圕 주장, 단언
🟰 state, argue ↔ deny 图 부인하다, 부정하다

0228 ☐☐☐

contend

[kənténd]

图 논쟁하다, 다투다, (강력히) 주장하다

We have to **contend** with differences between what we and the children think about a given situation. (수능)
우리는 주어진 상황에 대해 우리와 아이들이 생각하는 것 간의 차이에 관해 **논쟁해야** 한다.

🟰 argue, debate

Tips | 주의해야 할 혼동어
contend와 철자가 비슷한 content에 주의하세요! content는 '내용(물)', '만족하는'을 의미하는 단어예요.

0229 ☐☐☐

practicable

[prǽktikəbl]

圗 실행 가능한, 실현 가능한

At least, we have to work out a **practicable** solution. (수능)
적어도, 우리는 **실행 가능한** 해결책을 생각해내야 한다.

➕ **practice** 圕 실행, 관행, 연습
↔ **impracticable** 圗 실행 불가능한

bribe

[braib]

명 뇌물 동 뇌물을 주다, 매수하다

The offer of cash to residents of the village felt like a **bribe**, an effort to buy their vote. 학평
마을 주민들에게 현금을 주는 것은 그들의 표를 사려는 시도로서의 **뇌물**처럼 느껴졌다.

➕ **bribery** 명 뇌물 수수

Tips **주의해야 할 혼동어**
bribe와 철자가 비슷한 bride에 주의하세요! bride는 '신부'를 의미하는 단어예요.

traitor

[tréitər]

명 반역자, 배반자

Owing to a Greek **traitor**, Greece was defeated and every man died. 학평
한 그리스인 **반역자** 때문에, 그리스는 패배했고 모든 사람이 죽었다.

➕ **traitorous** 형 배반하는, 반역적인
🟰 **betrayer**

deteriorate

[ditíəriəreit]

동 악화되다, 더 나빠지다

When elderly people were deprived of the meaningful social roles, their mental functioning **deteriorated**. 모평
노인들이 의미 있는 사회적 역할을 박탈당했을 때, 그들의 정신적 기능은 **악화되었다**.

➕ **deterioration** 명 악화, 저하   **deteriorative** 형 악화하는 경향이 있는
🟰 **worsen, decline**   ⬛ **improve** 동 개선되다, 향상하다

alliance

[əláiəns]

명 동맹(국), 연합(체)

We are looking forward to a long and successful **alliance** with NJ Corporation. 학평
우리는 NJ 사와의 오래도록 성공적인 **동맹**을 기대하고 있다.

➕ **ally** 명 동맹국, 협력자 동 동맹하다
🟰 **union, association**   ⬛ **division** 명 분할, 분열

wholesale

[hóulseil]

형 도매의, 대규모의 명 도매 동 도매하다

He started a venture with a **wholesale** company. 학평
그는 **도매** 회사와 함께 벤처 사업을 시작했다.

➕ **wholesaler** 명 도매업자   **wholesaling** 명 도매업
⬛ **retail** 형 소매의 명 소매 동 소매하다

0235 ☐☐☐

divorce

[divɔ́:rs]

명 이혼, 분리, 단절 동 이혼하다

Divorce rates have been rising in many countries around the world. (학평)

전 세계의 많은 나라에서 **이혼**율이 상승하고 있다.

0236 ☐☐☐

legacy

[légəsi]

명 유산, 유물

Rome left an enduring **legacy** in many areas and multiple ways. (학평)

로마는 많은 분야에서 다양한 방법으로 영속적인 **유산**을 남겼다.

🔁 inheritance

0237 ☐☐☐

grin

[grin]

동 활짝 웃다 명 활짝 웃음

Rangan **grinned** at the kind words the old man spoke to him. (학평)

Rangan은 한 노인이 그에게 건넨 친절한 말에 **활짝 웃었다**.

0238 ☐☐☐

taboo

[təbú:]

명 금기 (사항), 금기시되는 것

For the Inuit, it was a **taboo** to store reindeer and seal meat together. (학평)

이누이트 족에게는, 순록과 바다표범 고기를 함께 보관하는 것이 **금기**였다.

0239 ☐☐☐

bald

[bɔːld]

형 대머리의, 꾸밈없는, 노골적인

The researchers found that 88 percent of smokers were **bald** or had gray hair. (학평)

연구원들은 흡연자의 88퍼센트가 **대머리이거나** 흰 머리가 있다는 것을 알아냈다.

Tips | **주의해야 할 혼동어**
bald와 철자가 비슷한 bold에 주의하세요! bold는 '용감한', '선명한'을 의미하는 단어예요.

0240 ☐☐☐

cozy

[kóuzi]

형 아늑한, 친밀한, 편한

The fireplace creates a **cozy** atmosphere. (학평)

벽난로가 **아늑한** 분위기를 자아낸다.

🔁 comfortable

Daily Quiz

영어는 우리말로, 우리말은 영어로 쓰세요.

01 accompany ＿＿＿＿＿＿＿＿

02 grin ＿＿＿＿＿＿＿＿

03 stem ＿＿＿＿＿＿＿＿

04 respond ＿＿＿＿＿＿＿＿

05 bald ＿＿＿＿＿＿＿＿

06 assert ＿＿＿＿＿＿＿＿

07 encounter ＿＿＿＿＿＿＿＿

08 divorce ＿＿＿＿＿＿＿＿

09 vibrate ＿＿＿＿＿＿＿＿

10 labor ＿＿＿＿＿＿＿＿

11 보상(금), 보충 ＿＿＿＿＿＿＿＿

12 동의, 동의하다 ＿＿＿＿＿＿＿＿

13 뇌물, 뇌물을 주다 ＿＿＿＿＿＿＿＿

14 반역자 ＿＿＿＿＿＿＿＿

15 아늑한, 편한 ＿＿＿＿＿＿＿＿

16 조절하다, 규제하다 ＿＿＿＿＿＿＿＿

17 썩은, 형편없는 ＿＿＿＿＿＿＿＿

18 장엄한, 훌륭한 ＿＿＿＿＿＿＿＿

19 연례의, 연간의 ＿＿＿＿＿＿＿＿

20 유산, 유물 ＿＿＿＿＿＿＿＿

다음 빈칸에 들어갈 가장 알맞은 것을 박스 안에서 고르세요.

| deteriorate | alliance | sufficient | pretend | departure |

21 Cancellations received at least one day prior to the ＿＿＿＿＿＿＿＿ date can be fully refunded.
출발 날짜 최소 하루 전에 접수된 취소는 전액 환불될 수 있습니다.

22 When elderly people were deprived of the meaningful social roles, their mental functioning ＿＿＿＿＿＿＿＿(e)d.
노인들이 의미 있는 사회적 역할을 박탈당했을 때, 그들의 정신적 기능은 악화되었다.

23 We are looking forward to a long and successful ＿＿＿＿＿＿＿＿ with NJ Corporation.
우리는 NJ 사와의 오래도록 성공적인 동맹을 기대하고 있다.

24 You don't have to try to ＿＿＿＿＿＿＿＿ to be happy.
행복한 척하려고 애쓸 필요 없다.

25 We have ＿＿＿＿＿＿＿＿ foresight into the future.
우리는 미래에 대한 충분한 선견지명이 있다.

정답

01 동행하다, 동반하다 02 활짝 웃다, 활짝 웃음 03 줄기, 대, 유래하다, 생기다 04 반응하다, 대응하다, 대답하다 05 대머리의, 꾸밈없는, 노골적인
06 주장하다, 확고히 하다 07 직면하다, 마주치다, (뜻밖의) 만남, 마주침 08 이혼, 분리, 단절, 이혼하다 09 진동하다, 떨다, 흔들리게 하다
10 노동(력), 노동하다 11 compensation 12 consent 13 bribe 14 traitor 15 cozy 16 regulate 17 rotten 18 magnificent
19 annual 20 legacy 21 departure 22 deteriorate 23 alliance 24 pretend 25 sufficient

접두사로 외우는 어휘 ⑥

ad/ac- ~에, ~쪽으로

---

ad**vent** 명 출현, 도래

▶ ad[~에] + vent[오다] → ~에 와서 나타남, 즉 출현

With the **advent** of social media, our children become impatient for an immediate answer. (학평)

소셜 미디어의 **출현**으로, 우리 아이들은 즉각적인 대답을 기다리는 데에 참을성이 없어졌다.

---

ac**count** 명 계좌, 설명, 이유 동 설명하다, 원인이 되다

▶ ac[~에] + count[계산하다] → 계산하여 돈을 넣는 계좌

Identity thieves can empty your bank **account**. (학평)

신원 도용범들은 당신의 은행 **계좌**를 비울 수 있다.

---

ad**just** 동 적응하다, 조절하다, 맞추다

▶ ad[~에] + just[올바른] → 어떤 것에 올바르게 맞도록 적응하다

She helped me to **adjust** to university life. (모평)

그녀는 내가 대학 생활에 **적응하도록** 도와주었다.

---

ad**opt** 동 입양하다, 채택하다, 도입하다

▶ ad[~쪽으로] + opt[선택하다] → 선택해서 내 쪽으로 가져오다, 즉 입양하다

My friend's family had **adopted** a stray dog. (학평)

내 친구의 가족은 길 잃은 개를 **입양했었다**.

---

ac**celerate** 동 가속하다, 빨라지다

▶ ac[~쪽으로] + celer[빠른] + ate[동·접] → 빠른 쪽으로 가속하다

Mirror neurons **accelerate** the evolution of the brain. (교과서)

거울 뉴런은 뇌의 진화를 **가속한다**.

최빈출 단어

0241 ☐☐☐

include

[inklúːd]

통 포함하다, 함유하다

He decided to **include** a ballet scene to make the play more attractive. 학평
그는 연극을 더 매력적으로 만들기 위해 발레 장면을 **포함하기로** 결정했다.

➕ inclusion 명 포함 inclusive 형 포함하는, 포괄적인
🟰 involve, contain ↔ exclude 통 제외하다, 배제하다

0242 ☐☐☐

range

[reindʒ]

통 (범위가) ~에 이르다, 정렬하다 명 범위, 영역

Bristlecone pines grow very slowly and **range** from 15 to 40 feet in height. 수능
브리슬콘 소나무는 매우 천천히 자라며 높이가 15피트에서 40피트**에 이른다**.

➕ range from A to B (범위가) A에서 B에 이르다 a range of 다양한
🟰 reach, cover

Tips | **시험에는 이렇게 나온다**
---
budget range 예산 범위   price range 가격대
habitat range 서식지 영역   a wide range of 광범위한 ~

0243 ☐☐☐

policy

[páːləsi]

명 정책, 방책

A government **policy** restricting the use of plastic bags is gradually taking root. 학평
비닐봉투의 사용을 규제하는 정부의 **정책**이 서서히 뿌리를 내리고 있다.

🟰 plan, strategy

Tips | **시험에는 이렇게 나온다**
---
welfare policy 복지 정책   cancellation policy 취소 정책
foreign policy 외교 정책   return policy 환불 정책

0244 ☐☐☐

tendency

[téndənsi]

명 성향, 경향, 추세

The dog's natural tendency to memorize landmarks can actually hinder training. 학평

주요 지형지물을 암기하려는 개의 선천적인 **성향**은 실제로 훈련을 방해할 수 있다.

➕ tend 동 경향이 있다, ~하기 쉽다   have a tendency to ~하는 경향이 있다

🟰 inclination, disposition

0245 ☐☐☐

efficient

[ifíʃənt]

형 효율적인, 유능한

Modern technology allows us to analyze data in an efficient and economical way. 교과서

현대 기술은 우리가 **효율적이고** 실속 있는 방식으로 데이터를 분석하게 해준다.

➕ efficiency 명 효율, 능률

🟰 productive   ➖ inefficient 형 비효율적인   incompetent 형 무능한

0246 ☐☐☐

budget

[bʌ́dʒit]

명 예산(안), 비용   동 예산을 짜다

Directors generally work under a tight budget and time restraints. 학평

책임자들은 보통 빠듯한 **예산**과 시간적 제약 아래서 일한다.

➕ budgetary 형 예산(상)의

0247 ☐☐☐

politics

[pá:lətiks]

명 정치(학), 정치적 견해

I don't know politics, but I know the names of the people in power. 모평

나는 **정치**를 모르지만, 권력자들의 이름은 알고 있다.

➕ political 형 정치적인

0248 ☐☐☐

forecast

[fɔ́:rkæst]

명 예보, 예측   동 예보하다, 예측하다

The weather forecast says this summer will be the hottest we've had in 10 years. 학평

일기 **예보**는 올여름이 우리가 보낸 지난 십 년의 여름 중 가장 더울 것이라고 말한다.

🟰 prediction

Tips | **시험에는 이렇게 나온다**
forecast는 weather(날씨)와 짝을 이루어 'weather forecast(일기 예보)'라는 표현으로 자주 나오니 알아두세요.

0249 □□□

criticize

[krítəsaiz]

🔵 비판하다, 비평하다

Rather than looking for things to criticize in those around you, respect their differences. 〔학평〕

여러분 주변의 사람들에게서 **비판할** 것들을 찾기보다는, 그들의 다름을 존중해보세요.

➕ criticism 🔲 비판, 비평   critical 🔲 비판적인, 중대한

➖ praise 🔵 칭찬하다 🔲 칭찬

0250 □□□

conclude

[kənklúːd]

🔵 결론을 내리다, 끝내다

The doctor concluded that Jim had suffered nerve damage. 〔모평〕

의사는 Jim이 신경 손상을 겪었다고 **결론을 내렸다**.

➕ conclusion 🔲 결론, 결과   conclusive 🔲 결정적인, 확실한

➖ begin 🔵 시작하다, 발생하다

0251 □□□

psychology

[saikáːlədʒi]

🔲 심리(학)

There is a widely accepted theory in social psychology known as "the pratfall effect." 〔학평〕

사회 **심리학**에는 "실수 효과"라고 알려진 널리 받아들여지는 이론이 있다.

➕ psychological 🔲 심리적인   psychologist 🔲 심리학자

0252 □□□

depression

[dipréʃən]

🔲 우울(증), 불경기

With many students reporting depression and anxiety, school officials have arranged pet therapy events. 〔학평〕

많은 학생들이 **우울증**과 불안감을 보고함에 따라, 학교 관계자들은 반려동물 치료 행사를 마련했다.

➕ depress 🔵 우울하게 하다   depressed 🔲 우울한, 암울한

🟰 melancholy, misery

0253 □□□

generous

[dʒénərəs]

🔲 후한, 관대한, 넉넉한

Please show your support by sending a generous contribution to the Flood Relief Fund. 〔수능〕

홍수 구호 기금에 **후한** 기부금을 보냄으로써 여러분의 성원을 보여주세요.

➕ generosity 🔲 너그러움, 관용

🟰 plentiful   ➖ stingy 🔲 인색한, 쩨쩨한   mean 🔲 인색한, 못된

0254 ☐☐☐

substitute

[sʌ́bstitjuːt]

명 대용품, 대안 **동** 대체하다, 대신하다

Tofu is an excellent substitute for meat in many vegetarian recipes. 학평
두부는 많은 채식주의 요리법에서 고기의 훌륭한 **대용품**이다.

➕ **substitution** 명 대용, 대체 **substitute for** ~을 대신하게 되다, ~ 대신으로 쓰다
🟰 **replacement**

Tips | **시험에는 이렇게 나온다**
동사 substitute는 'substitute A for B(A로 B를 대체하다)'의 형태로 자주 사용돼요. 또한, 이는 'substitute B with[by] A'와도 같은 의미예요.

0255 ☐☐☐

instruct

[instrʌ́kt]

동 지시하다, 가르치다, 알려 주다

One group was instructed to make daily plans for what to study. 학평
한 집단은 무엇을 공부할 것인지에 대한 일일 계획을 세우라고 **지시받았다**.

➕ **instruction** 명 지시, 설명 **instructor** 명 강사 **instructive** 형 유익한
🟰 **order, direct**

빈출 단어

0256 ☐☐☐

reform

[rifɔ́ːrm]

동 개혁하다, 개선하다 **명** 개혁, 개선

Artists during the Renaissance reformed painting. 수능
르네상스 시대의 화가들은 회화를 **개혁했다**.

➕ **reformation** 명 개혁, 개선
🟰 **improve, amend**

0257 ☐☐☐

embassy

[émbəsi]

명 대사관

I think the embassy moved to a new place. 수능
대사관이 새로운 곳으로 옮긴 것 같다.

➕ **ambassador** 명 대사, 사절

0258 ☐☐☐

pale

[peil]

형 창백한, (색깔이) 엷은 **동** 창백해지다

He looks awfully pale and is sweating all over. 수능
그는 몹시 **창백해** 보이고 온몸에 땀을 흘리고 있다.

indigenous

[indídʒənəs]

형 토착의, 원산의, 타고난

Indigenous people see tourism as a path to modernity and economic development. (모평)

토착민들은 관광업을 현대성과 경제 발전에 이르는 길로 본다.

🔳 native, local   🔳 exotic 형 외국의, 이국적인

reluctant

[rilʌ́ktənt]

형 주저하는, 꺼리는, 내키지 않는

Unsupervised kids are not **reluctant** to tell one another how they feel. (학평)

감독 하에 있지 않은 아이들은 서로에게 그들이 어떻게 느끼는지 말하기를 **주저하지** 않는다.

➕ reluctantly 부 마지못해   reluctance 명 주저함
🔳 willing 형 기꺼이 하는, 자발적인

blessing

[blésiŋ]

명 축복, 행운

Having many options is not a **blessing**. (학평)

많은 선택권들을 갖는 것이 **축복**은 아니다.

➕ bless 동 축복하다, 감사하다   blessed 형 축복받은
🔳 curse 명 저주, 욕 동 저주하다

enforce

[infɔ́ːrs]

동 (법률 등을) 집행하다, 강요하다

They talked about how to **enforce** laws against dumping waste into water sources. (학평)

그들은 수원지에 폐기물을 투하하는 것을 막는 법을 어떻게 **집행할지에** 관해 얘기했다.

➕ enforcement 명 집행, 강제
🔳 carry out, execute

coincide

[kòuinsáid]

동 동시에 일어나다, 일치하다

Flowering in trees **coincides** with a peak in amino acid concentrations in the sap that the insects feed on. (수능)

나무에서 꽃이 피는 것은 곤충들이 먹고 사는 수액의 아미노산 농도가 최고점에 이름과 **동시에 일어난다**.

➕ coincidence 명 동시 발생, 우연의 일치   coincident 형 일치하는
coincide with ~와 동시에 일어나다, 일치하다
🔳 synchronize, concur   🔳 disagree 동 일치하지 않다

0264 ☐☐☐

pavement

[péivmənt]

명 (포장한) 보도, 포장 (지역)

It is hard for street trees to survive with only foot-square holes in the **pavement**. (모평)

보도에 있는 겨우 1 평방피트의 구멍에서는 가로수가 생존하기 힘들다.

➕ **pave** 동 (도로 등을) 포장하다　**paved** 형 포장된

0265 ☐☐☐

devastate

[dévəsteit]

동 완전히 파괴하다, 엄청난 충격을 주다

In *War of the Worlds*, aliens from Mars **devastate** entire cities by shooting beams of heat energy. (학평)

「우주전쟁」에서, 화성에서 온 외계인들은 열에너지 광선을 쏘아서 모든 도시들을 **완전히 파괴한다**.

➕ **devastating** 형 대단히 파괴적인　**devastation** 명 파괴, 황폐
➖ destroy, ruin

0266 ☐☐☐

affirm

[əfə́:rm]

동 확언하다, 단언하다

In much of social science, evidence is used only to **affirm** a particular theory. (수능)

사회과학의 대부분에서, 증거는 한 특정 이론을 **확언하기** 위해서만 사용된다.

➕ **affirmative** 형 확언적인, 긍정의　**affirmation** 명 확언, 긍정
➖ confirm, prove

0267 ☐☐☐

torture

[tɔ́:rtʃər]

명 고문 동 고문하다

The journal ran an article titled "Why Waiting Is **Torture**," and the piece gave a clear explanation. (학평)

그 잡지는 "왜 기다림은 **고문**인가"라는 제목의 기사를 실었고, 그 기사는 명확한 설명을 제공했다.

➕ **torturous** 형 고문의, 고통스러운
➖ torment

0268 ☐☐☐

avalanche

[ǽvəlæntʃ]

명 눈사태, 산사태, 쇄도

If you hear an **avalanche** speeding toward you, auditory looming will motivate you to jump out of the way. (수능)

만약 당신을 향해 속도를 내며 다가오는 **눈사태**를 듣게 되면, 그 다가오는 소리가 당신이 그 진로에서 뛰쳐나갈 수 있게 자극할 것이다.

punctuate

[pʌ́ŋktʃueit]

图 중단하다, (문장에) 구두점을 찍다

Even for the best companies, long track records of success are **punctuated** by slips and slides. (수능)

아무리 최고의 기업일지라도, 오랜 성공의 기록은 작은 실수와 하락에 의해 **중단된다**.

➕ **punctuation** 圕 중단, 구두점

🟰 **interrupt, break**

adhere

[ədhíər]

图 고수하다, 들러붙다, 부착되다

It is not at all rare for investigators to **adhere** to their broken hypotheses. (학평)

수사관들이 그들의 무너진 가설을 **고수하는** 것은 전혀 드문 일이 아니다.

➕ **adhesive** 圈 들러붙는 圕 접착제   **adherent** 圕 지지자

🟰 **stick, cling, attach**

plunge

[plʌndʒ]

图 떨어지다, 뛰어들다 圕 낙하, 급락

We all shouted encouragingly as the other rafts **plunged** into the river ahead of us. (학평)

우리 모두는 다른 뗏목들이 우리 앞에 있는 강으로 **떨어질** 때 격려하듯이 소리쳤다.

wicked

[wíkid]

圈 사악한, 짓궂은 圕 악인

Perseus told his dear mother that she needed no longer to be afraid of the **wicked** king. (교과서)

페르세우스는 사랑하는 어머니에게 **사악한** 왕을 더 이상 두려워할 필요가 없다고 말했다.

discrete

[diskríːt]

圈 분리된, 별개의

We focused on just one **discrete** stream of information out of the millions. (학평)

우리는 수백만의 정보 중에서 단 하나의 **분리된** 정보의 흐름에 집중했다.

utter

[ʌ́tər]

图 (입으로 어떤 소리를) 말하다, 내다 圈 완전한, 순전한

Language did not fully begin when the first hominid **uttered** the first word or sentence. (학평)

언어는 최초의 인류가 맨 처음의 단어나 문장을 **말했을** 때 완전히 시작된 것은 아니었다.

➕ **utterance** 圕 발언, 말씨

0275 ☐☐☐

egocentric

[ìːgouséntrik]

형 자기중심적인, 이기적인

Babies were thought to be irrational and **egocentric**. 학평
아기들은 비합리적이고 **자기중심적이라고** 여겨졌다.

➕ **ego** 명 자아, 자존심   **egocentrism** 명 자기중심(성)

0276 ☐☐☐

converse

동형[kənvə́ːrs]
명[káːnvəːrs]

동 대화하다, 이야기하다   형 정반대의   명 정반대

Napoleon wanted something to enable his soldiers to
converse silently. 학평
나폴레옹은 자신의 병사들이 소리 없이 **대화할** 수 있도록 해줄 무언가를 원했다.

➕ **conversation** 명 대화   **conversely** 부 정반대로, 역으로

0277 ☐☐☐

hygiene

[háidʒiːn]

명 위생

A higher quality of life can be achieved by improving
your health through better food and **hygiene**. 학평
더 높은 삶의 질은 더 나은 음식과 **위생**을 통해 당신의 건강을 개선함으로써 달성될 수 있다.

➕ **hygienic** 형 위생적인

0278 ☐☐☐

suicide

[sjúːəsaid]

명 자살(행위)

I am no longer thinking about **suicide** because people
care about me. 학평
나는 사람들이 나에게 마음을 써주기 때문에 더 이상 **자살**에 대해 생각하지 않는다.

0279 ☐☐☐

bombard

[bɑmbáːrd]

동 (공격·질문 등을) 퍼붓다, 쏟아붓다

Every time we eat, we **bombard** our brains with a feast
of chemicals. 학평
우리가 음식을 먹을 때마다, 우리는 뇌에 화학 물질을 마구 **퍼붓는다**.

➕ **bomb** 명 폭탄 동 폭격하다

0280 ☐☐☐

temperament

[témpərəmənt]

명 기질, 성질, 격한 성미

People use birth order to account for personality factors
such as a passive **temperament**. 수능
사람들은 수동적인 **기질**과 같은 성격적 요인들을 설명하기 위해 출생 순서를 사용한다.

🟰 **nature, character**

Daily Quiz

영어는 우리말로, 우리말은 영어로 쓰세요.

01 conclude	_____	11 정책, 방책	_____
02 adhere	_____	12 우울(증), 불경기	_____
03 embassy	_____	13 자기중심적인	_____
04 politics	_____	14 대화하다, 정반대의	_____
05 psychology	_____	15 (법률 등을) 집행하다	_____
06 coincide	_____	16 사악한, 악인	_____
07 include	_____	17 위생	_____
08 indigenous	_____	18 확언하다, 단언하다	_____
09 plunge	_____	19 자살(행위)	_____
10 punctuate	_____	20 기질, 격한 성미	_____

다음 빈칸에 들어갈 가장 알맞은 것을 박스 안에서 고르세요.

pavement	range	substitute	forecast	torture

21 Tofu is an excellent _____ for meat in many vegetarian recipes.
두부는 많은 채식주의 요리법에서 고기의 훌륭한 대용품이다.

22 The journal ran an article titled "Why Waiting Is _____," and the piece gave a clear explanation.
그 잡지는 "왜 기다림은 고문인가"라는 제목의 기사를 실었고, 그 기사는 명확한 설명을 제공했다.

23 It is hard for street trees to survive with only foot-square holes in the _____.
보도에 있는 겨우 1 평방피트의 구멍에서는 가로수가 생존하기 힘들다.

24 Bristlecone pines grow very slowly and _____ from 15 to 40 feet in height.
브리슬콘 소나무는 매우 천천히 자라며 높이가 15피트에서 40피트에 이른다.

25 The weather _____ says this summer will be the hottest we've had in 10 years.
일기 예보는 올여름이 우리가 보낸 지난 십 년의 여름 중 가장 더울 것이라고 말한다.

정답

01 결론을 내리다, 끝내다 02 고수하다, 들러붙다, 부착되다 03 대사관 04 정치(학), 정치적 견해 05 심리(학) 06 동시에 일어나다, 일치하다
07 포함하다, 함유하다 08 토착의, 원산의, 타고난 09 떨어지다, 뛰어들다, 낙하, 급락 10 중단하다, (문장에) 구두점을 찍다 11 policy
12 depression 13 egocentric 14 converse 15 enforce 16 wicked 17 hygiene 18 affirm 19 suicide 20 temperament
21 substitute 22 torture 23 pavement 24 range 25 forecast

com/con- 함께

compact
형 밀집한, 간편한, 소형의

▶ com[함께] + pact[묶다] → 함께 단단히 묶어 밀집한

The individuals of the prey species are concentrated in **compact** units. (모평)

먹이 종의 개체들은 **밀집한** 단위로 모여 있다.

compile
동 수집하다, 통합하다

▶ com[함께] + pile[쌓다] → 함께 쌓아 수집하다

He **compiled** a list of the behavioral characteristics we are particularly attracted to. (학평)

그는 우리가 특히 끌리는 행동적인 특징들의 목록을 **수집했다**.

confront
동 직면하다, ~에 맞서다

▶ con[함께] + front[마주하다] → 함께 마주하여 직면하다

Local residents decided that the best way to **confront** the problem was to remove the offenders. (학평)

지역 주민들은 범법자들을 쫓아내는 것이 문제에 **직면하는** 최선의 방법이라고 판단했다.

compensate
동 보상하다, 보충하다

▶ com[함께] + pens[달다] + ate [동·접] → 피해와 그 대가의 무게를 함께 달아 보상하다

Employees want to be **compensated** fairly for their work. (학평)

직원들은 그들의 일에 대해 공평하게 **보상받기를** 원한다.

conform
동 따르다, 순응하다

▶ con[함께] + form[형식] → 함께 같은 형식을 취하여 따르다

The pressure to **conform** to the expectations of friends is likely to be intense. (학평)

친구들의 기대에 **따라야** 한다는 압박은 극심해질 가능성이 있다.

DAY 08

최빈출 단어

0281 ☐☐☐

difference

[dífərəns]

명 차이, 다름, 불화

Tiny **differences** in performance or product quality translate into vast **differences** in payoff. (학평)

성과나 상품의 질에서의 아주 작은 **차이**는 수익에서 막대한 **차이**로 전환된다.

➕ **differ** 통 다르다 **differentiate** 통 구별하다, 구분 짓다

⬛ **similarity** 명 유사성, 닮음

Tips ┃ **시험에는 이렇게 나온다**

differences in ~에서의 차이 **difference between A and B** A와 B(간)의 차이

0282 ☐☐☐

implication

[ìmplikéiʃən]

명 영향, 함축, 암시

Besides providing convenience, the IoT also has large-scale **implications** for public safety. (교과서)

편리성을 제공하는 것 외에, 사물 인터넷은 공공 안전에도 광범위한 **영향**을 미친다.

➕ **implicate** 통 함축하다, 연루시키다

⬛ **influence, impact**

0283 ☐☐☐

final

[fáinl]

형 마지막의, 최종적인 명 결승전

For important purchases, it is wise to invest more time before making a **final** decision. (학평)

중요한 구매에 대해서는, **마지막** 결정을 내리기 전에 시간을 더 투자하는 것이 현명하다.

➕ **finally** 부 마침내, 마지막으로

⬛ **last** ⬛ **first** 형 첫 번째의, 최초의 명 처음, 시초

Tips ┃ **시험에는 이렇게 나온다**

final의 부사형인 finally는 '마침내', '마지막으로'를 의미하며 지문 내에서 결론에 해당하는 문단의 첫 단어로 사용되는 경우가 많아요.

0284 ☐☐☐

adopt

[ədá:pt]

图 도입하다, 채택하다, 입양하다

Most airports adopt a system to scatter birds away. 교과서
대부분의 공항이 새를 쫓아내기 위한 장치를 **도입한다**.

➕ adoption 명 도입, 채택, 입양 adoptee 명 양자
🟰 take in, choose ◼ abandon 동 버리다, 포기하다

Tips | **시험에는 이렇게 나온다**
수능에서 adopt는 '도입하다', '채택하다'라는 의미로 자주 나오고 있어요.
adopt a new policy 새로운 방침을 도입하다
adopt a new lifestyle 새로운 생활 방식을 채택하다
adopt a neutral position 중립적인 입장을 채택하다

0285 ☐☐☐

deserve

[dizə́:rv]

图 (마땅히) ~을 받을 만하다, ~을 누릴 자격이 있다

You deserve the better marks since you studied hard. 학평
당신은 열심히 공부했으므로 더 나은 성적**을 받을 만하다**.

🟰 be worthy of, be entitled to

0286 ☐☐☐

sequence

[sí:kwəns]

명 순서, 연속, 배열 동 차례로 배열하다

Our understanding of the sequence determines how we see causal connection. 학평
순서에 대한 우리의 이해는 우리가 인과관계를 바라보는 방식을 결정한다.

0287 ☐☐☐

habitat

[hǽbitæt]

명 서식지, 거주지

Each habitat is the home of numerous species. 수능
각각의 **서식지**는 수많은 종의 보금자리이다.

Tips | **시험에는 이렇게 나온다**
habitat diversity 서식지 다양성   **optimal habitat** 최적 서식지
natural habitat 자연 서식지   **main habitat** 주요 서식지

0288 ☐☐☐

discipline

[dísəplin]

명 절제, 수양 동 훈육하다

Discipline is a matter of mind. 학평
절제는 마음에 달린 문제이다.

➕ disciplinary 형 훈육의 disciplined 형 훈련받은

0289 ☐☐☐

tide

[taid]

명 조수, 흐름, 경향

Tides are created because Earth and the Moon are attracted to each other. (학평)

조수는 지구와 달이 서로 끌어당겨지기 때문에 만들어진다.

➕ tidal **형** 조수의

🟰 current, flow, stream

0290 ☐☐☐

shift

[ʃift]

동 바꾸다, 이동하다 **명** 변화, 교대 근무

Consider how often you shift position in your chair when you are studying. (학평)

당신이 공부할 때 의자에서 얼마나 자주 자세를 **바꾸는지** 생각해보아라.

🟰 move, relocate

0291 ☐☐☐

confirm

[kənfə́:rm]

동 입증하다, 확인하다

Testing allows us not merely to confirm our theories but to weed out those that do not fit the evidence. (수능)

실험은 우리의 이론을 **입증하게** 할 뿐만 아니라 증거에 맞지 않는 것들을 걸러내도록 해준다.

➕ confirmation **명** 입증, 확인

🟰 prove, verify

Tips

> **시험에는 이렇게 나온다**
>
> confirm은 예약 관련 문맥에서 'confirm my reservation for(~에 대한 나의 예약을 확인하다)'의 형태로 자주 사용돼요.

0292 ☐☐☐

sustain

[səstéin]

동 살아가게 하다, 지속하다

We are directed, nurtured, and sustained by others. (수능)

우리는 다른 사람들에 의해 지도되고, 양육되고, **살아가게 된다**.

➕ sustainable **형** 지속 가능한

🟰 maintain, continue

0293 ☐☐☐

steep

[sti:p]

형 가파른, 급격한

A plateau has steep sides that rise above the surrounding land. (학평)

고원은 주변 땅 위로 솟아오르는 **가파른** 면이 있다.

🟰 sharp, abrupt ⬛ gradual **형** 완만한, 점진적인

0294 ☐☐☐

purchase

[pə́:rtʃəs]

동 구입하다, 구매하다　명 구입, 구매

Each student is allowed to purchase a maximum of three tickets. (학평)

각 학생은 최대 3장의 표를 **구입할** 수 있습니다.

🔳 buy, pay for

0295 ☐☐☐

miracle

[mírəkl]

명 기적

We know about the digital miracles brought by the smartphone. (학평)

우리는 스마트폰이 가져온 디지털 **기적**에 대해 알고 있다.

➕ miraculous 형 기적적인

🔳 wonder, sensation

빈출 단어

0296 ☐☐☐

supplement

명[sʌ́pləmənt]
동[sʌ́pləmènt]

명 보충(제), 보완　동 보충하다, 보완하다

Many people take vitamin D supplements to get as much vitamin D as possible. (모평)

많은 사람들은 가능한 한 많은 양의 비타민 D를 얻기 위해 비타민 D **보충제**를 섭취한다.

➕ supplementary 형 보충의, 추가의

0297 ☐☐☐

adequate

[ǽdikwət]

형 적절한, 충분한

Having an adequate farming system helps farmers overcome long-term droughts. (학평)

적절한 농업 시스템을 갖추는 것은 농부들이 장기간의 가뭄을 극복할 수 있게 도와준다.

➕ adequately 부 적절히, 충분히

🔳 sufficient, enough　🔲 Inadequate 형 부적절한, 부족한

0298 ☐☐☐

coexist

[kòuigzíst]

동 공존하다, 동시에 있다

It was terrific to see how all these different religious temples coexist in the same area. (교과서)

이러한 서로 다른 종교 사원들이 같은 지역에 어떻게 **공존하는지를** 보는 것은 굉장했다.

➕ coexistence 명 공존

0299 ☐☐☐

refined

[rifáind]

웹 정교한, 정제된, 세련된

Even the most **refined** and precise research data are only raw materials. (모평)

가장 **정교하고** 정확한 연구 자료조차도 그저 가공되지 않은 자료일 뿐이다.

➕ refine 图 정제하다, 세련되게 하다 **refinement** 圀 개선, 개량

▣ processed, filtered **◪ unrefined** 혱 정제되지 않은, 세련되지 못한

0300 ☐☐☐

detach

[ditǽtʃ]

⑤ 분리하다, 떼어내다

When blood passes through cold muscles, oxygen in the blood can't **detach** itself from hemoglobin easily. (학평)

혈액이 차가운 근육을 통과할 때, 혈중 산소는 헤모글로빈에서 스스로를 쉽게 **분리할** 수 없다.

➕ detachment 圀 분리, 초탈 **detachable** 혱 분리할 수 있는

▣ separate, divide **◪ attach** 图 붙이다, 첨부하다

0301 ☐☐☐

weary

[wíəri]

웹 피곤한, 지치게 하는 **⑤** 싫증나다, 지치게 하다

When running the actual marathon, he felt **weary**. (모평)

실제 마라톤을 뛸 때, 그는 **피곤하다고** 느꼈다.

➕ wearisome 혱 지치게 하는, 지루한

▣ tired **◪ energetic** 혱 활동적인 **refreshing** 혱 원기를 북돋우는, 상쾌한

0302 ☐☐☐

prestige

[prestíːʒ]

圀 위신, 명망 **웹** 위신 있는, 고급의

The change might mean that you lose privileges or **prestige**. (학평)

그 변화는 당신이 특권이나 **위신**을 잃는 것을 의미할 수도 있다.

➕ prestigious 혱 명망 있는, 일류의

▣ reputation, fame

0303 ☐☐☐

dairy

[déəri]

웹 유제품의 **圀** 낙농(장)

Dairy products help the body make a hormone that helps regulate sleep. (모평)

유제품 상품들은 신체가 수면을 조절하는 것을 돕는 호르몬을 만들어 내는 데 도움을 준다.

Tips

> **주의해야 할 혼동어**
>
> dairy와 철자 및 발음이 비슷한 diary에 주의하세요! '유제품의', '낙농(장)'을 뜻하는 dairy는 [데어리]라고 발음하고, '수첩', '일기'를 뜻하는 diary는 [다이어리]라고 발음해요.

omit

[oumít]

통 빠뜨리다, 누락하다, 생략하다

Some dictionary editors **omitted** a word from the dictionary. 수능

일부 사전 편집자들이 사전에서 한 단어를 **빠뜨렸다**.

➕ **omission** 명 누락, 생략　**omitted** 형 생략한

🔳 **exclude**　🔳 **include** 동 포함하다

Tips **주의해야 할 혼동어**

omit과 철자가 비슷한 emit에 주의하세요! emit은 '(빛·열·가스·소리 등을) 내다', '내뿜다'를 의미하는 단어예요.

shrug

[ʃrʌg]

통 (어깨를) 으쓱하다

The student **shrugged** his shoulders and walked away. 학평

그 학생은 그의 어깨를 **으쓱하고는** 떠나 버렸다.

sue

[suː]

통 고소하다, 소송을 제기하다

Customers are voicing their concerns in every way, from boycotting stores to **suing** companies. 학평

소비자들은 상점을 불매 운동하는 것에서부터 회사를 **고소하는** 것에 이르기까지, 모든 방법으로 우려의 목소리를 내고 있다.

🔳 **prosecute, charge**

eligible

[élidʒəbl]

형 자격이 있는, 적격의

Who should be **eligible** for tax relief? 학평

누구에게 세금 감면 **자격이 있어야** 하나요?

➕ **eligibility** 명 적임, 적격　**be eligible for** ~할 자격이 있다

🔳 **qualified, suitable**

ascribe

[əskráib]

통 ~에 속하는 것으로 생각하다, ~의 탓으로 돌리다

Describing positive attributes about your friend may **ascribe** you those attributes as well. 학평

당신의 친구에 대한 긍정적인 자질을 설명하는 것은 그런 자질이 당신**에게도 속하는 것으로 생각하게** 할 수 있다.

🔳 **attribute, assign**

08 DAY

01
02
03
04
05
06
07
09
10
11
12
13
14
15
16
17
18
19
20
21
22
23
24
25
26
27
28
29
30
31
32
33
34
35
36
37
38
39
40
41
42
43
44
45

recur

[rikə́:r]

동 반복되다, 재발하다

She was determined to make her students understand that themes **recur** throughout a piece. (수능)

그녀는 주제들이 작품 전체에 걸쳐 **반복된다는** 것을 학생들에게 이해시키기로 결심했다.

➕ **recurrent** 형 반복되는, 재발되는 **recurring** 형 순환하는, 거듭 발생하는

cosmetic

[kɑːzmétik]

명 화장품, 겉치레 형 겉치레에 불과한, 허울뿐인

Modern man's interest in grooming and **cosmetic** products is not a new phenomenon. (학평)

오늘날의 남자의 몸단장과 **화장품**에 대한 관심은 새로운 현상이 아니다.

precaution

[prikɔ́:ʃən]

명 예방책, 예방 조치

The obvious **precaution** to prevent major damage is not to drop your device. (학평)

심각한 손상을 방지하기 위한 분명한 **예방책**은 당신의 기기를 떨어뜨리지 않는 것이다.

➕ **precautionary** 형 예방의 **precautious** 형 조심하는, 신중한

modesty

[mɑ́:dəsti]

명 겸손(함), 정숙함, 소박함

Those without **modesty** can't succeed. (학평)

겸손함이 없는 사람은 성공할 수 없다.

➕ **modest** 형 겸손한, 적당한

🟰 **humility** ◀▶ **conceit** 명 자만심, 자부심

foe

[fou]

명 적, 원수

We can tell friend from **foe**. (학평)

우리는 친구와 **적**을 구별할 수 있다.

🟰 **enemy, opponent**

tedious

[tíːdiəs]

형 지루한, 싫증나는

It was a slow, **tedious** process. (학평)

그것은 느리고 **지루한** 과정이었다.

🟰 **boring, dull**

0315 ☐☐☐

ventilate

[véntəleit]

图 환기하다, (바람·공기 등이) ~에 잘 통하다

They **ventilate** the building by opening windows. (학평)
그들은 창문을 열어서 건물을 **환기한다**.

➕ ventilation 圆 환기, 통풍

0316 ☐☐☐

controversial

[kàːntrəvə́rʃəl]

톙 논란의 여지가 있는, 논란이 많은

People will respond more often to **controversial** topics than to noncontroversial ones. (학평)
사람들은 논란의 여지가 적은 것보다 **논란의 여지가 있는** 주제에 더 자주 반응할 것이다.

➕ controversy 圆 논란

0317 ☐☐☐

inject

[indʒékt]

图 주사하다, 주입하다, (특성을) 더하다

The virus is **injected** into fertilized chicken eggs to grow. (학평)
그 바이러스는 배양되기 위해 닭의 수정란에 **주사되었다**.

➕ injection 圆 주사, 주입

0318 ☐☐☐

submarine

[sʌ́bməriːn]

圆 잠수함

Robo-fish can fit in places divers and **submarines** can't. (학평)
Robo-fish는 잠수부나 **잠수함**이 들어갈 수 없는 곳에 들어갈 수 있다.

0319 ☐☐☐

chaotic

[keiáːtik]

톙 혼란스러운, 무질서한

Emotion without logic is a **chaotic** world. (학평)
논리가 없는 감정은 **혼란스러운** 세계이다.

➕ chaos 圆 혼돈, 혼란

0320 ☐☐☐

tangle

[tǽŋgl]

图 뒤엉키다, 헝클어지다　圆 얽힌 것, 꼬인 상태

During the day, tarsiers lie in holes in tree trunks and in dark, thickly **tangled** vegetation. (학평)
낮 동안에, 안경원숭이들은 나무 몸통의 구멍과 어둡고 두껍게 **뒤엉킨** 초목에 누워 있다.

➕ entangle 图 얽히게 하다　entanglement 圆 복잡한 관계

Daily Quiz

영어는 우리말로, 우리말은 영어로 쓰세요.

01 sequence _____
02 ascribe _____
03 adopt _____
04 dairy _____
05 difference _____
06 shift _____
07 deserve _____
08 modesty _____
09 precaution _____
10 omit _____

11 잠수함 _____
12 조수, 흐름, 경향 _____
13 서식지, 거주지 _____
14 영향, 함축, 암시 _____
15 가파른, 급격한 _____
16 기적 _____
17 혼란스러운 _____
18 적절한, 충분한 _____
19 (어깨를) 으쓱하다 _____
20 자격이 있는, 적격의 _____

다음 빈칸에 들어갈 가장 알맞은 것을 박스 안에서 고르세요.

recur   weary   supplement   controversial   sustain

21 Many people take vitamin D _____(e)s to get as much vitamin D as possible.
많은 사람들은 가능한 한 많은 양의 비타민 D를 얻기 위해 비타민 D 보충제를 섭취한다.

22 She was determined to make her students understand that themes _____ throughout a piece.
그녀는 주제들이 작품 전체에 걸쳐 반복된다는 것을 학생들에게 이해시키기로 결심했다.

23 We are directed, nurtured, and _____(e)d by others.
우리는 다른 사람들에 의해 지도되고, 양육되고, 살아가게 된다.

24 When running the actual marathon, he felt _____.
실제 마라톤을 뛸 때, 그는 피곤하다고 느꼈다.

25 People will respond more often to _____ topics than to noncontroversial ones.
사람들은 논란의 여지가 적은 것보다 논란의 여지가 있는 주제에 더 자주 반응할 것이다.

정답
01 순서, 연속, 배열, 차례로 배열하다   02 ~에 속하는 것으로 생각하다, ~의 탓으로 돌리다   03 도입하다, 채택하다, 입양하다   04 유제품의, 낙농(장)
05 차이, 다름, 불화   06 바꾸다, 이동하다, 변화, 교대 근무   07 (마땅히) ~을 받을 만하다, ~을 누릴 자격이 있다   08 겸손(함), 정숙함, 소박함
09 예방책, 예방 조치   10 빠뜨리다, 누락하다, 생략하다   11 submarine   12 tide   13 habitat   14 implication   15 steep   16 miracle
17 chaotic   18 adequate   19 shrug   20 eligible   21 supplement   22 recur   23 sustain   24 weary   25 controversial

접두사로 외우는 어휘 ⑧

inter-
서로, 사이에

interact
동 상호 작용을 하다, 소통하다

▶ inter[서로] + act [행동하다] → 서로에게 영향을 미치는 행동을 해 상호 작용을 하다

When we **interact**, we behave like actors by following scripts that we have learned from others. 학평

상호 작용을 할 때, 우리는 타인에게서 배운 대본을 따름으로써 연기자처럼 행동한다.

interpret
동 해석하다, 이해하다, 통역하다

▶ inter[서로] + pret[거래하다] → 거래하는 사이에서 서로 말이 통하도록 해석하다

Human reactions can be difficult to **interpret** objectively. 학평

인간의 반응들은 객관적으로 **해석하기** 어려울 수 있다.

interrelate
동 서로 연관되다, 관련되다

▶ inter[서로] + relate[관련 짓다] → 서로 관련 지어 연관되다

While design and styling are **interrelated**, they are completely distinct fields. 수능

디자인과 스타일링은 **서로 연관되어** 있지만, 그것들은 완전히 별개의 영역이다.

interfere
동 방해하다, 끼어들다

▶ inter[서로] + fere[치다] → 서로 쳐서 방해하다

Anything that contributes to stress during mealtime can **interfere** with the digestion of food. 수능

식사 시간 동안 스트레스의 원인이 되는 것은 무엇이든 음식의 소화를 **방해할** 수 있다.

intercultural
형 다른 문화 간의

▶ inter[사이에] + cultur[문화] + al[형·접] → 문화들 사이에, 즉 서로 다른 문화 간의

Intercultural awareness is a skill needed by anyone mixing with people from different cultural backgrounds. 학평

다른 문화 간의 인식은 서로 다른 문화적 배경의 사람들과 섞이는 누구에게나 필요한 기술이다.

DAY 09

MP3 바로 듣기

최빈출 단어

0321 ☐☐☐

require

[rikwáiər]

동 필요로 하다, 요구하다

Success **requires** a high degree of motivation working with a high degree of ability. 학평
성공은 높은 수준의 능력과 함께 작용하는 높은 수준의 동기부여를 **필요로 한다**.

➕ **requirement** 명 필요(조건) **require A to do** A에게 ~하기를 요구하다
🟰 demand

> Tips | **시험에는 이렇게 나온다**
> require는 'be required to(~하도록 요구되다)'의 형태로도 자주 나와요.

0322 ☐☐☐

remove

[rimú:v]

동 치우다, 제거하다, 없애다

A simple way to get organized is to **remove** unnecessary things around you. 모평
정리하는 간단한 방법은 당신 주변의 불필요한 것들을 **치우는** 것이다.

➕ **removal** 명 제거 **removable** 형 제거할 수 있는
🟰 displace, take away

0323 ☐☐☐

circumstance

[sə́:rkəmstæns]

명 환경, 상황, 사정

Roman law evolved dramatically over time, continuously adapting to new **circumstances**. 학평
로마법은 계속해서 새로운 **환경**에 적응하면서 시간이 지남에 따라 극적으로 발달했다.

➕ **circumstantial** 형 정황[상황]적인
🟰 situation, condition, surroundings

> Tips | **시험에는 이렇게 나온다**
> **unexpected circumstance** 뜻밖의 상황   **ideal circumstance** 이상적인 환경
> **personal circumstance** 개인 사정   **social circumstance** 사회적 환경

exist

[igzíst]

동 존재하다, 살아가다

Habitat diversity refers to the variety of places where life exists. 수능

서식지의 다양성이란 생명체가 **존재하는** 장소들의 다양성을 의미한다.

➕ existence 명 존재, 실재   existing 형 기존의   existent 형 존재하는

Tips | 주의해야 할 혼동어
exist와 철자가 비슷한 exit에 주의하세요! exit는 '출구', '나가다', '떠나다'를 의미하는 단어예요.

discovery

[diskʌ́vəri]

명 발견, 발견된 것

The Nobel Prize is awarded not for a lifetime of scientific achievement but for a single discovery. 수능

노벨상은 일생의 과학적 업적이 아니라 한 가지의 **발견**에 대해 수여된다.

➕ discover 동 발견하다, 찾다

personality

[pə̀ːrsənǽləti]

명 성격, 개성

She has a pleasant personality and gets along with everyone. 학평

그녀는 상냥한 **성격**을 지니고 있고 모든 사람들과 잘 지낸다.

➕ personal 형 개인의, 개인적인   personally 부 개인적으로
🟰 character, nature

construct

[kənstrʌ́kt]

동 구성하다, 건설하다

Scientists who study dinosaurs observe every little detail in a dinosaur fossil to construct a skeleton. 학평

공룡을 연구하는 과학자들은 뼈대를 **구성하기** 위해 공룡 화석의 모든 세부 사항까지 자세히 관찰한다.

➕ construction 명 건설   constructive 형 건설적인
🟰 build, form   ⬌ destroy 동 파괴하다   demolish 동 철거하다, 허물다

secure

[sikjúər]

동 지키다, 안전하게 하다, 확보하다   형 안전한

Schools have a duty to secure their students' safety. 학평

학교는 학생들의 안전을 **지킬** 의무가 있다.

➕ securely 부 안전하게   security 명 안전, 보안
🟰 protect, guard

0329 ☐☐☐

drain

[drein]

명 배수관, 하수구 · **동** 흘려보내다, 배출하다

What goes down the drain disappears and can't be gotten back again. (교과서)

배수관으로 내려간 것은 사라져서 다시 찾아낼 수 없다.

➕ **drainage** 명 배수 (시설)

🟰 sink

0330 ☐☐☐

absolute

[ǽbsəluːt]

형 절대적인, 완전한

Among security, justice, and conversation, no one is absolute. (수능)

안보, 정의, 그리고 대화 중에서 그 어느 것도 **절대적인** 것은 없다.

➕ **absolutely** 부 절대적으로, 완전히

🟰 complete, perfect

> Tips
>
> **시험에는 이렇게 나온다**
>
> absolute의 부사형인 absolutely는 듣기 영역 대화에서 상대방의 말에 강한 동의나 허락을 나타내는 '물론이지!'라는 뜻으로 자주 나와요.

0331 ☐☐☐

barrier

[bǽriər]

명 장벽, 장애물

Language barriers significantly reduce the opportunities for contact between different populations. (학평)

언어 **장벽**은 서로 다른 인구 간의 접촉 기회를 크게 감소시킨다.

🟰 obstacle

0332 ☐☐☐

layer

[léiər]

명 막, 겹, 층 · **동** 층층이 쌓다

Both cameras and eyes have a light-sensitive layer onto which the image is cast. (수능)

카메라와 눈 모두 빛에 민감한 **막**을 가지고 있고 이 막 위로 상이 맺힌다.

0333 ☐☐☐

resolution

[rèzəlúːʃən]

명 해결, 결의안, 결단력

I look forward to your reply and a resolution to my problem. (학평)

저의 문제에 대한 당신의 답변과 **해결**을 기대하겠습니다.

➕ **resolve** 동 해결하다, 결심하다

🟰 solution

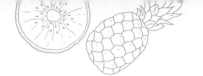

0334 ☐☐☐

assure

[əʃúər]

동 보장하다, 확신시키다

Regular healthy eating assures that you don't start your day in an already depleted state. 학평

규칙적인 건강한 식사는 당신이 이미 무력한 상태로 하루를 시작하지 않도록 **보장한다**.

➕ assurance 명 보장, 확신

🟰 guarantee, ensure, confirm

0335 ☐☐☐

essence

[ésns]

명 본질, 정수

In many ways, language is the essence of culture. 학평

여러 측면에서, 언어는 문화의 **본질**이다.

➕ essential 형 본질적인, 필수적인

Tips

> **시험에는 이렇게 나온다**
>
> essence는 '본질에 있어서', '본질적으로', '요컨대'를 의미하는 'in essence'의 형태로 문장의 시작 부분에 많이 쓰여요.

빈출 단어

0336 ☐☐☐

suburb

[sʌ́bəːrb]

명 교외, 근교

A fire broke out and destroyed an entire block of homes in the suburbs. 수능

화재가 발생하여 **교외**에 있는 주택 한 구역 전체가 파괴되었다.

➕ suburban 형 교외의

0337 ☐☐☐

rehearse

[rihə́ːrs]

동 예행연습하다, 반복하다

The actors have a detailed script that allows them to rehearse exactly what they will do. 학평

배우들은 그들이 무엇을 할지 정확히 **예행연습할** 수 있게 하는 상세한 대본을 가지고 있다.

➕ rehearsal 명 예행연습

0338 ☐☐☐

lengthy

[léŋθi]

형 아주 긴, 장황한, 지루한

There were lengthy discussions about the intention and construction of each film section. 학평

각 영화 섹션의 의도와 구성에 대한 **아주 긴** 논의가 있었다.

➕ length 명 길이, 기간   lengthen 동 연장하다, 길어지다

exaggerate

[igzǽdʒəreit]

동 과장하다, 부풀리다

People tend to **exaggerate** the amount of exercise they do. (학평)

사람들은 자신이 하는 운동의 양을 **과장하는** 경향이 있다.

➕ **exaggeration** 명 과장 **exaggerated** 형 과장된, 부풀린

flock

[flɑːk]

명 떼, 무리 동 떼 지어 가다, 모이다

Llamas are animals living in **flocks** in the Andes Mountains of South America. (학평)

라마는 남아메리카의 안데스 산맥에 **떼**를 지어 사는 동물이다.

eager

[íːgər]

형 열망하는, 열심인

Most children are **eager** to please their parents. (학평)

대부분의 아이들은 자신의 부모를 기쁘게 하기를 **열망한다**.

➕ **eagerness** 명 열의, 열망 **eagerly** 부 열망하여, 간절히
🟰 **keen, enthusiastic** ↔ **uninterested** 형 무관심한, 냉담한

crawl

[krɔːl]

동 기다, 기어가다

Babies learn to sit up, **crawl**, and then finally walk. (학평)

아기들은 일어나 앉고, **기고**, 그리고 마침내 걷는 법을 배운다.

fabulous

[fǽbjuləs]

형 아주 멋진, 굉장한, 우화에 나오는

Talking and laughing over coffee, they enjoyed a **fabulous** spring day. (모평)

커피를 마시며 이야기하고 웃으면서, 그들은 **아주 멋진** 봄날을 즐겼다.

🟰 **wonderful, brilliant**

contradict

[kὰːntrədíkt]

동 부정하다, 반박하다, 모순되다

Confirmation bias refers to a type of selective thinking that ignores what **contradicts** one's belief. (학평)

확증편향은 한 사람의 신념을 **부정하는** 것을 무시하는 선택적 사고의 한 유형을 가리킨다.

➕ **contradictory** 형 모순되는 **contradiction** 명 모순, 반박
🟰 **negate, deny**

0345 ☐☐☐

naive

[nɑːíːv]

형 순진한, 천진난만한

It's the story of a **naive** young man from Alabama. (학평)
그것은 앨라배마주에서 온 **순진한** 한 청년의 이야기이다.

➕ naively 뤼 순진하게

🟰 innocent ⬛ sophisticated 형 세련된, 정교한

0346 ☐☐☐

spill

[spil]

통 엎지르다, 흘리다, 누설하다 명 유출

It was careless of me to **spill** my coffee on the carpet. (학평)
카펫에 커피를 **엎지른** 것은 내 부주의 때문이었다.

Tips

시험에는 이렇게 나온다
oil spill 석유 유출　　**spill blood** 피를 흘리다　　**spill a secret** 비밀을 누설하다

0347 ☐☐☐

applaud

[əplɔ́ːd]

통 갈채를 보내다, 박수를 치다

She **applauded** his passionate performance and clapped for a long time. (수능)
그녀는 그의 열정적인 공연에 **갈채를 보냈고** 오랫동안 박수를 쳤다.

➕ applause 명 박수, 찬사

🟰 clap, cheer, praise

0348 ☐☐☐

heir

[er]

명 상속인, 계승자

Octavius found that Caesar's will would make him Caesar's **heir**. (학평)
옥타비우스는 카이사르의 유언이 자신을 카이사르의 **상속인**으로 삼으려 한다는 것을 알게 되었다.

🟰 successor, inheritor

0349 ☐☐☐

refute

[rifjúːt]

통 반박하다, 부인하다

The mind overvalues evidence that confirms what we already think and undervalues evidence that **refutes** it. (수능)
정신은 우리가 이미 생각하는 것이 사실임을 보여주는 증거를 과대평가하고 그것을 **반박하는** 증거는 과소평가한다.

➕ refutation 명 반박, 반론

🟰 deny, disprove ⬛ confirm 통 확증하다, 사실임을 보여주다

clash

명 충돌, 언쟁 동 맞붙다, 격돌하다

[klæʃ]

Bird strikes do little damage to the aircraft, although these **clashes** are fatal to the birds involved. 교과서

버드 스트라이크(항공기와 조류의 충돌)는 항공기에는 거의 피해를 주지 않지만, 이 **충돌**에 말려든 새에게는 치명적이다.

➡ crash, collision

pregnant

형 임신한, 충만한

[prégnənt]

Those seats are for the elderly and **pregnant** women. 모평

그 좌석들은 노약자와 **임신한** 여성들을 위한 것이다.

➕ pregnancy 명 임신

intersect

동 교차하다, 가로지르다

[ìntərsékt]

A ride costs about two dollars and it includes free transfers at stations where subway lines **intersect**. 학평

탑승 요금은 약 2달러이며 이는 지하철 노선이 **교차하는** 곳에서의 무료 환승을 포함한다.

➕ intersection 명 교차로, 교차점

reckless

형 무모한, 난폭한, 신중하지 못한

[réklis]

If someone is too brave, they become **reckless**. 학평

만약 누군가가 너무 용감하면 그들은 **무모해진다**.

➡ careless ⬛ prudent 형 신중한

superb

형 최고의, 최상의, 뛰어난

[su:pə́:rb]

Thank you so much for the excellent service and the **superb** delivery. 학평

훌륭한 서비스와 **최고의** 배송에 매우 감사드립니다.

➡ excellent, superior

splendid

형 훌륭한, 화려한, 아주 인상적인

[spléndid]

We admire the **splendid** views at Niagara Falls. 학평

우리는 나이아가라 폭포의 **훌륭한** 경치에 감탄한다.

➡ marvelous

0356 ☐☐☐

eloquent

[éləkwənt]

형 설득력 있는, 유창한, 웅변을 잘하는

We need more science writing that is clear, wise, and **eloquent**. (모평)

우리는 명확하고, 현명하고, **설득력 있는** 더 많은 과학 저술이 필요하다.

➕ **eloquently** 분 설득력 있게, 웅변으로　**eloquence** 명 웅변, 능변
🟰 **persuasive**

0357 ☐☐☐

burglar

[bə́:rglər]

명 절도범, 빈집 털이범

The **burglar** finally put up his hands in surrender and waited for the police to arrive. (학평)

절도범은 마침내 항복하겠다고 그의 손을 들었고 경찰이 도착하기를 기다렸다.

➕ **burglary** 명 절도(죄), 빈집털이
🟰 **thief, robber**

0358 ☐☐☐

irrigate

[írigeit]

동 물을 대다, 관개하다

Paddies have to be **irrigated**, so a complex system of channels must be dug from the nearest water source. (학평)

논에 **물이 대져야** 하므로, 가장 가까운 수원으로부터 복합적인 체계의 수로가 파져야 한다.

➕ **irrigation** 명 관개

0359 ☐☐☐

dye

[dai]

동 염색하다　명 염료, 염색제

I'd like to get my hair **dyed** light brown. (학평)

저는 제 머리카락을 밝은 갈색으로 **염색하고** 싶어요.

Tips

주의해야 할 혼동어
dye와 발음이 동일한 die에 주의하세요! die는 '죽다', '사라지다', '없어지다'를 의미하는 단어예요. 발음이 동일하기 때문에 듣기 영역에서는 맥락에 따라서 혼동어를 구별해야 해요.

0360 ☐☐☐

susceptible

[səséptəbl]

형 영향을 받기 쉬운, 민감한, 예민한

Professionals research how to make us more **susceptible** to their messages. (학평)

전문가들은 우리가 그들의 메시지에 더 **영향을 받기 쉽게** 만드는 방법을 연구한다.

➕ **susceptive** 형 감수성이 강한, 민감한
🟰 **sensitive, receptive, vulnerable**

Daily Quiz

영어는 우리말로, 우리말은 영어로 쓰세요.

01	clash	_____	11	염색하다, 염료	_____
02	refute	_____	12	본질, 정수	_____
03	eager	_____	13	상속인, 계승자	_____
04	fabulous	_____	14	치우다, 제거하다	_____
05	crawl	_____	15	떼, 무리, 모이다	_____
06	splendid	_____	16	구성하다, 건설하다	_____
07	circumstance	_____	17	장벽, 장애물	_____
08	susceptible	_____	18	지키다, 확보하다, 안전한	_____
09	applaud	_____	19	성격, 개성	_____
10	discovery	_____	20	보장하다, 확신시키다	_____

다음 빈칸에 들어갈 가장 알맞은 것을 박스 안에서 고르세요.

exist   drain   rehearse   layer   pregnant

21 What goes down the _____ disappears and can't be gotten back again.
배수관으로 내려간 것은 사라져서 다시 찾아낼 수 없다.

22 Both cameras and eyes have a light-sensitive _____ onto which the image is cast.
카메라와 눈 모두 빛에 민감한 막을 가지고 있고 이 막 위로 상이 맺힌다.

23 The actors have a detailed script that allows them to _____ exactly what they will do.
배우들은 그들이 무엇을 할지 정확히 예행연습할 수 있게 하는 상세한 대본을 가지고 있다.

24 Habitat diversity refers to the variety of places where life _____(e)s.
서식지의 다양성이란 생명체가 존재하는 장소들의 다양성을 의미한다.

25 Those seats are for the elderly and _____ women.
그 좌석들은 노약자와 임신한 여성들을 위한 것이다.

정답
01 충돌, 언쟁, 맞붙다, 격돌하다   02 반박하다, 부인하다   03 열망하는, 열심인   04 아주 멋진, 굉장한, 우화에 나오는   05 기다, 기어가다
06 훌륭한, 화려한, 아주 인상적인   07 환경, 상황, 사정   08 영향을 받기 쉬운, 민감한, 예민한   09 갈채를 보내다, 박수를 치다   10 발견, 발견된 것
11 dye   12 essence   13 heir   14 remove   15 flock   16 construct   17 barrier   18 secure   19 personality   20 assure
21 drain   22 layer   23 rehearse   24 exist   25 pregnant

접두사로 외우는 어휘 ⑨

dis- 반대의, 떨어져

discourage 동 의욕을 꺾다, 좌절시키다, 말리다

▶ dis[반대의] + courage[용기] → 용기 나지 않도록 반대로 해 의욕을 꺾다

Sam is **discouraged** because he's not seeing any results. (모평)

Sam은 아무런 결과도 보지 못해서 **의욕이 꺾였다**.

dismiss 동 묵살하다, 무시하다

▶ dis[떨어져] + miss[보내다] → 의견이나 사람을 떨어트려 보내 묵살하다

Though we cannot **dismiss** Mr. Smith's opinion completely, his argument is not persuasive. (수능)

우리가 Mr. Smith의 의견을 완전히 **묵살할** 수는 없지만, 그의 주장은 설득력이 없다.

discard 동 버리다

▶ dis[떨어져] + card[카드] → 카드를 떨어트려서 버리다

We **discard** the old for the new too frequently and without thought. (학평)

우리는 너무 자주 그리고 아무 생각 없이 새 것을 위해 낡은 것을 **버린다**.

discomfort 명 불편(함) 동 (마음을) 불편하게 하다

▶ dis[반대의] + comfort[편안함] → 편안함의 반대인 불편함

Our ability to recognize and respond to **discomfort** is critical for preventing physical damage to the body. (학평)

불편을 인식하고 반응하는 우리의 능력은 몸에 대한 신체적 손상을 예방하는 데 중요하다.

disregard 동 무시하다, 묵살하다

▶ dis[반대의] + regard[생각하다] → 상대와 반대로 생각하여 무시하다

There are occasions when we have reasons to **disregard** the demands of self-interest. (학평)

우리가 개인의 이익을 취하고자 하는 요구를 **무시할** 이유가 있는 경우가 있다.

DAY 10

MP3 바로 듣기

최빈출 단어

0361 □□□

expect

[ikspékt]

동 기대하다, 예상하다

We **expect** an open dialog, feedback, and sharing of information between parents and teachers. (모평)

우리는 부모와 교사 간의 열린 대화, 피드백, 그리고 정보의 공유를 **기대한다**.

⊕ **expectation** 명 기대, 예상   **expectancy** 명 기대, 전망
   expect A to A가 ~할 것을 예상하다   **be expected to** ~할 것으로 예상되다
▤ anticipate, predict

0362 □□□

adapt

[ədǽpt]

동 적응하다, 조정하다

Impalas have the ability to **adapt** to different environments of the savannas. (학평)

임팔라는 사바나의 각기 다른 환경에 **적응하는** 능력이 있다.

⊕ **adaptation** 명 적응, 조정   **adapted** 형 적응된, 개조된
▤ adjust, modify

Tips | **주의해야 할 혼동어**
adapt와 철자가 비슷한 adopt에 주의하세요! adopt는 '채택하다', '입양하다'를 의미하는 단어예요.

0363 □□□

resource

[ríːsɔːrs]

명 자원, 원천

Water **resources** require careful management. (수능)

수**자원**은 세심한 관리가 필요하다.

⊕ **resourceful** 형 자원이 풍부한

Tips | **시험에는 이렇게 나온다**
environmental resources 환경 자원   **state resources** 국가 자원
common resources 공동 자원   **natural resources** 천연 자원

locate

[lóukeit]

图 위치시키다, (위치·원인 등을) 찾아내다

Mockingbirds locate their nests in bushes surrounding buildings. 학평

흉내지빠귀는 건물들을 둘러싼 덤불 속에 자신들의 둥지를 **위치시킨다.**

➊ location 명 장소, 위치 **be located at[in, on]** ~에 위치하다

🔳 place, position

Tips | 시험에는 이렇게 나온다
locate a source of smell 냄새의 원천을 찾아내다   **locate the prey** 먹이를 찾아내다

accomplish

[əká:mpliʃ]

图 성취하다, 이루다, 완수하다

The best moments usually occur when a person is stretched to accomplish something worthwhile. 수능

최고의 순간은 대개 사람이 무언가 가치 있는 것을 **성취하기** 위해 최선을 다할 때 일어난다.

➊ accomplishment 명 성취, 업적

🔳 achieve, attain   ⊟ fail 동 실패하다, 낙제하다

damage

[dǽmidʒ]

명 손상, 피해 **동** 손상시키다, 피해를 입히다

As human activities have increased, the damage to the earth's environment has become more serious. 수능

인간의 활동이 증가함에 따라, 지구 환경에 대한 **손상**은 더욱 심각해졌다.

➊ cause[do] damage to A A에 피해를 입히다

🔳 harm, loss, injury

primitive

[prímətiv]

형 원시의, 초기의

Some people think the languages of so-called primitive peoples are simple. 모평

어떤 사람들은 소위 **원시**인들의 언어가 단순하다고 생각한다.

🔳 original, primordial

Tips | 시험에는 이렇게 나온다
primitive community 원시 공동체   primitive culture 원시 문화
primitive society 원시 사회   primitive times 원시 시대
primitive man 원시인   primitive language 원시 언어

crisis

[kráisis]

명 위기, 고비

In an international crisis, a nation might find itself in short supply of products essential to national security. 수능

국제적인 **위기**에서, 국가는 국가 안보에 필수적인 물자 공급이 부족한 상태에 처할 수도 있다.

Tips | **시험에는 이렇게 나온다**

emotional crisis 정서적 위기   environmental crisis 환경 위기
financial crisis 금융 위기   identity crisis 자기 정체감의 위기

clue

[klu:]

명 단서, 실마리

You need to look for clues and then draw conclusions based on those clues when reading. 학평

책을 읽을 때는 **단서들**을 찾은 다음 그 **단서들**을 바탕으로 결론을 도출해야 한다.

■ indication, sign, hint

defend

[difénd]

동 방어하다, 변호하다, 수비하다

Poisonous animals use toxins to defend themselves. 학평

독이 있는 동물들은 자신을 **방어하기** 위해 독소를 이용한다.

➕ defense 명 방어, 수비   defensive 형 방어적인   defendant 명 피고
■ protect   ⛔ attack 동 공격하다 명 공격

stable

[stéibəl]

형 안정적인, 차분한

We tend to keep things in a stable condition. 수능

우리는 상황을 **안정적인** 상태로 유지하는 경향이 있다.

➕ stabilize 동 안정되다, 안정시키다   stability 명 안정(성)
■ secure, sound   ⛔ unstable 형 불안정한

Tips | **시험에는 이렇게 나온다**

stable은 주로 condition(상태), environment(환경) 등 주변 환경, 분위기, 상태 등을 의미하는 명사와 함께 사용돼요.

welfare

[wélfer]

명 복지, 후생, 행복

The nation's welfare budget for the elderly represents only 16.8 percent of the total welfare spending. 학평

그 국가의 노인들을 위한 **복지** 예산은 전체 **복지** 지출의 불과 16.8퍼센트에 해당한다.

0373 ☐☐☐

imaginary

[imǽdʒəneri]

형 가상의, 상상에만 존재하는

Young children often have fears of the dark, monsters, or other scary imaginary creatures. 학평

어린아이들은 보통 어둠, 괴물, 또는 다른 무서운 **가상** 생명체에 대한 공포를 느낀다.

➕ imagine 동 상상하다

🟰 fictional, unreal

0374 ☐☐☐

swallow

[swá:lou]

동 삼키다, (감정을) 억누르다   명 삼킴, 제비

When you begin to chew your food, it becomes smaller and easier to swallow. 학평

당신이 음식물을 씹기 시작하면, 그것은 더 작아지며 **삼키기** 더 쉬워진다.

0375 ☐☐☐

endanger

[indéindʒər]

동 위태롭게 만들다, 위험에 빠뜨리다

Some frauds endanger the health and even the lives of citizens. 모평

어떤 사기행위는 시민들의 건강과 심지어는 그들의 생명까지도 **위태롭게 만든다**.

➕ endangered 형 멸종 위기에 처한

Tips

> **시험에는 이렇게 나온다**
>
> endanger의 형용사형인 endangered는 수능에서 주로 animals(동물), insects(곤충), species(종), wildlife(야생 동물) 등의 단어와 함께 사용되며 환경, 생태계, 동식물과 관련된 지문에 자주 나와요.

빈출 단어

0376 ☐☐☐

notify

[nóutəfai]

동 알리다, 통지하다, 통보하다

While she was performing CPR, I immediately notified the nearby hospital. 모평

그녀가 심폐 소생술을 행하는 동안, 나는 즉시 인근의 병원에 **알렸다**.

➕ notification 명 알림, 통지

🟰 inform, announce

0377 ☐☐☐

manuscript

[mǽnjuskript]

명 원고, (필)사본

I can send the complete manuscript. 학평

저는 완성된 **원고**를 보내드릴 수 있습니다.

accelerate

[ækséləreit]

통 가속하다, 촉진하다

RunBot can walk at a steady speed or **accelerate** to three times its initial speed. (학평)
RunBot은 일정한 속도로 걷거나 처음 속도의 3배까지 **가속할** 수 있다.

➕ **acceleration** 명 가속 **accelerator** 명 (자동차의) 엑셀러레이터, 촉진제
➖ **delay** 통 지연시키다, 연기하다 명 지연, 지체 **slow down** (속도를) 늦추다

surgeon

[sə́:rdʒən]

명 외과 의사

He used to be a real **surgeon** before he started acting. (학평)
그는 연기를 시작하기 전에는 진짜 **외과 의사**였다.

➕ **surgery** 명 수술 **surgical** 형 외과의, 수술의

insulate

[ínsəleit]

통 단열하다, 절연하다, 격리하다

Mud architecture **insulates** against the day's heat and the night's cold. (모평)
진흙 구조물은 낮의 열기와 밤의 한기를 **단열한다**.

➕ **insulation** 명 단열(재)

merge

[mə:rdʒ]

통 합치다, 합병하다, 어우러지다

Commuters should be prepared to **merge** into one lane. (학평)
통근자들은 하나의 차선으로 **합칠** 준비를 해야 한다.

➕ **merger** 명 합병
➖ **combine, join**

compile

[kəmpáil]

통 편집하다, 엮다, (자료 등을) 수집하다

He **compiled** a list of the esthetic and behavioral characteristics we are particularly attracted to. (학평)
그는 우리가 특히 이끌리게 되는 미학적, 행동적 특징들의 목록을 **편집했다**.

➕ **compilation** 명 편집(물), 편찬

Tips **주의해야 할 혼동어**
compile과 철자가 비슷한 comply에 주의하세요! comply는 '따르다', '준수하다'를 의미하는 단어예요.

0383 ☐☐☐

numeral

[njúːmərəl]

명 숫자 형 수의, 수를 나타내는

Roman **numerals** are not easy to read. (학평)

로마 **숫자**는 읽기 쉽지 않다.

➕ **numerical** 형 숫자로 나타낸 **numeric** 명 숫자 **numerous** 형 다수의

0384 ☐☐☐

tailor

[téilər]

명 재단사 동 맞추다

Fourier wanted to become an officer but was not allowed to because he was the son of a **tailor**. (수능)

Fourier는 장교가 되고 싶었지만 그는 **재단사**의 아들이었기 때문에 허락되지 않았다.

0385 ☐☐☐

misplace

[mìspléis]

동 잘못 두고 잊어 버리다, 둔 곳을 잊다

He had **misplaced** his wallet. (학평)

그는 자신의 지갑을 **잘못 두고 잊어버렸다**.

0386 ☐☐☐

ban

[bæn]

명 금지(령) 동 금지하다

The global **ban** on fossil fuels gave a boost to alternative energy. (교과서)

화석 연료에 대한 전 세계적인 **금지**는 대체 에너지에 활력을 불어넣었다.

🟰 **prohibition** ↔ **permission** 명 허가(증), 허락

0387 ☐☐☐

provoke

[prəvóuk]

동 유발하다, 화나게 하다

The works from Leech and Deininger **provoke** an interest in environmental conservation in people. (교과서)

Leech와 Deininger의 작품들은 환경 보호에 대한 사람들의 관심을 **유발한다**.

➕ **provocative** 형 도발적인 **provocation** 명 도발, 자극

🟰 **irritate, annoy**

0388 ☐☐☐

informative

[infɔ́ːrmətiv]

형 유익한, 유용한 정보를 주는

Your comments and explanations about DNA evidence have been particularly **informative**. (학평)

DNA 증거에 대한 당신의 의견과 설명이 특히 **유익했습니다**.

➕ **information** 명 정보 **inform** 동 알리다, 통지하다

🟰 **instructive**

extinguish

[ikstíŋgwiʃ]

동 (불을) 끄다, 끝내다, 없애다

Simon **extinguished** the flames. 학평

Simon은 불을 **껐다.**

Tips | **주의해야 할 혼동어**
extinguish와 철자가 비슷한 distinguish에 주의하세요! distinguish는 '구별하다', '구분하다'를 의미하는 단어예요.

segregation

[sègrigéiʃən]

명 차별, 분리, 구분

Racial and ethnic **segregation** should be eliminated. 모평

인종적, 민족적 **차별**은 없어져야 한다.

➕ **segregate** 동 분리하다, 구분하다
🔲 **discrimination**

renovate

[rénəveit]

동 개조하다, 보수하다

The restaurant is being **renovated.** 학평

식당이 **개조되고** 있다.

➕ **renovation** 명 수리, 쇄신

suburban

[səbə́:rbən]

형 교외의

Now, most public transportation is limited, so **suburban** people drive everywhere. 학평

지금은 대부분의 대중교통이 제한적이어서, **교외의** 사람들은 어디든 차를 몰고 다닌다.

alleviate

[əlí:vieit]

동 완화하다

The desire to fix others' discomforts is an urge to **alleviate** the pain that you are feeling yourself. 학평

다른 사람들의 불편을 해결하려는 욕망은 자신이 느끼는 고통을 **완화하려는** 욕구이다.

exhale

[ekshéil]

동 (숨·연기 등을) 내쉬다, 내뿜다

She relaxed her hands and **exhaled** a deep breath. 모평

그녀는 자신의 손을 풀고 한숨을 **내쉬었다.**

🔲 **inhale** 동 (숨을) 들이마시다

0395 ☐☐☐

recollect

[rèkəlékt]

동 회상하다, 기억해 내다

They fondly **recollected** their growing up years. (학평)

그들은 자신의 성장기를 애틋하게 **회상했다**.

➕ **recollection** 명 기억

0396 ☐☐☐

arrest

[ərést]

동 체포하다, 저지하다 명 체포

The police **arrested** Eric Montanez for handing bread and soup to hungry people. (학평)

경찰은 굶주린 사람들에게 빵과 수프를 건넨 혐의로 Eric Montanez를 **체포했다**.

🔁 **release** 동 풀어주다, 석방하다 명 석방

0397 ☐☐☐

punctual

[pʌ́ŋktʃuəl]

형 시간을 잘 지키는, 시간을 엄수하는

Someone extremely **punctual** comes home at exactly six o'clock every day. (학평)

굉장히 **시간을 잘 지키는** 어떤 사람은 매일 6시 정각에 귀가한다.

➕ **punctuality** 명 시간 엄수, 정확함

0398 ☐☐☐

regress

[rigrés]

동 퇴보하다, 퇴행하다

It was not that they had mentally **regressed**. (수능)

그들이 정신적으로 **퇴보한** 것은 아니었다.

➕ **regressive** 형 퇴행하는 **regression** 명 퇴보, 퇴행

🔁 **progress** 동 진보하다, 진행하다

0399 ☐☐☐

compulsion

[kəmpʌ́lʃən]

명 충동, 강요

Once the **compulsion** to play the game is in place, converting users into paying customers is much easier. (학평)

일단 게임을 하려는 **충동**이 있으면, 사용자를 유료 고객으로 전환하는 것은 훨씬 쉬워진다.

➕ **compel** 동 강요하다 **compulsive** 형 강박적인, 조절이 힘든

0400 ☐☐☐

statistics

[stətístiks]

명 통계(학), 통계 자료

We can use **statistics** to help us make decisions. (학평)

결정을 내리는 것에 도움받기 위해 우리는 **통계**를 이용할 수 있다.

➕ **statistical** 형 통계적인 **statistically** 부 통계적으로

Daily Quiz

영어는 우리말로, 우리말은 영어로 쓰세요.

01 adapt _____

02 alleviate _____

03 crisis _____

04 accomplish _____

05 exhale _____

06 recollect _____

07 tailor _____

08 arrest _____

09 ban _____

10 resource _____

11 외과 의사 _____

12 퇴보하다, 퇴행하다 _____

13 삼키다, 삼킴, 제비 _____

14 가상의 _____

15 원시의, 초기의 _____

16 가속하다, 촉진하다 _____

17 합치다, 어우러지다 _____

18 차별, 분리, 구분 _____

19 위험에 빠뜨리다 _____

20 단열하다, 절연하다 _____

다음 빈칸에 들어갈 가장 알맞은 것을 박스 안에서 고르세요.

| informative | stable | defend | misplace | expect |

21 Poisonous animals use toxins to _____ themselves.
독이 있는 동물들은 자신을 방어하기 위해 독소를 이용한다.

22 We tend to keep things in a(n) _____ condition.
우리는 상황을 안정적인 상태로 유지하는 경향이 있다.

23 He had _____(e)d his wallet.
그는 자신의 지갑을 잘못 두고 잊어버렸다.

24 Your comments and explanations about DNA evidence have been particularly
_____.
DNA 증거에 대한 당신의 의견과 설명이 특히 유익했습니다.

25 We _____ an open dialog, feedback, and sharing of information between parents and teachers.
우리는 부모와 교사 간의 열린 대화, 피드백, 그리고 정보의 공유를 기대한다.

접두사로 외우는 어휘 ⑩

un- 아닌, 반대

uneasy 〔형〕 불안한, 우려되는

▶ un[아닌] + easy[편한] → 편하지 않고 불안한

Everyone has the **uneasy** feeling that they have wasted a good deal of their time in the past. (모평)

모두가 과거에 자신이 많은 시간을 낭비했다는 **불안한** 느낌을 가지고 있다.

unseen 〔형〕 보이지 않는, 처음 보는

▶ un[아닌] + seen[보이는] → 보이지 않는

Tigers move silently and remain **unseen** most of the time. (교과서)

호랑이는 조용히 움직이며 대부분의 시간에 **보이지 않는** 채로 있다.

unconscious 〔형〕 무의식적인

▶ un[아닌] + conscious[의식이 있는] → 의식이 있지 않은, 즉 무의식적인

Our **unconscious** habits can keep us safe even when our conscious mind is distracted. (학평)

우리의 **무의식적인** 습관은 우리의 의식이 산만할 때조차도 우리를 안전하게 지켜줄 수 있다.

unintended 〔형〕 의도하지 않은

▶ un[아닌] + intended[의도한] → 의도하지 않은

I would like to ask for the kindness to forgive my **unintended** offense. (수능)

저의 **의도하지 않은** 무례를 용서하는 관용을 베풀어주시기를 바랍니다.

unwilling 〔형〕 꺼리는, 내키지 않는

▶ un[아닌] + willing[의지가 있는] → 의지가 있는 것이 아닌, 즉 꺼리는

Young children are **unwilling** to share their possessions. (학평)

어린 아이들은 자신의 소유물을 공유하기를 **꺼린다**.

DAY 11

MP3 바로 듣기

최빈출 단어

0401 ☐☐☐

moment

[móumənt]

명 순간, 잠깐, (특정한) 때

At that **moment**, a sudden inspiration took hold. (수능)
그 **순간**, 갑작스러운 영감이 떠올랐다.

➕ momentary 형 순간적인 **momentous** 형 중대한, 중요한

Tips | **시험에는 이렇게 나온다**
|
| **wait a moment** 잠깐 기다리다   **after a moment** 잠시 후
| **for a moment** 잠시 동안, 당장 그때만   **at any moment** 언제 어느 때나
| **get caught up in the moment** 그 순간[감정]에 몰두하다, 휘말려 들다

0402 ☐☐☐

complex

형동[kəmpléks]
명[káːmpleks]

형 복잡한, 복합의   동 복잡하게 하다   명 복합 건물

Television viewing does not demand **complex** mental activities. (수능)
텔레비전 시청은 **복잡한** 정신적 활동을 요구하지 않는다.

➕ complexity 명 복잡성
▣ complicated **▣ simple** 형 간단한, 단순한

0403 ☐☐☐

judge

[dʒʌdʒ]

동 판단하다, 평가하다   명 판사, 심판

Don't **judge** a book by its cover. (학평)
겉표지로만 책을 **판단하지** 마라. (겉모습만 보고 판단하지 마라.)

➕ judgment 명 판단, 평가
▣ assess, evaluate

0404 ☐☐☐

trail

[treil]

명 오솔길, 자취   동 추적하다, 질질 끌다

The **trail** curved toward the deep forest. (학평)
오솔길이 깊은 숲 쪽으로 굽어 있었다.

0405 ☐☐☐

alternative

[ɔːltə́ːrnətiv]

형 대체의, 대안적인 **명** 대안

Alternative energies are considered green energy because they're not based on fossil fuels. 학평

대체 에너지는 화석 연료를 기반으로 하지 않기 때문에 친환경적인 에너지로 여겨진다.

➕ **alternate** 통 번갈아 일어나다

🟰 **substitute**

Tips **시험에는 이렇게 나온다**

alternative는 주로 energy source(에너지원), fuel(연료) 등 자원, 환경과 관련된 단어와 함께 사용돼요.

0406 ☐☐☐

tempt

[tempt]

동 부추기다, 유혹하다, 유도하다

Today's parents must try to control all the new changes that **tempt** children away from schoolwork. 학평

오늘날의 부모들은 아이들이 학교 공부로부터 멀어지도록 **부추기는** 모든 새로운 변화들을 통제하도록 노력해야 한다.

➕ **temptation** 명 유혹 **tempting** 형 솔깃한, 유혹적인

🟰 **lure, entice**

0407 ☐☐☐

literature

[lítərətʃər]

명 문학, 문헌

The ability to sympathize with others enables us to seek through **literature** an enlargement of our experience. 수능

다른 사람들에게 공감하는 능력은 우리가 **문학**을 통해 경험의 확장을 추구할 수 있게 한다.

➕ **literary** 형 문학의, 문학적인

0408 ☐☐☐

emerge

[imə́ːrdʒ]

동 나타나다, 나오다, 드러나다

Super bacteria, which can resist multiple antibiotics, can **emerge** as resistant genes among bacteria multiply. 교과서

여러 항생제에 저항할 수 있는 슈퍼 박테리아는 박테리아 사이에서 내성 유전자가 증식하면서 **나타날** 수 있다.

➕ **emergence** 명 출현, 발생 **emerging** 형 최근 생겨난

emerge as ~으로 나타나다 **emerge from** ~에서 나오다, 벗어나다

Tips **주의해야 할 혼동어**

emerge와 철자가 비슷한 merge에 주의하세요! merge는 '합치다'를 의미하는 단어예요.

0409 ☐☐☐

justify

[dʒʌ́stifai]

동 정당화하다

Many people use their cleverness to justify and excuse themselves for the messiness of their workspaces. 수능

많은 사람들은 자신의 영리함을 업무 공간의 난잡함에 대해 **정당화하고** 변명하기 위해 이용한다.

➊ justification 명 정당화, 정당한 이유   justified 형 정당한, 납득이 되는
➡ rationalize

0410 ☐☐☐

occasion

[əkéiʒən]

명 행사, 사건, 경우

If you treat dining as a special occasion, you're more likely to eat more. 모평

만약 식사를 특별한 **행사**로 여긴다면, 당신은 더 많이 먹을 가능성이 더 크다.

➊ occasional 형 가끔의   occasionally 부 가끔
➡ event, affair

0411 ☐☐☐

ensure

[inʃúər]

동 보장하다, 확실하게 하다

Competition controls the market by making companies develop new ideas to ensure survival. 수능

경쟁은 회사들이 생존을 **보장할** 새로운 아이디어를 개발하게 함으로써 시장을 통제한다.

➡ guarantee, confirm

0412 ☐☐☐

genuine

[dʒénjuin]

형 진정한, 진짜의

Where there is genuine interest, one may work diligently without even realizing it. 수능

진정한 관심이 있는 곳에서는, 스스로도 모르는 사이에 부지런히 일할 수도 있다.

➡ sincere, authentic   ⬛ counterfeit 형 위조의 동 위조하다

Tips

주의해야 할 혼동어

genuine과 철자가 비슷한 genius에 주의하세요! genius는 '천재(성)', '특별한 재능'을 의미하는 단어예요.

0413 ☐☐☐

facilitate

[fəsíliteit]

동 용이하게 하다, 촉진하다

Color perception greatly facilitates the ability to tell one object from another. 모평

색 지각은 하나의 사물을 다른 것과 구별하는 능력을 대단히 **용이하게 한다**.

0414 ☐☐☐

mutual

[mjúːtʃuəl]

형 상호의, 서로의, 공통의

We live in a dense fabric of **mutual** aid. 학평

우리는 **상호** 원조가 밀집된 구조에 살고 있다.

> Tips **시험에는 이렇게 나온다**
>
> **mutual agreement** 상호 합의 **mutual understanding** 상호 이해
> **mutual respect** 상호 존중 **mutual dependence** 상호 의존

0415 ☐☐☐

virtually

[vɜ́ːrtʃuəli]

부 사실상, 거의, 가상으로

The human desire for goods and services is **virtually** unlimited. 학평

상품과 서비스에 대한 인간의 갈망은 **사실상** 무한하다.

➕ **virtual** 형 가상의

빈출 단어

0416 ☐☐☐

portray

[pɔːrtréi]

동 (그림·글로) 나타내다, 묘사하다

Body language experts say that smiling can **portray** confidence and warmth. 학평

신체 언어 전문가들은 미소 짓는 것이 자신감과 따뜻함을 **나타낼** 수 있다고 말한다.

➕ **portrait** 명 초상화, 묘사

🟰 **represent, depict**

0417 ☐☐☐

enroll

[inróul]

동 등록하다, 입학시키다

I was about to **enroll** in an expensive coaching program. 학평

나는 비싼 코칭 프로그램에 **등록할** 참이었다.

➕ **enrollment** 명 등록, 입학

🟰 **register**

0418 ☐☐☐

variable

[vériəbl]

명 변수 형 변하기 쉬운, 변덕스러운

Researchers found that the two **variables** were related. 학평

연구원들은 두 **변수**가 서로 관련이 있다는 것을 발견했다.

🟰 **changeable** ⬛ **constant** 형 끊임없는, 지속적인 **steady** 형 꾸준한, 안정된

boost

[buːst]

통 신장시키다, 북돋우다 **명** 격려, 부양책

Breast milk contains various nutrients that **boost** the baby's immune system. 학평
모유에는 아기의 면역 체계를 **신장시키는** 다양한 영양소가 들어 있다.

➕ **booster** 명 촉진제
🟰 **increase, develop** 🔲 **decrease** 통 줄이다, 감소시키다

insult

명[ínsʌlt]
통[insʌ́lt]

명 모욕 **통** 모욕하다

To call a person a pig is a serious **insult** in almost every language. 학평
사람을 돼지라고 부르는 것은 거의 모든 언어에서 심각한 **모욕**이다.

🟰 **offense**

concrete

형[kɑːnkríːt]
명[káːŋkriːt]

형 구체적인, 사실에 따른, 콘크리트로 된 **명** 콘크리트

Experts suggest that we should set a **concrete** goal rather than an abstract one. 교과서
전문가들은 우리가 추상적인 목표보다는 **구체적인** 목표를 세워야 한다고 제안한다.

🟰 **specific** 🔲 **abstract** 형 추상적인 **vague** 형 희미한, 모호한

conceive

[kənsíːv]

통 구상하다, 상상하다, 생각하다, 임신하다

Architecture is generally **conceived**, designed, and realized in response to an existing set of conditions. 학평
건축은 일반적으로 기존의 상황에 대응하여 **구상되고**, 설계되고, 실현된다.

➕ **conceivable** 형 상상할 수 있는

reservoir

[rézərvwɑːr]

명 저수지, (지식·부 등의) 비축, 저장(소)

We constructed so many large **reservoirs** to hold water. 학평
우리는 물을 저장하기 위해 수많은 큰 **저수지들을** 건설했다.

➕ **reserve** 통 예약하다, 남겨두다 명 비축(물)

pierce

[piərs]

통 뚫다, (어둠·적막 등을) 가르다

Your best friend wants to get her tongue **pierced**. 학평
당신의 가장 친한 친구가 자신의 혀를 **뚫고** 싶어 한다.

0425

inability

[ìnəbíləti]

명 무능(함), 불능

Many individuals struggle with reaching goals due to an **inability** to prioritize their own needs. (모평)

많은 사람들이 자신만의 필요한 사항에 우선순위를 매기지 못하는 **무능함**으로 인해 목표에 도달하는 데 애를 쓴다.

➡ **ability** 명 재능, 기량

0426

abolish

[əbá:liʃ]

동 없애다, 폐지하다

Scientific progress has not cured the world's ills by **abolishing** wars and starvation. (수능)

과학적인 발전은 전쟁과 기아를 **없앰으로써** 세계의 문제들을 해결하지 못했다.

➕ **abolition** 명 폐지

🔲 **remove, eliminate** ➡ **establish** 동 설립하다, 수립하다

0427

deplete

[diplí:t]

동 고갈시키다, 크게 감소시키다

Biomass is a renewable energy source which does not **deplete** existing supplies. (학평)

바이오매스는 기존의 물자를 **고갈시키지** 않는 재생 에너지원이다.

➕ **depletion** 명 고갈, 소모

🔲 **exhaust, use up**

0428

excavate

[ékskəveit]

동 발굴하다, 출토하다

They could catalog all the finds from an eleventh-century wreck they had **excavated**. (수능)

그들은 자신들이 **발굴한** 11세기 난파선에서의 모든 발견물을 분류할 수 있었다.

➕ **excavation** 명 발굴

🔲 **dig, unearth**

0429

impart

[impá:rt]

동 전하다, 알리다, 부여하다

Socialization takes place during human interaction, without the intent to **impart** knowledge or values. (학평)

사회화는 지식이나 가치를 **전하려는** 의도 없이 인간의 상호 작용 동안 일어난다.

➕ **impartation** 명 전함, 나누어 줌

🔲 **convey, transmit**

0430 □□□

precede

[prisíːd]

통 ~에 선행하다, 앞서다

It is important for parents to notice the changes that often **precede** it. (학평)

부모가 보통 그것**에 선행하는** 변화를 알아차리는 것은 중요하다.

✚ **precedence** 명 선행, 우선 **precedent** 명 선례 형 선행의, 이전의

⊟ **follow** 통 따라가다, 뒤따르다

> Tips | **주의해야 할 혼동어**
> precede와 철자가 비슷한 proceed에 주의하세요! proceed는 '진행하다', '계속 ~을 하다', '나아가다'를 의미하는 단어예요.

0431 □□□

sophomore

[sáːfəmɔːr]

명 (고교·대학의) 2학년생

He asked the coach if he could join the football team as a **sophomore**. (교과서)

그는 코치에게 자신이 축구팀에 **2학년생**으로서 합류해도 되는지 물었다.

0432 □□□

alienate

[éiljəneit]

통 소외감을 느끼게 하다, 멀리하다

She felt that other students in her school also felt isolated and **alienated**. (학평)

그녀는 학교의 다른 학생들도 마찬가지로 고립감과 **소외감을 느꼈으리라고** 생각했다.

0433 □□□

poll

[poul]

명 투표, 개표, 여론 조사 통 득표하다

I took part in an Internet **poll** for the best animation. (학평)

나는 최고의 만화 영화를 뽑는 인터넷 **투표**에 참여했다.

0434 □□□

resign

[rizáin]

통 (일을) 그만두다, 사임하다, 물러나다

Faraday had to **resign** his job before going on the tour. (학평)

Faraday는 여행을 떠나기 전에 직장을 **그만둬야** 했다.

✚ **resignation** 명 사임, 사직

⊟ **quit, leave**

> Tips | **주의해야 할 혼동어**
> resign과 의미가 비슷한 retire에 주의하세요! '사임하다'를 뜻하는 resign은 자신의 의지로 일을 그만두는 것을 의미하고, '은퇴하다'를 뜻하는 retire는 나이나 질병 등의 이유로 일을 그만두는 것을 의미해요.

0435

imperial

[impíəriəl]

형 제국의, 황제의

The **imperial** culture of Rome was Greek almost as much as Roman. 학평

로마의 **제국** 문화는 거의 로마식 못지않게 그리스식이었다.

0436

rehabilitate

[rìːhəbíləteit]

동 재활시키다, 회복시키다, 사회 복귀를 돕다

Some sport scientists are using technology to **rehabilitate** the body as a performance machine. 수능

일부 스포츠 과학자들은 수행 기계로서의 신체를 **재활시키기** 위해 기술을 사용하고 있다.

➕ **rehabilitation** 명 회복, 갱생

0437

rash

[ræʃ]

명 발진, 뾰루지 형 경솔한, 성급한

Lacquer trees can cause an itchy **rash**. 학평

옻나무는 가려운 **발진**을 일으킬 수 있다.

➕ **rashness** 명 성급함, 경솔함

0438

recede

[risíːd]

동 (물이) 빠지다, 물러가다, 약해지다

Some sea caves are sunk in water during high tide and can only be seen when the water **recedes**. 학평

어떤 바다 동굴들은 만조 때에는 물에 잠겨 있고 물이 **빠질** 때만 볼 수 있다.

➕ **recession** 명 침체, 후퇴 **recess** 명 짧은 휴식

0439

corpse

[kɔːrps]

명 시체, 송장

The Iceman is a 5,200-year-old **corpse** discovered on a glacier on the Italian-Austrian border. 학평

아이스맨은 이탈리아와 오스트리아의 국경의 빙하에서 발견된 5,200년 된 **시체**이다.

0440

affluent

[ǽfluənt]

형 부유한, 풍부한

The concept of thrift emerged out of a more **affluent** money culture. 모평

절약의 개념은 보다 더 **부유한** 화폐 문화로부터 등장했다.

🟰 rich, prosperous

11 DAY

01
02
03
04
05
06
07
08
09
10
11 DAY
12
13
14
15
16
17
18
19
20
21
22
23
24
25
26
27
28
29
30
31
32
33
34
35
36
37
38
39
40
41
42
43
44
45

Daily Quiz

영어는 우리말로, 우리말은 영어로 쓰세요.

01 mutual	_____	11 (그림·글로) 나타내다	_____
02 pierce	_____	12 고갈시키다	_____
03 excavate	_____	13 전하다, 부여하다	_____
04 occasion	_____	14 등록하다, 입학시키다	_____
05 conceive	_____	15 없애다, 폐지하다	_____
06 sophomore	_____	16 사실상, 가상으로	_____
07 complex	_____	17 부유한, 풍부한	_____
08 trail	_____	18 투표, 여론 조사	_____
09 justify	_____	19 재활시키다, 회복시키다	_____
10 alternative	_____	20 부추기다, 유혹하다	_____

다음 빈칸에 들어갈 가장 알맞은 것을 박스 안에서 고르세요.

faciliate   inability   rash   corpse   moment

21 Lacquer trees can cause an itchy _____.

옻나무는 가려운 발진을 일으킬 수 있다.

22 The Iceman is a 5,200-year-old _____ discovered on a glacier on the Italian-Austrian border.

아이스맨은 이탈리아-오스트리아 국경의 빙하에서 발견된 5,200년 된 시체이다.

23 Many individuals struggle with reaching goals due to a(n) _____ to prioritize their own needs.

많은 사람들이 자신만의 필요한 사항에 우선순위를 매기지 못하는 무능함으로 인해 목표에 도달하는 데 애를 쓴다.

24 Color perception greatly _____(e)s the ability to tell one object from another.

색 지각은 하나의 사물을 다른 것과 구별하는 능력을 대단히 용이하게 한다.

25 At that _____, a sudden inspiration took hold.

그 순간, 갑작스러운 영감이 떠올랐다.

정답

01 상호의, 서로의, 공통의   02 뚫다, (어둠·적막 등을) 가르다   03 발굴하다, 출토하다   04 행사, 사건, 경우   05 구상하다, 상상하다, 생각하다, 임신하다
06 (고교·대학의) 2학년생   07 복잡한, 복합의, 복잡하게 하다, 복합 건물   08 오솔길, 자취, 추적하다, 질질 끌다   09 정당화하다   10 대체의, 대안적인, 대안
11 portray   12 deplete   13 impart   14 enroll   15 abolish   16 virtually   17 affluent   18 poll   19 rehabilitate   20 tempt
21 rash   22 corpse   23 inability   24 facilitate   25 moment

접미사로 외우는 어휘 ①

-less   형용사형 (~이 없는)

---

careless   형 부주의한

▶ care[주의] + less[~이 없는] → 주의하는 마음이 없는, 즉 부주의한

The driver argued that the **careless** pedestrian was to blame for the accident. (수능)

운전자는 그 **부주의한** 보행자가 사고의 책임을 져야 한다고 주장했다.

---

endless   형 끝없는

▶ end[끝] + less[~이 없는] → 끝없는

Thanks to your **endless** support, I've had a wonderful time. (학평)

당신의 **끝없는** 응원 덕분에, 저는 멋진 시간을 보냈습니다.

---

worthless   형 쓸모없는, 가치 없는

▶ worth[가치] + less[~이 없는] → 가치 없는, 즉 쓸모없는

Separate the valuable from the **worthless** junk. (수능)

가치 있는 물건과 **쓸모없는** 쓰레기를 분리하라.

---

hopeless   형 절망적인

▶ hope[희망] + less[~이 없는] → 희망이 없는, 즉 절망적인

To keep themselves from feeling **hopeless**, they talked, joked, and played checkers. (교과서)

절망적인 느낌에서 벗어나기 위해, 그들은 말하고, 농담을 하고, 체커를 했다.

---

groundless   형 근거 없는

▶ ground[근거] + less[~이 없는] → 근거 없는

The public suffers from a **groundless** fear of chemical decaffeination. (수능)

대중은 화학적으로 카페인을 제거하는 것에 대한 **근거 없는** 공포에 시달리고 있다.

DAY 12

MP3 바로 듣기

최빈출 단어

0441 ☐☐☐

public

[pʌ́blik]

명 대중, 일반 사람들 형 공공의, 공적인

The event is free and open to the public, and no registration is required. (학평)

행사는 무료이고 **대중**에게 개방되며 등록이 필요 없습니다.

➕ **publicity** 명 널리 알려짐, 홍보 **publicize** 동 알리다, 홍보하다

Tips | **시험에는 이렇게 나온다**
---

public awareness 대중의 인식   **public health** 공중 보건
public library 공공 도서관   **public facilities** 대중 시설
public transportation 대중교통   **public attention** 대중의 관심

0442 ☐☐☐

supply

[səplái]

명 공급(량) 동 공급하다

Scientists are making great advances in agricultural chemistry, increasing our food supply. (수능)

과학자들은 농예 화학에서 큰 발전을 이루어 우리의 식량 **공급**을 증가시키고 있다.

➕ **supplier** 명 공급자

🔲 **provision** ⏸ **demand** 명 수요, 요구 동 요구하다

Tips | **시험에는 이렇게 나온다**
---

energy supply 에너지 공급   **labor supply** 노동력 공급
oxygen supply 산소 공급   **water supply** 급수

0443 ☐☐☐

appearance

[əpíərəns]

명 외모, 겉모습, 출현

According to psychologists, your physical appearance makes up 55% of a first impression. (수능)

심리학자들에 따르면, 당신의 신체적 **외모**는 첫인상의 55퍼센트를 차지한다고 한다.

➕ **appear** 동 나타나다, ~처럼 보이다

🔲 **look, form**

12 DAY

0444 ☐☐☐

exchange

[ikstʃéindʒ]

동 교환하다　**명** 교환, 환전

We **exchange** information and influence among ourselves in society. (학평)

우리는 사회에서 우리끼리 정보를 **교환하고** 영향을 미친다.

➕ **exchange rate** 환율, 외환 시세

▣ **interchange, trade**

0445 ☐☐☐

mass

[mæs]

명 질량, 다량, 대중　**형** 대량의, 대중의

The sun is much bigger than Earth and has much more **mass**. (학평)

태양은 지구보다 훨씬 크고 **질량**도 훨씬 더 크다.

➕ **massive** 형 거대한　**massively** 부 크게, 대규모로

Tips

시험에는 이렇게 나온다

mass가 '대중'의 의미일 때는 주로 media(매체), communication(소통, 전달), culture(문화) 등의 명사와, '대량의'의 의미일 때는 production(생산) 등의 명사와 함께 사용돼요.

0446 ☐☐☐

constant

[ká:nstənt]

형 일정한, 끊임없는, 지속적인

Each human possesses a **constant** amount of psychic energy. (학평)

인간은 저마다 **일정한** 양의 영적인 에너지를 지니고 있다.

➕ **constantly** 부 끊임없이, 계속

➖ **occasional** 형 가끔의　**changing** 형 변화하는

0447 ☐☐☐

typical

[típikəl]

형 보통의, 일반적인, 전형적인

Typical kids aged 10 to 18 spend as much as 7 hours and 38 minutes a day consuming entertainment media. (학평)

10세에서 18세 사이의 **보통** 아이들은 오락 매체를 소비하는 데 하루에 7시간 38분 정도 보낸다.

➕ **typically** 부 보통, 전형적으로

▣ **normal, ordinary**　➖ **unusual** 형 특이한, 드문

Tips

시험에는 이렇게 나온다

typical example 전형적인 예시	**typical experiment** 전형적인 실험
typical scenario 전형적인 각본	**typical response** 일반적인 반응

0448 ☐☐☐

vast

형 방대한, 막대한

[væst]

The **vast** record of the Annals of the Joseon Dynasty is made up of 888 books. (교과서)

조선왕조실록의 **방대한** 기록은 888권의 책으로 이루어져 있다.

➕ **vastly** 閉 대단히, 엄청나게 **vast majority** 대다수

➖ **enormous, huge** ➖ **tiny** 형 아주 작은, 적은

0449 ☐☐☐

artificial

형 인공의, 인조의, 인위적인

[à:rtəfíʃəl]

With technologies like **artificial** intelligence, it is possible to digitize homes. (학평)

인공 지능과 같은 기술로, 집을 디지털화하는 것이 가능하다.

➖ **man-made** ➖ **genuine** 형 진짜의   **natural** 형 자연 그대로의

0450 ☐☐☐

hostile

형 적대적인, 강력히 반대하는

[há:stl]

The article will immediately lead many readers to have a **hostile** attitude toward immigrants. (교과서)

그 기사는 즉각적으로 많은 독자들이 이민자들에 대해 **적대적인** 태도를 가지게 할 것이다.

➕ **hostility** 명 적의, 적대감

➖ **adversarial, unfriendly** ➖ **friendly** 형 우호적인

0451 ☐☐☐

statement

명 진술, 서술, 성명(서)

[stéitmənt]

Paradoxes are **statements** that seem contradictory but are actually true. (학평)

역설은 모순되어 보이지만 실제로는 사실인 **진술**이다.

➕ **state** 동 진술하다

➖ **account, report**

0452 ☐☐☐

celebrity

명 유명 인사, 명성

[səlébrəti]

There are some **celebrities** who are well known especially for their distinctive singing. (학평)

독특한 창법으로 특히 잘 알려진 몇몇 **유명 인사**들이 있다.

Tips

주의해야 할 혼동어

celebrity와 철자가 비슷한 celebrate에 주의하세요! celebrate는 '기념하다', '축하하다'를 의미하는 단어예요.

0453 □□□
debt
[det]

명 부채, 빚

You need to figure out all of your debts, such as car loans, credit card debt, and student loans. (학평)

당신은 자동차 대출, 신용 카드 대금, 그리고 학자금 대출과 같은 당신의 모든 **부채**를 계산할 필요가 있다.

0454 □□□
ruin
[rúːin]

동 망치다, 파멸시키다 **명** 파산, 파멸

Months of hard work were ruined by one careless mistake. (모평)

몇 달 동안 열심히 한 일이 한 번의 부주의한 실수로 **망쳐졌다**.

目 spoil, destroy　**떼** improve **동** 개선하다

0455 □□□
excess
[iksés]

형 초과한, 여분의 **명** 지나침, 과잉

When you consume more calories than you need at any time, those excess calories will be stored as body fat. (학평)

언제라도 당신이 필요한 열량보다 더 많은 열량을 섭취하면, 그 **초과한** 열량은 체지방으로 저장될 것이다.

➕ excessive **형** 지나친, 과도한　excessively **부** 지나치게, 심히
　exceed **동** (특정한 수·양을) 넘어서다

빈출 단어

0456 □□□
resemble
[rizémbl]

동 닮다, 비슷하다

The human heart resembles the shape and size of a fist. (학평)

인간의 심장은 주먹의 모양과 크기를 **닮았다**.

➕ resemblance **명** 닮음, 비슷함

0457 □□□
scarcity
[skérsəti]

명 부족, 결핍

Plentiful information leads to scarcity of attention. (모평)

많은 정보는 주의력 **부족**을 초래한다.

➕ scarce **형** 부족한, 드문　scarcely **부** 거의 ~ 않다
目 lack, shortage　**떼** abundance **명** 풍부

0458 ☐☐☐

swift
[swift]

형 신속한, 빠른

Vision is normally so **swift** and sure that we take it for granted. (모평)

시력은 보통 너무 **신속하고** 확실해서 우리는 그것을 당연한 것으로 여긴다.

➕ **swiftly** 【부】 신속히, 빨리

🟰 **quick, prompt**

0459 ☐☐☐

postpone
[poustpóun]

동 연기하다, 미루다

I'll have to **postpone** the appointment. (학평)

나는 약속을 **연기해야** 하겠다.

🟰 **put off, delay**

0460 ☐☐☐

flush
[flʌʃ]

동 내보내다, 물을 내리다, (얼굴이) 붉어지다

"Cooling down" helps the body **flush** out toxins and release tension. (학평)

"정리 운동"은 몸이 독소를 밖으로 **내보내고** 긴장을 푸는 데 도움을 준다.

0461 ☐☐☐

monologue
[máːnəlɔːg]

명 독백, (혼자서 하는) 긴 이야기

Your **monologue** must be no longer than two minutes. (학평)

당신의 **독백**은 2분보다 길어서는 안 된다.

🔄 **dialogue** 【명】 대화

0462 ☐☐☐

advent
[ǽdvent]

명 등장, 출현, 도래

The **advent** of literacy strengthened the ability of large and complex ideas to spread with high fidelity. (수능)

글을 읽고 쓰는 능력의 **등장**은 크고 복잡한 생각들이 높은 정확성으로 전파되는 능력을 강화했다.

0463 ☐☐☐

cosmos
[káːzməs]

명 우주, 체계, 질서

Astronomers' understanding of the **cosmos** is changing rapidly. (학평)

천문학자들의 **우주**에 대한 이해는 빠르게 변하고 있다.

➕ **cosmic** 【형】 우주의, 장대한

0464 ☐☐☐

shed

[ʃed]

팀 (잎 등을) 떨어뜨리다, 없애다, 발산하다

By early autumn, the trees began to **shed** their leaves. (학평)

초가을 무렵, 나무들이 잎을 **떨어뜨리기** 시작했다.

✚ **shed light on** ~을 비추다, 밝히다

0465 ☐☐☐

consensus

[kənsénsəs]

명 합의, 의견 일치

Conversations are negotiations for closeness, in which people try to reach **consensus**. (학평)

대화는 친밀감을 위한 협상이고, 이를 통해 사람들은 **합의**에 이르고자 노력한다.

✚ **consensual** 형 합의의

🟰 **agreement** ✖ **disagreement** 명 의견 불일치

0466 ☐☐☐

enact

[inǽkt]

팀 (법을) 제정하다, (연극 등을) 상연하다

They **enacted** the law in response to complaints from residents and businesses. (학평)

그들은 거주민들과 사업체들로부터의 불평에 대응하여 그 법을 **제정했다**.

✚ **enactment** 명 법률 제정, 법규

🟰 **legislate**

0467 ☐☐☐

discern

[disə́:rn]

팀 식별하다, 분간하다

Adolescents look in the mirrors, seeking to **discern** an identity in those reflections. (학평)

청소년들은 거울을 들여다보고, 그 비친 모습들에서 정체성을 **식별하기** 위해 애쓴다.

✚ **discernible** 형 식별할 수 있는

🟰 **identify, determine**

0468 ☐☐☐

dismay

[disméi]

팀 크게 실망시키다, 경악하게 만들다 명 실망, 경악

He was most **dismayed** when his publisher told him his book would not be issued until January, 1954. (학평)

출판사가 그에게 1954년 1월까지 그의 책이 발행되지 않을 것이라고 말했을 때 그는 가장 **크게 실망했다**.

🟰 **disappoint, upset**

01 02 03 04 05 06 07 08 09 10 11 12 13 14 15 16 17 18 19 20 21 22 23 24 25 26 27 28 29 30 31 32 33 34 35 36 37 38 39 40 41 42 43 44 45

sermon

명 설교

[sə́:rmən]

The **sermons** were especially boring. 수능

그 **설교들**은 특히 지루했다.

peril

명 위험(성), 유해함

[pérəl]

We are faced with unprecedented **perils**. 학평

우리는 전례 없는 **위험들**에 직면해 있다.

🔁 danger, risk　🔄 safety 명 안전

cognition

명 인지, 인식

[ka:gníʃən]

Dogs have the social **cognition** capacities of a 2-year-old child. 학평

개들은 두 살짜리 어린이의 사회적 **인지** 능력을 가지고 있다.

➕ cognitive 형 인지의, 인식의

🔁 perception

abruptly

분 갑작스럽게, 퉁명스럽게

[əbrʌ́ptli]

The director of the movie *My First Trip to Paris* wrapped up the story too **abruptly**. 학평

영화 「나의 첫 파리 여행」의 감독은 너무 **갑작스럽게** 이야기를 마무리 지었다.

➕ abrupt 형 갑작스러운, 퉁명스러운

🔁 suddenly

purify

동 정화하다, 정제하다

[pjúrifai]

The plants **purify** the water for the fish. 학평

그 식물은 물고기를 위해 물을 **정화한다**.

➕ purification 명 정화, 정제

pension

명 연금, 보조금, 작은 호텔

[pénʃən]

It is ridiculous for a man of 25 to think about the **pension** he will get after he retires. 학평

25세의 남자가 은퇴한 후에 받게 될 **연금**에 대해 생각하는 것은 우스꽝스러운 일이다.

0475 ☐☐☐

invoke

[invóuk]

圄 기원하다, 빌다, (법에) 호소하다

Rain dances were used to **invoke** rain and to protect the harvest. 〔학평〕

기우제 춤은 비를 **기원하고** 수확기를 보호하기 위해 사용되었다.

0476 ☐☐☐

duplicate

圄[djú:pləkeit]
톙톙[djú:pləkət]

圄 복제하다, 되풀이하다　톙 중복의　톞 사본

The entire system is **duplicated** on a standby computer. 〔학평〕

전체 시스템은 예비 컴퓨터에 **복제된다**.

➕ **duplication** 톞 복제, 중복
🟰 copy, repeat

0477 ☐☐☐

rebel

[rébəl]

圄 반항하다, 저항하다　톞 반역자, 반대자

Anyone who **rebelled** would be put in prison. 〔학평〕

반항했던 자는 누구든지 감옥에 갇히곤 했다.

➕ **rebellion** 톞 반란, 반항　**rebellious** 톙 반항적인, 반역하는

0478 ☐☐☐

plead

[pli:d]

圄 애원하다, 변호하다

"Please tell me," **pleaded** the little boy. 〔학평〕

"제발 말해 주세요"라고 어린 소년이 **애원했다**.

➕ **plea** 톙 애원, 간청
🟰 appeal, beg

0479 ☐☐☐

trim

[trim]

圄 손질하다, 다듬다

The trees need to be **trimmed**. 〔학평〕

그 나무들은 **손질될** 필요가 있다.

🟰 cut, crop

0480 ☐☐☐

scorn

[skɔ:rn]

톞 경멸(감)　圄 경멸하다, 비웃다

The greatest winnings I have made have been accomplished amid almost universal **scorn**. 〔학평〕

내가 이룬 가장 위대한 성공들은 거의 모든 사람들의 **경멸** 가운데 성취되었다.

🟰 contempt, despise　🔲 respect 톞 존중, 존경　圄 존중하다, 존경하다

Daily Quiz

영어는 우리말로, 우리말은 영어로 쓰세요.

01	pension	_____	11	정화하다, 정제하다	_____
02	celebrity	_____	12	복제하다, 중복의, 사본	_____
03	trim	_____	13	반항하다, 반역자	_____
04	constant	_____	14	신속한, 빠른	_____
05	supply	_____	15	인공의, 인위적인	_____
06	exchange	_____	16	설교	_____
07	abruptly	_____	17	식별하다, 분간하다	_____
08	cognition	_____	18	기원하다, 빌다	_____
09	statement	_____	19	질량, 대중, 대량의	_____
10	scarcity	_____	20	내보내다, 붉어지다	_____

다음 빈칸에 들어갈 가장 알맞은 것을 박스 안에서 고르세요.

> debt   scorn   monologue   peril   excess

21 We are faced with unprecedented _____(e)s.
우리는 전례 없는 위험들에 직면해 있다.

22 Your _____ must be no longer than two minutes.
당신의 독백은 2분보다 길어서는 안 된다.

23 When you consume more calories than you need at any time, those _____
calories will be stored as body fat.
언제라도 당신이 필요한 열량보다 더 많은 열량을 섭취하면, 그 초과한 열량은 체지방으로 저장될 것이다.

24 The greatest winnings I have made have been accomplished amid almost universal
_____.
내가 이룬 가장 위대한 성공들은 거의 모든 사람들의 경멸 가운데 성취되었다.

25 You need to figure out all of your _____(e)s, such as car loans, credit card
debt, and student loans.
당신은 자동차 대출, 신용 카드 대금, 그리고 학자금 대출과 같은 당신의 모든 부채를 계산할 필요가 있다.

정답

01 연금, 보조금, 작은 호텔 02 유명 인사, 명성 03 손질하다, 다듬다 04 일정한, 끊임없는, 지속적인 05 공급(량), 공급하다 06 교환하다, 교환, 환전
07 갑작스럽게, 퉁명스럽게 08 인지, 인식 09 진술, 서술, 성명(서) 10 부족, 결핍 11 purify 12 duplicate 13 rebel 14 swift 15 artificial
16 sermon 17 discern 18 invoke 19 mass 20 flush 21 peril 22 monologue 23 excess 24 scorn 25 debt

접미사로 외우는 어휘 ②

-ics, -ism 명사형 (학문), 명사형 (주의, 사상)

economics 명 경제학

▶ econom(y)[경제] + ics[-학] → 경제학

A Nobel prize winner once said: **Economics** has never been a science. 학평

한 노벨상 수상자는 **경제학**은 과학이었던 적이 없다고 말한 적이 있다.

statistics 명 통계학

▶ statistic(al)[통계의] + ics[-학] → 통계학

Statistics is about details, facts, and effort. 학평

통계학은 세부 사항, 사실, 그리고 노력에 관한 것이다.

genetics 명 유전학

▶ genet(ic)[유전의] + ics[-학] → 유전학

The renewed interest in **genetics** has led to an awareness that there are many wild plants with useful properties. 모평

유전학에 대한 새로운 관심은 유용한 특성을 가진 많은 야생 식물들이 있다는 인식을 갖게 했다.

optimism 명 낙관주의, 낙관론

▶ optim[가장 좋은] + ism[주의] → 가장 좋은 쪽을 보는 낙관주의

It is difficult for the staff to retain **optimism** when all the patients are declining in health. 수능

모든 환자의 건강이 악화되고 있는 상황에서 직원들이 **낙관주의**를 고수하기란 어렵다.

racism 명 인종 차별(주의)

▶ rac(e)[인종] + ism[주의] → 인종에 따라 평가하는 인종 차별주의

Racism is a dangerous human attribute that is essentially found in all societies. 교과서

인종 차별주의는 본질적으로 모든 사회에서 발견되는 위험한 인간의 속성이다.

DAY 13

최빈출 단어

0481 ☐☐☐

rate

[reit]

명 속도, 비율, 요금, 등급 동 평가하다

Heavy exercise raises your heart **rate** and body temperature. (학평)

격렬한 운동은 당신의 심장 박동 **속도**와 체온을 높인다.

目 speed, pace

Tips | 시험에는 이렇게 나온다

average rate 평균 비율   **enrollment rate** 등록률
inflation rate 인플레이션율   **growth rate** 성장률

0482 ☐☐☐

recommend

[rèkəménd]

동 추천하다, 권고하다

Let me **recommend** several good restaurants. (모평)

제가 몇몇 좋은 레스토랑을 **추천해드리겠습니다**.

➕ **recommendation** 명 추천, 권고 **recommendable** 형 추천할 만한

0483 ☐☐☐

account

[əkáunt]

명 계좌, 설명 동 설명하다, 차지하다, 여기다

A check is an authorization to pay a designated amount of money out of an established **account**. (학평)

수표는 개설된 **계좌**에서 지정된 금액의 돈을 지불하기 위한 허가증이다.

➕ **accountant** 명 회계사 **accountable** 형 책임이 있는
take A into account A를 고려하다 **account for** 설명하다, 처리하다

0484 ☐☐☐

phenomenon

[finá:mənɑ:n]

명 현상, 사건, 비범한 인물

Migration is an ancient **phenomenon** and very common throughout history. (학평)

이주는 아주 오래된 **현상**이고 역사를 통틀어 매우 흔하다.

➕ **phenomenal** 형 현상의, 놀랄 만한

0485 □□□

aware

[əwéər]

형 알고 있는, 의식하는

Few people are aware that 1883 is an important year in the history of the Korean press. (수능)

한국 언론의 역사에서 1883년이 중요한 해라는 것을 **알고 있는** 사람은 거의 없다.

➕ awareness 명 인식, 자각 be aware of ~을 알다

➖ informed ⊟ unaware 형 모르는

0486 □□□

plain

[plein]

형 분명한, 소박한, 무늬가 없는 명 평원

The plain fact is he failed much more than he succeeded. (학평)

분명한 사실은 그는 성공했던 것보다 훨씬 더 많이 실패했다는 것이다.

➖ obvious, evident

Tips | **시험에는 이렇게 나온다**

수능에서 plain이 '소박한', '무늬가 없는'을 의미하는 형용사로 쓰일 때는 blanket(담요), clothes (의복) 등의 단어를 꾸며주는 용도로 사용되는 경우도 있어요.

0487 □□□

mention

[ménʃən]

동 언급하다, 말하다 명 언급

I want to mention what happened in the meeting. (수능)

저는 회의에서 있었던 일을 **언급하고** 싶어요.

➖ refer to, state

0488 □□□

resist

[rizíst]

동 저항하다, 견디다

Nobody could resist the temptation to buy such a nice car. (학평)

아무도 그렇게 좋은 차를 사고 싶은 유혹에 **저항할** 수 없었다.

➕ resistant 형 저항하는, 잘 견디는 resistance 명 저항(력)

➖ oppose, withstand ⊟ accept 동 받아들이다

0489 □□□

assist

[əsíst]

동 돕다, 조력하다

Pets & People is an organization that assists pets in danger. (학평)

Pets & People은 위험에 처한 반려동물을 **돕는** 단체이다.

➕ assistant 명 보조, 조수 assistance 명 도움, 지원

➖ help, support, aid ⊟ hinder 동 저해하다, 방해하다

0490 □□□

imply

[implái]

동 함축하다, 암시하다, 시사하다

The nature of sarcasm **implies** a contradiction between intent and message. (모평)

풍자의 본질은 의도와 메시지 사이의 모순을 **함축한다**.

➕ **implication** 명 함축, 암시 **implicit** 형 함축적인, 암시된, 맹목적인

🟰 suggest

0491 □□□

anticipate

[æntísəpeit]

동 기대하다, 예상하다

The excellent Christmas season we've **anticipated** has begun. (수능)

우리가 **기대해왔던** 훌륭한 크리스마스 시즌이 시작되었다.

➕ **anticipation** 명 기대, 예상 **anticipatory** 형 예상한, 선구적인

🟰 expect

0492 □□□

consistency

[kənsístənsi]

명 일관성, 농도, 밀도

Consistency always brings better results. (학평)

일관성은 항상 더 나은 결과를 가져온다.

➕ **consistent** 형 한결같은, 일관된

🟰 steadiness

0493 □□□

enormous

[inɔ́:rməs]

형 막대한, 거대한

Tourism provides **enormous** economic benefits for the local community. (모평)

관광 산업은 지역 사회에 **막대한** 경제적 이익을 제공한다.

➕ **enormously** 부 엄청나게, 대단히 **enormity** 명 엄청남, 심각함

0494 □□□

convert

[kənvə́:rt]

동 전환하다, 바꾸다

Rare metals help to **convert** free natural resources like sunlight and wind into the power that fuels our lives. (수능)

희귀 금속은 햇빛과 바람 같은 무상의 천연 자원을 우리 생활에 연료를 공급하는 동력으로 **전환하는** 데 도움을 준다.

➕ **conversion** 명 전환, 개조 **convertible** 형 전환 가능한

convert A into B A를 B로 전환하다

🟰 change, transform

01 02 03 04 05 06 07 08 09 10 11 12 **13 DAY** 14 15 16 17 18 19 20 21 22 23 24 25 26 27 28 29 30 31 32 33 34 35 36 37 38 39 40 41 42 43 44 45

0495 ☐☐☐

dismiss

[dismís]

동 묵살하다, 해고하다

We often **dismiss** new ideas simply because they do not fit within the general framework of our notions. (모평)

우리는 새로운 발상들이 단지 우리가 가진 개념의 일반적인 틀에 들어맞지 않는다는 이유로 종종 그것들을 **묵살한다**.

➕ **dismissal** 명 묵살, 해고   **dismissive** 형 멸시하는, 면직의

➖ **ignore, disregard**

빈출 단어

0496 ☐☐☐

evident

[évidənt]

형 분명한, 눈에 띄는

It is **evident** that we can learn and remember information long after maturation. (학평)

우리가 성인이 되고 난 한참 후에도 정보를 학습하고 기억할 수 있다는 것은 **분명하다**.

➕ **evidence** 명 증거, 물증   **evidently** 부 분명히

➖ **obvious**

0497 ☐☐☐

disgrace

[disgréis]

명 불명예, 망신   동 명예를 더럽히다

The condition of the subway is a **disgrace** to this city. (수능)

그 지하철의 상태는 이 도시에 대한 **불명예**이다.

➕ **disgraceful** 형 수치스러운

➖ **shame**   ✖ **honor** 명 명예, 영예 동 존경하다

0498 ☐☐☐

inhibit

[inhíbit]

동 저해하다, 억제하다, 저지하다

Digital devices prevent people from navigating long texts, which may subtly **inhibit** reading comprehension. (학평)

디지털 기기는 사람들이 긴 글을 다루는 것을 방해하는데, 그것은 미묘하게 독해력을 **저해할** 수도 있다.

➕ **inhibition** 명 억제, 금지

➖ **hinder**

Tips

> **주의해야 할 혼동어**
> inhibit과 철자 및 발음이 비슷한 inhabit에 주의하세요! '저해하다'라는 뜻의 inhibit은 [인히빗]이라고 발음하고, '거주하다'라는 뜻의 inhabit은 [인해빗]이라고 발음해요.

fragment

명 조각, 파편 동 산산이 부수다, 해체되다

명[frǽgmənt]
동[frægmént]

These L-like **fragments** are combined into a rectangle. (학평)

이 L 모양의 **조각들**은 직사각형 모양으로 결합된다.

➕ **fragmentary** 형 단편적인, 부분적인 **fragmentation** 명 분열, 파쇄

estate

명 사유지, 재산, (주택·공장) 단지

[istéit]

Large sums of money were spent on elegant **estates**. (학평)

많은 액수의 돈이 품격 있는 **사유지들**에 쓰였다.

> **Tips** 시험에는 이렇게 나온다
>
> estate는 '부동산', '부동산 중개업'을 의미하는 'real estate'로도 많이 출제되니 이 표현도 꼭 기억하세요.

verdict

명 판단, 평결, 의견

[və́:rdikt]

The emotional brain generates its **verdict** automatically. (수능)

감정적인 두뇌는 무의식적으로 **판단**을 내린다.

disguise

동 변장하다, 위장하다, 숨기다

[disgáiz]

The king **disguised** himself as a simple peasant. (교과서)

왕은 평범한 소작농으로 **변장했다**.

➖ mask, camouflage

corporate

형 기업의, 법인의, 공동의

[kɔ́:rpərət]

Many users unknowingly handed over their photos to **corporate** control. (학평)

많은 사용자들이 자신도 모르게 자신의 사진들을 **기업의** 손에 넘겼다.

➕ **corporation** 명 기업, 회사

> **Tips** 주의해야 할 혼동어
>
> corporate와 철자 및 발음이 비슷한 cooperate에 주의하세요! '기업의', '공동의'를 뜻하는 corporate는 [쿼퍼뤗트]라고 발음하고, '협력하다', '협조하다'를 뜻하는 cooperate는 [코우아퍼뤠이트]라고 발음해요.

0504 ☐☐☐

deprive

[dipráiv]

통 박탈하다, 빼앗다

Human beings are the only species that will deliberately **deprive** themselves of sleep without legitimate gain. 학평

인간은 합당한 이익 없이도 자신의 수면을 의도적으로 **박탈할** 유일한 종이다.

➕ **deprivation** 명 박탈, 결핍   **deprive A of B** A에게서 B를 빼앗다

0505 ☐☐☐

feast

[fiːst]

명 잔치, 연회 통 맘껏 먹다

There will always be good times and bad, **feasts** and famines, hot summers and cold winters. 학평

언제나 좋은 때가 있으면 나쁜 때가, **잔치**가 있으면 기근이, 더운 여름이 있으면 추운 겨울이 있을 것이다.

🟰 **banquet**

0506 ☐☐☐

longevity

[lɑːndʒévəti]

명 장수, 오래 지속됨

Exercise and diet are important, but they are not the only keys to **longevity**. 학평

운동과 식습관은 중요하지만, 그것들이 **장수**의 유일한 비결은 아니다.

0507 ☐☐☐

divert

[divə́ːrt]

통 방향을 바꾸게 하다, 전환하다

The US **diverted** the flow of water from regions where it was plentiful to where it was scarce. 교과서

미국은 물이 많은 지역에서 부족한 지역으로 물 흐름의 **방향을 바꾸게 했다**.

➕ **diversion** 명 (방향) 바꿈, 전환

0508 ☐☐☐

tilt

[tilt]

통 기울이다, 경사지게 하다 명 기울기, 경사

To gargle, you **tilt** your head back to move the liquid to the back of your throat. 학평

가글을 하기 위해, 당신은 목구멍 뒤쪽으로 액체를 옮기려고 머리를 뒤로 **기울인다**.

0509 ☐☐☐

prose

[prouz]

명 산문

The old Sumerian cuneiform could not be used to write normal **prose**. 수능

오래된 수메르 설형 문자는 일반적인 **산문**을 쓰는 데 사용될 수 없었다.

↔ **verse** 명 운문, 시

blast

[blæst]

명 강한 바람, 폭발 동 폭발시키다, 폭파하다

I was hit with a **blast** of hot air and the sound of exploding glass when I opened the side door. 학평

나는 옆문을 열었을 때 뜨거운 **강한 바람**과 유리가 폭발하는 소리에 타격을 입었다.

🖿 explosion, burst

curse

[kə:rs]

명 저주, 욕설 동 저주를 하다, 욕을 하다

As socioeconomic classes arose in the Middle Ages, work began to be seen as the **curse** of the poor. 학평

중세 시대에 사회경제적 계층이 생겨나면서, 노동은 가난한 사람들에 대한 **저주**로 인식되기 시작했다.

🖿 bless 동 축복하다, 감사하다

abound

[əbáund]

동 풍부하다, 아주 많다

Deseada Island **abounds** greatly in iguanas and in a species of birds called fragatas. 모평

Deseada 섬에는 이구아나, 그리고 프라가타라는 새들의 종이 아주 **풍부하다**.

➕ abundant 형 풍부한 abundance 명 풍부

debris

[dəbrí:]

명 잔해, 쓰레기

Different kinds of **debris** are left by people who have used the park to clean their cars. 학평

자신의 승용차들을 청소하기 위해 공원을 이용한 사람들에 의해 여러 가지 **잔해**가 버려졌다.

🖿 remains, waste

outperform

[àutpərfɔ́:rm]

동 더 나은 결과를 내다, 능가하다

He would strive to **outperform** expectations. 모평

그는 기대치보다 **더 나은 결과를 내기** 위해 노력할 것이다.

perplex

[pərpléks]

동 당혹스럽게 하다

Students of ethics have been **perplexed** as to whether to classify their subject as a science or an art. 학평

윤리학과 학생들은 자신의 학과를 과학으로 또는 예술로 분류할지에 대해 **당혹스러워 해왔다**.

0516 ☐☐☐

dispose

[dispóuz]

동 처분하다, 배치하다, ~의 경향을 갖게 하다

Being able so easily to **dispose** of things makes us insensitive to the actual objects we possess. 학평

물건들을 너무 쉽게 **처분할** 수 있는 것은 우리가 소유한 실제 물건들에 무던해지게 만든다.

⊕ disposal 명처분, 배치 **disposable** 형처분할 수 있는, 일회용의
dispose of ~을 처분하다

0517 ☐☐☐

defy

[difái]

동 허용하지 않다, 저항하다, 무시하다

Writing helped heal me from a mysterious illness which had **defied** the doctors and their medicines. 수능

글쓰기는 의사와 약을 **허용하지 않던** 불가사의한 병으로부터 나를 낫게 해주었다.

⊕ defiance 명저항, 반항 **defiant** 형저항하는, 반항하는
目 resist, confront

0518 ☐☐☐

pessimistic

[pèsəmístik]

형 비관적인, 비관주의의

There are times when having a **pessimistic** view is beneficial. 학평

비관적인 견해를 갖는 것이 유익할 때가 있다.

⊕ pessimism 명비관주의 **pessimist** 명비관주의자
⊟ optimistic 형낙관적인, 낙천주의의

0519 ☐☐☐

courteous

[kə́:rtiəs]

형 공손한, 정중한

Coates was unfailingly polite and **courteous** to help set community standards. 학평

Coates는 한결같이 예의 바르고 **공손해서** 지역 사회의 규범을 정하는 데 도움이 되었다.

⊕ courtesy 명공손함, 예의
目 polite **⊟ discourteous** 형예의 없는, 무례한

0520 ☐☐☐

salute

[səlú:t]

동 경례하다, 경의를 표하다 **명** 거수경례

There is a picture of Neil Armstrong standing on the surface of the moon and **saluting** an American flag. 학평

달 표면에 서서 미국 국기에 대해 **경례하는** 닐 암스트롱의 사진이 있다.

⊕ salutation 명인사(말)

Daily Quiz

영어는 우리말로, 우리말은 영어로 쓰세요.

01 tilt _____

02 inhibit _____

03 blast _____

04 corporate _____

05 verdict _____

06 account _____

07 convert _____

08 pessimistic _____

09 divert _____

10 resist _____

11 분명한, 소박한, 평원 _____

12 공손한, 정중한 _____

13 언급하다, 언급 _____

14 불명예, 명예를 더럽히다 _____

15 사유지, 재산 _____

16 허용하지 않다, 저항하다 _____

17 알고 있는, 의식하는 _____

18 돕다, 조력하다 _____

19 더 나은 결과를 내다 _____

20 추천하다, 권고하다 _____

다음 빈칸에 들어갈 가장 알맞은 것을 박스 안에서 고르세요.

prose	disguise	longevity	consistency	rate

21 Exercise and diet are important, but they are not the only keys to _____.
운동과 식습관은 중요하지만, 그것들이 장수의 유일한 비결은 아니다.

22 The king _____(e)d himself as a simple peasant.
왕은 평범한 소작농으로 변장했다.

23 The old Sumerian cuneiform could not be used to write normal _____.
오래된 수메르 설형 문자는 일반적인 산문을 쓰는 데 사용될 수 없었다.

24 Heavy exercise raises your heart _____ and body temperature.
격렬한 운동은 당신의 심장 박동 속도와 체온을 높인다.

25 _____ always brings better results.
일관성은 항상 더 나은 결과를 가져온다.

접미사로 외우는 어휘 ③

-er/ar/or, -ee 명사형 (행위자), 명사형 (대상자)

owner 명 주인, 소유주

▶ own[소유하다] + er[행위자] → 소유하는 사람, 즉 주인

His father was a grocery store **owner** and his mother worked as a singer. (교과서)

그의 아버지는 식료품점 **주인**이었고 그의 어머니는 가수로 일했다.

scholar 명 학자, 학생, 장학생

▶ schola[학교] + ar[행위자] → 학교를 다니며 학업을 하는 학자, 학생

One prominent **scholar** said, "Anything can look like a failure in the middle." (학평)

한 저명한 **학자**는 "무엇이든 중간에는 다 실패처럼 보일 수 있다"고 말했다.

prosecutor 명 검사

▶ prosecut(e)[기소하다] + or[행위자] → 기소하는 사람, 즉 검사

Neither **prosecutor** nor defender is obliged to consider anything that weakens their respective cases. (모평)

검사도 변호인도 각자의 사건을 약화시키는 어떤 것도 고려할 의무가 없다.

attendee 명 참석자, 출석자

▶ attend[참석하다] + ee[대상자] → 참석하는 대상자, 즉 참석자

Every **attendee** will be given free dust masks. (학평)

모든 **참석자**에게는 무료 방진 마스크가 지급됩니다.

interviewee 명 면접 대상자

▶ interview[면접] + ee[대상자] → 면접 대상자

One **interviewee** said that he could visualize the point. (학평)

한 **면접 대상자**는 본인이 요점을 시각화할 수 있다고 말했다.

DAY 14

최빈출 단어

0521 ☐☐☐

material

[mətíəriəl]

명 재료, 물질 형 물질적인

Humans have used mud as a building **material** since ancient times. (학평)
인간은 고대부터 진흙을 건축 **재료**로 사용해왔다.

🔁 substance, matter   ⟷ spiritual 형 영적인, 정신적인

0522 ☐☐☐

reflect

[riflékt]

동 반영하다, 반사하다, 숙고하다

Attitudes don't always **reflect** actions. (학평)
태도가 행동을 항상 **반영하는** 것은 아니다.

➕ reflection 명 반영, 반사, 숙고   reflect on ~을 반성하다
🔁 indicate, display

0523 ☐☐☐

urban

[ə́ːrbən]

형 도시의, 도회지의

Land is a scarce resource in **urban** development. (학평)
토지는 **도시** 개발에서 부족한 자원이다.

🔁 civic, city   ⟷ rural 형 시골의, 지방의

Tips **시험에는 이렇게 나온다**

urban areas 도시 지역	**urban environment** 도시 환경
urban overcrowding 도시 과밀화	**urban population** 도시 인구

0524 ☐☐☐

craft

[kræft]

명 (수)공예, 기술, 비행기, 선박 동 공들여 만들다

The traditional **craft** techniques have been handed down in Korea from generation to generation. (교과서)
한국에서 전통 **공예** 기술은 대대로 전해 내려왔다.

valuable

[vǽljuəbl]

형 소중한, 귀중한, 값비싼

The camp will be a **valuable** and enjoyable experience this summer. (모평)

올여름 그 캠프는 **소중하고** 즐거운 경험이 될 것이다.

⊕ value 명 가치 **invaluable** 형 매우 유용한, 귀중한

⊟ precious **⊠ valueless** 형 무가치한 **worthless** 형 가치 없는

Tips **주의해야 할 혼동어**

valuable과 철자가 비슷한 variable에 주의하세요! variable은 '변동이 심한', '변화를 줄 수 있는', '변수'를 의미하는 단어예요.

disturb

[distə́:rb]

동 방해하다, 불안하게 하다, 어지럽히다

I use headphones when playing the piano so I don't **disturb** my neighbors. (학평)

나는 내 이웃들을 **방해하지** 않도록 피아노를 연주할 때 헤드폰을 쓴다.

⊕ disturbance 명 방해, 소란 **disturbing** 형 방해가 되는, 불안감을 주는

⊟ bother, interrupt

mobile

[móubəl]

형 이동식의, 이동하는, 움직이기 쉬운

Hubert is often credited with inventing the first powered **mobile** vacuum cleaner. (학평)

휴버트는 최초의 **이동식** 전동 진공청소기를 발명한 것으로 종종 공로를 인정받는다.

⊕ mobility 명 이동성, 유동성 **mobilize** 동 동원되다, 결집하다

⊟ moving, moveable **⊠ immobile** 형 부동의 **stationary** 형 움직이지 않는

defeat

[difí:t]

동 패배시키다, 물리치다 **명** 타도, 패배

When the Japanese were finally **defeated**, he was able to share his national heritage with the rest of Korea. (교과서)

마침내 일본인들이 **패배하자**, 그는 자신의 국가 유산을 나머지 한국 국민들과 공유할 수 있었다.

⊕ defeated 형 패배한

⊟ beat, conquer **⊠ surrender** 동 항복하다, 내주다

Tips **주의해야 할 혼동어**

defeat와 철자가 비슷한 defect에 주의하세요! defect는 '결함', '약점'을 의미하는 단어예요.

income

[ínkʌm]

몡 소득, 수입

Maria Sutton was a social worker in a place where the average **income** was very low. (학평)

Maria Sutton은 평균 **소득**이 매우 낮은 곳의 사회복지사였다.

■ earnings, revenue ◼ expenditure 몡 지출, 비용

frustrated

[frʌ́streitid]

혱 좌절한, 실망한

When many roles make conflicting demands on you, you may feel at times **frustrated**. (수능)

많은 역할들이 당신에게 상충되는 요구를 할 때, 당신은 가끔 **좌절할지도** 모른다.

➕ frustrate 동 좌절감을 주다 frustration 몡 좌절감, 불만

Tips	시험에는 이렇게 나온다
	frustrated는 화자의 심경을 묻는 문제의 선택지로 자주 출제돼요. frustrated는 무언가가 잘 안 풀려 답답하거나 좌절감을 느낄 때 사용하며, 화난 상태를 나타내는 angry와 혼동하지 않게 주의하세요.

property

[prá:pərti]

몡 부동산, 재산, 소유물, 속성

Graffiti reduces **property** values and makes an area look ugly. (학평)

그라피티는 **부동산** 가치를 떨어뜨리고 지역을 보기 흉하게 한다.

➕ have the property of ~의 속성이 있다

found

[faund]

동 설립하다, 세우다, 근거를 두다

Elsie **founded** a hospital for women in Edinburgh in which the staff consisted only of women. (학평)

Elsie는 직원이 오로지 여성으로만 구성된 여성을 위한 병원을 에든버러에 **설립했다**.

➕ foundation 몡 토대, 재단 founder 몡 설립자

■ establish

pollute

[pəlú:t]

동 오염시키다

Plastic **pollutes** the environment severely. (교과서)

플라스틱은 환경을 심하게 **오염시킨다**.

➕ pollutant 몡 오염 물질 pollution 몡 오염, 공해

■ contaminate

0534 ☐☐☐

remark

[rimá:rk]

명 말, 의견, 주목 동 말하다, 주목하다

A **remark** may cause you anger, but responding with a cool answer is most effective. (학평)

한마디 **말**이 당신을 분노하게 야기할 수도 있지만, 침착한 답변으로 대응하는 것이 가장 효과적이다.

➕ **remarkable** 형 주목할 만한, 놀랄 만한

0535 ☐☐☐

competence

[ká:mpətəns]

명 능숙함, 능력, 권한

With **competence** and confidence comes the strength needed to cope with frustration and anger. (학평)

좌절감과 분노에 대처하는 데 필요한 힘은 **능숙함**과 자신감에서 나온다.

➕ **competent** 형 능숙한, 유능한
🟰 expertise, proficiency ⬛ incompetence 명 무능, 부적격

빈출 단어

0536 ☐☐☐

impatient

[impéiʃənt]

형 참을성이 없는, 성급한

I got **impatient** because I wanted to master all the techniques as soon as possible. (학평)

나는 그 모든 기술들을 가능한 한 빨리 터득하고 싶어서 **참을성이 없게** 되었다.

➕ **impatience** 명 성급함, 조바심
🟰 intolerant ⬛ patient 형 참을성이 있는 명 환자

0537 ☐☐☐

massive

[mǽsiv]

형 막대한, 육중한

At the age of 24, he inherited a **massive** fortune. (교과서)

24세 때, 그는 **막대한** 재산을 상속받았다.

➕ **massively** 부 육중하게, 크게
🟰 huge, immense

0538 ☐☐☐

swear

[swer]

동 선언하다, 맹세하다, 욕을 하다

The officers finished the day by **swearing** Chris in as the first honorary state trooper. (모평)

경찰관들은 Chris를 첫 번째 명예 주 경찰로 **선언함으로써** 하루를 마쳤다.

🟰 declare, assert

dim

[dim]

형 어둑한, 흐릿한   동 (불빛 등을) 낮추다, 어둑해지다

Reading in **dim** light doesn't affect the functionality of your eyes. (학평)

어둑한 조명에서 책을 읽는 것은 당신의 눈 기능성에 영향을 미치지 않는다.

⊟ gloomy, shady   ⊠ bright 형 밝은, 눈부신

prevail

[privéil]

동 만연하다, 승리하다, 우세하다

Cooperation **prevails** at every level of the animal kingdom. (교과서)

협력은 동물계의 모든 계층에서 **만연해 있다**.

⊕ prevalent 형 일반적인, 널리 퍼져 있는   prevalence 명 널리 퍼짐, 보급
⊟ abound, dominate

scatter

[skǽtər]

동 흩어지다, 흩뿌리다, 분산시키다   명 흩어진 것

The papers **scattered** on the ground. (학평)

서류가 땅바닥에 **흩어졌다**.

⊕ scattered 형 산재한, 산발적인
⊟ spread   ⊠ gather 동 모이다, 모으다   assemble 동 모이다, 조립하다

destiny

[déstəni]

명 운명

What you do becomes your habits, and your habits determine your **destiny**. (학평)

당신이 하는 일은 당신의 습관이 되고, 당신의 습관은 당신의 **운명**을 결정한다.

⊕ destine 동 운명 짓다, 예정하다

decent

[díːsnt]

형 괜찮은, 적절한, 품위 있는

More and more elderly people find it difficult to lead a **decent** life due mainly to financial hardship. (학평)

점점 더 많은 노인들이 주로 경제적인 어려움 때문에 **괜찮은** 삶을 살기가 어렵다고 느낀다.

⊕ decency 명 체면, 품위
⊟ good, proper   ⊠ indecent 형 적절하지 못한, 추잡한

Tips | 주의해야 할 혼동어

decent와 발음이 유사한 dissent에 주의하세요! '적절한', '품위 있는'을 뜻하는 decent는 [디슨트]라고 발음하고, '반대', '반대하다'를 뜻하는 dissent는 [디센트]라고 발음해요.

flee

[fliː]

圏 달아나다, 도망하다

Almost all insects will **flee** if threatened. (학평)
거의 모든 곤충은 위협을 받으면 **달아날** 것이다.

rear

[riər]

혤 뒤(쪽)의 몡 (어떤 것의) 뒤쪽

The Tasmanian tiger had a wolf's head and a kangaroo's **rear** legs. (모평)
태즈메이니아 호랑이는 늑대의 머리와 캥거루의 **뒷**다리를 가졌다.

humiliate

[hjuːmílieit]

圏 굴욕감을 주다, 창피를 주다

Children who create imaginary friends should never be teased, **humiliated**, or ridiculed in any way. (학평)
가상의 친구를 만들어내는 아이들이 절대 어떤 방식으로든 놀림을 받거나, **굴욕감을 받거나**, 조롱당해서는 안 된다.

➕ **humiliation** 몡 굴욕, 창피

🟰 **embarrass** ↔ **honor** 圏 명예를 주다, 존경하다 몡 명예, 존경

glare

[gler]

몡 (불쾌하게) 환한 빛 圏 노려보다, 번쩍이다

We become increasingly sensitive to **glare**. (학평)
우리는 **환한 빛**에 점점 더 민감해진다.

throne

[θroun]

몡 왕위, 왕좌

He inherited the **throne** at age 19. (학평)
그는 19세에 **왕위**를 물려받았다.

zealous

[zéləs]

혤 열성적인, 열광적인

Anxiety is in one sense an overly **zealous** mental preparation for an anticipated threat. (수능)
불안은 어떤 의미에서는 예측된 위협에 대한 지나치게 **열성적인** 정신적 대비이다.

🟰 **enthusiastic, devoted**

Tips **주의해야 할 혼동어**

zealous와 철자가 비슷한 jealous에 주의하세요! jealous는 '질투하는', '시기하는'을 의미하는 단어예요.

14 DAY

stun

[stʌn]

동 망연자실하게 하다, 기절시키다

Many of the survivors seemed to be absolutely **stunned** by the disaster. 학평

많은 생존자들은 그 재난에 완전히 **망연자실한** 것 같았다.

➕ **stunning** 형 굉장히 멋진, 깜짝 놀랄 만한

kneel

[niːl]

동 무릎을 꿇다

She **knelt** beside the bed and began smoothing back Julie's hair over and over. 모평

그녀는 침대 옆에 **무릎을 꿇고** Julie의 머리카락을 계속해서 매만지기 시작했다.

➕ **knee** 형 무릎

mustache

[mʌstæʃ]

명 콧수염

The child put cheese on his father's **mustache** while he was sleeping. 학평

아이는 아버지가 자는 동안 그의 **콧수염**에 치즈를 발랐다.

recreate

[rìkriéit]

동 재현하다, 되살리다, 휴양하다

Restoration assumes that one can **recreate** an artist's original intent and product. 모평

복원은 예술가의 본래 의도와 작품을 **재현할** 수 있다고 가정한다.

➕ **recreation** 명 휴양, 오락

outlaw

[áutlɔː]

동 불법화하다, 금하다, 사회에서 매장하다 **명** 범법자

The state of Louisiana voted to **outlaw** cockfighting. 학평

루이지애나주는 닭싸움을 **불법화하는** 투표를 했다.

🟰 **ban, prohibit**

slender

[sléndər]

형 가느다란, 날씬한, 빈약한

The container had a **slender** neck but a fat, round bottom. 학평

그 용기는 목이 **가늘었지만** 통통하고 둥근 바닥을 가지고 있었다.

🟰 **slim, narrow** 🔲 **chubby** 형 통통한, 토실토실한 **strong** 형 튼튼한

0556 □□□

stubborn

[stʌ́bərn]

형 완고한, 고집스러운, 다루기 힘든

The teacher appears **stubborn**. (학평)

그 선생님은 **완고한** 것 같다.

➕ **stubbornness** 명 완고, 완강

🟰 **persistent** 🔁 **compliant** 형 순응하는, 고분고분한

0557 □□□

missionary

[míʃəneri]

명 선교사 형 선교사의, 전도의

In the 17th century, the Spanish authorities sent **missionaries** to the land. (학평)

17세기에, 스페인 당국은 그 땅에 **선교사들**을 보냈다.

➕ **mission** 명 임무, 선교

0558 □□□

complicated

[kɑ́:mplikeitid]

형 복잡한, 뒤얽힌

Our brains involve a much more **complicated** system. (수능)

우리의 뇌는 훨씬 더 **복잡한** 체계를 포함한다.

➕ **complicate** 동 복잡하게 만들다 **complication** 명 복잡(화), 복잡한 문제

🟰 **complex, intricate** 🔁 **simple** 형 간단한, 단순한

0559 □□□

deflect

[diflékt]

동 빗나가게 하다, 빗나가다, 편향하다

Although reciting psalms does not actually **deflect** rockets, it provided people with a sense of control as they took action in their own way. (학평)

시편을 암송하는 것이 실제로 로켓을 **빗나가게 하지는** 않지만, 그것은 사람들이 그들 자신 나름대로의 조치를 취했을 때 어느 정도 통제하고 있다는 느낌을 주었다.

➕ **deflection** 명 굴절, 꺾임

0560 □□□

retort

[ritɔ́:rt]

명 (모욕·비난 등에) 대꾸, 응수 동 쏘아붙이다, 응수하다

When we react to an angry email, we may compose a **retort** thoughtlessly and send it right away. (학평)

화난 이메일에 반응할 때, 우리는 경솔하게 **대꾸**하는 답장을 작성하여 즉시 보낼 수도 있다.

➕ **retortion** 명 보복, 비틀기 **retorted** 형 뒤틀린

🟰 **response**

Daily Quiz

영어는 우리말로, 우리말은 영어로 쓰세요.

01 property   _____

02 kneel   _____

03 mustache   _____

04 humiliate   _____

05 retort   _____

06 stun   _____

07 zealous   _____

08 disturb   _____

09 craft   _____

10 complicated   _____

11 도시의, 도회지의   _____

12 참을성이 없는   _____

13 달아나다, 도망하다   _____

14 오염시키다   _____

15 괜찮은, 품위 있는   _____

16 좌절한, 실망한   _____

17 이동식의, 움직이기 쉬운   _____

18 빛나가게 하다, 편향하다   _____

19 소중한, 값비싼   _____

20 소득, 수입   _____

다음 빈칸에 들어갈 가장 알맞은 것을 박스 안에서 고르세요.

found   recreate   stubborn   rear   prevail

21 Restoration assumes that one can _____ an artist's original intent and product.
복원은 예술가의 본래 의도와 작품을 재현할 수 있다고 가정한다.

22 The teacher appears _____.
그 선생님은 완고한 것 같다.

23 Cooperation _____(e)s at every level of the animal kingdom.
협력은 동물계의 모든 계층에서 만연해 있다.

24 The Tasmanian tiger had a wolf's head and a kangaroo's _____ legs.
태즈메이니아 호랑이는 늑대의 머리와 캥거루의 뒷다리를 가졌다.

25 Elsie _____(e)d a hospital for women in Edinburgh in which the staff consisted only of women.
Elsie는 직원이 오로지 여성으로만 구성된 여성을 위한 병원을 에든버러에 설립했다.

정답

01 부동산, 재산, 소유물, 속성   **02** 무릎을 꿇다   **03** 콧수염   **04** 굴욕감을 주다, 창피를 주다   **05** (모욕·비난 등에) 대꾸, 응수, 쏘아붙이다, 응수하다
06 망연자실하게 하다, 기절시키다   **07** 열성적인, 열광적인   **08** 방해하다, 불안하게 하다, 어지럽히다   **09** (수)공예, 기술, 비행기, 선박, 공들여 만들다
10 복잡한, 뒤얽힌   **11** urban   **12** impatient   **13** flee   **14** pollute   **15** decent   **16** frustrated   **17** mobile   **18** deflect   **19** valuable
20 income   **21** recreate   **22** stubborn   **23** prevail   **24** rear   **25** found

-able 형용사형(~할 수 있는)

comparable 형 비교할 만한, 비슷한

▶ compar(e)[비교하다] + able[~할 수 있는] → 비교할 수 있는, 즉 비교할 만한

Lucé is an excellent restaurant, **comparable** to some of the best in France. (수능)

Lucé는 프랑스 최고의 몇몇 레스토랑들과 **비교할 만한** 훌륭한 레스토랑이다.

vulnerable 형 취약한, 연약한, 상처받기 쉬운

▶ vulner[상처를 입다] + able[~할 수 있는] → 상처 입을 수 있는, 즉 취약한

The population may become more **vulnerable** to further environmental disease. (모평)

인구는 더 많은 환경적 질병에 더욱 **취약해질** 수 있다.

affordable 형 (가격이) 알맞은, 감당할 수 있는

▶ afford[감당하다] + able[~할 수 있는] → 감당할 수 있는 가격인, 즉 가격이 알맞은

These toilets are **affordable** and can help the consumer save hundreds of gallons of water. (모평)

이 화장실들은 **가격이 알맞고** 소비자가 수백 갤런의 물을 절약하도록 도울 수 있다.

formidable 형 무서운, 엄청난

▶ formid[두려워하다] + able[~할 수 있는] → 두려워할 수 있을 정도로 엄청난, 무서운

Fishes in a school might discourage predators with the illusion of a **formidable** opponent. (학평)

떼로 다니는 물고기는 **무서운** 적이라는 착각을 주어 포식자들을 낙담시킬 수 있다.

irritable 형 짜증을 내는

▶ irritate[짜증나게 하다] + able[~할 수 있는] → 짜증나게 할 수 있는, 짜증을 내는

He found himself **irritable** in the afternoon. (학평)

그는 오후에 **짜증을 내는** 자신을 발견했다.

최빈출 단어

0561 ☐☐☐

amount

[əmáunt]

명 양, 액수 동 (액수·수량이) ~에 달하다

People can only pay attention to a certain amount of information at once. (학평)

사람들은 한 번에 특정한 **양**의 정보에만 주의를 기울일 수 있다.

➕ amount to (합계가) ~에 이르다

＝ quantity

Tips | **시험에는 이렇게 나온다**
amount는 주로 enormous(막대한), large(많은), small(작은), proper(적절한), some(조금) 등의 형용사와 함께 사용돼요.

0562 ☐☐☐

conscious

[káːnʃəs]

형 의식적인, 자각하는, 의도적인

Most of the time, walking is done without conscious thoughts or intentions. (학평)

대부분의 경우, 걷기는 **의식적인** 생각이나 의도 없이 행해진다.

➕ consciousness 명 의식, 자각

🔄 unconscious 형 무의식의   unaware 형 모르는

Tips | **주의해야 할 혼동어**
conscious와 철자가 비슷한 conscience에 주의하세요! conscience는 '양심'을 의미하는 단어예요.

0563 ☐☐☐

suit

[suːt]

동 (알)맞다, 어울리다 명 정장, 의복, 소송

Our brains comfortably change our perceptions of the physical world to suit our needs. (학평)

우리의 뇌는 필요에 **맞게** 물리적인 세계에 대한 우리의 인식을 편리하게 바꾼다.

➕ suitable 형 알맞은, 적합한   be suited for ~에 알맞다

＝ satisfy, please

consume

[kənsúːm]

🔵 섭취하다, 소비하다

If you consume caffeine regularly, it can keep you from sleeping well at night. (교과서)

만약 카페인을 자주 **섭취한다면**, 그것이 밤에 잠을 푹 자지 못하게 할 수도 있다.

➕ **consumption** 똉 소비(량), 소모   **consumer** 똉 소비자

origin

[ɔ́ːrədʒin]

🔵 기원, 유래, 출신

The origins of contemporary Western thought can be traced back to the golden age of ancient Greece. (모평)

현대 서구 사상의 **기원**은 고대 그리스의 황금기로 거슬러 올라갈 수 있다.

➕ **original** 휑 원래의, 독창적인   **originate** 똉 비롯되다, 유래하다

🟦 **basis, source**   🟥 **end** 똉 끝 똉 끝나다, 끝내다

obtain

[əbtéin]

🔵 얻다, 입수하다

Researchers didn't know how to obtain a representative sample of the population. (모평)

연구원들은 인구의 대표 표본을 어떻게 **얻는지** 몰랐다.

➕ **obtainable** 휑 얻을 수 있는

🟦 **get, acquire**   🟥 **lose** 똉 잃다

manner

[mǽnər]

🟩 방식, 태도

If there is difficulty with work, mental health will likely be impacted in a negative manner. (학평)

만약 업무에 관한 어려움이 있다면, 정신 건강은 부정적인 **방식**으로 영향을 받을 가능성이 높을 것이다.

🟦 **way, fashion**

Tips | **주의해야 할 혼동어**
manner의 복수형인 manners는 '(민족·문화의) 풍습', '예의(범절)'라는 선혀 다른 의미를 가져요.

distribute

[distríbjuːt]

🔵 배포하다, 분배하다

Personal information has been distributed without control, causing harm to the right to privacy. (수능)

개인 정보는 규제 없이 **배포되어왔고**, 이는 사생활 보호 권리에 피해를 주었다.

➕ **distribution** 똉 배포, 분배   **distributor** 똉 배포자, 배급업자

15 DAY

transfer

동 환승하다, 옮기다, 이동하다　명 이동, 이전

동[trænsfə́ːr]
명[trǽnsfər]

You can **transfer** at the next station. (학평)
다음 역에서 **환승하실** 수 있습니다.

➕ **transferable** 형 이동 가능한, 양도 가능한
🔁 **shift, move**

Tips **시험에는 이렇게 나온다**

transfer는 주로 장소를 이동하거나 정보 또는 소유권을 넘겨줄 때 사용되지만, '전학 가다'의 의미로
사용되는 경우도 있어요.
transfer to a new school 새로운 학교로 전학 가다 (수능)

interfere

동 방해하다, 간섭하다

[ìntərfíər]

Not getting enough sleep can **interfere** with growth,
memory, and health. (학평)
충분한 수면을 취하지 않는 것은 성장, 기억, 그리고 건강을 **방해할** 수 있다.

➕ **interference** 명 방해, 간섭　**interfere with** ~을 방해하다
🔁 **interrupt, disturb**

article

명 (신문·잡지의) 글, 기사, 조항, 물품

[áːrtikl]

Usually, an **article** for publication in a scholarly journal
is produced for a specific audience. (학평)
보통, 학술지에 게재하기 위한 글은 특정 독자를 위해 작성된다.

🔁 **essay, report**

violent

형 폭력적인, 격렬한, 극심한

[váiələnt]

Violent games cause aggressive behavior in
children. (교과서)
폭력적인 게임은 아이들에게 공격적인 행동을 유발한다.

➕ **violence** 명 폭력, 격렬함　**violently** 부 격렬히
🔁 **brutal**　↔ **gentle** 형 온화한, 순한

Tips **시험에는 이렇게 나온다**

violent behavior 폭력적인 행동　　**violent content** 폭력적인 내용
violent storm 격렬한 폭풍　　　**violent conflict** 폭력적인 충돌

conserve

[kənsə́ːrv]

동 보존하다, 유지하다

We can **conserve** natural resources by recycling. (교과서)
우리는 재활용을 통해 천연자원을 **보존할** 수 있다.

➕ **conservation** 명 보존, 보호   **conservative** 형 보수적인
🟰 **save, preserve**   ⏺ **waste** 동 낭비하다 명 낭비

Tips | **시험에는 이렇게 나온다**
conserve는 conserve our energy(우리의 에너지를 보존하다), conserve the wild plants (야생 식물을 보존하다)처럼 환경이나 자연과 관련된 지문에 자주 나와요.

proceed

[prəsíːd]

동 계속해서 ~하다, 나아가다, 진행하다

Nosy people ask questions and **proceed** to weigh the answers provided. (학평)
참견하기 좋아하는 사람들은 질문을 하고 받은 답변을 **계속해서** 저울질**한다**.

➕ **proceed with** ~을 계속하다   **process** 명 과정, 처리
🟰 **continue**

endless

[éndlis]

형 끝없는, 무한한

Jonas saw nothing but **endless** agricultural fields. (수능)
Jonas는 **끝없는** 농경지 외에는 아무것도 보지 못했다.

➕ **endlessly** 부 끝없이, 무한히
🟰 **infinite, unlimited**   ⏺ **bounded** 형 경계가 있는

빈출 단어

patent

[pǽtnt]

명 특허(권)   **형** 특허의

The first English **patent** for a typewriter was issued in 1714. (학평)
타자기에 대한 최초의 영국 **특허권**은 1714년에 발행되었다.

utilize

[júːtəlaiz]

동 이용하다, 활용하다

Horses were frequently **utilized** in the delivery of letters and messages. (수능)
말은 편지와 메시지를 전달하는 데 흔히 **이용되었다**.

➕ **utilization** 명 이용, 활용   **utility** 명 유용성

criminal

형 범죄의 명 범죄자

[krímɪnl]

The locations that were newly bathed in blue lights experienced a dramatic decline in **criminal** activity. (학평)

새롭게 파란 불빛에 휩싸인 장소들은 **범죄** 활동의 급격한 감소를 경험했다.

➕ **crime** 명 범죄

accidental

형 우연한, 돌발적인

[æksidéntl]

Pompeii was lost for over 1,500 years before its **accidental** rediscovery in 1599. (학평)

폼페이는 1599년에 **우연한** 재발견이 있기 전까지 1,500년이 넘는 기간 동안 유실되었다.

➕ **accidentally** 부 우연히　**accident** 명 사고, 우연

🟰 **unintentional** ⏺ **intentional** 형 의도적인, 고의적인

tender

형 다정한, 부드러운, 연약한

[téndər]

I often have **tender** and concerned feelings for people who are less fortunate than me. (학평)

나는 종종 나보다 불운한 사람들에게 **다정하고** 걱정스러운 감정을 느낀다.

➕ **tenderness** 명 다정, 부드러움

🟰 **caring, kind**

oriented

형 ~을 지향하는, 경향의

[ɔ́ːrientid]

People with an external style tend to be more extroverted and people-**oriented**. (학평)

대외적인 스타일을 지닌 사람들은 더 외향적이고 사람**을 지향하는** 경향이 있다.

➕ **orient** 동 지향하다　**orientation** 명 방향, 성향, 예비 교육　**oriental** 형 동양의

mortality

명 사망, 사망자 수

[mɔːrtǽləti]

In the past, the child **mortality** rate was extremely high. (학평)

과거에는, 아동 **사망**률이 매우 높았다.

➕ **mortal** 형 치명적인, 영원히 살 수 없는, 죽음의

🟰 **death, fatality** ⏺ **immortality** 명 불멸

0583 ☐☐☐

deem

[diːm]

통 여기다, 간주하다

Investigators are happiest when they use their brain power to pursue what they **deem** as a worthy outcome. (모평)

수사관들은 그들이 가치 있는 결과로 **여기는** 것을 추구하기 위해 지적 능력을 사용할 때 가장 행복하다.

目 consider, regard as

0584 ☐☐☐

troop

[truːp]

명 군대, 무리 **통** 무리를 짓다

The city was turned over to the Roman **troops**. (학평)

그 도시는 로마 **군대**에 넘어갔다.

0585 ☐☐☐

attic

[ǽtik]

명 다락(방)

The boy went into the **attic** and began sorting through the old box of junk. (학평)

소년은 **다락방**으로 들어가 오래된 잡동사니 상자를 자세히 살펴보기 시작했다.

0586 ☐☐☐

degrade

[digréid]

통 저하시키다, 비하하다, 분해되다

Exposure to the language used in advertisements gradually **degrades** the richness of language. (학평)

광고에 사용되는 언어에의 노출은 언어의 풍요로움을 점차 **저하시킨다**.

➕ degradation **명** 저하, 비하   degrading **형** 모멸하는, 모욕적인

0587 ☐☐☐

gross

[grous]

형 전체의, 총계의, 총체적인

Your housing expenses should not be more than 28 percent of your **gross** income. (학평)

당신의 주거 비용은 **전체** 소득의 28퍼센트를 초과해서는 안 된다.

目 total, whole

0588 ☐☐☐

supreme

[suːpríːm]

형 최고의, 최대의, 지대한

You are in a state of **supreme** delight. (수능)

당신은 **최고의** 기쁨 상태에 있다.

➕ supremacy **명** 우위, 주권

目 highest, top   **⊟** least **형** 가장 낮은

01
02
03
04
05
06
07
08
09
10
11
12
13
14
15 DAY
16
17
18
19
20
21
22
23
24
25
26
27
28
29
30
31
32
33
34
35
36
37
38
39
40
41
42
43
44
45

detract

[ditrǽkt]

동 (주의를) 딴 데로 돌리다, (가치 등을) 손상시키다

The role of photographer may actually **detract** from our delight in the present moment. (수능)

사진가의 역할은 사실 우리의 현 순간의 즐거움으로부터 **주의를 딴 데로 돌릴지도** 모른다.

sob

[sɑːb]

동 흐느끼다 명 흐느낌, 오열

Simon said nothing, but Joe could hear him **sob**. (교과서)

Simon은 아무 말도 하지 않았지만, Joe는 그가 **흐느끼는** 소리를 들을 수 있었다.

➕ **sobbing** 형 흐느끼는

➡ **weep, cry**

lord

[lɔːrd]

명 귀족, 영주

The **lords** of his country were only interested in their own personal gain. (학평)

그의 나라의 **귀족들**은 오로지 그들 개인의 이익에만 관심이 있었다.

subside

[səbsáid]

동 가라앉다, 진정되다, 내려앉다

When the applause **subsided**, Zukerman complimented the artist. (모평)

박수갈채가 **가라앉자** 주커먼은 그 음악가를 칭찬했다.

➡ **decrease, ease** ◼ **increase** 동 증가하다, 늘리다

whereas

[weərǽz]

접 ~에 반해서, ~인데도

The precipitation in Rome steadily increases **whereas** the precipitation in Moscow steadily decreases. (학평)

로마의 강수량은 꾸준히 증가함**에 반해서** 모스크바의 강수량은 꾸준히 감소한다.

➡ **while**

nationality

[nὰʃənǽləti]

명 국적, 민족

Perhaps your **nationality**, language, and culture are not the same. (학평)

아마도 당신들의 **국적**, 언어, 그리고 문화는 같지 않을 것이다.

➕ **national** 형 국가의, 국민의 **nation** 명 국가, 국민

0595 ☐☐☐

dumb

[dʌm]

형 바보 같은, 말을 못 하는

It's not our problem, it's this **dumb** process. (모평)

그것은 우리의 잘못이 아니라, 이런 **바보 같은** 절차 때문이다.

🔁 stupid, foolish

0596 ☐☐☐

vapor

[véipər]

명 증기 동 발산시키다, 증발하다

The invisible particles of water **vapor** mix with air. (학평)

보이지 않는 수**증기** 입자들은 공기와 섞인다.

➕ vaporize 동 증발하다, 증발시키다

0597 ☐☐☐

specimen

[spésəmən]

명 표본, 견본

Investigators collect **specimens**, such as blood and saliva, at a crime scene. (학평)

수사관들은 범죄 현장에서 혈액 및 타액과 같은 **표본들**을 수집한다.

🔁 sample, example

0598 ☐☐☐

ornament

[ɔ́ːrnəmənt]

명 장신구, 장식품 동 장식하다

People introduced some nonnative species intentionally, for food, medicine, or **ornament**. (학평)

사람들은 몇몇 외래종을 음식, 약, 또는 **장신구**를 위해 의도적으로 도입했다.

➕ ornamental 형 장식용의

🔁 decoration

0599 ☐☐☐

embark

[imbɑ́ːrk]

동 시작하다, 착수하다, 탑승하다

We are **embarking** on a time when each individual will have their own medical data. (학평)

우리는 각 개인이 스스로의 의료 데이터를 소유하게 될 시대를 **시작하고** 있다.

0600 ☐☐☐

pungent

[pʌ́ndʒənt]

형 (냄새·맛이) 자극적인, 톡 쏘는, 신랄한

This **pungent** gas is what gives ocean air sort of a fishy, tangy smell. (학평)

이 **자극적인** 기체가 바다 공기에 일종의 비린내와 톡 쏘는 냄새가 나게 하는 것이다.

➕ pungency 명 얼얼함, 자극

01
02
03
04
05
06
07
08
09
10
11
12
13
14
15 DAY
16
17
18
19
20
21
22
23
24
25
26
27
28
29
30
31
32
33
34
35
36
37
38
39
40
41
42
43
44
45

Daily Quiz

영어는 우리말로, 우리말은 영어로 쓰세요.

01	proceed	_____	11	섭취하다, 소비하다	_____
02	sob	_____	12	폭력적인, 극심한	_____
03	endless	_____	13	전체의, 총체적인	_____
04	manner	_____	14	다정한, 연약한	_____
05	mortality	_____	15	저하시키다, 분해되다	_____
06	patent	_____	16	의식적인, 의도적인	_____
07	conserve	_____	17	군대, 무리를 짓다	_____
08	interfere	_____	18	시작하다, 탑승하다	_____
09	accidental	_____	19	환승하다, 이동, 이전	_____
10	amount	_____	20	배포하다, 분배하다	_____

다음 빈칸에 들어갈 가장 알맞은 것을 박스 안에서 고르세요.

vapor	utilize	origin	subside	obtain

21 Researchers didn't know how to _____ a representative sample of the population.
연구원들은 인구의 대표 표본을 어떻게 얻는지 몰랐다.

22 Horses were frequently _____(e)d in the delivery of letters and messages.
말은 편지와 메시지를 전달하는 데 흔히 이용되었다.

23 When the applause _____(e)d, Zukerman complimented the artist.
박수갈채가 가라앉자 주커먼은 그 음악가를 칭찬했다.

24 The _____(e)s of contemporary Western thought can be traced back to the golden age of ancient Greece.
현대 서구 사상의 기원은 고대 그리스의 황금기로 거슬러 올라갈 수 있다.

25 The invisible particles of water _____ mix with air.
보이지 않는 수증기 입자들은 공기와 섞인다.

정답

01 계속해서 ~하다, 나아가다, 진행하다　02 흐느끼다, 흐느낌, 오열　03 끝없는, 무한한　04 방식, 태도　05 사망, 사망자 수　06 특허(권), 특허의　07 보존하다, 유지하다　08 방해하다, 간섭하다　09 우연한, 돌발적인　10 양, 액수, (액수·수량이) ~에 달하다　11 consume　12 violent　13 gross　14 tender　15 degrade　16 conscious　17 troop　18 embark　19 transfer　20 distribute　21 obtain　22 utilize　23 subside　24 origin　25 vapor

-ful   형용사형(~로 가득한)

meaningful   형 의미 있는

▶ meaning[의미] + ful[~로 가득한] → 의미로 가득해 의미 있는

My affection for the people was what made it possible to have some **meaningful** achievements. (교과서)

사람들에 대한 나의 애정이 몇몇 **의미 있는** 업적을 남길 수 있게 해준 것이었다.

cheerful   형 발랄한, 쾌적한

▶ cheer[쾌활함] + ful[~로 가득한] → 쾌활함이 가득해 발랄한

The bright color will perfectly match the character's **cheerful** personality. (모평)

그 화사한 색채는 캐릭터의 **발랄한** 성격과 완벽하게 어울릴 것이다.

sorrowful   형 (아주) 슬픈

▶ sorrow[슬픔] + ful[~로 가득한] → 슬픔이 가득하여 아주 슬픈

If you encounter a **sorrowful** friend, be careful not to be overcome by the misfortune. (학평)

슬픈 친구를 만난다면, 불행에 압도되지 않도록 조심해라.

fruitful   형 생산적인, 유익한

▶ fruit[생산물] + ful[~로 가득한] → 생산물로 가득해 생산적인

Life becomes **fruitful** with our endless pursuit of dreams. (수능)

우리의 꿈에 대한 끝없는 추구로 인해 인생은 **생산적이게** 된다.

thoughtful   형 배려심 있는, 생각에 잠긴

▶ thought[생각] + ful[~로 가득한] → 생각으로 가득해 배려심 있는

He was touched by her **thoughtful** comment. (학평)

그는 그녀의 **배려심 있는** 말에 감동받았다.

DAY 16

최빈출 단어

0601 ☐☐☐

positive
[pázətiv]

혱 긍정적인, 확신하는

We need to be more positive. 학평
우리는 더욱 **긍정적일** 필요가 있다.

➕ positively **뷔** 긍정적으로　positivity **몡** 확신, 확실함
➖ negative **혱** 부정적인

Tips | **시험에는 이렇게 나온다**

positive attitude 긍정적인 태도　　positive effect 긍정적인 영향[효과]
positive experience 긍정적인 경험　positive result 긍정적인 결과

0602 ☐☐☐

acknowledge
[æknáːlidʒ]

동 인정하다, 승인하다

Wood is a material that is widely acknowledged to be
environmentally friendly. 모평
목재는 환경친화적이라고 널리 **인정받는** 자재이다.

➕ acknowledgment **몡** 인정, 승인
➖ admit, accept　➖ deny **동** 부인하다, 부정하다　ignore **동** 무시하다

0603 ☐☐☐

compete
[kəmpíːt]

동 경쟁하다, 겨루다

Every four years, athletes from all over the world meet
to compete in many sports. 수능
4년마다, 전 세계의 운동선수들은 많은 스포츠 종목에서 **경쟁하기** 위해 모인다.

➕ competition **몡** 경쟁, 대회　competitive **혱** 경쟁하는, 경쟁력 있는
　 competitor **몡** 경쟁자
➖ fight, challenge

Tips | **시험에는 이렇게 나온다**

for 뒤에는 경쟁을 통해 얻고자 하는 것이, with 뒤에는 경쟁자 또는 경쟁하는 단체가 와요.
compete for ~을 위해 경쟁하다　　compete with ~와 경쟁하다

surface

[sə́ːrfis]

명 표면, 수면 동 (수면으로) 떠오르다

Some planets do not even have surfaces to land on. (학평)

어떤 행성들은 착륙할 **표면**조차 없다.

reject

[ridʒékt]

동 거절하다, 거부하다

Some people reject a chance to study abroad because they don't consider themselves adventurous. (학평)

몇몇 사람들은 자신이 모험심이 강하다고 여기지 않으므로 해외에서 공부할 기회를 **거절한다**.

➕ rejection 명 거절, 거부

🔲 refuse, turn down   🔳 accept 동 받아들이다   approve 동 찬성하다

engage

[ingéidʒ]

동 참여하다, 종사하다, 사로잡다

Every adult should engage in moderate physical activity at least five days per week to remain healthy. (학평)

모든 성인은 건강 유지를 위해 일주일에 적어도 5일은 적당한 신체 활동에 **참여해야** 한다.

➕ engagement 명 약혼, 약속, 계약   engaging 형 호감이 가는, 매력적인

🔲 participate, join, take part

Tips | **시험에는 이렇게 나온다**

engage는 주로 전치사 in과 함께 'engage in' 또는 'be engaged in'의 형태로 사용돼요. 둘 다 '~에 참여하다, 종사하다'라는 의미의 표현이에요.

victim

[víktim]

명 피해자, 희생자

The ETCB website has helped offer comfort to thousands of cyberbullying victims of all ages. (교과서)

ETCB 웹 사이트는 모든 연령대의 수천 명의 사이버 폭력 **피해자들**에게 위안을 주는 데 도움이 되었다.

🔲 sufferer

neglect

[niglékt]

동 소홀히 하다, 간과하다 명 소홀, 태만

Hampered by busy schedules, many people neglect breakfast. (학평)

바쁜 일정에 제한받아, 많은 사람들이 아침 식사를 **소홀히 한다**.

➕ negligence 명 태만, 과실   negligent 형 태만한, 부주의한

🔲 disregard, ignore

intend

[inténd]

동 의도하다, ~할 작정이다

Something is forgotten even if we don't intend it to be. 학평
비록 우리가 그렇게 되도록 **의도하지** 않더라도 무언가는 잊힌다.

➕ intention 명 의도, 목적   intentional 형 의도적인
🟰 aim, mean

refuse

[rifjúːz]

동 거절하다, 거부하다

In Chinese culture, a receiver will typically refuse to accept a gift at first. 학평
중국 문화에서, 받는 사람은 일반적으로 처음에는 선물을 받기를 **거절할** 것이다.

➕ refusal 명 거절, 거부
🟰 decline, reject   ◀ accept 동 받아들이다   allow 동 허락하다

architect

[áːrkətekt]

명 건축가, 설계자

In the best building projects, architects and engineers work together right from the start. 학평
최고의 건설 사업들에서는, **건축가들**과 기술자들이 맨 처음부터 함께 작업한다.

➕ architecture 명 건축 (양식), 건축학   architectural 형 건축학[술]의

document

명 [dáːkjumənt]
동 [dáːkjumènt]

명 서류, 문서   동 기록하다

I have to make an important document for tomorrow's meeting. 학평
나는 내일 있을 회의를 위한 중요한 **서류**를 만들어야 한다.

➕ documentation 명 증거 자료 (제출)

hopeful

[hóupfəl]

형 희망에 찬, 기대하는

I became confident and hopeful about my future. 교과서
나는 내 미래에 대해 자신감 있고 **희망에 차게** 되었다.

➕ hopefully 부 바라건대
◀ unpromising 형 가망 없는, 유망하지 못한   despairing 형 절망한, 자포자기한

Tips | **시험에는 이렇게 나온다**
hopeful은 글에 나타난 상황의 분위기를 묻는 문제의 선택지로 나오는 경우가 있어요. 유의어로는 promising(조짐이 좋은)이 있으니 함께 알아두세요.

0614 ☐☐☐

boredom

[bɔ́ːrdəm]

명 지루함, 따분함

Movies are the best answer to the loneliness and boredom of my life. 학평

영화는 내 인생의 외로움과 **지루함**에 대한 최고의 해답이다.

➕ bore 동 지루하게 하다   boring 형 지루한, 따분한
🟰 monotony   ↔ excitement 명 흥분, 신남

0615 ☐☐☐

offend

[əfénd]

동 불쾌하게 하다, 죄를 저지르다

Try to brush aside the stuff that offends you. 모평

당신을 **불쾌하게 하는** 것은 무시하도록 노력해라.

➕ offensive 형 불쾌한, 공격적인   offense 명 위반, 공격
🟰 distress, insult   ↔ please 동 기쁘게 하다

빈출 단어

0616 ☐☐☐

lean

[liːn]

동 기대다, 기울다 형 마른

Victor leaned against his window and looked out. 학평

Victor는 창문에 **기대어** 밖을 내다보았다.

Tips **시험에는 이렇게 나온다**

lean은 함께 사용되는 전치사에 따라 의미가 달라질 수 있다는 점에 유의하세요.

lean against ~에 기대다, 반대하다   **lean on** ~에 기대다, 의지하다
lean towards ~으로 (마음이) 기울다   **lean over** ~너머로 (몸을) 숙이다

0617 ☐☐☐

compromise

[káːmprəmaiz]

명 타협, 절충(안) 동 타협하다

Finally a compromise is reached and both parties are happy. 학평

마침내 **타협**이 이루어졌고 양측 모두 만족해한다.

🟰 agreement, settlement   ↔ disagreement 명 의견 충돌, 불일치

0618 ☐☐☐

carrier

[kǽriər]

명 (이동) 가방, 운송인, 매개체

I'm looking for a pet carrier for my puppy. 학평

저는 제 강아지를 위한 반려동물 **이동 가방**을 찾고 있어요.

approximate

형 대략적인, 근사치의　동 (수량 등이) ~에 가깝다

형[əprɑ́:ksəmət]
동[əprɑ́:ksimeit]

The inch came from the **approximate** width of a man's thumb, which was used to measure small distances. 학평

단위 인치는 사람의 엄지손가락의 **대략적인** 폭에서 비롯되었고, 이것은 짧은 거리를 측정하는 데 사용되었다.

➕ **approximately** 부 대략, 거의　**approximation** 명 근사(치), 비슷한 것

➖ **precise** 형 정확한, 정밀한　**exact** 형 정확한, 정밀한

Tips

> **시험에는 이렇게 나온다**
>
> approximate의 부사형인 approximately는 '대략', '거의'를 뜻하는 단어로 수능에 자주 나와요.
> **approximately 90 percent** 대략 90퍼센트　**approximately seven years** 대략 7년

submerge

동 물에 잠기다, 잠수하다, 담그다

[səbmə́:rdʒ]

The paddy has to be carefully engineered so that it will keep the plants **submerged** at the optimum level. 학평

논은 작물이 최적의 높이로 **물에 잠기게** 유지할 수 있도록 세심하게 설계되어야 한다.

➖ **plunge, immerse**

astonish

동 깜짝 놀라게 하다

[əstɑ́:niʃ]

David was **astonished** to see that the stranger was his dear childhood friend, Mark. 학평

David는 그 낯선 사람이 그의 소중한 어린 시절 친구인 Mark인 것을 알고 **깜짝 놀랐다**.

➕ **astonishment** 명 놀람, 놀라운 일　**astonishing** 형 정말 놀라운, 믿기 힘든

mandatory

형 의무적인, 법에 정해진

[mǽndətɔ:ri]

The **mandatory** nutritional information is placed on food products. 모평

의무적인 영양 정보는 식료품에 표기되어 있다.

➕ **mandate** 명 권한 동 명령하다

➖ **compulsory, required**

plague

동 시달리게 하다, 괴롭히다　명 전염병

[pleig]

Organic farmers grow crops that are no less **plagued** by pests than those of conventional farmers. 모평

유기농 농부들은 전통적인 농부들의 농작물 못지않게 해충에 **시달리는** 농작물을 재배한다.

0624 ☐☐☐

tactic

[tǽktik]

명 전술, 전략

One partner may recall a part of the other's story as a **tactic** in negotiations. (모평)

한 파트너는 협상의 **전술**로써 상대방의 이야기 일부를 상기시킬 수 있다.

➕ **tactical** 형 전술적인

🟰 strategy

0625 ☐☐☐

crush

[krʌʃ]

동 눌러 부수다, 으스러뜨리다

They had to abandon their ship when the ice **crushed** the boat. (학평)

얼음이 배를 **눌러 부쉈을** 때 그들은 배를 버리고 떠나야 했다.

0626 ☐☐☐

basin

[béisn]

명 분지, (큰 강의) 유역, 대야

Kathmandu sits almost in the middle of a **basin**, forming a square about 5 km north-south and 5 km east-west. (수능)

카트만두는 **분지**의 거의 중앙에 위치하며, 남북으로 약 5킬로미터, 동서로 약 5킬로미터의 정사각형을 이루고 있다.

0627 ☐☐☐

spiral

[spáirəl]

형 나선형의   명 나선(형), 소용돌이

There are **spiral** stairs that resemble the shells of sea creatures. (교과서)

바다 생물들의 껍데기를 닮은 **나선형의** 계단이 있다.

0628 ☐☐☐

cheat

[tʃi:t]

동 속이다, 부정행위를 하다   명 사기(꾼)

Some newspapers **cheated** in circulation figures. (학평)

일부 신문사들이 판매 부수를 **속였다**.

🟰 deceive, fool

0629 ☐☐☐

fury

[fjúəri]

명 분노, 격분, 격노한 상태

They loved to listen to the rushing wind, driving the clouds before it, and making the sea roar in **fury**. (교과서)

그들은 구름을 몰고, 바다를 **분노**로 울부짖게 하는 맹렬한 바람 소리를 듣기를 아주 좋아했다.

➕ **furious** 형 몹시 화가 난, 맹렬한

16 DAY

memorial

[məmɔ́ːriəl]

형 추모의, 기념의 **명** 기념비, 기념물

The countless names of dead people on the **memorial** stone made my heart feel heavy. (학평)

추모 비석 위에 새겨진 수많은 사망자들의 이름이 내 마음을 무겁게 했다.

Tips | **주의해야 할 혼동어**
memorial과 철자가 비슷한 memorable에 주의하세요! memorable은 '기억할 만한'을 의미하는 단어예요.

nuisance

[njúːsns]

명 골칫거리, 성가신 것

It is an awful **nuisance** to be bothered with all these questions. (학평)

이 모든 질문들에 시달리는 것은 지독한 **골칫거리**이다.

morale

[mərǽl]

명 사기, 의욕

Tanks caused alarm among the Germans and raised the **morale** of the British troops. (학평)

탱크는 독일군 사이에 불안을 야기했고 영국군의 **사기**를 높였다.

目 spirit

Tips | **주의해야 할 혼동어**
morale과 철자 및 발음이 비슷한 moral에 주의하세요! '사기', '의욕'을 의미하는 morale은 [머뤨]이라고 발음하고, '도덕적인'을 의미하는 moral은 [모럴]이라고 발음해요.

infancy

[ínfənsi]

명 유아기

Friendship formation could be traced to **infancy**, where children acquired their values, beliefs, and attitudes. (학평)

우정 형성은 **유아기**로 거슬러 올라갈 수 있는데, 그때 아이들은 자신의 가치, 믿음, 그리고 태도를 습득했다.

➕ infant 명 유아, 아기 형 유아용의

modernize

[máːdərnaiz]

동 현대화하다

Developing a water-based transportation system will **modernize** Ecuador's transportation infrastructure. (학평)

수상 기반의 교통 체계를 개발하는 것은 에콰도르의 교통 시설을 **현대화할** 것이다.

➕ modern 형 현대의

0635 ☐☐☐

verge

[vəːrdʒ]

명 직전, 가장자리, 경계

Feeling that he was on the **verge** of being fired, Harvey quit. 학평

Harvey는 자신이 해고되기 **직전**에 놓여 있다고 느껴서 일을 그만두었다.

0636 ☐☐☐

despise

[dispáiz]

통 경멸하다, 멸시하다

Even views that you **despise** deserve to be heard. 학평

당신이 **경멸하는** 의견조차도 들어줄 가치는 있다.

🟰 scorn   ◾admire 통 존경하다, 감탄하다   respect 통 존경하다

0637 ☐☐☐

inflate

[infléit]

통 부풀리다, (가격을) 올리다

The nine-banded armadillos can **inflate** their stomachs with air and float across the water. 학평

아홉띠아르마딜로는 공기로 자신의 배를 **부풀려서** 물 위를 떠다닐 수 있다.

➕ inflation 명 (통화) 팽창, 물가 상승률
🟰 expand, amplify   ◾deflate 통 공기를 빼다, 수축시키다

0638 ☐☐☐

manifest

[mǽnəfest]

통 나타나다, 분명해지다, 명시하다   형 분명한

Genetic variation usually **manifested** in differing characteristics. 학평

유전적 변이는 보통 상이한 특성에서 **나타났다.**

➕ manifestation 명 징후, 나타남
🟰 appear

0639 ☐☐☐

enchant

[intʃǽnt]

통 황홀하게 만들다, 마술을 걸다

He **enchanted** his guests by adapting to their taste. 학평

그는 자신의 손님들의 취향에 맞춰줌으로써 그들을 **황홀하게 만들었다**.

0640 ☐☐☐

prudent

[prúːdnt]

형 신중한, 분별 있는

The ruler took a **prudent** attitude. 학평

통치자가 **신중한** 태도를 취했다.

➕ prudence 명 신중, 사려 분별
🟰 careful   ◾reckless 형 무모한, 난폭한   imprudent 형 현명하지 못한, 경솔한

Daily Quiz

영어는 우리말로, 우리말은 영어로 쓰세요.

01	lean	_____	11	경쟁하다, 겨루다	_____
02	positive	_____	12	(이동) 가방, 매개체	_____
03	offend	_____	13	서류, 문서, 기록하다	_____
04	fury	_____	14	현대화하다	_____
05	prudent	_____	15	희망에 찬, 기대하는	_____
06	tactic	_____	16	추모의, 기념의, 기념물	_____
07	engage	_____	17	사기, 의욕	_____
08	acknowledge	_____	18	지루함, 따분함	_____
09	architect	_____	19	타협, 타협하다	_____
10	plague	_____	20	거절하다, 거부하다	_____

다음 빈칸에 들어갈 가장 알맞은 것을 박스 안에서 고르세요.

> crush   cheat   nuisance   astonish   infancy

21 Friendship formation could be traced to _____, where children acquired their values, beliefs, and attitudes.

우정 형성은 유아기로 거슬러 올라갈 수 있는데, 그때 아이들은 자신의 가치, 믿음, 그리고 태도를 습득했다.

22 It is an awful _____ to be bothered with all these questions.

이 모든 질문들에 시달리는 것은 지독한 골칫거리이다.

23 David was _____(e)d to see that the stranger was his dear childhood friend, Mark.

David는 그 낯선 사람이 그의 소중한 어린 시절 친구인 Mark인 것을 알고 깜짝 놀랐다.

24 Some newspapers _____(e)d in circulation figures.

일부 신문사들이 판매 부수를 속였다.

25 They had to abandon their ship when the ice _____(e)d the boat.

얼음이 배를 눌러 부쉈을 때 그들은 배를 버리고 떠나야 했다.

정답

01 기대다, 기울다, 마른 02 긍정적인, 확신하는 03 불쾌하게 하다, 죄를 저지르다 04 분노, 격분, 격노한 상태 05 신중한, 분별 있는 06 전술, 전략
07 참여하다, 종사하다, 사로잡다 08 인정하다, 승인하다 09 건축가, 설계자 10 시달리게 하다, 괴롭히다, 전염병 11 compete 12 carrier
13 document 14 modernize 15 hopeful 16 memorial 17 morale 18 boredom 19 compromise 20 reject 21 infancy
22 nuisance 23 astonish 24 cheat 25 crush

어근으로 외우는 어휘 ①

cess/ceed/cede　가다

---

access　동 접근하다, 이용하다　명 접속, 접근, 입장

▶ ac[~에] + cess[가다] → ~에 가까이 가다, 즉 접근하다

Don't illegally **access** other people's personal information. (학평)
다른 사람의 개인 정보에 불법적으로 **접근하지** 마세요.

---

proceed　동 계속해서 ~하다, 나아가다, 진행하다

▶ pro[앞으로] + ceed[가다] → 일이 앞으로 나아가게 하다, 즉 계속해서 하다

They **proceeded** to intensely criticize each other's work. (학평)
그들은 서로의 작품을 **계속해서** 격렬하게 비판**했다**.

---

succeed　동 성공하다, 뒤를 잇다

▶ suc[아래로] + ceed[가다] → 왕위가 아래 후손에게 가는 데 성공하다

For your children to **succeed** and be happy, you need to convince them that success comes from effort. (학평)
당신의 아이가 **성공하고** 행복해지기 위해서는, 당신은 성공이 노력에서 온다는 것을 그들에게 확신시킬 필요가 있다.

---

exceed　동 초과하다, 넘다

▶ ex[밖으로] + ceed[가다] → 정해진 범위 밖으로 가서 그것을 넘다, 즉 초과하다

Your total debt-to-income ratio should not **exceed** 36 percent. (학평)
당신의 총 소득 대비 부채 비율은 36퍼센트를 **초과해서는** 안 된다.

---

procedure　명 절차, 수순

▶ pro[앞으로] + ced(e)[가다] + ure[명·접] → 순서대로 일을 진행해 앞으로 가는 절차

A group of scientists has devised a **procedure** for locating infections without surgery. (학평)
한 무리의 과학자들이 수술 없이 감염을 찾아내는 **절차**를 고안해냈다.

DAY 17

MP3 바로 듣기

최빈출 단어

0641 ☐☐☐

notice

[nóutis]

통 알아차리다, 통지하다 명 공고(문), 통지(서), 주목

I didn't **notice** you called. 학평
당신이 전화한 것을 **알아차리지** 못했어요.

➕ **noticeable** 형 눈에 띄는, 현저한 **noticeably** 부 두드러지게, 현저히
🟰 perceive, detect

> Tips **시험에는 이렇게 나온다**
> 명사 notice가 '공고문', '통지서'의 의미일 때는 가산명사이고, '통지', '주목'이라는 의미일 때는
> 불가산명사라는 점에 유의하세요.

0642 ☐☐☐

debate

[dibéit]

명 토론, 논쟁 통 토론하다

A **debate** is an ideal setting to develop coping strategies
that allow people to manage their speech anxiety. 학평
토론은 사람들이 발표 불안을 다룰 수 있게 하는 대처 전략을 수립하기 이상적인 환경이다.

➕ **debate on** ~에 대한 토론
🟰 discussion, argument

0643 ☐☐☐

fundamental

[fʌ̀ndəméntl]

형 근본적인, 기본적인, 필수적인

Honesty is a **fundamental** part of every strong
relationship. 학평
정직함은 모든 견고한 관계의 **근본적인** 부분이다.

➕ **fundamentally** 부 근본적으로
🟰 basic, essential

> Tips **시험에는 이렇게 나온다**
> fundamental assumption 기본적인 가정   fundamental difference 근본적인 차이
> fundamental nature 본질   fundamental shift 근본적인 변화

0644 ☐☐☐

rural
[rúərəl]

형 시골의, 지방의

Overcrowded cities face problems caused by the drift of large numbers of people from the rural areas. (수능)

인구 과밀 도시들은 **시골** 지역으로부터 다수의 사람들이 이동해옴으로써 생기는 문제들을 직면한다.

🔳 country 🔳 urban 형 도시의

0645 ☐☐☐

acquire
[əkwáiər]

동 습득하다, 얻다, 획득하다

We use the cultural knowledge acquired from our own society to organize perception and behavior. (수능)

우리는 우리 사회에서 **습득한** 문화 지식을 인식과 행동을 체계화하는 데 이용한다.

➕ acquisition 명 습득, 인수

🔳 gain, obtain 🔳 lose 동 잃어버리다

> Tips **주의해야 할 혼동어**
>
> acquire와 철자가 비슷한 inquire에 주의하세요! inquire는 '문의하다', '조사하다'를 의미하는 단어예요.

0646 ☐☐☐

trustworthy
[trʌ́stwə:rði]

형 신뢰할 수 있는, 믿을 수 있는

We have a lot of trustworthy friends. (학평)

우리에게는 **신뢰할 수 있는** 친구들이 많다.

🔳 reliable, dependable

0647 ☐☐☐

combine
[kəmbáin]

동 결합하다, 연합하다

It is an indoor bike combined with virtual reality. (교과서)

그것은 가상 현실과 **결합된** 실내 자전거이다.

➕ combination 명 조합, 결합(물)

🔳 integrate 🔳 separate 동 나누다 형 분리된 split up 분리하다, 헤어지다

0648 ☐☐☐

attempt
[ətémpt]

동 시도하다 명 시도

When you attempt to do something and fail, you have to ask yourself why you failed. (수능)

무언가를 하려고 **시도하고** 실패할 때, 당신은 왜 실패했는지를 스스로에게 물어봐야 한다.

🔳 try, strive, endeavor

0649 ☐☐☐

cast

동 (빛·그림자를) 드리우다, 던지다 **명** 배역

[kæst]

On a table, lighted candles **cast** a soft, flickering glow. (학평)

탁자 위에는, 불 켜진 초가 부드럽고 깜박거리는 빛을 **드리웠다**.

0650 ☐☐☐

perceive

동 인지하다, 알아차리다, 이해하다

[pərsíːv]

The characteristics of objects are **perceived** in comparison to others. (학평)

물체의 특성은 다른 것들과의 비교를 통해 **인지된다**.

➕ **perception** 명 인식, 지각   **perceptive** 형 통찰력 있는, 지각의

🟰 notice, recognize

0651 ☐☐☐

neutral

형 중립적인, 중립의

[njúːtrəl]

All events are **neutral**, and it's how you view them that gives them meaning. (학평)

모든 사건들은 **중립적이고**, 그것들에 의미를 부여하는 것은 당신이 그것들을 어떻게 보느냐 이다.

➕ **neutralize** 동 무효화하다, 중화시키다   **neutrality** 명 중립

🟰 impartial, unbiased   ❌ biased 형 치우친, 편향된

> Tips **주의해야 할 혼동어**
>
> neutral과 철자가 비슷한 neural에 주의하세요! 두 단어는 철자가 비슷해서 서로의 파생어로 오인하기 쉽지만, neural은 '신경의'라는 전혀 다른 뜻을 의미하는 단어예요.

0652 ☐☐☐

observe

동 (법·관습 등을) 준수하다, 지키다, 관찰하다

[əbzə́ːrv]

When driving, always **observe** the traffic signals. (수능)

운전 중에는 항상 교통 신호를 **준수하라**.

➕ **observation** 명 관찰   **observatory** 명 관측소, 천문대

🟰 comply with, watch

0653 ☐☐☐

apology

명 사과, 사죄

[əpáːlədʒi]

The fact that someone accepts your **apology** does not mean she has fully forgiven you. (학평)

누군가가 당신의 **사과**를 받아들인다는 사실이 당신을 완전히 용서했다는 뜻은 아니다.

➕ **apologize** 동 사과하다   **apologetic** 형 사과하는

0654 ☐☐☐

proportion

[prəpɔ́ːrʃən]

명 부분, 비율, 균형

Nuclear energy took the smallest proportion among the fuels during these 10 years. 학평
핵에너지는 근 십 년 동안 연료 중 가장 적은 **부분**을 차지했다.

➕ proportionate 형 비례하는   a large proportion of ~의 대부분, 대다수
➖ part, percentage

0655 ☐☐☐

specialize

[spéʃəlaiz]

동 전문으로 하다, 전공하다

I specialize in marine life photography. 교과서
나는 해양 생물 사진을 **전문으로 한다**.

➕ specialized 형 전문적인, 특화된   specialization 명 전문화, 특수화

Tips
┌───┐
│ 시험에는 이렇게 나온다   │
│ specialized study 전문적인 연구   specialized knowledge 전문 지식 │
│ specialized area 특화된 지역[영역]   specialized subject area 전문 과목 영역 │
└───┘

빈출 단어

0656 ☐☐☐

recess

[risés]

명 쉬는 시간, 휴식, 휴정   동 휴정하다

Recess is an important part of the school day. 학평
쉬는 시간은 학교생활의 중요한 부분이다.

➖ break, rest

0657 ☐☐☐

dietary

[dáiətèri]

형 식이의, 음식(물)의

People who take dietary supplements may make poor decisions when it comes to their health. 학평
식이 보조제를 먹는 사람들은 건강에 관해서라면 안 좋은 결정을 하는 것일 수도 있다.

➕ diet 명 식사, 식습관

0658 ☐☐☐

incline

동[inkláin]
명[ínklain]

동 ~하는 경향이 있다, 기울이다, 경사지다   명 경사(면)

When you feel a strong emotion, you are inclined to do something vigorously. 학평
강한 감정을 느낄 때, 당신은 무언가를 열렬히 **하는 경향이 있다**.

➕ inclination 명 경향, 의향, 경사   inclined 형 ~을 하고 싶은, 내키는

0659 ☐☐☐

ignorant

형 무지한, 무식한

[ígnərənt]

People are incredibly **ignorant** of the fundamental fact that food is carbon dioxide. (학평)

사람들은 음식이 이산화탄소라는 기본적인 사실에 대해 대단히 **무지하다**.

➕ **ignorance** 명 무지, 무식

➖ **educated** 형 많이 배운, 학식 있는 **informed** 형 잘 아는

0660 ☐☐☐

pledge

통 약속하다, 서약하다 명 약속, 서약

[pledʒ]

I **pledge** support for Claremont's Recycling Program. (학평)

저는 클레어몬트의 재활용 프로그램에 대한 지원을 **약속합니다**.

0661 ☐☐☐

drought

명 가뭄

[draut]

There has been a decrease in the water level because of years of **drought**. (학평)

수년간의 **가뭄** 때문에 수위가 감소했다.

➖ **flood** 명 홍수 통 침수되다

0662 ☐☐☐

ingenuity

명 독창성, 기발한 재주

[ìndʒənjúːəti]

Experiments provide us with clues, but the clues require some considerable **ingenuity** to solve. (모평)

실험은 우리에게 단서들을 제공하지만, 그 단서들을 푸는 데에는 상당한 **독창성**이 필요하다.

➕ **ingenious** 형 독창적인, 기발한

0663 ☐☐☐

inborn

형 타고난, 선천적인

[ìnbɔ́ːrn]

Success will be gained if the individual has great **inborn** ability. (학평)

성공은 만약 개인이 훌륭한 **타고난** 능력을 갖추고 있다면 얻게 될 것이다.

🟰 **innate, inherent**

0664 ☐☐☐

toll

명 통행료, 사상자 수

[toul]

They built castles and began collecting their own illegal **tolls**. (학평)

그들은 성을 쌓고 그들만의 불법 **통행료**를 징수하기 시작했다.

majestic

[mədʒéstik]

형 장엄한, 웅장한, 위엄 있는

People became excited by the **majestic** mountain peaks of the Himalayas. (모평)

사람들은 히말라야의 **장엄한** 산봉우리에 흥분했다.

➕ **majesty** 명 장엄함, 위엄, 왕권

Tips | **시험에는 이렇게 나온다**

majestic은 castle(성), river(강), view(광경) 등의 거대한 사물이나 끝이 보이지 않는 자연을 의미하는 명사와 함께 자주 사용돼요.

sturdy

[stə́ːrdi]

형 튼튼한, 견고한, 확고한

Participants should wear **sturdy** shoes and long pants to this event. (학평)

참가자들은 이 행사에 **튼튼한** 신발을 신고 긴 바지를 입고 와야 한다.

🟰 **strong, solid** ↔ **weak** 형 약한 **delicate** 형 연약한, 섬세한

scenery

[síːnəri]

명 경치, 풍경, (무대의) 배경

Mexico is well known for its **scenery**. (수능)

멕시코는 **경치**로 잘 알려져 있다.

➕ **scene** 명 현장, 장면 **scenic** 형 경치가 좋은

stale

[steil]

형 신선하지 않은, 오래된, 퀴퀴한

The **stale** coffee boils up and he pours it into a stained cup. (학평)

신선하지 않은 커피가 끓어오르고 그는 그것을 얼룩이 묻은 컵에 붓는다.

➕ **staleness** 명 부패, 진부함

🟰 **old, decayed** ↔ **fresh** 형 신선한

afflict

[əflíkt]

동 고통을 주다, 괴롭히다, 피해를 입히다

People **afflicted** with loneliness will realize that only they can find their own cure. (수능)

외로움에 **고통을 받는** 사람은 자신만이 스스로의 치료법을 찾을 수 있음을 깨달을 것이다.

Tips | **주의해야 할 혼동어**

afflict와 철자가 비슷한 inflict에 주의하세요! inflict는 '(괴로움 등을) 가하다'를 의미하는 단어예요.

hollow

[háːlou]

형 (속이) 빈, 움푹 꺼진 **명** 움푹 꺼진 곳

The turkey vulture nests in caves and **hollow** trees. 학평

터키 독수리는 동굴과 **속이 빈** 나무에 둥지를 튼다.

monk

[mʌŋk]

명 수도승, 수도자

One day, a wise old **monk** heard an impatient pounding on the door. 학평

어느 날 현명하고 나이가 지긋한 **수도승**은 조급하게 문을 두드리는 소리를 들었다.

slaughter

[slɔ́ːtər]

동 도축하다, 학살하다 **명** 도축, 대량 학살

They don't **slaughter** their cattle for food. 학평

그들은 식용으로 그들의 소를 **도축하지** 않는다.

目 butcher

arrogant

[ǽrəgənt]

형 오만한, 건방진

Paying attention to some people and not others doesn't mean you're being **arrogant**. 학평

어떤 사람들에게는 관심을 가지고 다른 사람들에게는 그러지 않는 것이 당신이 **오만하다는** 것을 의미하지는 않는다.

➕ arrogance 명 오만

➖ modest 형 겸손한, 적당한

confess

[kənfés]

동 고백하다, 자백하다

He could either give up the deal or **confess** his mistake to the company controller. 학평

그는 그 거래를 포기하거나 회사의 관리자에게 자신의 실수를 **고백할** 수도 있었다.

➕ confession 명 고백, 자백

vow

[vau]

동 맹세하다, 서약하다 **명** 맹세, 서약

Toby **vowed** not to forget the boy. 학평

Toby는 그 소년을 잊지 않겠다고 **맹세했다**.

目 swear, pledge

0676 □□□

choke

[tʃouk]

동 질식시키다, 숨이 막히다, 목을 조르다

Pollution control might **choke** the economy and throw people out of work. 학평

오염 관리 규제는 경제를 **질식시키고** 사람들을 직장에서 내몰 수도 있다.

0677 □□□

kidnap

[kídnæp]

동 납치하다, 유괴하다

The child has been **kidnapped** and is under serious physical threat. 학평

아이가 **납치되었고** 심각한 신체적 위협을 받고 있다.

🔁 abduct

0678 □□□

insane

[inséin]

형 미친, 정신 이상의, 제정신이 아닌

Some large parrots will even seem to go **insane** if subjected to long periods of isolation. 학평

몇몇 대형 앵무새들은 오랜 시간 고립될 경우 심지어 **미쳐** 가는 듯 보일 것이다.

➕ insanity 명 정신 이상, 광기

🔁 mad, crazy   ↔ sane 형 제정신인, 분별 있는

0679 □□□

ethics

[éθiks]

명 윤리(학), 도덕

Are you concerned about Internet **ethics**? 모평

당신은 인터넷 **윤리**에 관심을 가지고 계신가요?

➕ ethical 형 윤리적인, 도덕의

Tips

주의해야 할 혼동어

ethics와 철자가 비슷한 ethnic에 주의하세요! ethnic은 '민족의'를 의미하는 단어예요.

0680 □□□

profess

[prəfés]

동 주장하다, 공언하다

Some of the things we **profess** to value in the abstract may not characterize our actual everyday experiences. 학평

우리가 추상적으로 가치 있게 여긴다고 **주장하는** 것들 중의 일부는 우리의 실제 일상 경험들의 특징을 묘사하지는 못할 수도 있다.

➕ profession 명 직업, 공언

🔁 claim, state, declare

Daily Quiz

영어는 우리말로, 우리말은 영어로 쓰세요.

01	hollow	_____	11	알아차리다, 공고(문)	_____
02	kidnap	_____	12	약속하다, 약속, 서약	_____
03	apology	_____	13	고백하다, 자백하다	_____
04	specialize	_____	14	시도하다, 시도	_____
05	incline	_____	15	인지하다, 알아차리다	_____
06	toll	_____	16	독창성, 기발한 재주	_____
07	cast	_____	17	튼튼한, 견고한, 확고한	_____
08	profess	_____	18	부분, 비율, 균형	_____
09	debate	_____	19	윤리(학), 도덕	_____
10	slaughter	_____	20	고통을 주다, 괴롭히다	_____

다음 빈칸에 들어갈 가장 알맞은 것을 박스 안에서 고르세요.

> monk   neutral   combine   vow   stale

21 One day, a wise old _____ heard an impatient pounding on the door.
어느 날 현명하고 나이가 지긋한 수도승은 조급하게 문을 두드리는 소리를 들었다.

22 The _____ coffee boils up and he pours it into a stained cup.
신선하지 않은 커피가 끓어오르고 그는 그것을 얼룩이 묻는 컵에 붓는다.

23 It is an indoor bike _____(e)d with virtual reality.
그것은 가상 현실과 결합된 실내 자전거이다.

24 Toby _____(e)d not to forget the boy.
Toby는 그 소년을 잊지 않겠다고 맹세했다.

25 All events are _____, and it's how you view them that gives them meaning.
모든 사건들은 중립적이고, 그것들에 의미를 부여하는 것은 당신이 그것들을 어떻게 보느냐이다.

정답
01 (속이) 빈, 움푹 꺼진, 움푹 꺼진 곳 02 납치하다, 유괴하다 03 사과, 사죄 04 전문으로 하다, 전공하다 05 ~하는 경향이 있다, 기울이다, 경사지다, 경사(면) 06 통행료, 사상자 수 07 (빛·그림자를) 드리우다, 던지다, 배역 08 주장하다, 공언하다 09 토론, 논쟁, 토론하다
10 도축하다, 학살하다, 도축, 대량 학살 11 notice 12 pledge 13 confess 14 attempt 15 perceive 16 ingenuity 17 sturdy
18 proportion 19 ethics 20 afflict 21 monk 22 stale 23 combine 24 vow 25 neutral

어근으로 외우는 어휘 ②

fac/fec 만들다, 행하다

manufacture   명 제조(업)   동 제조하다, 생산하다

▶ manu[손] + fac(t)[만들다] + ure[명·접] → 손으로 만드는 것, 즉 제조

There were strict regulations on **manufacture** and trade. (학평)
제조업과 무역에는 엄격한 규제가 있었다.

factual   형 사실적인, 사실에 입각한

▶ fac(t)[행하다] + ual[형·접] → 실제로 행하는, 즉 사실적인

Giving **factual** answers may seem to solve the problem from the perspective of the answerer. (모평)
사실적인 답변을 하는 것은 답변자의 관점에서는 문제를 해결하는 것처럼 보일 수 있다.

affect   동 ~에 영향을 미치다, 작용하다

▶ af[~에] + fec(t)[행하다] → 어떤 일을 행해서 상대에게 영향을 미치다

People's preferences **affect** decisions about consumption. (학평)
사람들의 선호도는 소비에 관한 결정**에 영향을 미친다**.

effect   명 효과, 영향, 결과

▶ ef[밖으로] + fec(t)[만들다] → 어떤 것을 만든 결과 밖으로 드러난 영향, 효과

Fossil fuels increase the amount of carbon dioxide in the air and cause the greenhouse **effect**. (학평)
화석 연료는 공기 중 이산화탄소의 양을 늘리고 온실 **효과**를 일으킨다.

defect   명 결함, 결점, 결핍

▶ de[벗어난] + fec(t)[행하다] → 바른 것에서 벗어나 행하여 생긴 결함

I believe the machine's failure is caused by a manufacturing **defect**. (수능)
나는 기계의 고장이 제조상의 **결함**으로 인한 것이라고 생각한다.

최빈출 단어

0681 ☐☐☐

avoid

[əvɔ́id]

동 방지하다, 피하다

Regular dental exams are the best way to avoid gum disease. (학평)
정기적인 치과 검진은 잇몸 질환을 **방지하는** 가장 좋은 방법이다.

➕ **avoidance** 몡 방지, 회피   **avoidable** 몡 막을 수 있는
🟰 **prevent, block**

0682 ☐☐☐

characteristic

[kæ̀rəktərístik]

몡 특징, 특성 **혱** 특유의

The most important characteristic of new media is interactivity. (교과서)
뉴미디어의 가장 중요한 **특징**은 상호 작용성이다.

➕ **character** 몡 특징, 성격   **characterize** 동 특징짓다

Tips

시험에는 이렇게 나온다

basic characteristics 기본 특성   common characteristics 공통의 특징
primary characteristics 주요 특성   unique characteristics 고유한 특징

0683 ☐☐☐

conflict

몡[ká:nflikt]
동[kənflíkt]

몡 갈등, 충돌 **동** 대립하다, 충돌하다

Many people do not know how to smooth things over with family members after conflict. (수능)
많은 사람들은 **갈등** 후에 가족 구성원들과 화해하는 방법을 모른다.

➕ **conflicting** 혱 충돌하는, 상충되는
🟰 **dispute, disagreement**   ⬅ **agreement** 몡 합의, 승낙   **peace** 몡 평화

0684 ☐☐☐

edge

[edʒ]

몡 가장자리, 우위, (칼 등의) 날

You may cut your finger on the sharp edge. (학평)
당신은 날카로운 **가장자리**에 손가락을 벨 수도 있다.

contrast

⑧[kəntrǽst]
⑨[kά:ntræst]

동 대조하다 명 대조, 차이

In philosophy, the best way to understand the concept of an argument is to contrast it with an opinion. (학평)

철학에서, 논증의 개념을 이해하는 최선의 방법은 그것을 한 의견과 **대조하는** 것이다.

➕ in contrast to ~과 대조적으로

🟰 compare

Tips | **주의해야 할 혼동어**
contrast와 철자 및 발음이 비슷한 contract에 주의하세요! '대조하다', '차이'를 뜻하는 contrast는 [컨트래스트]라고 발음하고, '계약', '줄어들다'를 뜻하는 contract는 [컨트랙트]라고 발음해요.

inherent

[inhíərənt]

형 내재된, 고유의, 타고난

Language is an ability inherent in us. (학평)

언어는 우리 안에 **내재된** 능력이다.

➕ inherently 분 선천적으로

🟰 intrinsic, innate

profit

[prά:fit]

명 수익, 이익 동 이익을 얻다

The profits from the concert will be used to give scholarships to students. (학평)

콘서트의 **수익**은 학생들에게 장학금을 지급하는 데 사용될 것이다.

➕ profitable 형 수익성이 있는, 유익한

🟰 benefit, gain

myth

[miθ]

명 신화, 전설

You may know the classic myth of Icarus and Daedalus. (학평)

당신은 이카로스와 다이달로스의 고전 **신화**를 알 수도 있다.

➕ mythology 명 신화

lay

[lei]

동 놓다, 두다, 알을 낳다

Slightly better roads were made with round logs, which were laid on the ground next to each other. (학평)

약간 더 좋은 길은 둥근 통나무들로 만들어졌는데, 그것들은 서로 나란히 땅 위에 **놓였다**.

➕ lay down 내려놓다, 포기하다

0690 ☐☐☐

sacrifice

[sǽkrəfais]

동 희생하다, 제물로 바치다　명 희생, 제물

Each individual has to **sacrifice** a little for the benefit of the whole group. (교과서)

각 개인은 집단 전체의 이익을 위해 조금씩 **희생해야** 한다.

0691 ☐☐☐

prejudice

[prédʒudis]

명 편견, 선입견　동 편견을 갖게 하다

People can overcome their **prejudices**. (학평)

사람들은 그들의 **편견**을 극복할 수 있다.

■ bias

0692 ☐☐☐

overnight

부[òuvərnáit]
형[òuvərnait]

부 하룻밤 동안, 하룻밤 사이에　형 야간의, 하룻밤 사이의

Overnight, fans slept outside the stadium to make certain they could get tickets. (수능)

하룻밤 동안, 팬들은 표를 확실히 구할 수 있도록 하기 위해 경기장 밖에서 잠을 잤다.

0693 ☐☐☐

exhibit

[igzíbit]

명 전시품　동 전시하다, 보이다

All **exhibits** are for sale, and all money raised will be donated to charity. (수능)

모든 **전시품들**은 판매되며, 모금된 돈은 모두 자선 단체에 기부될 것이다.

➕ exhibition 명 전시(회), (감정 등의) 표현
■ show, display

0694 ☐☐☐

physics

[fíziks]

명 물리학

The equations of **physics** do not tell us which events are occurring right now. (학평)

물리학 방정식은 지금 어떤 사건이 일어나고 있는지 우리에게 알려주지 않는다.

➕ physicist 명 물리학자　physical 형 신체의, 물질의

0695 ☐☐☐

commit

[kəmít]

동 (죄를) 저지르다, 전념하다

The new device can be used for spotting a potential airplane hijacker who plans to **commit** a crime. (학평)

그 새로운 장치는 범죄를 **저지를** 계획인 잠재적 항공기 납치범을 찾아내는 데 사용될 수 있다.

➕ commitment 명 약속, 전념, 헌신　committed 형 헌신적인, 열성적인

빈출 단어

0696 ☐☐☐

mess

[mes]

명 엉망, 혼잡

The window was broken, and hundreds of pieces of glass had made a **mess** on my floor. (학평)

창문이 깨졌고, 수백 개의 유리 조각들이 방바닥을 **엉망**으로 만들었다.

➕ **messy** 형 엉망인, 지저분한   **mess up** 엉망으로 만들다, 다 망치다

Tips **주의해야 할 혼동어**

mess와 철자가 비슷한 mass에 주의하세요! mass는 '덩어리', '대량의', '대중적인'을 의미하는 단어예요.

0697 ☐☐☐

amuse

[əmjúːz]

동 즐겁게 하다

Parents can hire the nannies to **amuse** young children and care for infants. (교과서)

부모들은 어린아이들을 **즐겁게 해주고** 유아들을 보살피는 보모를 고용할 수 있다.

➕ **amusement** 명 즐거움, 오락   **amused** 형 즐거워 하는
🟰 **entertain, please**   ⏹ **bore** 동 지루하게 하다

0698 ☐☐☐

tribe

[traib]

명 부족, 종족

From time to time, the **tribe** gathered in a circle. (학평)

때때로, 그 **부족**은 동그랗게 원을 이루어 모였다.

➕ **tribal** 형 부족의, 종족의

0699 ☐☐☐

acquaintance

[əkwéintəns]

명 지인, 아는 사람, 면식, 친분

You might merely shake hands with a long-standing **acquaintance** but hug a close friend. (수능)

낭신은 오랜 **지인**과는 단지 악수를 히지만 친한 친구와는 포옹할 수도 있다.

➕ **acquaint** 동 알리다, 소개하다   **make one's acquaintance** ~를 알게 되다

0700 ☐☐☐

appoint

[əpɔ́int]

동 임명하다, 지정하다

In the United States a number of large corporations **appointed** a vice president for sustainability. (모평)

미국에서는 많은 대기업들이 지속 가능성을 위해 부사장을 **임명했다**.

➕ **appointment** 명 임명, 약속   **appointed** 형 임명된, 지정된

crack

[kræk]

명 틈, 균열 **동** 갈라지다, 금이 가다, 깨다

Seawater is swallowed up by **cracks** in the ocean bed. (모평)

바닷물은 해저의 **틈**들 속으로 삼켜져버린다.

➡ break, gap

murder

[mə́:rdər]

명 살인, 살해 **동** 살해하다

We overestimate the risk of being the victims of a car accident, or a **murder**. (학평)

우리는 자동차 사고나 **살인**의 희생자가 될 위험 가능성을 과대평가한다.

➕ murderer 명 살인자

fraction

[frǽkʃən]

명 부분, 일부, 분수

You know a small **fraction** of words in the dictionary. (학평)

당신은 사전에 있는 단어들의 작은 **부분**만 알고 있다.

➕ fractional 형 단편적인, 분수의 **fractionize** 동 세분하다

➡ part, section, portion

Tips | 주의해야 할 혼동어
fraction과 철자가 비슷한 friction에 주의하세요! friction은 '마찰'을 의미하는 단어예요.

spacious

[spéiʃəs]

형 널찍한, 넓은

The room was **spacious**, and there was a large window. (학평)

그 방은 **널찍했고**, 큰 창문이 있었다.

➡ extensive   **✖** limited 형 좁은

Tips | 주의해야 할 혼동어
spacious와 철자 및 발음이 비슷한 specious에 주의하세요! '널찍한', '넓은'을 뜻하는 spacious는 [스페이셔스]라고 발음하고, '허울만 그럴듯한'을 뜻하는 specious는 [스피셔스]라고 발음해요.

vessel

[vésəl]

명 (동식물 등의) 관, 선박, 그릇

Fats block up blood **vessels**. (학평)

지방은 **혈관**을 완전히 막는다.

0706 ☐☐☐

rite

[rait]

명 의례, 의식

Getting a driver's license has become a **rite** of passage to the adult world. (수능)

운전면허를 따는 것이 어른의 세계로 가는 통과 **의례**가 되었다.

➕ **ritual** 형 의례적인 명 의식, 풍습
🟰 **ceremony**

0707 ☐☐☐

weird

[wiərd]

형 기이한, 이상한

Taking many **weird** forms, animals living in the deep sea look quite alien. (교과서)

기이한 형태를 띠는 심해에 사는 동물들은 상당히 이질적으로 생겼다.

➕ **weirdly** 부 기이하게 **weirdo** 명 괴짜, 별난 사람
🟰 **strange, odd** ⇄ **normal** 형 보통의, 정상적인 **ordinary** 형 보통의

0708 ☐☐☐

optimism

[ɑ́ːptəmìzm]

명 낙천주의, 낙관주의, 낙관론

The mother's level of **optimism** and the child's level were very similar. (학평)

어머니의 **낙천주의** 수준과 아이의 수준은 매우 비슷했다.

➕ **optimistic** 형 낙관적인 **optimist** 명 낙천주의자, 낙관론자
⇄ **pessimism** 명 비관주의

0709 ☐☐☐

asymmetry

[eisímətri]

명 불균형, 비대칭

This **asymmetry** translates into females who warn close kin by emitting alarm calls while males generally do not. (수능)

이 **불균형**은 수컷들은 일반적으로 그렇지 않은 반면, 경고음을 내어 가까운 친족에게 경고하는 암컷들로 나타난다.

➕ **asymmetric** 형 불균형의, 비대칭의
⇄ **symmetry** 명 균형, 대칭

0710 ☐☐☐

obsess

[əbsés]

동 사로잡다, 집착하게 하다

The Romans of the fourth century were **obsessed** by health, diet, and exercise. (학평)

4세기의 로마인들은 건강, 식사, 그리고 운동에 **사로잡혀** 있었다.

➕ **obsession** 명 강박 상태, 집착 **obsessive** 형 사로잡힌, 강박적인

0711 ☐☐☐

sniff

[snif]

동 냄새를 맡다, 코를 훌쩍이다 명 냄새 맡기

Many dogs are trained to **sniff** and detect explosive materials in passengers' luggage. 학평

많은 개들이 승객들의 짐 속에서 폭발물의 **냄새를 맡고** 탐지하도록 훈련받는다.

+ sniffle 동 훌쩍거리다 명 훌쩍거림

目 smell

0712 ☐☐☐

patriot

[péitriət]

명 애국자

She was a devoted **patriot**. 모평

그녀는 헌신적인 **애국자**였다.

+ patriotism 명 애국심 **patriotic** 형 애국적인

0713 ☐☐☐

craftsman

[krǽftsmən]

명 장인, 공예가

A **craftsman** oversaw the work of apprentices in small workshops. 학평

한 **장인**이 작은 공방에서 수습생들의 작업을 감독했다.

+ craftsmanship 명 손재주, 솜씨

目 artisan

0714 ☐☐☐

inheritance

[inhérətəns]

명 유산, 상속 재산

What you inherited and live with will become the **inheritance** of future generations. 학평

당신이 상속받아 가지고 살고 있는 것은 미래 세대들의 **유산**이 될 것이다.

+ inherit 동 상속받다, 물려받다

目 legacy, heritage

0715 ☐☐☐

livelihood

[láivlihud]

명 생계, 살림

People need the land to sustain their **livelihoods**. 학평

사람들은 자신의 **생계**를 유지하기 위해 땅이 필요하다.

目 living

Tips

주의해야 할 혼동어

livelihood와 철자가 비슷한 likelihood에 주의하세요! likelihood는 '가능성', '공산'을 의미하는 단어예요.

0716 ☐☐☐

premature

[prìːmətʃúər]

형 너무 이른, 시기상조의, 조숙한

There are some useful tips on how you can prevent **premature** gray hair. (학평)

당신이 **너무 이른** 흰머리를 예방할 수 있는 몇 가지 유용한 비결들이 있다.

➕ **prematurity** 명 시기상조, 조숙   **prematurely** 부 너무 이르게, 조급하게

0717 ☐☐☐

wail

[weil]

동 울부짖다, 통곡하다   명 울부짖음, 통곡

A woman was **wailing** and clutching a little girl. (학평)

한 여자가 **울부짖으며** 어린 소녀를 꽉 움켜잡고 있었다.

➕ **wailful** 형 울부짖는, 비통한
🟰 cry, howl

0718 ☐☐☐

civilian

[sivíljən]

명 민간인   형 민간(인)의

Picasso made *Guernica* in response to the slaughter of Spanish **civilians** during the Spanish Civil War. (모평)

피카소는 스페인 내전 중 스페인 **민간인** 학살에 대한 반응으로 「게르니카」를 그렸다.

➕ **civil** 형 시민의, 민간의   **civilization** 명 문명 (사회)

0719 ☐☐☐

false

[fɔːls]

형 잘못된, 거짓의, 가짜의

False statements damage people. (학평)

잘못된 진술은 사람들에게 피해를 준다.

➕ **falsify** 동 (문서를) 위조하다, 조작하다
🟰 incorrect, wrong   ↔ **true** 형 사실인, 진짜의   **correct** 형 옳은, 정확한

Tips | 시험에는 이렇게 나온다

false belief 잘못된 신념   **false choice** 잘못된 선택
false impression 잘못된 인상   **false assumption** 잘못된 추정

0720 ☐☐☐

preface

[préfis]

명 서문, 머리말   동 서문을 쓰다, ~으로 말문을 열다

In her **preface**, Charlotte gives an account of the reasons to use a male pseudonym. (학평)

그녀의 **서문**에서, Charlotte은 남자 필명을 사용한 이유를 설명한다.

🟰 introduction, foreword   ↔ **epilogue** 명 끝맺는 말, 에필로그

Daily Quiz

영어는 우리말로, 우리말은 영어로 쓰세요.

01 optimism _____
02 edge _____
03 rite _____
04 wail _____
05 profit _____
06 overnight _____
07 prejudice _____
08 lay _____
09 acquaintance _____
10 physics _____

11 잘못된, 거짓의, 가짜의 _____
12 살인, 살해, 살해하다 _____
13 장인, 공예가 _____
14 널찍한, 넓은 _____
15 특징, 특성, 특유의 _____
16 내재된, 고유의, 타고난 _____
17 생계, 살림 _____
18 엉망, 혼잡 _____
19 전시품, 전시하다 _____
20 희생하다, 희생, 제물 _____

다음 빈칸에 들어갈 가장 알맞은 것을 박스 안에서 고르세요.

| asymmetry | inheritance | fraction | avoid | commit |

21 Regular dental exams are the best way to _____ gum disease.
정기적인 치과 검진은 잇몸 질환을 방지하는 가장 좋은 방법이다.

22 This _____ translates into females who warn close kin by emitting alarm calls while males generally do not.
이 불균형은 수컷들은 일반적으로 그렇지 않은 반면, 경고음을 내어 가까운 친족에게 경고하는 암컷들로 바뀐다.

23 What you inherited and live with will become the _____ of future generations.
당신이 상속받아 가지고 살고 있는 것은 미래 세대들의 유산이 될 것이다.

24 You know a small _____ of words in the dictionary.
당신은 사전에 있는 단어들의 작은 부분만 알고 있다.

25 The new device can be used for spotting a potential airplane hijacker who plans to _____ a crime.
그 새로운 장치는 범죄를 저지를 계획인 잠재적 항공기 납치범을 찾아내는 데 사용될 수 있다.

어근으로 외우는 어휘 ③

fer — 나르다, 운반하다

offer
동 제공하다, 제안하다   **명** 제의, 제안

▶ of[향하여] + fer[나르다] → 상대방을 향하여 날라서 제공하다

Lots of people enjoy riddles because they **offer** a chance to think in fun ways. (교과서)

많은 사람들이 수수께끼를 즐기는데 이는 그것이 재미있는 방식으로 생각할 기회를 **제공하기** 때문이다.

prefer
동 선호하다, ~을 더 좋아하다

▶ pre[앞서] + fer[나르다] → 다른 것보다 앞서 날라 가져올 만큼 선호하다

People **prefer** a Western-style wedding. (학평)

사람들은 서양식 결혼식을 **선호한다**.

suffer
동 (부상·고통 등을) 겪다, 시달리다

▶ suf[아래에] + fer[나르다] → 무거운 고통을 아래에서 지고 나르다, 즉 고통을 겪다

Some species **suffer** disadvantages from living in groups. (학평)

어떤 종들은 무리를 지어 사는 것으로부터 불이익을 **겪는다**.

refer
동 참고하다, 참조하다, 언급하다

▶ re[다시] + fer[나르다] → 예전 것을 다시 날라와 참고하다

There's a magazine I want to **refer** to for the science presentation. (학평)

과학 발표회 때 제가 **참고하고** 싶은 잡지가 있어요.

differ
동 다르다, 의견이 다르다, 동의하지 않다

▶ dif[떨어져] + fer[나르다] → 날라서 떨어뜨려 분리할 정도로 다르다

People's lifestyles and constitutions **differ** from one another. (학평)

사람들의 생활 방식과 체질은 서로 **다르다**.

DAY 19

MP3 바로 듣기.

최빈출 단어

0721 ☐☐☐

object
圀 물체, 대상, 목표 圄 반대하다

圀[ɑ́:bdʒekt]
圄[əbdʒékt]

An **object** as grand as a pyramid is not easily constructed. (학평)
피라미드만큼 웅장한 **물체**는 쉽게 건설되지 않는다.

➕ objection 圀 반대, 이의 objective 圀 목적 圀 객관적인 object to ~에 반대하다

> Tips | **시험에는 이렇게 나온다**
>
> 명사 object는 '물체', '목표'를 뜻하며 단어의 앞부분인 ob에 강세가 붙고, 동사 object는 '반대하다'를 뜻하며 단어의 뒷부분인 ject에 강세가 붙어요. 듣기 영역에서는 맥락뿐만 아니라 강세에 따라 의미를 구별할 수도 있다는 점을 기억하세요.

0722 ☐☐☐

determine
圄 결정하다, 결심하다, 알아내다

[ditə́:rmin]

Pleasure is **determined** by what you think. (학평)
기쁨은 당신이 생각하는 것에 의해 **결정된다**.

➕ determination 圀 결정, 결심 determinant 圀 결정 요인

0723 ☐☐☐

advance
圀 발전, 진보 圄 나아가게 하다, 진보하다

[ædvǽns]

The **advance** of technology brought sharing into economy. (교과서)
기술의 **발전**은 경제에 공유를 가져왔다.

➕ advanced 圀 진보한, 고급의 in advance 미리, 전부터

0724 ☐☐☐

disappoint
圄 실망시키다, 좌절시키다

[dìsəpóint]

He hates to **disappoint** his sister, but he has to tell her that he cannot go. (학평)
그는 여동생을 **실망시키기** 싫지만, 그가 갈 수 없다고 그녀에게 말해야 한다.

➕ disappointed 圀 실망한 disappointment 圀 실망

0725 ☐☐☐

extreme

[ikstríːm]

형 극심한, 극단적인   명 극단, 극도

Capitol Reef and Arches have extreme heat during the day and little rain. (학평)

Capitol Reef와 Arches는 낮 동안 **극심한** 열기가 있고 비는 거의 내리지 않는다.

➕ extremely 부 극도로, 극히

Tips | 시험에는 이렇게 나온다

extreme의 부사형인 extremely는 '극도로', '극히'를 의미하며, 주로 difficult(어려운), stressful (스트레스가 많은) 등 부정적인 뜻의 형용사와 함께 사용돼요.

0726 ☐☐☐

biology

[baiάːlədʒi]

명 생물학

Biology's units of analysis are genes, DNA, and specific regions of the human brain. (학평)

생물학의 분석 단위는 유전자, DNA, 그리고 인간 뇌의 특정 영역들이다.

➕ biological 형 생물학의, 생물학적인

0727 ☐☐☐

substantial

[səbstǽnʃəl]

형 막대한, 상당한, 실질적인

The city's wealth came from the substantial tolls it placed on passing merchants. (모평)

그 도시의 부는 지나가는 상인들에게 부과된 **막대한** 통행료에서 나왔다.

➕ substantially 부 상당히, 대체로

🟰 considerable, significant

Tips | 시험에는 이렇게 나온다

substantial은 주로 amount(양), production(생산량) 등 수량이나 분량과 관련된 명사와 함께 사용돼요.

0728 ☐☐☐

extend

[iksténd]

동 확대하다, 연장하다

Plants can't change their location or extend their reproductive range without help. (학평)

식물은 도움 없이는 자신들의 위치를 바꾸거나 번식 범위를 **확대할** 수 없다.

➕ extensive 형 넓은, 광범위한   extension 명 확대, 연장

➖ reduce 동 줄이다, 줄어들다

Tips | 주의해야 할 혼동어

extend와 철자가 비슷한 extent에 주의하세요! extent는 '정도', '규모'를 의미하는 단어예요.

stimulate

[stímjuleit]

图 자극하다, 활발하게 하다

Playing with a father stimulates the left brain of a child. (학평)

아버지와 노는 것은 아이의 좌뇌를 **자극한다**.

➕ stimulation 몡 자극, 격려   stimulus 몡 자극(제)

🟰 encourage, inspire

Tips

> **주의해야 할 혼동어**
>
> stimulate와 철자가 비슷한 simulate에 주의하세요! simulate는 '가장하다', '모의 실험하다'를 의미하는 단어예요.

breathe

[bri:ð]

图 숨을 쉬다, 호흡하다

Asthma attacks narrow the airways, causing shortness of breath and making it difficult to breathe. (학평)

천식 발작은 기도를 좁히고, 호흡 곤란을 일으키며 **숨을 쉬기** 어렵게 만든다.

➕ breath 몡 숨, 호흡   breathtaking 혱 숨이 멎을 만큼 놀라운

witness

[wítnis]

图 목격하다 몡 목격자, 증인

If you witness anyone using fireworks, please report it to the campground office. (학평)

불꽃놀이를 하는 사람을 **목격하시면**, 캠프장 사무실로 신고해 주시기 바랍니다.

🟰 observe

hypothesis

[haipá:θəsis]

몡 가설, 가정

Researchers tested the hypothesis and discovered a relationship between combative sports and violence. (학평)

연구자들은 그 **가설**을 시험했고 전투적인 스포츠와 폭력성 사이의 관계를 발견했다.

➕ hypothesize 图 가설을 세우다   hypothetical 혱 가설의

entertain

[èntərtéin]

图 즐겁게 하다, 대접하다

Composers should do more than entertain an audience. (학평)

작곡가들은 청중을 **즐겁게 하는** 그 이상의 것을 해야 한다.

➕ entertainment 몡 오락, 대접

🟰 amuse, delight

0734

consist

[kənsíst]

图 구성되다, 이루어지다, 존재하다

The animal school adopted a curriculum consisting of running, climbing, swimming, and flying. (수능)

그 동물 학교는 달리기, 등산, 수영, 그리고 비행으로 **구성된** 교육과정을 채택했다.

➕ consist of ~으로 구성되다　consist in ~에 존재하다

0735

protest

图[prətést]
圐[próutest]

图 항의하다, 반대하다　圐 시위, 항의

The team protested, unwilling to give up the progress they had made. (학평)

그 팀은 자신들이 이룬 진전을 포기하기를 꺼리며 **항의했다**.

빈출 단어

0736

phase

[feiz]

圐 단계, 시기　图 단계적으로 하다

The initial phase of any design process is the recognition of a problematic condition. (학평)

모든 설계 과정의 첫 **단계**는 문제가 있는 상태에 대한 인식이다.

Tips

> **주의해야 할 혼동어**
>
> phase와 철자 및 발음이 비슷한 phrase에 주의하세요! '단계', '시기', '단계적으로 하다'를 뜻하는 phase는 [페이즈]라고 발음하고, '구절', '표현하다'를 의미하는 phrase는 [프레이즈]라고 발음해요.

0737

deposit

[dipázit]

图 예금하다, 예치하다　圐 보증금, 예금

I deposited $1,000 into a savings account at the local bank. (학평)

나는 지역 은행의 저축 계좌에 1,000달러를 **예금했다**.

↔ withdraw 图 (돈을) 인출하다

0738

crude

[kruːd]

阂 조잡한, 대충의, 가공하지 않은

Compared to modern glasses, the Roman wine glasses are crude. (학평)

현대의 유리잔에 비교하면, 로마 시대의 와인 잔은 **조잡하다**.

➕ crudity 圐 조잡함, 미숙

🟰 rough, clumsy

beware

동 조심하다, 주의하다

[biwér]

Beware of excessive kindness. (학평)
지나친 친절을 **조심하라**.

➕ beware of ~을 조심하다

impulse

명 충동, 충격, 자극

[ímpʌls]

She stopped making **impulse** purchases. (학평)
그녀는 **충동**구매 하는 것을 멈췄다.

➕ impulsive **형** 충동적인
➖ urge, compulsion

wrinkle

명 주름 **동** 찡그리다, 주름이 지다

[ríŋkl]

Foods with vitamin C or E can help reduce **wrinkles**. (학평)
비타민 C나 E가 있는 음식은 **주름**을 줄이는 데 도움을 줄 수 있다.

comprehensive

형 포괄적인, 종합적인, 이해하는

[kà:mprihénsiv]

Some states adopt a **comprehensive** school nutrition policy that bans candy, soda, and other junk food. (학평)
일부 주에서는 사탕, 탄산음료, 그리고 다른 불량식품을 금지하는 **포괄적인** 학교 영양 정책을 채택한다.

➕ comprehend **동** 포함하다, 이해하다 comprehension **명** 이해
comprehensible **형** 이해할 수 있는, 알기 쉬운
➖ incomprehensive **형** 포괄적이지 않은, 이해가 더딘

tackle

동 (문제 등과) 씨름하다, 논쟁하다, 태클하다 **명** 태클

[tǽkl]

Scientists **tackled** the mystery of how the ant measures distance. (학평)
과학자들은 개미가 어떻게 거리를 측정하는지에 대한 수수께끼와 **씨름했다**.

dimension

명 관점, 차원, (높이·너비·길이의) 치수

[diménʃən]

Reading has always had a social **dimension**. (학평)
독서는 항상 사회적인 **관점**을 가지고 있었다.

➕ dimensional **형** 차원의

0745 ☐☐☐

configuration

명 배치, 배열 (형태)

[kənfìɡjuréiʃən]

The result was to have an inefficient keyboard **configuration**. (모평)

그 결과는 비효율적인 키보드 **배치**를 가지게 된 것이었다.

➕ **configure** 동 배치하다, 형성하다

0746 ☐☐☐

authentic

형 진정한, 진짜의, 믿을 만한

[ɔːθéntik]

We took a brief look around the market and had some **authentic** Finnish street food. (교과서)

우리는 시장을 잠깐 둘러보았고 **진정한** 핀란드 길거리 음식을 먹었다.

➕ **authenticity** 명 진짜임, 신빙성

🟰 **real, genuine** ◼ **fake** 형 가짜의 명 위조품

0747 ☐☐☐

designate

동 지정하다, 지명하다

[dézigneit]

One location **designated** as a potential nuclear waste site was the small village of Wolfenschiessen. (학평)

잠재적 핵폐기물 처리 부지로 **지정된** 한 장소는 볼펜쉬센이라는 작은 마을이었다.

➕ **designation** 명 지정, 지명

🟰 **assign, allocate**

Tips | **주의해야 할 혼동어**
designate와 철자가 비슷한 design을 주의하세요! design은 '디자인', '설계하다'를 의미하는 단어예요.

0748 ☐☐☐

mumble

동 중얼거리다 명 중얼거림

[mʌ́mbl]

"Well..." Mr. Jackson **mumbled**. (수능)

"글쎄..."라며 Mr. Jackson이 **중얼거렸다**.

0749 ☐☐☐

barbarous

형 세련되지 못한, 미개한, 잔인한

[báːrbərəs]

A book that calls itself the novelization of a film is considered **barbarous**. (수능)

영화의 소설화라고 스스로 일컫는 책은 **세련되지 못한** 것으로 여겨진다.

➕ **barbaric** 형 야만적인, 미개한 **barbarian** 명 야만인

◼ **civilized** 형 문명화된, 개화된

0750 ☐☐☐

microscope

[máikrəskoup]

명 현미경

Microscopes help us see further into the tiny building blocks of living creatures. (학평)

현미경은 우리가 살아있는 생물들의 아주 작은 구성 요소를 더 자세히 볼 수 있게 돕는다.

➕ **microscopic** 형 현미경으로 봐야만 보이는, 미세한

0751 ☐☐☐

yawn

[jɔːn]

동 하품하다　명 하품

If you want to stay alert and active, it is essential that you **yawn**. (학평)

만약 당신이 계속 민첩하고 활동적이고 싶다면, **하품하는** 것이 필수적이다.

0752 ☐☐☐

tow

[tou]

동 끌다, 견인하다　명 견인

Touring caravans are connected to the back of your car and **towed** to where you want to go. (학평)

여행용 캐러밴은 당신의 차 뒤에 연결되어 당신이 가고자 하는 곳으로 **끌려간다**.

🟰 **drag, draw**

0753 ☐☐☐

yearn

[jəːrn]

동 갈망하다, 동경하다

Most people do **yearn** for friendship. (모평)

대부분의 사람들은 정말로 우정을 **갈망한다**.

🟰 **desire, long**

0754 ☐☐☐

fragile

[frǽdʒəl]

형 부서지기 쉬운, 취약한, 섬세한

Is there anything **fragile** inside the box? (학평)

상자 안에 **부서지기 쉬운** 무언가가 있나요?

➕ **fragility** 명 부서지기 쉬움, 취약함

🟰 **weak, unstable**　🔲 **durable** 형 내구성이 있는, 오래가는

0755 ☐☐☐

compartment

[kəmpáːrtmənt]

명 객실, (물건 등을 두는) 칸

The 19th-century European railway carriage seated six to eight passengers in a **compartment**. (학평)

19세기 유럽의 철도 객차는 하나의 **객실**에 6명에서 8명의 승객들을 수용했다.

implicit

[implísit]

형 잠재된, 암시적인

Knowing how to breathe when you were born is an **implicit** memory. 학평
당신이 태어났을 때 숨 쉬는 법을 알고 있는 것은 **잠재된** 기억이다.

➕ **implicitly** 부 은연중에, 절대적으로
🟰 **implied** ◼ **explicit** 형 분명한, 명쾌한

nomad

[nóumæd]

명 유목민

There are vast deserts in the Arab world, and in parts of those deserts, **nomads** live. 학평
아랍 세계에는 광대한 사막들이 있고, 그 사막들의 일부에는 **유목민들**이 산다.

➕ **nomadic** 형 유목의, 방랑의

inflict

[inflíkt]

동 (괴로움 등을) 가하다

Any atom that can't withstand the force being **inflicted** on it will be ripped from its position in the material. 학평
가해지고 있는 힘을 견디지 못하는 모든 원자는 물질 내 그것의 자리에서 떨어져 나갈 것이다.

➕ **infliction** 명 (고통·벌 등을) 가함, 시련
🟰 **impose**

forge

[fɔːrdʒ]

동 구축하다, 위조하다 명 대장간

Throughout time, communities have **forged** their identities through dance rituals. 학평
오랜 세월 동안, 지역 사회는 춤 의식을 통해 그들의 정체성을 **구축해왔다**.

🟰 **construct, build**

predominant

[pridá:mənənt]

형 널리 퍼진, 두드러진, 우세한

The **predominant** legend is that a goatherd discovered coffee in the Ethiopian highlands. 학평
널리 퍼진 전설은 한 염소 지기가 에티오피아 고원에서 커피를 발견했다는 것이다.

➕ **predominate** 동 우세하다 **predominance** 명 우세, 우위

19 DAY

Daily Quiz

영어는 우리말로, 우리말은 영어로 쓰세요.

01 inflict _____

02 determine _____

03 extreme _____

04 witness _____

05 microscope _____

06 designate _____

07 beware _____

08 implicit _____

09 barbarous _____

10 comprehensive _____

11 충동, 충격, 자극 _____

12 실망시키다, 좌절시키다 _____

13 부서지기 쉬운, 섬세한 _____

14 발전, 진보, 진보하다 _____

15 단계, 단계적으로 하다 _____

16 자극하다, 활발하게 하다 _____

17 숨을 쉬다, 호흡하다 _____

18 즐겁게 하다, 대접하다 _____

19 진정한, 진짜의 _____

20 물체, 목표, 반대하다 _____

다음 빈칸에 들어갈 가장 알맞은 것을 박스 안에서 고르세요.

extend   crude   protest   yawn   yearn

21 Compared to modern glasses, the Roman wine glasses are _____.
현대의 유리잔에 비교하면, 로마 시대의 와인 잔은 조잡하다.

22 Most people do _____ for friendship.
대부분의 사람들은 정말로 우정을 갈망한다.

23 The team _____(e)d, unwilling to give up the progress they had made.
그 팀은 자신들이 이룬 진전을 포기하기를 꺼리며 항의했다.

24 If you want to stay alert and active, it is essential that you _____.
만약 당신이 계속 민첩하고 활동적이고 싶다면, 하품하는 것이 필수적이다.

25 Plants can't change their location or _____ their reproductive range without help.
식물은 도움 없이는 자신들의 위치를 바꾸거나 번식 범위를 확대할 수 없다.

정답

01 (괴로움 등을) 가하다 **02** 결정하다, 결심하다, 알아내다 **03** 극단적인, 극심한, 극단, 극도 **04** 목격하다, 목격자, 증인 **05** 현미경
06 지정하다, 지명하다 **07** 조심하다, 주의하다 **08** 잠재된, 암시적인, 미개한, 미개한, 잔인한 **10** 포괄적인, 종합적인, 이해하는
11 impulse **12** disappoint **13** fragile **14** advance **15** phase **16** stimulate **17** breathe **18** entertain **19** authentic
20 object **21** crude **22** yearn **23** protest **24** yawn **25** extend

어근으로 외우는 어휘 ④

graph	쓰다, 그리다

biography　명 전기, 일대기

▶ bio[생애] + graph[쓰다] + y[명·접] → 생애에 관하여 쓴 전기

I'll do my best to write your success story in your **biography**. (모평)
당신의 **전기**에 성공담을 쓰도록 최선을 다하겠습니다.

autograph　명 사인, 서명　동 사인을 하다

▶ auto[스스로] + graph[쓰다] → 스스로 쓴 것, 즉 서명 또는 사인

You will have a chance to get an **autograph** from him. (학평)
당신은 그에게서 **사인**을 받을 수 있는 기회가 있을 것이다.

geography　명 지형, 지리, 지리학

▶ geo[땅] + graph[그리다] + y[명·접] → 땅의 모양에 대해 그려진 지형

Geography influenced human relationships in Greece. (학평)
그리스에서는 **지형**이 인간 관계에 영향을 미쳤다.

photograph　명 사진　동 ~의 사진을 찍다

▶ photo[빛] + graph[그리다] → 빛을 렌즈로 모아 필름에 찍어서 그린 그림, 즉 사진

You can use visual aids such as a video clip or a **photograph** to make your speech more entertaining. (학평)
당신의 연설을 더 재미있게 하기 위해 비디오 클립이나 **사진**과 같은 시각 자료를 사용할 수 있다.

paragraph　명 단락, 절

▶ para[옆에] + graph[그리다] → 글 옆에 그려서 나눈 단락

You can do many things in just ten minutes, like writing a **paragraph** for an assignment. (교과서)
당신은 과제를 위해 한 **단락**을 작성하는 것과 같은 많은 일들을 단 10분 안에 할 수 있다.

DAY 20

최빈출 단어

0761 ☐☐☐

perform

[pərfɔ́ːrm]

동 수행하다, 실행하다, 공연하다

Children must be taught to perform good deeds for the deeds' own sake. 수능

아이들은 행위 그 자체를 위해서 선행을 **수행하도록** 가르침을 받아야 한다.

➕ performance **명** 수행, 공연   performer **명** 수행자, 공연자

☰ do, carry out

0762 ☐☐☐

specific

[spisífik]

형 특정한, 구체적인, 명확한

Classifying things means putting them in specific categories. 교과서

사물을 분류하는 것은 그것들을 **특정한** 범주에 넣는 것을 의미한다.

➕ specify **동** 명시하다   specification **명** 상술, 열거

☰ particular   ✖ general **형** 보통의, 일반적인   vague **형** 희미한, 애매한

0763 ☐☐☐

bias

[báiəs]

명 편견, 편향, 경향

Whatever bias people may have as individuals gets multiplied when they discuss things as a group. 학평

사람들이 개인으로서 가질 수 있는 어떤 **편견**이든 그들이 집단으로 토론할 때 배가 된다.

☰ prejudice

0764 ☐☐☐

associate

동[əsóuʃieit]
명형[əsóuʃiət]

동 연관 짓다, 연상하다   **명** 동료   **형** 연합한

Children often associate pictures with their life experiences or familiar images. 학평

아이들은 종종 그림을 그들의 삶의 경험이나 익숙한 이미지들과 **연관 짓는다**.

➕ association **명** 협회, 연관   be associated with ~과 연관되다

☰ connect, link   ✖ separate **동** 분리하다   **형** 분리된

concentrate

[kά:nsəntreit]

동 집중하다, 전념하다, 모으다

The dormitory was so noisy that he couldn't concentrate on his studies. (학평)
기숙사가 너무 시끄러워서 그는 공부에 **집중할** 수 없었다.

⊕ concentration 명 집중, 농도　**concentrate on** ~에 집중하다

☰ focus, pay attention

mental

[méntl]

형 정신적인, 정신의, 마음의

Music appears to enhance physical and mental skills. (모평)
음악은 신체적, **정신적** 기량을 향상시키는 것으로 나타난다.

⊕ mentally 부 정신적으로, 마음속으로　**mentality** 명 정신 상태, 사고방식

☰ psychological

Tips | **시험에는 이렇게 나온다**
| **mental activity** 정신 활동　　　　**mental capacity** 지능
| **mental health** 정신 건강　　　　　**mental image** 심상

expand

[ikspǽnd]

동 확장하다, 넓히다

Internet social networking allows us to expand our circle of friends. (학평)
인터넷 소셜 네트워킹은 우리가 교우 관계를 **확장할** 수 있도록 한다.

⊕ expansion 명 확장, 확대

☰ widen　**◑ contract** 동 수축하다　**reduce** 동 줄이다

Tips | **주의해야 할 혼동어**
| expand와 철자가 비슷한 expend에 주의하세요! expend는 '(돈·시간·에너지를) 쏟다'를 의미하는 단어예요.

superior

[səpíriər]

형 뛰어난, 우월한, 상위의

Group performance in problem solving is superior to individual work. (모평)
문제 해결에 있어 집단 수행은 개별 작업보다 **뛰어나다**.

⊕ superiority 명 우월(함), 우수

☰ better, greater　**◑ inferior** 형 열등한, 하위의

01
02
03
04
05
06
07
08
09
10
11
12
13
14
15
16
17
18
19
20 DAY
21
22
23
24
25
26
27
28
29
30
31
32
33
34
35
36
37
38
39
40
41
42
43
44
45

0769 ☐☐☐

employ

[impl5i]

통 (기술·방법 등을) 이용하다, 쓰다, 고용하다

Observe the techniques comedians use, and employ them in your own speech. (학평)

코미디언들이 사용하는 기술들을 관찰하고, 그것들을 당신의 연설에 **이용해라**.

⊕ **employment** 명 고용 **employee** 명 고용인, 종업원 **employer** 명 고용주

目 use, apply, utilize

0770 ☐☐☐

urgent

[ə́:rdʒənt]

형 긴급한, 시급한

I got an urgent call from my company. (학평)

나는 회사로부터 **긴급한** 전화를 받았다.

⊕ **urgently** 부 긴급하게 **urgency** 명 긴급 **urge** 통 촉구하다 명 충동

目 **critical** ◨ **unimportant** 형 중요하지 않은, 하찮은

Tips | 시험에는 이렇게 나온다

| in urgent need 긴급히 필요한 | urgent job 급한 일 |
| urgent problem 시급한 문제 | urgent schedule 급박한 일정 |

0771 ☐☐☐

reinforce

[rìːinfɔ́ːrs]

통 강화하다, 보강하다

Hierarchical cultures reinforce the differences between managers and employees. (학평)

계층적 문화는 관리자와 직원 간의 차이를 **강화한다**.

⊕ **reinforcement** 명 강화, 보강

目 increase, support

0772 ☐☐☐

command

[kəmǽnd]

명 명령, 지휘 통 명령하다, 지휘하다

Speakers controlled by voice commands can do various tasks such as creating a playlist. (학평)

음성 **명령**으로 제어되는 스피커는 재생 목록 생성과 같은 다양한 작업을 수행할 수 있다.

⊕ **commander** 명 지휘관, 사령관

目 order

Tips | 주의해야 할 혼동어

command와 철자 및 발음이 비슷한 commend에 주의하세요! '명령', '명령하다'를 뜻하는 command는 [커맨드]라고 발음하고, '칭찬하다', '추천하다'를 뜻하는 commend는 [커멘드]라고 발음해요. 두 단어가 모음 발음의 차이만 있고 거의 비슷한 발음임을 알아두세요.

0773 ☐☐☐

grasp

[græsp]

동 이해하다, 파악하다, 꽉 잡다

At first, the manager didn't **grasp** what I was saying. 학평

처음에, 그 지배인은 내가 무슨 말을 하고 있는지 **이해하지** 못했다.

🔳 understand, get

0774 ☐☐☐

invisible

[invízəbl]

형 보이지 않는, 무형의

Spoken words are **invisible** and untouchable. 모평

발화된 말은 **보이지 않고** 만질 수 없다.

🔳 visible 형 보이는, 가시적인

0775 ☐☐☐

conform

[kənfɔ́ːrm]

동 순응하다, 따르다

The pressure to **conform** to the standards and expectations of other social groups can be intense. 학평

다른 사회 집단의 기준과 기대에 **순응해야** 한다는 압박감은 극심할 수 있다.

➕ conformity 명 순응, 일치   conformist 명 순응주의자

🔳 comply, obey

Tips

> **주의해야 할 혼동어**
>
> comform과 철자 및 발음이 비슷한 confirm에 주의하세요! '순응하다', '따르다'를 뜻하는 conform은 [컨폼]이라고 발음하고, '사실임을 보여주다'를 뜻하는 confirm은 [컨펌]이라고 발음해요.

빈출 단어

0776 ☐☐☐

distort

[distɔ́ːrt]

동 왜곡하다, 비틀다

Counselors need to learn how to read clients' messages without **distorting** or overinterpreting them. 모평

상담사들은 내담자의 메시지를 **왜곡하거나** 과잉 해석하지 않고 읽는 방법을 배워야 한다.

➕ distortion 명 왜곡, 일그러짐   distorted 형 왜곡된, 비뚤어진

0777 ☐☐☐

prospect

[prá:spekt]

명 전망, 가능성

So far, the **prospect** seems to have stirred more fears than hopes. 교과서

지금까지, 그 **전망**은 희망보다는 두려움을 더 많이 불러일으킨 것 같다.

➕ prospective 형 장래의, 유망한

worship

[wə́:rʃip]

동 숭배하다, 예배하다 명 숭배, 예배

Cats were associated with the moon goddess, so the Egyptians **worshiped** them as holy animals. 학평

고양이는 달의 여신과 연관되어 있었기 때문에, 이집트인들은 그들을 성스러운 동물로서 **숭배했다**.

目 praise **◪** dishonor 동 굴욕을 주다 명 불명예 **despise** 동 경멸하다

accountant

[əkáuntənt]

명 회계사

The development of writing was pioneered not by gossips, storytellers, or poets, but by **accountants**. 학평

작문의 발달은 수다쟁이나, 이야기꾼, 또는 시인들이 아니라 **회계사들**에 의해 개척됐다.

➕ account 명 계좌, 장부

keen

[ki:n]

형 예리한, 예민한, 열망하는

Her first novel was widely acclaimed for its **keen** understanding of human nature. 학평

그녀의 첫 소설은 인간 본성에 대한 **예리한** 이해로 널리 호평을 받았다.

目 sharp, acute

roar

[rɔ:r]

명 굉음, 으르렁거림 동 으르렁거리다, 고함치다

The **roar** of planes was heard in the sky. 학평

하늘에서 비행기의 **굉음**이 들렸다.

soothe

[su:ð]

동 (통증 등을) 진정시키다, 달래다

I'm looking for something to **soothe** my irritated skin. 모평

저는 자극 받은 제 피부를 **진정시킬** 무언가를 찾고 있어요.

目 calm **◪** irritate 동 자극하다, 짜증나게 하다 **upset** 동 속상하게 하다

gracious

[gréiʃəs]

형 자애로운, 우아한, 품위 있는

Thank you for your **gracious** dedication to the foundation. 학평

재단에 대한 당신의 **자애로운** 기부에 감사드립니다.

➕ graciously 부 우아하게, 정중하게

0784 ☐☐☐

monetary
[mάːnəteri]

형 금전적인, 통화의, 화폐의

The amount of **monetary** loss is small. (학평)
금전적인 손실량이 적다.

0785 ☐☐☐

liberty
[líbərti]

명 자유

We end up spending the best part of our lives earning money in order to enjoy **liberty**. (학평)
우리는 **자유**를 누리기 위해 우리 인생의 가장 좋은 시기를 결국 돈을 벌면서 보내게 된다.

目 freedom　**☒ captivity** 명 감금, 억류　**restraint** 명 규제,¹제한

0786 ☐☐☐

cite
[sait]

동 인용하다, 예를 들다, (법정에) 소환하다

Many advertisements **cite** statistical surveys. (학평)
많은 광고에서 통계 조사를 **인용한다**.

⊕ citation 명 인용(구)
目 quote

Tips　주의해야 할 혼동어
cite와 발음이 동일한 site에 주의하세요! site는 '위치', '현장', '장소'를 뜻하는 단어예요. 발음이 동일하기 때문에 듣기 영역에서는 맥락에 따라 혼동어를 구별해야 해요.

0787 ☐☐☐

retrieve
[ritríːv]

동 되찾다, 회수하다, 회복하다

People will **retrieve** more memories when hypnotized. (학평)
사람들은 최면에 걸렸을 때 더 많은 기억을 **되찾을** 것이다.

⊕ retrieval 명 회수, 복구

0788 ☐☐☐

literal
[lítərəl]

형 문자 그대로의, 직역의, 융통성이 없는

Think about how its metaphorical meaning might be connected to its **literal** meaning. (교과서)
은유적인 의미가 그것의 **문자 그대로의** 의미와 어떻게 연결될 수 있는지 생각해 보라.

⊕ literally 부 문자 그대로
☒ metaphorical 형 은유의, 비유의　**figurative** 형 비유적인, 구상의

Tips　주의해야 할 혼동어
literal과 철자가 비슷한 literary에 주의하세요! literary는 '문학의'를 의미하는 단어예요.

epidemic

[èpədémik]

명 유행병 **형** 유행성의

Vaccines control **epidemics** but have not eliminated them. (학평)

백신은 **유행병**을 통제하지만 그것들을 제거하지는 못했다.

hydrogen

[háidrədʒən]

명 수소

Hydrogen is light enough to escape into space. (모평)

수소는 우주로 빠져나가기에 충분히 가볍다.

hospitality

[hὰːspətǽləti]

명 환대, 후대, 접대

Thanks again for your **hospitality**. (모평)

당신의 **환대**에 거듭 감사드립니다.

➊ **hospitable** [형] 환대하는, 친절한

Tips | **주의해야 할 혼동어**
hospitality와 철자가 비슷한 hostility에 주의하세요! hostility는 '적의', '적대감', '전투' 등을 의미하는 단어예요.

relay

[명][ríːlei]
[동][riléi]

명 계주, 릴레이 경주 **동** 전달하다, 중계하다

Emily and Sally were chosen as the **relay** race runners of their class for the School Sports Day. (학평)

Emily와 Sally는 학교 체육 대회에서 학급의 **계주** 경기 주자로 선발되었다.

meditate

[médəteit]

동 명상하다, ~을 꾀하다

We all need time to relax, to think and **meditate**, and to learn and grow. (학평)

우리 모두는 긴장을 풀고, 생각하고 **명상하며**, 배우고 성장할 시간이 필요하다.

➊ **meditation** [명] 명상

biography

[baiάːgrəfi]

명 전기, 일대기

I'll do my best to write your success story in your **biography**. (모평)

저는 당신의 성공담을 당신의 **전기**에 쓰기 위해 최선을 다할 것입니다.

0795 ☐☐☐

germ

[dʒəːrm]

명 세균, 미생물, (생물의) 싹

The cleanser can kill bathroom **germs** effectively. 학평
그 세정제는 욕실 **세균**을 효과적으로 없앨 수 있다.

0796 ☐☐☐

nasty

[nǽsti]

형 불쾌한, 심술궂은, 험악한

I can't stand this **nasty** smell. 학평
나는 이 **불쾌한** 냄새를 참을 수 없다.

■ offensive, disagreeable ■ pleasant 형 즐거운, 유쾌한

0797 ☐☐☐

conscientious

[kàːnʃiénʃəs]

형 성실한, 양심적인

It is often believed that a **conscientious** person may meet more deadlines than a person who is not. 학평
성실한 사람이 그렇지 않은 사람보다 마감 기한을 더 많이 맞출 것이라고 흔히 여겨진다.

➕ conscience 명 양심

0798 ☐☐☐

impartial

[impáːrʃəl]

형 공정한, 치우치지 않은

They are intended to be an **impartial** panel capable of reaching a judgment. 학평
그들은 판결에 이를 능력이 있는 **공정한** 심판으로 지정되었다.

➕ impartially 부 공정하게
■ unbiased ■ partial 형 부분적인, 편파적인 biased 형 편향된

0799 ☐☐☐

frantic

[frǽntik]

형 제정신이 아닌, 극도로 흥분한

I noticed a woman talking loudly, looking **frantic**. 학평
나는 **제정신이 아닌** 것으로 보이는 한 여자가 큰 소리로 말하는 것을 알아차렸다.

➕ frantically 부 미친 듯이, 극도로 흥분하여
■ wild, furious ■ calm 형 침착한, 차분한 동 진정시키다

0800 ☐☐☐

perspire

[pərspáiər]

동 땀을 흘리다, 땀이 나다

The body **perspires** less to prevent dehydration. 학평
신체는 탈수를 막기 위해 **땀을** 적게 **흘린다**.

➕ perspiration 명 땀, 발한

Daily Quiz

영어는 우리말로, 우리말은 영어로 쓰세요.

01 liberty _____
02 specific _____
03 gracious _____
04 frantic _____
05 hospitality _____
06 prospect _____
07 reinforce _____
08 roar _____
09 perspire _____
10 biography _____

11 명령, 지휘, 명령하다 _____
12 회계사 _____
13 유행병, 유행성의 _____
14 성실한, 양심적인 _____
15 문자 그대로의 _____
16 집중하다, 모으다 _____
17 순응하다, 따르다 _____
18 확장하다, 넓히다 _____
19 연관 짓다, 동료, 연합한 _____
20 보이지 않는, 무형의 _____

다음 빈칸에 들어갈 가장 알맞은 것을 박스 안에서 고르세요.

distort monetary germ keen nasty

21 The amount of _____ loss is small.
금전적인 손실량이 적다.

22 I can't stand this _____ smell.
나는 이 불쾌한 냄새를 참을 수 없다.

23 Counselors need to learn how to read clients' messages without _____ing or overinterpreting them.
상담사들은 내담자의 메시지를 왜곡하거나 과잉 해석하지 않고 읽는 방법을 배워야 한다.

24 Her first novel was widely acclaimed for its _____ understanding of human nature.
그녀의 첫 소설은 인간 본성에 대한 예리한 이해로 널리 호평을 받았다.

25 The cleanser can kill bathroom _____(e)s effectively.
그 세정제는 욕실 세균을 효과적으로 없앨 수 있다.

어근으로 외우는 어휘 ⑤

press	누르다

pressure
명 압박, 압력

▶ press[누르다] + ure[명·접] → 누르거나 압력을 가하는 행위, 즉 압박

A good workout should offer **pressure** and challenges. (학평)
좋은 운동은 **압박**과 도전을 주어야 한다.

express
동 표현하다, 나타내다 **형** 급행의, 신속한

▶ ex[밖으로] + press[누르다] → 생각, 감정을 눌러 밖으로 드러내어 표현하다

Newborn babies cannot **express** experiences or emotions in the form of words or symbols that others can understand. (학평)
갓 태어난 아기들은 경험이나 감정을 다른 사람들이 이해할 수 있는 단어나 상징의 형태로 **표현할** 수 없다.

depressed
형 우울한, 활기가 없는, 침체된

▶ de[아래로] + press[누르다] + ed[형·접] → 기분이 아래로 눌려 우울한

He's been kind of **depressed** since he retired. (학평)
그는 은퇴하고 나서부터 다소 **우울해** 하고 있다.

impressive
형 인상적인, 인상 깊은

▶ im[안에] + press[누르다] + ive[형·접] → 마음 안에 도장을 눌러 찍듯 인상적인

The winner's speech was very **impressive**. (학평)
우승자의 연설은 매우 **인상적이었다**.

suppress
동 억제하다, 진압하다, 금지하다

▶ sup[아래에] + press[누르다] → 아래로 눌러 나오지 못하도록 억제하다

If we ignore or **suppress** health symptoms, they will become more extreme. (학평)
우리가 건강상의 증상을 무시하거나 **억제한다면**, 그것들은 더 극심해질 것이다.

DAY 21

최빈출 단어

0801 ☐☐☐

support

[səpɔ́:rt]

명 지원, 지지 동 지원하다, 지지하다

Your financial support can make a big difference. 학평
여러분의 재정적 **지원**이 큰 변화를 만들 수 있습니다.

➕ supportive 형 지원하는 supporting 형 지탱하는
🟰 help, aid ⬛ oppose 동 반대하다

0802 ☐☐☐

impact

동[impǽkt]
명[ímpækt]

동 영향을 주다 명 영향, 충격

Color can impact how you perceive weight. 학평
색은 당신이 무게를 어떻게 인식하는지에 **영향을 줄** 수 있다.

➕ have an impact on ~에 영향을 주다, 효과를 미치다
🟰 affect, influence

0803 ☐☐☐

climate

[kláimət]

명 기후, 풍토

Some foods might disappear because of climate change. 학평
몇몇 음식들은 **기후** 변화 때문에 사라질지도 모른다.

Tips | **시험에는 이렇게 나온다**
climate은 cold(추운), mild(포근한), warm(따뜻한) 등의 형용사와 함께 사용되는 경우가 많아요. 또한 climate change(기후 변화), climate damage(기후 손상) 등의 환경과 관련된 표현으로도 자주 나와요.

0804 ☐☐☐

decline

[dikláin]

동 쇠퇴하다, 감소하다, 거절하다 명 쇠퇴, 감소

The book industry has declined drastically. 모평
출판업은 급격히 **쇠퇴해왔다.**

➕ declining 형 기우는, 쇠퇴하는
🟰 decrease ⬛ improve 동 향상하다 increase 동 증가하다

0805 ☐☐☐

explanation

[èksplənéiʃən]

몡 설명, 해명, 이유

A complete scientific explanation of moral evolution is a very long way off. 수능

도덕적 진화에 대한 완벽한 과학적 **설명**은 아주 길이 멀다.

➕ explain 동 설명하다   explainable 형 설명할 수 있는

🟰 account

0806 ☐☐☐

familiar

[fəmíliər]

형 익숙한, 친숙한

As you read it over, the material is familiar because you remember it from before. 학평

거듭 읽어보면, 그 자료는 당신이 전에 읽었던 것을 기억하기 때문에 **익숙하다**.

➕ familiarity 몡 익숙함, 친근함

🟰 friendly   ⊟ unfamiliar 형 익숙지 않은, 낯선

Tips

시험에는 이렇게 나온다

familiar는 전치사 with 또는 to와 짝을 이루어 사용되는 경우가 많아요.
familiar with ~에 익숙한, 친숙한   **familiar to** ~에게 잘 알려진

0807 ☐☐☐

blame

[bleim]

동 비난하다, ~의 탓으로 돌리다   몡 책임, 비난

They blame police for not taking proper measures. 수능

그들은 적절한 조치를 취하지 않는다고 경찰을 **비난한다**.

🟰 criticize   ⊟ praise 동 칭찬하다 몡 칭찬

0808 ☐☐☐

component

[kəmpóunənt]

몡 (구성) 요소, 성분   형 구성하는

Feeling secure is an important component of happiness. 학평

안전하다고 느끼는 것은 행복의 중요한 **요소**이다.

🟰 element, part

0809 ☐☐☐

applicant

[ǽplikənt]

몡 지원자, 신청자

We'll screen the applications and select the top 10 applicants based on the submitted documents. 모평

우리는 제출된 서류를 기반으로 지원서를 심사하여 상위 열 명의 **지원자**를 선발할 것이다.

➕ apply 동 지원하다, 적용하다   application 몡 지원서, 적용

0810 ☐☐☐

precious

[préʃəs]

형 소중한, 귀중한

Life is **precious** and you need to live in the present. (수능)
삶은 **소중하고** 당신은 현재를 살아갈 필요가 있다.

🟰 valuable, priceless　🔀 worthless 형 가치 없는

0811 ☐☐☐

prior

[práiər]

형 사전의, 이전의

Seats are on a first-come-first-serve basis, so a **prior**
reservation is not required. (학평)
좌석은 선착순 기준이므로, **사전** 예약은 필요하지 않습니다.

➕ priority 명 우선 사항, 앞섬　prior to ~에 앞서, 먼저
🟰 preceding, former　🔀 following 형 그 다음의

0812 ☐☐☐

limitation

[lìmitéiʃən]

명 한계, 국한, 제약

We often misjudge the magnitude of recent events
because of the **limitations** of our memories. (학평)
우리는 기억의 **한계** 때문에 최근 사건의 중대함을 종종 잘못 판단한다.

➕ limit 명 한계, 한도 동 제한하다　limited 형 제한된
🟰 restriction

0813 ☐☐☐

tense

[tens]

형 긴장한, 팽팽한　명 (동사의) 시제

Being in the spotlight made him feel **tense**. (모평)
주목받는 것이 그를 **긴장하게** 했다.

➕ tension 명 긴장(감)
🟰 nervous, strained　🔀 relaxed 형 느긋한　calm 형 침착한

0814 ☐☐☐

brief

[briːf]

형 잠깐의, 짧은, 간단한　동 간단히 보고하다

Don't eliminate a person from your life based on a **brief**
observation. (학평)
잠깐의 관찰을 근거로 한 사람을 당신의 삶에서 배제하지 마세요.

➕ briefly 부 잠시, 간단히
🟰 short, quick

Tips	시험에는 이렇게 나온다
a brief introduction 간단한 소개	a brief skill test 간단한 역량 평가
a brief time 짧은 시간	a brief trip 짧은 여행

0815 □□□

profession

명 (전문) 직종, 직업

[prəféʃən]

Much of the psychology profession is employed in managing sadness. 학평
심리학 **직종**의 상당 부분이 슬픔을 다루는 데 활용된다.

➕ **professional** 형 전문적인, 직업의 명 전문가

🔁 occupation, career

빈출 단어

0816 □□□

withdraw

동 철회하다, 철수하다, (예금 등을) 인출하다

[wiðdrɔ́ː]

You should withdraw your resignation. 모평
당신은 사직서를 **철회해야** 한다.

➕ **withdrawal** 명 철회, 철수, 인출　**withdraw from** ~에서 철수하다

0817 □□□

attendant

명 종업원, 안내원　형 수반되는, 수행하는

[əténdənt]

The attendant told us they were having some problems accepting credit card payments. 학평
종업원은 그들이 신용 카드 지불을 받는 데 약간의 문제가 있다고 우리에게 말했다.

0818 □□□

midst

명 가운데, 중앙

[midst]

The driver was forced to drive fast because he was in the midst of an emergency. 학평
운전자는 응급 상황 **가운데**에 있었기 때문에 어쩔 수 없이 빨리 운전해야 했다.

➕ **in the midst of** ~의 가운데에

🔁 middle

0819 □□□

scoop

동 (숟갈로) 뜨다　명 국자, 큰 숟가락, 한 숟갈(의 양)

[skuːp]

The woman stirred the soup and scooped up lots of meat for me. 모평
그 여자는 수프를 휘저어 많은 고기를 **떠서** 나에게 주었다.

Tips

> **주의해야 할 혼동어**
> scoop과 철자 및 발음이 비슷한 scope에 주의하세요! '뜨다', '한 숟갈'을 뜻하는 scoop은 [스쿱]이라고 발음하고, '기회', '범위'를 뜻하는 scope은 [스코우프]이라고 발음해요.

fallacy

[fǽləsi]

명 (인식 상의) 오류, 틀린 생각

"Survivorship bias" is a common logical **fallacy**. 학평

"생존 편향"은 흔한 논리적 **오류**이다.

🔁 misconception

simultaneous

[sàiməltéiniəs]

형 동시다발적인, 동시의

The researchers asked the students to perform **simultaneous** tasks. 학평

연구원들은 학생들에게 **동시다발적인** 과제를 수행해 달라고 요청했다.

➕ **simultaneously** 부 동시에, 일제히

🔁 concurrent, synchronous

Tips	주의해야 할 혼동어
	simultaneous와 철자가 비슷한 spontaneous에 주의하세요! spontaneous는 '자발적인', '즉흥적인'을 의미하는 단어예요.

wasteful

[wéistfəl]

형 낭비적인, 낭비하는

Mankind cannot survive another thousand years unless we give up our **wasteful** diet of meat. 수능

우리가 **낭비적인** 육식을 포기하지 않는 한 인류는 앞으로의 천 년을 더 생존할 수 없다.

🔄 **thrifty** 형 절약하는 **frugal** 형 검소한

declare

[diklér]

동 선포하다, 선언하다, (세관 등에) 신고하다

The World Health Organization (WHO) **declared** a sleep loss epidemic throughout industrialized nations. 학평

세계 보건 기구(WHO)는 산업화된 나라들 전역에 수면 부족 유행병을 **선포했다**.

➕ **declaration** 명 선언(문)

🔁 state, announce

imprison

[imprízn]

동 감금하다, 투옥하다

In isolation, you can no longer see a life beyond the invisible walls that **imprison** you. 수능

고립된 상황에서는, 당신을 **감금하는** 보이지 않는 벽 너머의 삶을 더 이상 볼 수 없다.

➕ **imprisonment** 명 투옥, 감금

🔁 jail 🔄 **free** 동 석방하다, 자유롭게 하다

0825 ☐☐☐

publicity
[pʌblísəti]

명 홍보, 널리 알려짐, 언론의 관심

The campaign is an excellent **publicity** opportunity for photographers. 학평
그 캠페인은 사진작가들을 위한 훌륭한 **홍보** 기회이다.

⊟ advertising, promotion

0826 ☐☐☐

spouse
[spaus]

명 배우자

What you and your **spouse** need is quality time to talk. 학평
당신과 당신의 **배우자**에게 필요한 것은 대화하는 양질의 시간이다.

0827 ☐☐☐

vanish
[vǽniʃ]

동 사라지다, 없어지다

They saved her life and **vanished** quietly into the night. 학평
그들은 그녀의 생명을 구하고 밤의 어둠 속으로 조용히 **사라졌다.**

⊟ disappear ⊠ appear 동 나타나다, 나오다

0828 ☐☐☐

lament
[ləmént]

동 애통해하다 명 애도, 비탄

When the first World War broke out, he **lamented** the fact that he might fight against his cousins. 학평
제1차 세계대전이 발발했을 때, 그는 자신의 사촌들에 맞서 싸우게 될지도 모른다는 사실을 **애통해했다.**

⊟ grieve

0829 ☐☐☐

reptile
[réptail]

명 파충류

The legs of most **reptiles** today are on the sides of their body. 학평
오늘날 대부분의 **파충류들**의 다리는 몸통의 측면에 있다.

0830 ☐☐☐

halt
[hɔːlt]

명 중단, 멈춤 동 중단시키다, 멈추다

Major league baseball players went on strike, bringing baseball to a **halt** for the rest of the season. 학평
메이저리그 야구선수들은 파업했고, 그것은 남은 시즌 동안 야구가 **중단**되게 했다.

⊟ stop ⊠ continue 동 계속되다, 계속하다

0831 ☐☐☐

immerse

[imə́:rs]

图 몰두하게 하다, (액체 속에) 담그다

Babies are **immersed** in the language that they are expected to learn. 학평

아기들은 그들이 배울 예정인 언어에 **몰두하게 된다**.

➕ immersion 명 몰두, 담금 immersible 형 내수성의, 침수 가능한
🟰 absorb

0832 ☐☐☐

bleed

[bli:d]

图 피를 흘리다, 출혈하다

In ancient Egypt, a doctor would use pressure to stop someone from **bleeding**. 학평

고대 이집트에서, 의사는 어떤 사람이 **피를 흘리는** 것을 멈추기 위해 압력을 가하곤 했다.

Tips | **주의해야 할 혼동어**
bleed와 철자 및 발음이 비슷한 breed에 주의하세요! '피를 흘리다'를 뜻하는 bleed는 [블리드]라고 발음하고, '새끼를 낳다', '사육하다'를 뜻하는 breed는 [브뤼드]라고 발음해요.

0833 ☐☐☐

forefather

[fɔ́:rfɑ̀:ðər]

명 조상, 선조

Houser's designs are modern, yet firmly rooted in the special tradition of his Native American **forefathers**. 학평

Houser의 디자인은 현대적이지만, 여전히 그의 미국 원주민 **조상들**의 특별한 전통에 깊게 뿌리박혀 있다.

🟰 ancestor, forebear ◧ descendant 명 후손, 자손

0834 ☐☐☐

eruption

[irʌ́pʃən]

명 폭발, 분출

Natural disasters such as volcanic **eruptions**, fires, floods, and hurricanes happen every year. 학평

화산 **폭발**, 화재, 홍수, 그리고 허리케인과 같은 자연재해는 매년 일어난다.

➕ erupt 图 폭발하다, 분출하다
🟰 explosion

0835 ☐☐☐

moist

[mɔist]

형 촉촉한, 습기가 있는

Tears are simply a way to keep the eye **moist**. 교과서

눈물은 단순히 눈을 **촉촉하게** 유지하기 위한 방법이다.

➕ moisture 명 수분, 습기
🟰 damp, wet ◧ dry 형 마른, 건조한

0836 ☐☐☐

generic

[dʒənérik]

형 포괄적인, 총칭의

Economists often use the **generic** term "utility" to refer to the pleasure, value, or usefulness of something. 학평

경제학자들은 어떤 것에 대한 즐거움, 가치, 또는 유용함을 나타내기 위해 "효용"이라는 **포괄적인** 용어를 흔히 사용한다.

目 comprehensive ◙ specific 형 구체적인, 분명한

0837 ☐☐☐

heredity

[hərédəti]

명 유전 (형질), 세습

Heredity and environment are the two great influences that make humans what they are. 학평

유전과 환경은 인간을 현재의 모습으로 만드는 큰 두 가지 영향이다.

⊕ hereditary 형 유전적인, 세습되는

Tips

주의해야 할 혼동어
heredity와 철자가 비슷한 heritage에 주의하세요! heritage는 '(국가 또는 사회의) 유산'을 의미하는 단어예요.

0838 ☐☐☐

impel

[impél]

동 (생각·행동 등을) 재촉하다, 강요하다

If others keep saying things like, "Is there something wrong?" that person feels **impelled** to go to the doctor. 학평

만약 다른 사람들이 "어디 아프니?"와 같은 것들을 계속 말한다면, 그 사람은 의사에게 진찰을 받으라고 **재촉받는** 기분이 든다.

目 force, compel

0839 ☐☐☐

perpetual

[pərpétʃuəl]

형 끊임없는, 빈번한, 종신의

A **perpetual** learner in pursuit of wisdom was constantly exploring and questioning. 학평

지혜를 추구하는 **끊임없는** 학습자는 계속적으로 탐구하고 의문을 품었다.

⊕ perpetually 부 끊임없이 **perpetuate** 동 영속시키다
目 continuous ◙ temporary 형 일시적인, 임시의 **brief** 형 잠깐의, 짧은

0840 ☐☐☐

feat

[fiːt]

명 위업, 솜씨

The circumstances pushed him to achieve an amazing **feat**. 학평

환경이 그가 놀라운 **위업**을 달성하도록 몰아붙였다.

Daily Quiz

영어는 우리말로, 우리말은 영어로 쓰세요.

01 immerse _____

02 perpetual _____

03 generic _____

04 feat _____

05 forefather _____

06 brief _____

07 limitation _____

08 vanish _____

09 halt _____

10 declare _____

11 파충류 _____

12 폭발, 분출 _____

13 철회하다 _____

14 가운데, 중앙 _____

15 익숙한, 친숙한 _____

16 유전 (형질), 세습 _____

17 (전문) 직종, 직업 _____

18 홍보, 언론의 관심 _____

19 낭비적인, 낭비하는 _____

20 지원, 지지, 지원하다 _____

다음 빈칸에 들어갈 가장 알맞은 것을 박스 안에서 고르세요.

component decline tense spouse scoop

21 The woman stirred the soup and _____(e)d up lots of meat for me.
그 여자는 수프를 휘저어 많은 고기를 떠서 나에게 주었다.

22 The book industry has _____(e)d drastically.
출판업은 급격히 쇠퇴해왔다.

23 Feeling secure is an important _____ of happiness.
안전하다고 느끼는 것은 행복의 중요한 요소이다.

24 What you and your _____ need is quality time to talk.
당신과 당신의 배우자에게 필요한 것은 대화하는 양질의 시간이다.

25 Being in the spotlight made him feel _____.
주목받는 것이 그를 긴장하게 했다.

정답

01 몰두하게 하다, (액체 속에) 담그다 02 끊임없는, 빈번한, 종신의 03 포괄적인, 총칭의 04 위업, 솜씨 05 조상, 선조
06 잠깐의, 짧은, 간단한, 간단히 보고하다 07 한계, 국한, 제약 08 사라지다, 없어지다 09 중단, 멈춤, 중단시키다, 멈추다
10 선포하다, 선언하다, (세관 등에) 신고하다 11 reptile 12 eruption 13 withdraw 14 midst 15 familiar 16 heredity 17 profession
18 publicity 19 wasteful 20 support 21 scoop 22 decline 23 component 24 spouse 25 tense

vis/vid/wit 보다

revise 통 수정하다

▶ re[다시] + vis(e)[보다] → 다시 보아 수정하다

Can I **revise** and resubmit the file? (학평)

파일을 **수정하고** 다시 제출해도 될까요?

improvise 통 즉흥적으로 만들다

▶ im[아닌] + pro[앞에] + vis(e)[보다] → 앞에 정한 것을 보지 않고 즉흥적으로 만들다

In jazz, the performers often **improvise** their own melodies. (수능)

재즈에서, 연주자들은 종종 자신만의 멜로디를 **즉흥적으로 만든다.**

supervise 통 감독하다, 관리하다

▶ super[위에] + vis(e)[보다] → 위에서 보며 감독하다, 관리하다

He continued to **supervise** the bridge building by watching it through a telescope. (교과서)

그는 망원경으로 다리 건설을 관찰함으로써 계속 **감독했다.**

evident 형 명백한, 분명한

▶ e[밖으로] + vid[보다] + ent[형·접] → 밖으로 분명하게 보여 명백한

The impacts of tourism on the environment are **evident** to scientists. (수능)

관광이 환경에 미치는 영향은 과학자들에게 **명백하다.**

witness 명 목격자, 증인 통 목격하다

▶ wit[보다] + ness[명·접] → 사건을 본 사람, 즉 목격자

We'll check the CCTV cameras around here and see if there were any **witnesses**. (학평)

우리는 여기 주변의 CCTV 카메라들을 확인하여 **목격자**가 있었는지 볼 것이다.

21 DAY

01
02
03
04
05
06
07
08
09
10
11
12
13
14
15
16
17
18
19
20
22
23
24
25
26
27
28
29
30
31
32
33
34
35
36
37
38
39
40
41
42
43
44
45

DAY 22

MP3 바로 듣기

최빈출 단어

0841 ☐☐☐

accord

[əkɔ́ːrd]

통 일치하다, 부합하다   명 일치, 합의

Patients' views might or might not **accord** with the doctors' own views. (학평)

환자들의 견해는 의사들의 견해와 **일치할** 수도, 그렇지 않을 수도 있다.

➕ **accordance** 명 일치, 부합   **according to** ~에 따르면

🟰 **correspond, agree**   ⏹ **discord** 통 일치하지 않다 명 불화, 불일치

0842 ☐☐☐

appreciate

[əpríːʃieit]

통 감상하다, 감사하다, 진가를 인정하다

We **appreciate** poetry because it provides us with the experience of imaginative pleasure. (수능)

우리는 시가 상상력이 만들어낸 즐거움을 경험하게 하므로 그것을 **감상한다**.

➕ **appreciative** 형 감상하는, 감사의   **appreciable** 형 평가할 수 있는, 주목할 만한

🟰 **enjoy**

Tips | **시험에는 이렇게 나온다**
듣기 영역 대화에서 appreciate는 주로 '감사하다'라는 뜻으로 쓰여요.
I really appreciate it. 정말 감사해요.   **I appreciate the offer.** 제안에 감사드립니다.

0843 ☐☐☐

foster

[fɔ́ːstər]

통 촉진하다, 조장하다, 육성하다

Moderate amount of stress can **foster** resilience. (모평)

적당한 양의 스트레스는 회복력을 **촉진할** 수 있다.

🟰 **promote, encourage**

Tips | **시험에는 이렇게 나온다**
'촉진하다', '육성하다' 등을 뜻하는 foster는 주로 사안이나 계획, 관계를 성장시키고 발전시킨다는 의미로 사용되는 단어예요.

chemical

[kémikəl]

명 화학 물질 형 화학의, 화학적인

Lilac takes in large amounts of toxic chemicals. (학평)
라일락은 많은 양의 독성 **화학 물질**을 흡수한다.

➕ chemistry 명 화학   chemist 명 화학자

Tips   **시험에는 이렇게 나온다**

harmful chemicals 유해한 화학 물질   **dangerous chemicals** 위험한 화학 물질
chemical reaction 화학 반응   **chemical composition** 화학 성분

analyze

[ǽnəlàiz]

동 분석하다, 검토하다

Use your experience to analyze the situation. (수능)
당신의 경험을 활용하여 상황을 **분석하라**.

➕ analysis 명 분석, 해석   analyst 명 분석가
🟰 examine, investigate

recover

[rikʌ́vər]

동 회복하다, 되찾다

You'll recover from your illness. (학평)
당신은 병에서 **회복할** 것이다.

➕ recovery 명 회복, 되찾음

multiple

[mʌ́ltipl]

형 여럿의, 많은, 다양한   명 배수

Reading books multiple times encourages people to engage with them emotionally. (학평)
책을 **여러** 번 읽는 것은 사람들이 그 책들과 정서적으로 관계를 맺도록 촉진한다.

➕ multiply 동 곱하다, 증식하다   multiplication 명 곱셈, 증식
🟰 several, numerous

Tips   **시험에는 이렇게 나온다**

multiple areas 다면적   **multiple tasks** 여러 작업   **multiple ways** 다양한 방법

gender

[dʒéndər]

명 성, 성별

The organization works on issues such as fair housing, gender equality, and environmental justice. (수능)
그 단체는 공정 주택 거래, **성**평등, 그리고 환경적 정의와 같은 문제들에 대해 애쓴다.

admit

[ədmít]

동 받아들이다, 인정하다, 시인하다

The University of California would not **admit** Robert because of his disabilities. (교과서)

캘리포니아 대학교는 Robert의 장애 때문에 그의 입학을 **받아들이지** 않으려고 했다.

➕ **admission** 명 입학, 입장

■ **accept** ■ **reject** 동 거절하다 **deny** 동 부인하다, 부정하다

grab

[græb]

동 잡다, 움켜쥐다, 가로채다

I'll **grab** a taxi for you. (학평)

제가 택시를 **잡아** 드릴게요.

substance

[sʌ́bstəns]

명 물질, 본질, 요지

Acid is a chemical **substance** with a sour taste. (교과서)

산은 신맛이 나는 화학 **물질**이다.

➕ **substantial** 형 상당한, 크고 튼튼한

■ **matter, material**

propose

[prəpóuz]

동 제안하다, 제시하다, 청혼하다

It is the essence of scientific thinking to **propose** alternative ideas. (학평)

대안들을 **제안하는** 것은 과학적 사고의 본질이다.

➕ **proposal** 명 제안, 청혼

deliver

[dilívər]

동 전달하다, 배달하다, (연설 등을) 하다

He tried to **deliver** his lines as best as he could, but he could feel his voice shaking. (모평)

그는 자신의 대사를 할 수 있는 최대한 잘 **전달하려고** 노력했지만, 자신의 목소리가 떨리는 것을 느낄 수 있었다.

➕ **delivery** 명 전달, 배달

■ **convey, communicate**

Tips

시험에는 이렇게 나온다
deliver의 명사형인 delivery는 '전달', '배달'을 의미하며 수능에 자주 나와요.
We would like to request that you stop **delivery** to our home. (수능)
우리는 당신이 우리 집으로의 배달을 중지해 달라고 요청하고 싶습니다.

0854 ☐☐☐

collective

[kəléktiv]

형 집단의, 공동의　명 집단, 공동체

The Internet has created a new form of collective intelligence. (교과서)

인터넷은 새로운 형태의 **집단** 지성을 창조했다.

➕ collectively 부 집합적으로, 총괄하여　collection 명 수집품, 소장품
➖ individual 형 개인의, 각각의 명 개인　separate 형 분리된 동 나누다

0855 ☐☐☐

heritage

[héritidʒ]

명 유산, 전통

Heritage is more concerned with meanings than material artefacts. (수능)

유산은 물질적인 산물보다는 의미와 더욱 관련 있다.

➕ heritable 형 상속 가능한
➖ inheritance, legacy

빈출 단어

0856 ☐☐☐

polish

[páːliʃ]

동 다듬다, 광을 내다, 닦다　명 광택(제)

You can revise and polish your writing. (모평)

당신은 자신의 글을 수정하고 **다듬을** 수 있다.

➖ refine

0857 ☐☐☐

profound

[prəfáund]

형 심오한, 깊은

Consciousness is one of the most profound puzzles of existence. (학평)

의식은 존재에 관한 가장 **심오한** 수수께끼 중 하나이다.

➕ profoundly 부 깊이, 극심하게
➖ deep, complex　⊟ shallow 형 얕은, 피상적인

0858 ☐☐☐

overload

[òuvərlóud]

동 과부하를 걸다, 과적하다　명 과부하, 지나치게 많음

Every instant of every day we are overloaded with information. (학평)

매일 매 순간 우리는 정보로 **과부하가 걸린다.**

drill

[dril]

명 (엄격한) 훈련, 드릴　동 훈련하다, (드릴로) 구멍을 뚫다

We did an emergency **drill** at school. (학평)
우리는 학교에서 비상 **훈련**을 했다.

administer

[ədmínistər]

동 관리하다, 운영하다, 집행하다

The composers founded a society to enforce and **administer** their performing rights. (모평)
작곡가들은 자신의 공연할 권리를 시행하고 **관리하기** 위해 협회를 설립했다.

➕ administration 명 관리, 운영　administrative 형 관리(상)의
🟰 manage

initiate

동[iníʃieit]
명[iníʃiət]

동 일으키다, 시작하다, 착수하다　명 입회자

The gene instructed one twin to develop cancer, but in the other the same gene did not **initiate** the disease. (학평)
그 유전자는 쌍둥이 한 명이 암에 걸리게 했지만, 같은 유전자가 다른 한 명에게서는 그 병을 **일으키지** 않았다.

➕ initiative 명 계획, 진취성　형 진취적인, 처음의
🟰 begin, start

scheme

[skiːm]

명 계획, 책략　동 책략을 꾸미다

Wetlands are converted in favor of more profitable options such as dams or irrigation **schemes**. (학평)
습지는 댐이나 관개 **계획**과 같은 더 수익성 있는 선택지를 위하여 전환된다.

➕ scheming 형 책략을 꾸미는
🟰 plan, strategy

aboard

[əbɔ́ːrd]

전 부 (배·항공기 등에) 탑승하여

The first animal in space was a dog named Laika, who traveled **aboard** Sputnik II. (학평)
우주에 간 최초의 동물은 스푸트니크 2호에 **탑승하여** 여행한 Laika라는 개였다.

Tips　**주의해야 할 혼동어**

aboard와 철자가 비슷한 abroad에 주의하세요! abroad는 '해외에(서)', '해외로'를 의미하는 단어예요.

0864 □□□

goodwill

[gùdwíl]

명 친선, 호의, 선의

Actors Alex and Donna have served as goodwill ambassadors worldwide. (학평)

배우인 Alex와 Donna는 전 세계적으로 **친선** 대사로서의 역할을 수행해왔다.

0865 □□□

extracurricular

[èkstrəkəríkjələr]

형 과외의, 정식 학과 이외의

Participating in extracurricular activities is a good thing, but some don't know where to draw the line. (학평)

과외 활동에 참여하는 것은 좋은 일이지만, 일부 사람들은 그 한계를 어디에 두어야 할지 모른다.

0866 □□□

via

[víːə]

전 ~을 통해, ~를 경유하여

A membership card will be sent via mail within three days. (학평)

회원 카드는 3일 이내에 우편**을 통해** 발송될 것입니다.

0867 □□□

transcend

[trænsénd]

동 초월하다, 능가하다

Like all successful artists, his sculpture transcends race and language. (학평)

모든 성공한 예술가들처럼, 그의 조각품은 인종과 언어를 **초월한다**.

➕ transcendent 형 초월적인, 탁월한

➖ surpass, exceed

0868 □□□

intrude

[intrúːd]

동 방해하다, 침범하다

Not to intrude on the urban layout and design, the town has built an underground parking lot. (학평)

도시의 배치와 설계를 **방해하지** 않도록, 그 도시는 지하 주차장을 지었다.

➕ intrusion 명 침범, 개입   intrusive 형 방해하는, 침범하는

0869 □□□

antibiotic

[æ̀ntibaiáːtik]

명 항생제, 항생물질

Doctors insist pneumonia be treated in the hospital with injectable antibiotics. (학평)

의사들은 폐렴이 주사 가능한 **항생제**로 병원에서 치료되어야 한다고 주장한다.

expire

[ikspáiər]

동 만료되다, 끝나다

My passport **expires** at the end of the year. (학평)

나의 여권은 올해 말에 **만료된다**.

➕ **expiration** 명 만료, 종결

perish

[périʃ]

동 죽다, 소멸되다, 사라지다

He thought the gods should have tried not to let so many innocent people **perish**. (학평)

그는 신들이 그렇게 많은 무고한 사람들이 **죽도록** 내버려 두지 말았어야 한다고 생각했다.

➕ **perishable** 형 상하기 쉬운

revolve

[rivá:lv]

동 돌다, 회전하다, 회전시키다

Earth **revolves** around the Sun. (교과서)

지구는 태양 주위를 **돈다**.

🟰 circle, orbit

compatible

[kəmpǽtəbl]

형 호환이 되는, 양립할 수 있는

My device is **compatible** with UHD. (학평)

내 장치는 UHD와 **호환이 된다**.

🔲 **incompatible** 형 호환성이 없는, 양립할 수 없는

fling

[fliŋ]

동 (내)던지다, 내뻗치다

All the villagers at the banquet began to **fling** tofu into each other's laps. (모평)

모든 마을 사람들은 연회에서 서로의 무릎에 두부를 **내던지기** 시작했다.

🟰 throw, cast

obese

[oubí:s]

형 비만의, 뚱뚱한

If we overeat regularly, we may become **obese**. (학평)

만약 우리가 자주 과식한다면, **비만**이 될 수도 있다.

➕ **obesity** 명 비만, 비대
🟰 fat

0876 ☐☐☐

horrible

[hɔ́ːrəbl]

형 끔찍한, 형편없는, 지독한

In some states in America, women were thought to be too fragile to hear the **horrible** details of crimes. (교과서)

미국의 몇몇 주에서, 여성은 범죄의 **끔찍한** 상세 설명을 듣기에 너무 연약하다고 여겨졌다.

➊ **horror** 명 공포, 경악

🔳 **dreadful, terrible** 🔲 **wonderful** 형 아주 멋진, 경이로운

0877 ☐☐☐

blaze

[bleiz]

명 화재 **동** 활활 타다, 눈부시게 빛나다

A security guard came under immediate suspicion when the **blaze** broke out. (학평)

화재가 발생했을 때 한 경비원이 즉각적인 의심을 받았다.

0878 ☐☐☐

fable

[féibl]

명 우화, 꾸며낸 이야기

Aesop used his **fables** to lead people toward a certain moral code. (학평)

이솝은 사람들을 특정한 도덕 규범으로 이끌기 위해 그의 **우화들**을 이용했다.

🔳 **story, tale**

0879 ☐☐☐

impoverish

[impάːvəriʃ]

동 빈곤하게 하다, (질을) 떨어뜨리다

We would be **impoverished** without humanistic knowledge. (학평)

우리는 인문학적 지식 없이는 **빈곤해질** 것이다.

➊ **impoverishment** 명 빈곤, 저하

🔳 **ruin, deplete** 🔲 **enrich** 동 풍요롭게 하다, 질을 높이다

0880 ☐☐☐

outdo

[autdúː]

동 앞지르다, 능가하다, ~보다 뛰어나다

Not to be **outdone**, the women of literary talent in the university were determined to start a club of their own. (학평)

앞질러지지 않으려고, 그 대학의 문학적 재능이 있는 여학생들은 그들만의 동아리를 시작하기로 결심했다.

🔳 **surpass, excel**

Daily Quiz

영어는 우리말로, 우리말은 영어로 쓰세요.

01 transcend _____

02 propose _____

03 profound _____

04 perish _____

05 chemical _____

06 compatible _____

07 foster _____

08 overload _____

09 heritage _____

10 collective _____

11 화재, 눈부시게 빛나다 _____

12 분석하다, 검토하다 _____

13 여럿의, 배수 _____

14 끔찍한, 형편없는 _____

15 (엄격한) 훈련 _____

16 돌다, 회전하다 _____

17 전달하다, (연설 등을) 하다 _____

18 우화, 꾸며낸 이야기 _____

19 빈곤하게 하다 _____

20 물질, 본질, 요지 _____

다음 빈칸에 들어갈 가장 알맞은 것을 박스 안에서 고르세요.

gender antibiotic obese administer initiate

21 If we overeat regularly, we may become _____.
만약 우리가 자주 과식한다면, 비만이 될 수도 있다.

22 The composers founded a society to enforce and _____ their performing rights.
작곡가들은 자신의 공연할 권리를 시행하고 관리하기 위해 협회를 설립했다.

23 The organization works on issues such as fair housing, _____ equality, and environmental justice.
그 단체는 공정 주택 거래, 성평등, 그리고 환경적 정의와 같은 문제들에 대해 애쓴다.

24 Doctors insist pneumonia be treated in the hospital with injectable _____(e)s.
의사들은 폐렴이 주사 가능한 항생제로 병원에서 치료되어야 한다고 주장한다.

25 The gene instructed one twin to develop cancer, but in the other the same gene did not _____ the disease.
그 유전자는 쌍둥이 한 명이 암에 걸리게 했지만, 같은 유전자가 다른 한 명에서는 그 병을 일으키지 않았다.

어근으로 외우는 어휘 ⑦

dict/dic 말하다

dictate 동 명령하다, 지시하다, 받아쓰게 하다

▶ dict[말하다] + ate[동·접] → 말한 것을 받아쓰도록 지시하다

Learn how to use your instincts to support, not **dictate**, your decisions. (수능)

본능이 당신의 결정을 **지시하는** 것이 아니라, 그 결정을 돕게끔 이용하는 방법을 배워라.

indicate 동 나타내다, 가리키다

▶ in[안에] + dic[말하다] + ate[동·접] → 안에 가진 생각을 말로 하여 나타내다

Red gums can **indicate** gum disease in animals. (모평)

빨간 잇몸은 동물들의 잇몸 질환을 **나타낼** 수 있다.

predict 동 예측하다, 예언하다

▶ pre[앞서] + dict[말하다] → 미래에 발생할 일을 앞서 말하다, 즉 예측하다

Researchers **predict** that many of our jobs are likely to be automated within the next 20 years. (학평)

연구원들은 우리의 직업들 중 많은 것들이 향후 20년 안에 자동화될 것이라고 **예측한다**.

dedicated 형 헌신적인, 전념하는, 전용의

▶ de[떨어져] + dic[말하다] + ate[동·접] + (e)d[형·접] → 다른 유혹에서 떨어져 자신을 바치겠다고 말한 상태, 즉 헌신적인

Hidalgo was a **dedicated** scholar who had studied the writings of the leaders of the French Revolution. (학평)

Hidalgo는 프랑스 혁명의 지도자들의 글을 연구했던 **헌신적인** 학자였다.

addiction 명 중독

▶ ad[~에] + dict[말하다] + ion[명·접] → 어떤 것에 대해 계속 말해 중독되게 하는 것

To break planning **addiction**, allow yourself one freedom. (모평)

계획 수립의 **중독**을 깨기 위해, 자기 자신에게 한 번의 자유를 허락해보아라.

DAY 23

최빈출 단어

0881 ☐☐☐

local

[lóukəl]

형 지역의, 현지의, 지방의 **명** 현지인

Trees are sensitive to local climate conditions. (학평)
나무들은 **지역의** 기후 조건에 민감하다.

➕ **localize** 동 지역화하다, 국한하다

Tips | **시험에는 이렇게 나온다**

local authority 지역 당국	**local community** 지역 공동체
local companies 지방 회사들	**local people** 현지 사람들

0882 ☐☐☐

factor

[fǽktər]

명 요소, 요인 **동** 고려하다

Stress hormones quiet down once the factor causing stress disappears. (학평)
스트레스 호르몬은 스트레스를 일으키는 **요소**가 사라지기만 하면 진정된다.

🟰 **element**

Tips | **시험에는 이렇게 나온다**

factor는 'factor in'의 형태로도 자주 출제돼요. factor in은 특히 계산을 하는 상황에서 어떤 요소를 고려하거나 감안하는 것을 의미하는 표현이에요.

0883 ☐☐☐

equipment

[ikwípmənt]

명 장비, 용품

Use a towel to wipe down your equipment after use. (학평)
당신의 **장비**를 사용 후 닦아내기 위해 수건을 사용해라.

➕ **equip** 동 (장비·능력을) 갖추다
🟰 **gear, apparatus**

Tips | **시험에는 이렇게 나온다**

equipment는 불가산 명사이므로 하나를 나타내는 부정관사 a(n), 또는 s가 붙은 복수 형태를 쓸 수 없다는 점을 꼭 기억하세요!

prove

[pruːv]

동 증명하다, 입증하다, 판명되다

Experiments never directly prove that a theory is right. (학평)

이론이 옳다는 것을 실험이 직접적으로 **증명하는** 것은 결코 아니다.

➕ **proof** 명 증거, 증명　**provable** 형 입증할 수 있는
🟰 **demonstrate**　⊟ **disprove** 동 틀렸음을 입증하다

invention

[invénʃən]

명 발명(품), 날조

Three important inventions came out of Mesopotamia: the wheel, the plow, and the sailboat. (학평)

세 가지 중요한 **발명품**이 메소포타미아에서 나왔는데 그것은 바퀴, 쟁기, 그리고 범선이다.

➕ **invent** 동 발명하다　**inventor** 명 발명가　**inventive** 형 독창적인
🟰 **creation**

immediate

[imíːdiət]

형 즉각적인, 당면한

The newspaper took immediate action to stop the gossip. (학평)

신문사는 그 소문을 멈추기 위해 **즉각적인** 조치를 취했다.

➕ **immediately** 부 즉시, 즉각
🟰 **instant, prompt**　⊟ **later** 형 나중의 부 나중에

overlook

[òuvərlúk]

동 간과하다, 눈감아 주다, 내려다보다

The outstanding achievements of African Americans have been overlooked. (수능)

아프리카계 미국인들의 뛰어난 업적은 **간과되어** 왔다.

> **Tips**　시험에는 이렇게 나온다
> overlook은 주로 안전에 대한 경각심을 일깨우는 메시지가 담긴 문장에서 safety(안전, 안전성), danger(위험) 등의 단어와 함께 사용돼요.

institution

[ìnstitúːʃən]

명 기관, (보호) 시설, 제도

As a learning institution, the college has the responsibility to help students prepare for their future. (학평)

학습 **기관**으로서, 대학은 학생들이 그들의 미래를 준비하도록 도울 책임이 있다.

➕ **institute** 동 도입하다, 시작하다 명 협회, 기관

0889 ☐☐☐

innovation

[ìnəvéiʃən]

명 혁신, 쇄신, 획기적인 것

Without the influence of minorities, we would have no **innovation**, no social change. (수능)

소수자들의 영향력 없이는, 우리는 **혁신**도, 사회적 변화도 없을 것이다.

➕ **innovate** 동 혁신하다   **innovative** 형 획기적인

➖ **revolution**

0890 ☐☐☐

assign

[əsáin]

동 할당하다, 배정하다, 배치하다

The teacher **assigned** a group project to all the students. (학평)

선생님이 모든 학생들에게 조별 과제를 **할당했다**.

➕ **assignment** 명 과제, 임무

➖ **allot, allocate**

0891 ☐☐☐

accommodate

[əká:mədeit]

동 수용하다, 공간을 제공하다, 적응시키다

The stadium will **accommodate** around 40,000 people. (학평)

그 경기장은 약 4만 명 정도를 **수용할** 것이다.

➕ **accommodation** 명 거처, 숙소, 조정

0892 ☐☐☐

ultimate

[ʌ́ltəmət]

형 궁극적인, 최후의

Set your **ultimate** life goal as soon as possible. (학평)

궁극적인 삶의 목표를 가능한 한 빨리 세워라.

➕ **ultimately** 부 궁극적으로, 결국

Tips   시험에는 이렇게 나온다

ultimate end 궁극적인 목적	**ultimate aim** 궁극적인 목표
ultimate solution 궁극적인 해결책	**ultimate truth** 궁극적인 진리

0893 ☐☐☐

manipulate

[mənípjuleit]

동 잘 다루다, 조종하다

Magicians have to be able to **manipulate** people's perception of performance. (모평)

마술사들은 공연에 대한 사람들의 인식을 **잘 다룰** 수 있어야 한다.

➕ **manipulation** 명 조작, 조종   **manipulative** 형 조종하는

➖ **control, influence**

0894 ☐☐☐

flexible

[fléksəbl]

혱 유연한, 적응성 있는, 융통성 있는

Stretching is a natural way to keep your muscles and joints flexible. (학평)

스트레칭은 당신의 근육과 관절을 **유연하게** 유지하기 위한 자연스러운 방법이다.

➕ **flexibility** 몡 유연성, 융통성

🟰 **elastic** ✖️ **inflexible** 혱 완강한, 융통성 없는 **rigid** 혱 엄격한, 단단한

0895 ☐☐☐

passenger

[pǽsəndʒər]

몡 승객

By 2030, the station is expected to handle 105 million passengers a year. (학평)

2030년까지, 그 정거장은 연간 1억 5백만 명의 **승객들**을 다룰 것으로 예상된다.

빈출 단어

0896 ☐☐☐

classify

[klǽsifai]

동 분류하다, 구분하다

Music has traditionally been classified by musical instruments. (모평)

음악은 전통적으로 악기별로 **분류되어** 왔다.

➕ **classification** 몡 분류, 범주

0897 ☐☐☐

symbolize

[símbəlaiz]

동 상징하다

A classmate of mine used red, which symbolizes good fortune and joy in China. (교과서)

나의 학급 친구는 빨간색을 사용했는데, 그 색은 중국에서 행운과 기쁨을 **상징한다**.

➕ **symbolic** 혱 상징적인 **symbol** 몡 상징

0898 ☐☐☐

portable

[pɔ́ːrtəbl]

혱 휴대용의, 휴대가 쉬운 몡 휴대용 제품

I'd like to buy a portable keyboard for my tablet PC. (학평)

나는 내 태블릿 PC를 위한 **휴대용** 키보드를 사고 싶다.

Tips

주의해야 할 혼동어

portable과 철자 및 발음이 비슷한 potable에 주의하세요! '휴대용의', '휴대용 제품'을 뜻하는 portable은 [포털터블]이라고 발음하고, '음료', '마셔도 되는'을 뜻하는 potable은 [포우터블]이라고 발음해요.

0899 ☐☐☐

persist

[pərsíst]

동 계속되다, 고집하다, 주장하다

The belief that we use only 10 percent of our brains has **persisted** for over a century. (학평)

우리가 우리 뇌의 단 10퍼센트만 사용한다는 믿음은 한 세기 넘게 **계속되어** 왔다.

➕ **persistent** 형 끈질긴, 지속적인   **persistence** 명 고집, 지속(성)

0900 ☐☐☐

enrich

[inrítʃ]

동 풍요롭게 하다, 질을 높이다, 강화하다

Art **enriches** our spirit. (수능)

예술은 우리의 정신을 **풍요롭게 한다**.

➕ **enrichment** 명 풍부하게 함, 강화

0901 ☐☐☐

propel

[prəpél]

동 나아가게 하다, 추진하다

Some fish float and sink by **propelling** themselves forward. (학평)

어떤 물고기는 자신을 앞으로 **나아가게 함으로써** 떠오르고 가라앉는다.

0902 ☐☐☐

rust

[rʌst]

동 녹슬다, 부식시키다   명 녹

Salt damages the iron bars in roads and causes cars to **rust** more quickly. (학평)

염분은 도로의 철근에 손상을 입히고 차가 더 빨리 **녹슬게** 한다.

➕ **rusty** 형 녹슨, 무뎌진

0903 ☐☐☐

minister

[mínəstər]

명 장관, 성직자, 각료

The **Minister** of Health and Welfare warns that smoking may cause cancer. (학평)

보건복지부 **장관**은 흡연이 암을 유발할 수 있다고 경고한다.

➕ **ministry** 명 (정부의) 부처

0904 ☐☐☐

flaw

[flɔː]

명 결함, 흠, 결점

The document has major **flaws**. (학평)

서류에 중대한 **결함**이 있다.

➕ **flawless** 형 흠이 없는, 완벽한

0905 ☐☐☐

loyal

[lɔ́iəl]

형 충실한, 충성스러운

You have been our **loyal** client for a long time. 학평
당신은 오랜 기간 우리의 **충실한** 고객이셨습니다.

➕ **loyalty** 명 충실, 충성

Tips

> **주의해야 할 혼동어**
>
> loyal과 철자가 비슷한 royal에 주의하세요! royal은 '국왕의', '왕족'을 의미하는 단어예요.

0906 ☐☐☐

outbreak

[áutbreik]

명 발발, 발생

An **outbreak** of cholera in 1849 killed nearly 13,000 people in London. 학평
1849년 콜레라의 **발발**로 런던에서 거의 13,000명이 죽었다.

0907 ☐☐☐

bankrupt

[bǽŋkrʌpt]

동 파산시키다, 파산하다 형 파산한, 결핍된 명 파산자

People worried it might **bankrupt** the firm because nobody would buy it. 학평
아무도 그것을 사지 않을 것 같아서 사람들은 그것이 회사를 **파산시킬지도** 모른다고 걱정했다.

➕ **bankruptcy** 명 파산, 부도

0908 ☐☐☐

volcano

[vɑːlkéinou]

명 화산

Smoke is coming out of that nearby **volcano**. 학평
연기가 근처 **화산**으로부터 나오고 있다.

➕ **volcanic** 형 화산의

0909 ☐☐☐

stereotype

[stériətaip]

명 고정 관념 동 정형화하다

We should break gender **stereotypes**. 학평
우리는 성 **고정 관념**을 깨야 한다.

0910 ☐☐☐

exquisite

[ikskwízit]

형 매우 아름다운, 정교한, 예민한

They were all impressed by the **exquisite** dance. 학평
그들은 모두 **매우 아름다운** 무용에 감명받았다.

vain

[vein]

형 소용없는, 헛된, 자만심이 강한

The salmon threw itself up and over the rushing water above, but in **vain**. (수능)

연어는 빠르게 흐르는 물 위로 몸을 던져 넘어가려고 했지만, **소용없었다**.

➕ **vanity** 명 헛됨, 자만심

⊜ **pointless, useless**

Tips | **주의해야 할 혼동어**
vain과 철자가 비슷하고 발음이 동일한 vein에 주의하세요! vein은 '정맥'을 의미하는 단어예요.
발음이 동일하기 때문에 듣기 영역에서는 맥락에 따라서 혼동어를 구별해야 해요.

petition

[pətíʃən]

명 청원(서), 진정(서) **동** 청원하다

A salesperson might request you to sign a **petition** to prevent cruelty against animals. (학평)

판매원은 당신에게 동물 학대 방지를 위한 **청원서**에 서명해 달라고 요청할지도 모른다.

⊜ **appeal**

monument

[má:njumənt]

명 기념물, 기념비적인 것

He expected to see some historical **monuments**. (수능)

그는 몇몇 역사적 **기념물**을 보기를 기대했다.

➕ **monumental** 형 기념비적인, 엄청난

comprise

[kəmpráiz]

동 구성하다, 차지하다

A football game is **comprised** of exactly 60 minutes of play. (모평)

미식축구 경기는 정확히 60분의 경기로 **구성된다**.

➕ **be comprised of** ~으로 구성되다

⊜ **make up, compose**

enlightened

[inláitnd]

형 계몽된, 깨우친

There are only a few **enlightened** people with good taste. (수능)

좋은 취향을 가진 **계몽된** 사람들은 극소수이다.

➕ **enlighten** 동 깨우치게 하다, 이해하다   **enlightenment** 명 계몽, 깨달음

0916 ☐☐☐

array

[əréi]

명 배열, 모음 **동** 진열하다, 배치하다

More advanced microscopes were allowing naturalists to examine the wonderful **array** of tiny life. (학평)

더욱 진보된 현미경은 자연주의자들이 작은 생명체의 경이로운 **배열**을 관찰할 수 있게 했다.

➕ **a wide array of** 다수의

0917 ☐☐☐

warrant

[wɔ́:rənt]

동 보증하다, 정당화하다 **명** 영장, 보증서

The so-called Mozart effect is a good example of the media creating hype not **warranted** by the research. (모평)

이른바 모차르트 효과는 연구로 **보증되지** 않은 것을 언론이 과대 선전으로 만들어 낸 하나의 좋은 예시이다.

➕ **warranty** 몡 품질 보증서

0918 ☐☐☐

cavity

[kǽvəti]

명 구멍, 빈 곳, 충치 (구멍)

The leopard shark catches its prey by generating a suction force as it expands its buccal **cavity**. (학평)

표범상어는 입의 **구멍**을 넓혀 흡입력을 발생시킴으로써 먹이를 잡는다.

0919 ☐☐☐

industrious

[indʌ́striəs]

형 근면한, 부지런한

The person is described by the following adjectives: intelligent, **industrious**, and critical. (학평)

그 사람은 다음의 형용사들로 설명된다: 지적이고, **근면하고**, 비판적이다.

🟰 **diligent** ⬛ **lazy** 혱 게으른, 여유로운

Tips │ **주의해야 할 혼동어**

industrious와 철자가 비슷한 industrial에 주의하세요! 철자가 비슷해서 서로의 파생어라고 오인하기 쉽지만 industrial은 '산업의', '공업의'를 의미하는 단어로 전혀 다른 뜻을 가지고 있어요.

0920 ☐☐☐

novice

[nɑ́:vis]

명 초보(자), 초심자

The expert players were no better than **novice** chess players. (학평)

그 전문 선수들은 **초보** 체스 선수들보다 더 나은 점이 없었다.

🟰 **beginner** ⬛ **expert** 명 전문가, 숙련가 혱 전문(가)의, 숙련된

Daily Quiz

영어는 우리말로, 우리말은 영어로 쓰세요.

01 ultimate _____

02 vain _____

03 industrious _____

04 assign _____

05 immediate _____

06 warrant _____

07 outbreak _____

08 enlightened _____

09 comprise _____

10 exquisite _____

11 기관, 제도 _____

12 장관, 성직자, 각료 _____

13 발명(품), 날조 _____

14 구멍, 충치 (구멍) _____

15 나아가게 하다, 추진하다 _____

16 녹슬다, 부식시키다, 녹 _____

17 수용하다, 적응시키다 _____

18 요소, 요인, 고려하다 _____

19 증명하다, 판명되다 _____

20 충실한, 충성스러운 _____

다음 빈칸에 들어갈 가장 알맞은 것을 박스 안에서 고르세요.

manipulate	innovation	persist	stereotype	equipment

21 Use a towel to wipe down your _____ after use.
당신의 장비를 사용 후 닦아내기 위해 수건을 사용해라.

22 Without the influence of minorities, we would have no _____, no social change.
소수자들의 영향력 없이는, 우리는 혁신도, 사회적 변화도 없을 것이다.

23 We should break gender _____(e)s.
우리는 성 고정 관념을 깨야 한다.

24 Magicians have to be able to _____ people's perception of performance.
마술사들은 공연에 대한 사람들의 인식을 잘 다룰 수 있어야 한다.

25 The belief that we use only 10 percent of our brains has _____(e)d for over a century.
우리가 우리 뇌의 단 10퍼센트만 사용한다는 믿음은 한 세기 넘게 계속되어 왔다.

정답

01 궁극적인, 최후의 02 소용없는, 헛된, 자만심이 강한 03 근면한, 부지런한 04 할당하다, 배정하다, 배치하다 05 즉각적인, 당면한
06 보증하다, 정당화하다, 영장, 보증서 07 발발, 발생 08 계몽된, 깨우친 09 구성하다, 차지하다 10 매우 아름다운, 정교한, 예민한 11 institution
12 minister 13 invention 14 cavity 15 propel 16 rust 17 accommodate 18 factor 19 prove 20 loyal 21 equipment
22 innovation 23 stereotype 24 manipulate 25 persist

어근으로 외우는 어휘 ⑧

medi/mid — 중간, 가운데

medieval — 형 중세의

▶ medi[중간] + ev[시대] + al[형·접] → 시대적으로 중간인, 즉 중세의

There are so many popular proverbs from **medieval** times. (학평)

중세 시대로부터 나온 유명한 속담들이 아주 많다.

meditation — 명 명상, 숙고

▶ medi[중간] + (i)t[가다] + ation[명·접] → 생각의 중간으로 가는 명상

Meditation allowed many people to experience a better quality of life. (학평)

명상은 많은 사람들이 더 나은 삶의 질을 경험할 수 있게 해주었다.

midst — 명 중간, 한가운데

▶ mid(st)[중간] → 가운데에 있는, 즉 중간

In the **midst** of her chores, my mother spent time reading. (모평)

집안일을 하는 **중간**에, 어머니는 책을 읽으며 시간을 보냈다.

mediate — 동 중재하다, 조정하다

▶ medi[중간] + ate[동·접] → 중간에서 싸움을 중재하다

The progressive organization **mediated** labor disputes. (수능)

그 진보 단체는 노사 분쟁을 **중재했다**.

medium — 명 매체, 수단 형 중간의

▶ medi[중간] + (i)um[명·접] → 중간에서 전달하는 매체, 수단

Newspaper was the least preferred **medium** in 2015. (학평)

신문은 2015년에 가장 선호되지 않는 **매체**였다.

최빈출 단어

0921 ☐☐☐

remain

[riméin]

동 남아 있다, 여전히 ~이다

He is planning to **remain** in the district in case of emergencies. 학평

그는 비상사태에 대비해 그 지역에 **남아 있을** 계획이다.

➕ **remainder** 명 나머지, 재고품　**remaining** 형 남아 있는

🟰 **stay, continue**

0922 ☐☐☐

attitude

[ǽtitjuːd]

명 태도, 자세

I tried to keep a positive **attitude** about my situation. 학평

나는 내 상황에 대해 긍정적인 **태도**를 유지하려고 노력했다.

🟰 **stance, perspective**

0923 ☐☐☐

publish

[pʌ́bliʃ]

동 발행하다, 출판하다, 발표하다

We've decided to **publish** a special edition of the paper. 학평

우리는 그 신문의 특별판을 **발행하기로** 결정했다.

➕ **publication** 명 출판(물), 발행　**publisher** 명 출판사, 출판업자

🟰 **issue**

0924 ☐☐☐

species

[spíːʃiːz]

명 (동·식물의) 종, 종류

Certain **species** are more crucial to the maintenance of their ecosystem than others. 모평

어떤 **종들**은 생태계를 유지하는 데 있어 다른 종들보다 더 중요하다.

Tips | **시험에는 이렇게 나온다**

species of animals 동물의 종　　**endangered species** 멸종 위기종

species of fish 어종　　　　　**native species** 토착종

evolve

[ivá:lv]

동 발달하다, 진화하다

Scientific theories evolve as they go through stages of redefinition and refinement. (학평)

과학적 이론들은 재정의와 개선의 단계를 거쳐 가며 **발달한다**.

➕ evolution 명 발전, 진화   evolutionary 형 진화의, 점진적인

🔲 develop, grow

announce

[ənáuns]

동 발표하다, 알리다

The Art Department is pleased to announce that an informal pottery course will be offered this summer. (모평)

예술 학과는 올여름에 약식의 도예 강좌가 제공될 것을 **발표하게** 되어 기쁩니다.

➕ announcement 명 발표, 소식

ordinary

[ɔ́:rdəneri]

형 평범한, 보통의, 평상시의

We often hear stories of ordinary people who could have become great artists or scientists. (수능)

우리는 위대한 예술가나 과학자가 될 수 있었던 **평범한** 사람들의 이야기를 종종 듣는다.

🔲 common, normal, usual   ◀▶ extraordinary 형 특별한, 비범한

Tips

시험에는 이렇게 나온다

| ordinary clothes 평상복 | ordinary life 평범한 생활 |
| ordinary room 평범한 방 | ordinary citizen 평범한 시민 |

sink

[siŋk]

명 싱크대, 개수대   동 가라앉다, 침몰하다

There's water leaking out of the pipe from under the sink. (모평)

싱크대 아래 파이프에서 물이 새고 있다.

🔲 plunge, submerge   ◀▶ float 동 (물에) 뜨다

boundary

[báundəri]

명 경계, 한계

In many situations, the boundary between good and bad is a reference point that changes over time. (수능)

많은 상황에서, 좋음과 나쁨 사이의 **경계**는 시간이 지남에 따라 변하는 기준점이다.

🔲 border

0930 □□□

interact

[íntərækt]

동 소통하다, 상호 작용을 하다

The Internet helps employees of a company interact with each other. (학평)

인터넷은 회사 직원들이 서로 **소통하는** 것에 도움이 된다.

➕ interaction 명 상호 작용 interactive 형 상호 작용을 하는
　interact with ~와 소통하다, 상호 작용을 하다

0931 □□□

peer

[piər]

명 동료, 또래

The researchers did not allow their work to be evaluated by peers before they published it. (학평)

연구원들은 그들의 연구를 출판하기 전에 **동료들**에 의해 그것이 평가되는 것을 허용하지 않았다.

➕ peer pressure 동료 집단이 주는 사회적 압력
🟰 fellow

0932 □□□

conceal

[kənsíːl]

동 감추다, 숨기다

Uniforms help to conceal the personal taste and financial status of children's parents. (수능)

교복은 개인적인 취향과 아이들 부모의 재정 상태를 **감추는** 데 도움을 준다.

➕ concealment 명 숨김, 은폐
🟰 hide ⏹ reveal 동 드러내다, 폭로하다 show 동 보여주다

0933 □□□

relevant

[réləvənt]

형 관련이 있는, 적절한

Verbal and nonverbal signs are not only relevant but also significant to intercultural communication. (학평)

언어적, 비언어적 신호는 문화 간 의사소통과 **관련이 있을** 뿐만 아니라 중요하기도 하다.

➕ relevance 명 관련성, 적절성
🟰 related ⏹ irrelevant 형 무관한, 상관없는

0934 □□□

innocent

[ínəsənt]

형 결백한, 무고한, 순진한

He denied the charge and kept pleading innocent. (학평)

그는 그 혐의를 부인했고 계속해서 **결백하다는** 것을 주장했다.

➕ innocence 명 결백, 무죄
⏹ guilty 형 유죄의, 죄책감이 드는

0935 ☐☐☐

brilliant

[bríljənt]

혱 훌륭한, 뛰어난, 명석한

His acting is brilliant for his young age. (학평)

그의 연기는 어린 나이에 비해 **훌륭하다**.

➕ **brilliance** 몡 탁월, 광채

빈출 단어

0936 ☐☐☐

exotic

[igzá:tik]

혱 이국적인, 외국의

None of the wildlife I saw was exotic. (수능)

내가 보았던 어떠한 야생 동물도 **이국적이지** 않았다.

0937 ☐☐☐

counsel

[káunsəl]

몡 조언, 상담 동 조언하다, 상담하다

A mother's good counsel might not work on her son. (수능)

어머니의 좋은 **조언**이 아들에게 효과가 없을 수도 있다.

➕ **counselor** 몡 상담사, 고문

0938 ☐☐☐

dip

[dip]

동 살짝 담그다, 내리다, 떨어지다

In many situations, it's wise to dip your toe in the water rather than dive in headfirst. (학평)

많은 상황에서, 머리부터 물속에 뛰어들기보다 발끝을 **살짝 담그는** 것이 현명하다.

0939 ☐☐☐

denial

[dináiəl]

몡 부정, 부인, 거부

There is an important distinction to be made between denial and restraint. (수능)

부정과 억제 사이에는 짚고 넘어가야 할 중요한 차이점이 있다.

➕ **deny** 동 부정하다, 거부하다

0940 ☐☐☐

revenge

[rivéndʒ]

몡 복수, 보복, 설욕

The law takes away the right of revenge from people and gives the right to the community. (학평)

법은 사람들에게서 **복수**를 할 권리를 빼앗고 그 권리를 지역 사회에 준다.

➕ **revengeful** 혱 복수심에 불타는

constraint

[kənstréint]

명 제약, 제한, 통제

Society, through ethical and economic **constraints**, exerts a powerful influence on what science accomplishes. (모평)

사회는 윤리적, 경제적 **제약**을 통해, 과학이 성취하는 것에 강력한 영향력을 행사한다.

➕ constrain 동 제한하다, ~하게 만들다

➖ restriction, limitation

boom

[bu:m]

명 호황, 갑작스러운 인기   동 쾅 하는 소리를 내다

A **boom** in car sales has caused traffic jams in many of China's major cities. (학평)

자동차 판매의 **호황**은 중국의 많은 주요 도시에서 교통 체증을 초래했다.

➕ booming 형 급속히 발전하는, 쾅 하고 울리는

resent

[rizént]

동 분개하다, 억울하게 여기다

You will **resent** the person who you feel you cannot say no to. (학평)

당신이 거절하지 못할 것 같은 사람에게 당신은 **분개할** 것이다.

➕ resentful 형 분개하는   resentment 명 분함, 억울함

superficial

[sù:pərfíʃəl]

형 피상적인, 표면적인, 깊이 없는

Mature reflection reveals things that are **superficial** and not wholly true. (학평)

성숙한 성찰은 **피상적이고** 완전히 사실이 아닌 것들을 밝혀낸다.

➖ shallow   ↔ profound 형 심오한, 깊은   serious 형 심각한, 진지한

lease

[li:s]

명 임대차 계약 동 임대하다

I have lived in this apartment for the last 10 years, and the **lease** has been renewed three times. (수능)

나는 지난 십 년 동안 이 아파트에 살아왔으며, **임대차 계약**이 세 번 갱신되었다.

Tips

주의해야 할 혼동어

lease와 의미가 비슷한 rent에 주의하세요! lease는 '임대차 계약', 특히 부동산, 건물, 땅 등을 장기적으로 임대하는 경우에 사용하고, rent는 집세나 사용료 등을 내고 단기적으로 세를 내는 경우에 사용한다는 차이가 있어요.

prosecute

[prάːsikjuːt]

동 기소하다, 고발하다

People who infringe on copyrights can be **prosecuted**. (수능)

저작권을 침해하는 사람들은 **기소될** 수 있다.

➕ **prosecutor** 명 검사, 기소자　**prosecution** 명 기소, 고발

Tips | **주의해야 할 혼동어**
prosecute와 철자가 비슷한 persecute에 주의하세요! persecute는 '박해하다', '귀찮게 굴다'를 의미하는 단어예요.

cohesion

[kouhíːʒən]

명 화합, 결합, 응집력

The social structure of many communities gains much **cohesion** from the group activity of dancing. (학평)

여러 공동체의 사회 구조는 춤이라는 집단 활동으로부터 많은 **화합**을 이룬다.

➕ **cohesive** 형 화합하는, 응집성의

erupt

[irΛpt]

동 분출하다, 폭발하다

By studying rocks, geologists learn where volcanoes once **erupted**. (학평)

암석을 연구함으로써, 지질학자들은 화산이 한때 어디에서 **분출했는지** 알게 된다.

➕ **eruption** 명 분출, 폭발

Tips | **시험에는 이렇게 나온다**
erupt에는 '분출하다' 외에도 '(강한 감정을) 터뜨리다'라는 뜻이 있어요. erupt로 표현할 수 있는 강한 감정은 놀라움, 분노, 절망 등이에요.
The crowd erupted in "Ohhhhs!" 사람들은 '오!'라는 (놀라움의) 소리를 터뜨렸다. (수능)

textile

[tékstail]

명 직물, 옷감, 섬유

The Industrial Revolution made **textile** manufacturing a big business. (학평)

산업혁명은 **직물** 제조업을 대규모 사업으로 만들었다.

🟰 fabric

thorn

[θɔːrn]

명 가시, 가시나무

Many plants, like roses, have sharp **thorns**. (모평)

장미와 같은 많은 식물들은 날카로운 **가시들**을 가지고 있다.

literate

⟨형⟩ 글을 읽고 쓸 줄 아는

[lítərət]

Becoming **literate** is a basic goal of education. (학평)

글을 읽고 쓸 줄 알게 되는 것이 교육의 기본 목표이다.

➕ **literacy** ⟨명⟩ 글을 읽고 쓸 줄 아는 능력

➖ **illiterate** ⟨형⟩ 문맹의

intimidate

⟨동⟩ 겁을 주다, 위협하다

[intímədeit]

There are plenty of opportunities for you to make mistakes, but don't let that **intimidate** you. (학평)

당신이 실수할 많은 기회들이 있지만, 그것이 당신에게 **겁을 주도록** 내버려 두지 마라.

➕ **intimidation** ⟨명⟩ 위협, 협박

➖ **frighten, threaten, scare**

diameter

⟨명⟩ 지름

[daiǽmətər]

A satellite of just 155 miles in **diameter** could supply all of our present energy needs. (학평)

지름이 겨우 155마일인 인공위성 한 대가 우리의 모든 에너지 현 수요를 충족시킬 수 있다.

endorse

⟨동⟩ 지지하다, 보증하다

[indɔ́:rs]

Groups were more likely to **endorse** an inferior option after discussion. (학평)

집단들은 논의 후에 더 좋지 않은 선택지를 **지지할** 가능성이 더 높았다.

➕ **endorsement** ⟨명⟩ 지지, 보증

➖ **approve, support**

chronic

⟨형⟩ 만성의, 고질적인

[krɑ́:nik]

Stella suffers from **chronic** coughing. (학평)

Stella는 **만성** 기침에 시달린다.

➕ **chronically** ⟨부⟩ 만성적으로 **chronicity** ⟨명⟩ 만성

➖ **acute** ⟨형⟩ 급성의, 극심한

Tips | **시험에는 이렇게 나온다**
chronic의 부사형인 chronically는 '만성적으로'를 의미하며 주로 disease(병), pain(통증) 등의 단어와 함께 사용돼요.

0956 ☐☐☐

statesman

[stéitsmən]

명 정치가, 정치인

English **statesman** and philosopher Thomas More's book *Utopia* was published in 1516. (모평)

영국의 **정치가**이자 철학자인 토머스 모어의 저서 「유토피아」는 1516년에 출간되었다.

🔁 politician

0957 ☐☐☐

overdue

[òuvərdú:]

형 (지불·반납 등의) 기한이 지난, 연체된

A lot of books have not been returned even though they are **overdue**. (학평)

반납 기한이 지났음에도 불구하고 많은 책들이 반납되지 않았다.

🔁 late, belated

0958 ☐☐☐

erect

[irékt]

동 세우다, 건립하다   형 똑바로 선, 일어선

European powers were busy **erecting** barrack huts. (학평)

유럽의 열강들은 병영 막사를 **세우느라** 분주했다.

Tips

> **주의해야 할 혼동어**
> erect와 철자 및 발음이 비슷한 elect에 주의하세요! '세우다', '똑바로 선'을 뜻하는 erect는 [이렉트]라고 발음하고, '선출하다', '당선된'을 뜻하는 elect는 [일렉트]라고 발음해요.

0959 ☐☐☐

intermission

[ìntərmíʃən]

명 중간 휴식 시간, 중단

The performance lasts two and a half hours with one **intermission**. (학평)

그 공연은 한 번의 **중간 휴식 시간**을 포함하여 두 시간 반 동안 계속된다.

🔁 interval

0960 ☐☐☐

momentous

[mouméntəs]

형 중대한, 중요한

Our class of 1960 was going to be returning for our **momentous** 50th reunion. (학평)

1960년의 우리 동급생들이 **중대한** 50주년 동창회를 위해 다시 모일 예정이었다.

🔁 significant, important   ⏸ unimportant 형 중요하지 않은, 하찮은

Tips

> **주의해야 할 혼동어**
> momentous와 철자가 비슷한 momentary에 주의하세요! 두 단어는 철자가 비슷해서 서로의 파생어로 오인하기 쉽지만 momentary는 '순간적인', '잠깐의'라는 전혀 다른 뜻을 의미하는 단어예요.

Daily Quiz

영어는 우리말로, 우리말은 영어로 쓰세요.

01	intimidate	_____	11	관련이 있는, 적절한	_____
02	ordinary	_____	12	조언, 상담, 상담하다	_____
03	resent	_____	13	발달하다, 진화하다	_____
04	endorse	_____	14	살짝 담그다, 내리다	_____
05	prosecute	_____	15	동료, 또래	_____
06	textile	_____	16	중간 휴식 시간	_____
07	boom	_____	17	발행하다, 발표하다	_____
08	conceal	_____	18	상호 작용을 하다	_____
09	thorn	_____	19	중대한, 중요한	_____
10	remain	_____	20	만성의, 고질적인	_____

다음 빈칸에 들어갈 가장 알맞은 것을 박스 안에서 고르세요.

> attitude   superficial   denial   exotic   announce

21 There is an important distinction to be made between _____ and restraint.
부정과 억제 사이에는 짚고 넘어가야 할 중요한 차이점이 있다.

22 I tried to keep a positive _____ about my situation.
나는 내 상황에 대해 긍정적인 태도를 유지하려고 노력했다.

23 The Art Department is pleased to _____ that an informal pottery course will be offered this summer.
예술 학과는 올여름에 약식의 도예 강좌가 제공될 것을 발표하게 되어 기쁩니다.

24 Mature reflection reveals things that are _____ and not wholly true.
성숙한 성찰은 피상적이고 완전히 사실이 아닌 것들을 밝혀낸다.

25 None of the wildlife I saw was _____.
내가 보았던 어떠한 야생 동물도 이국적이지 않았다.

정답

01 겁을 주다, 위협하다 02 평범한, 보통의, 평상시의 03 분개하다, 억울하게 여기다 04 지지하다, 보증하다 05 기소하다, 고발하다
06 직물, 옷감, 섬유 07 호황, 갑작스러운 인기, 쾅 하는 소리를 내다 08 감추다, 숨기다 09 가시, 가시나무 10 남아 있다, 여전히 ~이다
11 relevant 12 counsel 13 evolve 14 dip 15 peer 16 intermission 17 publish 18 interact 19 momentous 20 chronic
21 denial 22 attitude 23 announce 24 superficial 25 exotic

tain   잡다, 쥐다

sustain   동 살아가게 하다, 지속시키다

▶ sus[아래에] + tain[잡다] → 아래에서부터 잡고 지속하여 살아가게 하다

The food contained enough nutrition to **sustain** an entire army. (교과서)

그 음식은 군대 전체를 **살아가게 하기**에 충분한 영양분을 함유하고 있었다.

retain   동 유지하다, 보유하다

▶ re[뒤로] + tain[잡다] → 뒤로 잡아서 빠져나가지 않도록 유지하다

Studying in multiple locations has been proven to actually help the brain **retain** information. (학평)

여러 장소에서 공부하는 것은 실제로 뇌가 정보를 **유지하는** 데 도움을 주는 것으로 증명됐다.

maintain   동 유지하다, 지속하다, 주장하다

▶ main[손] + tain[잡다] → 손으로 꼭 잡아 상태를 유지하다

Maintain a clean and pleasant environment. (학평)

깨끗하고 쾌적한 환경을 **유지해라**.

obtain   동 얻다, 입수하다

▶ ob[향하여] + tain[잡다] → 어떤 것을 향하여 가서 잡다, 즉 그것을 얻다

Humans **obtain** energy from molecules present in the plant and animal matter they eat and digest. (모평)

인간은 자신들이 먹고 소화하는 동식물에 존재하는 분자들로부터 에너지를 **얻는다**.

contain   동 포함하다, 함유하다

▶ con[함께] + tain[잡다] → 여럿을 함께 잡아서 안에 넣어두다, 즉 포함하다

Beans **contain** a significant amount of calcium. (학평)

콩은 상당량의 칼슘을 **포함한다**.

최빈출 단어

0961· ☐☐☐

common

[ká:mən]

형 흔한, 보통의, 공통의, 일반적인

Nervousness about public speaking is one of the most
common fears among people. (학평)
공석에서 말할 때의 불안함은 사람들 사이에서 가장 **흔한** 두려움의 대상 중 하나이다.

➕ commonly 부 흔히, 보통   commonality 명 공통성

➖ uncommon 형 흔하지 않은   rare 형 드문, 희귀한   special 형 특별한

Tips | 시험에는 이렇게 나온다
| common goal 공통의 목적   common good 공익   common interest 공통 관심사
| common mistake 흔한 실수   common sense 상식   common practice 일반적 습관

0962 ☐☐☐

participate

[pɑːrtísəpeit]

동 참가하다, 참여하다

I registered to participate in a charity marathon. (학평)
나는 자선 마라톤에 **참가하기** 위해 등록했다.

➕ participation 명 참가, 참여   participant 명 참가자

➖ take part, join

Tips | 시험에는 이렇게 나온다
| participate는 전치사 in과 함께 짝을 이루어 'participate in(~에 참가하다)'으로 나오는 경우가
| 많아요. 이는 participate가 자동사이므로 전치사 in이 있어야 목적어가 올 수 있기 때문이에요.

0963 ☐☐☐

deny

[dinái]

동 부정하다, 부인하다, 거부하다

To say that we need to curb our negative emotions does
not mean that we should deny our feelings. (수능)
부정적인 감정을 억제할 필요가 있다는 것이 우리의 감정을 **부정해야** 한다는 것을 의미하지
는 않는다.

➕ denial 명 부정, 부인, 거부

➖ negate   ➡ admit 동 인정하다, 허락하다

0964 ☐☐☐

accurate

[ǽkjurət]

형 정확한, 정밀한

The highly accurate analysis of medical images is used to detect possible diseases. (학평)

매우 **정확한** 의료 영상 분석은 잠재적인 질병을 발견하는 데 사용된다.

➕ accurately 부 정확하게　accuracy 명 정확도
🟰 precise, correct　⊟ inaccurate 형 부정확한

0965 ☐☐☐

outcome

[áutkʌm]

명 결과, 성과

Positive outcomes cannot be guaranteed. (모평)

긍정적인 **결과**가 보장될 수는 없다.

🟰 result, consequence

0966 ☐☐☐

emission

[imíʃən]

명 배기가스, 배출(물)

Biodiesel has significantly fewer emissions than petroleum-based diesel when burned. (학평)

바이오디젤은 석유로 만들어진 디젤보다 연소될 때 훨씬 더 적은 양의 **배기가스**를 배출한다.

➕ emit 동 내뿜다, 방출하다

0967 ☐☐☐

instrument

[ínstrəmənt]

명 악기, 도구, 수단

The sounds of instruments and students' voices must work together in harmony. (학평)

악기의 소리와 학생들의 목소리가 함께 조화를 이루어야 한다.

➕ instrumental 형 악기의, 수단이 되는

0968 ☐☐☐

yield

[jiːld]

명 수확(량), 산출(량)　동 산출하다, 양보하다

For a better yield of mustard seeds, pollination is necessary. (모평)

겨자씨의 더 나은 **수확량**을 위해서는, 수분 작용이 필수적이다.

🟰 produce, output　⊟ loss 명 손실, 분실

Tips

> **시험에는 이렇게 나온다**
>
> yield는 도로에서 다른 차에게 먼저 가라고 '양보하다'라는 의미로도 쓰여요.
> **yield to other drivers** 다른 운전자들에게 양보하다 (수능)

01 02 03 04 05 06 07 08 09 10 11 12 13 14 15 16 17 18 19 20 21 22 23 24 **25 DAY** 26 27 28 29 30 31 32 33 34 35 36 37 38 39 40 41 42 43 44 45

oppose

동 반대하다, 저항하다, 대립시키다

[əpóuz]

People who are **opposed** to drilling in Alaska don't want its negative effects on the environment. (학평)

알래스카에서 시추하는 것을 **반대하는** 사람들은 그것이 환경에 끼치는 부정적인 영향을 원하지 않는다.

➕ **opposite** 휑 반대의, 맞은편의 **opposition** 몡 반대 **be opposed to** ~에 반대하다
🟰 **object** ↔ **support** 동 지지하다, 지원하다 몡 지지, 지원

import

몡 수입(품) **동** 수입하다

몡[ímpɔːrt]
동[impɔ́ːrt]

Mexico became increasingly dependent on **imports** from other countries. (학평)

멕시코는 다른 나라들로부터의 **수입**에 점점 더 의존하게 되었다.

↔ **export** 몡 수출(품) 동 수출하다

alter

동 고치다, 바꾸다, 변하다

[ɔ́ːltər]

I can **alter** the dresses you're going to wear at the show. (학평)

당신이 쇼에서 입을 드레스를 제가 **고칠** 수 있어요.

➕ **alterable** 휑 변경할 수 있는 **alteration** 몡 변경, 변화
🟰 **change, modify**

resolve

동 해결하다, 결심하다, 분해하다

[rizáːlv]

Anxiety or any other issues can be **resolved** with our counselors. (학평)

불안감이나 다른 문제들은 저희의 상담사들과 함께 **해결될** 수 있습니다.

➕ **resolution** 몡 해결, 결단력
🟰 **work out**

vivid

휑 생생한, 선명한

[vívid]

We tend to have extremely **vivid** memories of past emotional experiences. (학평)

우리는 과거의 감정적인 경험에 대해 극히 **생생한** 기억을 가지고 있는 경향이 있다.

➕ **vividly** 뷔 생생하게, 선명하게
🟰 **clear** ↔ **vague** 휑 희미한, 애매한 **dull** 휑 흐릿한, 따분한

translate

[trænsléit]

동 번역하다, 통역하다

One of her novels has been translated into more than 80 languages. 학평

그녀의 소설 중 하나는 80개 이상의 언어로 **번역되었다**.

⊕ translation 몡 번역, 통역 **translate into** ~으로 번역하다

allergic

[ələ́:rdʒik]

형 알레르기가 있는, 알레르기성의

I'm allergic to certain flowers. 모평

나는 특정 꽃들에 **알레르기가 있다**.

⊕ allergy 몡 알레르기 **allergic to** ~에 알레르기가 있는, ~을 몹시 싫어하는

빈출 단어

fortunate

[fɔ́:rtʃənət]

형 운이 좋은, 다행인

We are not always fortunate enough to enjoy a work environment free of noise pollution. 수능

우리는 소음 공해가 없는 근무 환경을 누릴 만큼 항상 충분히 **운이 좋은** 것은 아니다.

⊕ fortunately 뮈 운 좋게도 **fortune** 몡 운, 재산
冒 lucky **冈 unfortunate** 몡 운이 없는, 유감스러운

recite

[risáit]

동 암송하다, (열거하듯) 말하다

Participants should memorize and recite one of the poems posted on the website. 학평

참가자들은 학교 웹 사이트에 게시된 시 중 하나를 외우고 **암송해야** 한다.

⊕ recitation 몡 암송 **recital** 몡 낭독, 연주회

horizontal

[hɑ̀:rəzɑ́:ntl]

형 수평의, 가로의 **명** 수평

We moved from a horizontal position to a steep incline. 학평

우리는 **수평의** 위치에서 가파른 경사면으로 이동했다.

⊕ horizon 몡 수평선, 지평선
冈 vertical 몡 수직의, 세로의 몡 수직

0979 ☐☐☐

unbearable

[ʌnbérəbl]

형 견딜 수 없는, 참을 수 없는

For many parents, studying abroad presents an **unbearable** financial burden. 학평

많은 부모들에게, 해외 유학은 **견딜 수 없는** 경제적 부담을 준다.

■ intolerable ■ bearable 형 견딜 만한 tolerable 형 참을 수 있는

0980 ☐☐☐

errand

[érənd]

명 심부름, 일

I need to run an **errand** for my mother. 학평

나는 우리 어머니를 위해 **심부름**을 해야 한다.

0981 ☐☐☐

compound

[káːmpaund]

명 화합물, 복합체 형 합성의, 복합의

Those who work with medical X-rays or radioactive **compounds** are at risk. 학평

의료용 엑스선이나 방사성 **화합물**을 다루는 사람들은 위험에 처해 있다.

■ mixture

0982 ☐☐☐

preoccupy

[priáːkjupai]

동 사로잡다, 몰두하게 하다

During busy times of the year, it's easy to become **preoccupied** with the stresses of everyday life. 학평

일 년 중 바쁜 시간 동안에는, 일상생활의 스트레스에 **사로잡히게** 되기 쉽다.

➕ preoccupation 명 몰두

0983 ☐☐☐

theft

[θeft]

명 절도

Identity **theft** can take many forms in the digital world. 학평

신원 도용 **절도**는 디지털 세계에서 다양한 형태를 띨 수 있다.

➕ thieve 동 훔치다

0984 ☐☐☐

patron

[péitrən]

명 후원자, 고객

Machaut presented copies of his poetry to his noble **patrons**. 모평

Machaut는 그의 귀족 **후원자들**에게 자신의 시의 사본을 증정했다.

➕ patronage 명 후원, 지원, 애용

0985 ☐☐☐

awkward

[ɔ́ːkwərd]

⑱ 어색한, 불편한, 난처한

Some liars realize that by telling social lies they avoid an **awkward** situation or discussion. 학평

어떤 거짓말쟁이들은 사회적 거짓말을 함으로써 그들이 **어색한** 상황이나 토론을 피하게 된다는 것을 인식하고 있다.

➕ **awkwardly** ⑼ 어색하게, 서투르게

🟰 **embarrassing, difficult** ⬌ **comfortable** ⑱ 편안한

0986 ☐☐☐

gradual

[grǽdʒuəl]

⑱ 점진적인, 완만한

Aging is a result of the **gradual** failure of the body's cells to replace and repair themselves. 학평

노화는 신체 세포가 스스로 교체하고 회복시키지 못하는 **점진적인** 기능 부전의 결과이다.

➕ **gradually** ⑼ 점차, 서서히

🟰 **steady** ⬌ **sudden** ⑱ 갑작스러운

0987 ☐☐☐

continual

[kəntínjuəl]

⑱ 끊임없는, 거듭되는

We have a **continual** desire to communicate our feelings. 학평

우리는 자신의 감정을 전달하고자 하는 **끊임없는** 욕구를 가지고 있다.

➕ **continue** ⑧ 계속하다, 계속되다 **continuous** ⑱ 계속되는, 지속적인

🟰 **constant, frequent** ⬌ **occasional** ⑱ 가끔의

0988 ☐☐☐

synthetic

[sinθétik]

⑱ 합성의, 인조의, 종합적인 ⑲ 합성 물질

The pesticide industry argues that **synthetic** pesticides are necessary to grow food. 모평

농약 업계는 **합성** 살충제가 식량을 재배하기 위해 필요하다고 주장한다.

➕ **synthesize** ⑧ 합성하다, 종합하다 **synthesis** ⑲ 종합, 통합, 합성

🟰 **artificial**

0989 ☐☐☐

ponder

[pɑ́ːndər]

⑧ 깊이 생각하다, 숙고하다

I **pondered** the possibilities. 학평

나는 그 가능성들을 **깊이 생각했다**.

🟰 **consider**

0990 ☐☐☐

spontaneous

[spɑːntéiniəs]

형 즉흥적인, 자발적인, 자연스러운

Seventy-five percent of **spontaneous** food purchases can be traced to a nagging child. 학평
즉흥적인 음식 구매의 75퍼센트는 조르는 아이 때문일 수도 있다.

➕ **spontaneously** 부 즉흥적으로, 자발적으로
➖ **voluntary**

0991 ☐☐☐

conservative

[kənsə́ːrvətiv]

형 보수적인

Banks are generally **conservative.** 학평
은행들은 대체로 **보수적이다**.

⇄ **progressive** 형 진보적인   **radical** 형 급진적인

0992 ☐☐☐

explicit

[iksplísit]

형 분명한, 명쾌한, 숨김없는

But the raw data rarely exhibit **explicit** regularities. 모평
그러나 원자료는 **분명한** 규칙성을 거의 드러내지 않는다.

➕ **explicitly** 부 분명하게, 명쾌하게
➖ **clear**   ⇄ **implicit** 형 암시된, 내포된

Tips

시험에는 이렇게 나온다	
explicit memory 분명한 기억	**explicit instruction** 명쾌한 지도[수업]
explicit goal 분명한 목표	**explicit counting** 분명한 계산

0993 ☐☐☐

eradicate

[irǽdəkeit]

동 근절하다, 뿌리 뽑다

Major diseases such as smallpox, polio, and measles have been **eradicated** by mass vaccination. 학평
천연두, 소아마비, 그리고 홍역과 같은 주요한 질병들은 집단 예방접종에 의해 **근절되었다**.

0994 ☐☐☐

feminine

[fémənin]

형 여성스러운, 여성의

In the Arapesh tribe, both men and women were taught to play what we would regard as a **feminine** role. 학평
Arapesh 부족 내에서는, 우리가 **여성스러운** 역할이라 여길 만한 것을 남자와 여자 모두가 수행하도록 교육받았다.

⇄ **masculine** 형 남성의, 사내다운

0995 ☐☐☐

hospitalize

[háːspitəlaiz]

동 입원시키다

My grandmother became very ill and had to be
hospitalized. 학평
나의 할머니는 매우 아프셔서 **입원하셔야** 했다.

0996 ☐☐☐

dose

[dous]

명 복용량, 투여량 동 복용하다, 투약하다

A large **dose** of vitamin C can increase iron absorption
sixfold. 학평
많은 비타민C **복용량**은 철분 흡수량을 여섯 배 증가시킬 수 있다.

➊ **dosage** 명 복용량, 정량

0997 ☐☐☐

presume

[prizúːm]

동 추정하다, 간주하다, 상정하다

All six men were considered missing and **presumed**
dead. 학평
남성 여섯 명 모두 실종된 것으로 간주되고 사망한 것으로 **추정되었다**.

➊ **presumable** 형 추정할 수 있는, 있음직한   **presumably** 부 아마, 짐작건대
presumption 명 추정
☰ **suppose, assume**

0998 ☐☐☐

glide

[glaid]

동 미끄러지듯 움직이다, 활공하다 명 미끄러짐

Sharks **glide** through the ocean. 학평
상어는 바닷속을 **미끄러지듯 움직인다**.

0999 ☐☐☐

molecular

[məlékjulər]

형 분자의, 분자로 된

Scientists examined fish skins at the **molecular** level to
determine why they have less friction. 학평
과학자들은 어피가 왜 마찰력이 적은지를 알아내기 위해 **분자** 수준에서 그것들을 조사했다.

➊ **molecule** 명 분자

1000 ☐☐☐

miser

[máizər]

명 구두쇠

A **miser** tries to save his money. 학평
구두쇠는 자신의 돈을 아끼려고 애쓴다.

Daily Quiz

영어는 우리말로, 우리말은 영어로 쓰세요.

01 unbearable _____

02 accurate _____

03 participate _____

04 glide _____

05 eradicate _____

06 continual _____

07 deny _____

08 emission _____

09 presume _____

10 conservative _____

11 알레르기가 있는 _____

12 합성의, 인조의, 종합적인 _____

13 자발적인, 즉흥적인 _____

14 분자의, 분자로 된 _____

15 해결하다, 분해하다 _____

16 입원시키다 _____

17 반대하다, 대립시키다 _____

18 심부름, 일 _____

19 고치다, 바꾸다, 변하다 _____

20 절도 _____

다음 빈칸에 들어갈 가장 알맞은 것을 박스 안에서 고르세요.

dose gradual instrument translate vivid

21 Aging is a result of the _____ failure of the body's cells to replace and repair themselves.
노화는 신체 세포가 스스로 교체하고 회복시키지 못하는 점진적인 기능 부전의 결과이다.

22 One of her novels has been _____(e)d into more than 80 languages.
그녀의 소설 중 하나는 80개 이상의 언어로 번역되었다.

23 We tend to have extremely _____ memories of past emotional experiences.
우리는 과거의 감정적인 경험에 대해 극히 생생한 기억을 가지고 있는 경향이 있다.

24 The sounds of _____(e)s and students' voices must work together in harmony.
악기의 소리와 학생들의 목소리가 함께 조화를 이루어야 한다.

25 A large _____ of vitamin C can increase iron absorption sixfold.
많은 비타민C 복용량은 철분 흡수량을 여섯 배 증가시킬 수 있다.

정답
01 견딜 수 없는, 참을 수 없는 02 정확한, 정밀한 03 참가하다, 참여하다 04 미끄러지듯 움직이다, 활공하다, 미끄러짐 05 근절하다, 뿌리 뽑다
06 끊임없는, 거듭되는 07 부정하다, 부인하다, 거부하다 08 배기가스, 배출(물) 09 추정하다, 간주하다, 상정하다 10 보수적인 11 allergic
12 synthetic 13 spontaneous 14 molecular 15 resolve 16 hospitalize 17 oppose 18 errand 19 alter 20 theft
21 gradual 22 translate 23 vivid 24 instrument 25 dose

어근으로 외우는 어휘 ⑩

tract
끌다

---

extract
동 추출하다, 발췌하다

▶ ex[밖으로] + tract[끌다] → 밖으로 끌어내 추출하다

The DNA **extracted** from bits of whale skin reveals their relationships to each other. (수능)

고래 가죽 조각들에서 **추출된** DNA는 그들 서로 간의 관계를 드러낸다.

---

subtract
동 빼다, 덜다

▶ sub[아래로] + tract[끌다] → 아래로 끌어내려 빼내다

Shopping requires effort, which is cost to be **subtracted** from the benefits associated with buying a product. (학평)

쇼핑은 노력을 요하는데, 이는 상품을 사는 것과 관련된 이점들에서 **빠져야** 할 비용이다.

---

contract
명 계약(서) **동** 계약하다, 수축하다

▶ con[함께] + tract[끌다] → 양쪽 당사자들을 함께 끌어와서 협의하는 계약

I called you to ask if you're interested in renewing our **contract** for a second printing. (학평)

저는 당신이 두 번째 인쇄 **계약**을 갱신할 의향이 있으신지 문의하고자 전화드렸습니다.

---

abstract
형 추상적인, 관념적인 **명** 개요

▶ abs[떨어져] + tract[끌다] → 구체적인 것에서 떨어지도록 끌어내어 추상적인

I could never get those **abstract** theories straight in my head. (교과서)

나는 그 **추상적인** 이론들을 절대 내 머릿속에서 바로 이해할 수 없었다.

---

distract
동 (주의를) 산만하게 하다, 흐트러뜨리다

▶ dis[떨어져] + tract[끌다] → 어떤 것에서 주의가 떨어지도록 끌어 산만하게 하다

I didn't focus on my studies because I was **distracted** by my computer. (모평)

나는 컴퓨터로 인해 주의가 **산만해져서** 공부에 집중하지 않았다.

최빈출 단어

1001 ☐☐☐

benefit

[bénəfit]

통 이익을 얻다, 유익하다 명 이익, 혜택

Learn to breathe properly, and you will benefit from a lower heart rate. 학평
올바르게 호흡하는 법을 배우면, 당신은 더 낮은 심박수로부터 **이익을 얻을** 것이다.

➕ beneficial 형 이로운, 유익한

1002 ☐☐☐

theory

[θíːəri]

명 이론, 학설

In science, we can never really prove that a theory is true. 학평
과학에서, 우리는 **이론**이 사실이라는 것을 결코 실제로 증명할 수 없다.

➕ theoretically 부 이론적으로, 이론상   theorize 통 이론을 세우다

1003 ☐☐☐

prevent

[privént]

통 예방하다, 막다, 방지하다

Vegetables are believed to help prevent cancer. 모평
채소는 암을 **예방하는** 데 도움을 준다고 여겨진다.

➕ prevention 명 예방, 방지   preventive 형 예방을 위한
prevent A from B A가 B하는 것을 막다
🟰 stop, avoid

1004 ☐☐☐

establish

[istǽbliʃ]

통 확립하다, 정하다, 수립하다

Interpersonal skills help us establish and maintain relationships. 학평
대인 관계 기술은 우리가 관계를 **확립하고** 유지하도록 돕는다.

➕ establishment 명 수립, 기관   established 형 확립된, 인정받는
🟰 build, set up

---

refer

[rifə́:r]

동 나타내다, 참조하다, 언급하다

Obesity refers to having too much fat in the body. (학평)
비만은 몸에 너무 많은 지방이 있다는 것을 **나타낸다**.

➕ reference 명 참조, 언급   refer to ~을 나타내다, 참조하다

evaluate

[ivǽljueit]

동 평가하다, 감정하다

There is no objective way to evaluate anything. (학평)
어떤 것이든 객관적으로 **평가할** 방법은 없다.

➕ evaluation 명 평가, 감정
➡ assess, rate, judge

fund

[fʌnd]

동 자금을 제공하다   명 자금, 기금

Profits from the event will help fund new research to fight heart disease. (학평)
행사의 수익은 심장병에 맞서 싸울 새로운 연구에 **자금을 제공하는** 데 도움을 줄 것이다.

➡ finance

aim

[eim]

동 목표로 하다   명 목적, 목표

Set yourself realistic goals and aim to achieve them one step at a time. (수능)
자신의 현실적인 목표들을 세우고, 한 번에 한 단계씩 달성하는 것을 **목표로 하라**.

➕ aim to ~하는 것을 목표로 하다

reverse

[rivə́:rs]

동 뒤집다, 거꾸로 하다   형 (정)반대의   명 (정)반대

The real danger of an isolated story is that its original intention can be reversed. (학평)
따로 떼어낸 이야기의 진짜 위험은 그것의 원래 의도가 **뒤집힐** 수 있다는 것이다.

➕ reversely 부 반대로, 거꾸로   reversal 명 반전, 전환
➡ turn over

Tips | **주의해야 할 혼동어**
reverse와 철자가 비슷한 reserve에 주의하세요! reserve는 '예약하다', '남겨두다', '보류하다'를 의미하는 단어예요.

1010 □□□

revolution

[rèvəlúːʃən]

몡 혁명, 개혁, 공전, 회전

Technological revolution allows the young to have superiority in information. (학평)

기술 **혁명**은 젊은이들이 정보에 있어 우월성을 가지게 한다.

➕ revolutionary 혱 혁명적인   revolutionize 동 혁명을 일으키다

1011 □□□

session

[séʃən]

몡 (수업·활동 등의) 시간, 기간

Let me give you details about our afternoon session. (학평)

우리의 오후 **시간**에 대한 세부 사항을 알려드리겠습니다.

1012 □□□

eliminate

[ilíməneit]

동 없애다, 제거하다

Hydrogen cars can eliminate polluted air produced by fossil fuel engines. (교과서)

수소 자동차는 화석 연료 엔진에 의해 발생하는 오염된 공기를 **없앨** 수 있다.

➕ elimination 몡 제거, 삭제

🟰 remove, get rid of

1013 □□□

stir

[stəːr]

동 휘젓다, (감정을) 불러일으키다   몡 (감정 등의) 동요

Use a spoon to stir your coffee. (학평)

커피를 **휘젓기** 위해 숟가락을 사용하세요.

🟰 mix, stimulate

1014 □□□

mechanic

[məkǽnik]

몡 정비공, 역학, 기계학

A car mechanic isn't much different from a doctor. (학평)

자동차 **정비공**은 의사와 크게 다르지 않다.

➕ mechanism 몡 기계 장치, 구조   mechanical 혱 기계의, 기계적인
  mechanically 븟 기계적으로, 기계로

1015 □□□

portion

[pɔ́ːrʃən]

몡 부분, 몫   동 나누다, 분배하다

A large portion of the patients were people who were seeking psychological help. (수능)

환자들의 상당 **부분**이 심리적인 도움을 구하는 사람들이었다.

1016 ☐☐☐

surgery

[sə́:rdʒəri]

명 수술

I grew anxious because the time for **surgery** was drawing closer. (학평)

수술 시간이 다가오고 있었기 때문에 나는 점점 불안해졌다.

➕ **surgeon** 명 외과 의사 **surgical** 형 외과(용)의, 수술의

1017 ☐☐☐

blend

[blend]

동 조화되다, 섞이다, 혼합하다 명 혼합

Tigers' stripes help them **blend** in with tall grasses. (학평)

호랑이의 줄무늬는 그들이 키가 큰 풀과 **조화되도록** 도와준다.

➕ **blend in** (주위 환경에) 섞여들다, 조화를 이루다 **blend into** ~에 뒤섞이다

🟰 **mingle, mix, combine**

1018 ☐☐☐

depict

[dipíkt]

동 묘사하다, 그리다

His struggle to end apartheid in South Africa has been **depicted** by young African illustrators. (학평)

남아프리카의 인종 차별 정책을 종식시키기 위한 그의 투쟁은 젊은 아프리카 삽화가들에 의해 **묘사되었다.**

➕ **depiction** 명 묘사

🟰 **illustrate, portray, describe**

1019 ☐☐☐

outstanding

[autstǽndiŋ]

형 뛰어난, 우수한, (부채 등이) 미해결의

Michael Lee is an **outstanding** essayist and critic. (학평)

Michael Lee는 **뛰어난** 수필가이자 평론가이다.

🟰 **excellent, remaining**

1020 ☐☐☐

prophecy

[prɑ́:fəsi]

명 예언(력)

This happiness seemed to last forever, making them completely forget about the **prophecy.** (교과서)

이 행복은 영원히 지속될 것처럼 보였고, 그들이 **예언**에 대해 완전히 잊게 만들었다.

➕ **prophet** 명 예언자 **prophetic** 형 예언의

🟰 **prediction**

communal

[kəmjúːnəl]

형 공용의, 공동의, 자치 단체의

A high building density releases more land for **communal** facilities. 학평

높은 건축 밀도는 **공용** 시설을 위한 토지를 더 많이 풀어준다.

➕ **communally** 분 공동으로, 공유하여

🟰 public, shared

decode

[dìːkóud]

동 (암호 등을) 해독하다, (외국어를) 이해하다

It has been regarded that dreams, when properly **decoded**, would enable us to foretell the future. 수능

꿈은 적절하게 **해독된다면** 우리가 미래를 예언할 수 있게 해줄 것이라고 여겨져 왔다.

🟰 decipher

tolerate

[táːləreit]

동 참다, 용인하다, 견디다

If teaching self-esteem is done improperly, you can raise a kid who cannot **tolerate** frustration. 학평

자존감을 가르치는 것이 적절하지 않게 행해진다면, 좌절감을 **참지** 못하는 아이를 기르게 될 수 있다.

➕ **tolerant** 형 관대한, 내성이 있는 **tolerance** 명 용인, 관용

🟰 endure, stand, put up with

municipal

[mjuːnísəpəl]

형 시의, 지방 자치제의

In the United States, paper products are the largest component of **municipal** waste. 모평

미국에서는, 종이 제품이 **시의** 쓰레기의 가장 큰 구성 요소이다.

➕ **municipality** 명 지방 자치제

contempt

[kəntémpt]

명 경멸, 모욕, 무시

Familiarity breeds **contempt**. 학평

익숙함이 **경멸**을 낳는다.

➕ **contemptuous** 형 경멸하는 **contemptible** 형 경멸할 만한, 한심한

🟰 scorn, disrespect ◼ respect 명 존중, 존경 동 존중하다, 존경하다

foam

[foum]

통 거품을 일으키다 명 거품, 포말

The waves were foaming white. (수능)
파도가 하얗게 **거품을 일으키고** 있었다.

目 bubble, froth

ash

[æʃ]

명 화산재, 재, 유골

The eruption buried the city under four to six meters of ash and stone. (학평)
그 폭발은 4미터에서 6미터의 **화산재**와 돌 아래에 그 도시를 묻었다.

dizzy

[dízi]

형 어지러운, 아찔한

I felt dizzy and decided not to drive home. (모평)
나는 **어지러워서** 집에 운전하여 가지 않기로 했다.

surge

[sə:rdʒ]

명 파도, 밀려듦, 급등 통 (파도처럼) 밀려들다, 급등하다

The barrier at the River Scheldt in the Netherlands is the world's largest tidal surge barrier. (모평)
네덜란드의 셸드강에 있는 장벽이 세계에서 가장 큰 조수 **파도** 장벽이다.

目 wave, flow, rush

blink

[bliŋk]

통 눈을 깜빡이다, (불빛이) 깜빡거리다

When we blink, a film of tears covers the eyes and washes the tiny dust particles. (학평)
우리가 **눈을 깜박일** 때, 얇은 눈물 막이 눈을 보호해주고 작은 먼지 입자들을 씻어낸다.

目 wink, flash

tame

[teim]

통 길들이다, 다스리다 형 길든, 재미없는

Around 10,000 years ago, humans learned to tame animals. (학평)
약 만 년 전, 인간은 동물을 **길들이는** 법을 배웠다.

目 domesticate, train

eminent

[éminənt]

형 저명한, 탁월한, 걸출한

Studies of **eminent** scientists in the 1950s supported this view. (학평)

1950년대 **저명한** 과학자들의 연구는 이 견해를 지지했다.

➕ **eminently** 분 대단히, 저명하게

➖ prominent, noted

loop

[luːp]

명 올가미, 고리 동 고리 모양을 만들다

When his mind got busy, he was sucked into a mental **loop** of analyzing his problems. (학평)

그의 마음이 복잡해졌을 때, 그는 자신의 문제를 분석하는 정신적 **올가미**에 빨려 들어갔다.

➖ ring

withstand

[wiðstǽnd]

동 견디다, 이겨내다

The wood is able to **withstand** the swelling and contracting of the anode. (학평)

목재는 양극의 팽창과 수축 현상을 **견딜** 수 있다.

➖ resist, bear

abnormal

[æbnɔ́ːrməl]

형 비정상적인, 이상한

He began to think of his **abnormal** son Harrison, who was now in jail. (교과서)

그는 지금 감옥에 있는 그의 **비정상적인** 아들 Harrison을 떠올리기 시작했다.

➕ **abnormally** 분 이상하게, 이례적으로 **abnormality** 명 비정상, 이상

➖ unusual, odd, strange ✖ normal 형 보통의, 평범한

obstruct

[əbstrʌ́kt]

동 방해하다, 막다

Plato and Aristotle considered color to be an ornament that **obstructed** the truth. (학평)

플라톤과 아리스토텔레스는 색깔을 진실을 **방해하는** 장식물로 여겼다.

➕ **obstruction** 명 방해, 차단 **obstructive** 형 방해하는

➖ block, hinder ✖ help 동 돕다 명 도움

shatter

[ʃǽtər]

图 산산이 부서지다, 파괴하다

Jason woke up in the middle of the night, when he heard glass **shattering**. (학평)

Jason은 유리가 **산산이 부서지는** 소리를 듣고 한밤중에 잠에서 깼다.

➕ **shattering** 휑 동요시키는, 박살내는

🟰 **smash, break**

Tips **주의해야 할 혼동어**

shatter와 철자가 비슷한 scatter에 주의하세요! scatter는 '흩뿌리다'를 의미하는 단어예요.

accustomed

[əkʌ́stəmd]

휑 익숙한, 평상시의, 습관이 된

There are many people who are not **accustomed** to reading books through a computer monitor. (학평)

컴퓨터 모니터를 통해 책을 읽는 것에 **익숙하지** 않은 사람들이 많다.

➕ **accustom** 통 익숙하게 하다　**be accustomed to** ~에 익숙하다

🟰 **familiar, trained**　◼ **unaccustomed** 휑 익숙하지 않은　**unusual** 휑 특이한

Tips **시험에는 이렇게 나온다**

accustomed는 전치사 to와 짝을 이루어 'be accustomed to -ing'의 형태로 자주 사용돼요.

paralysis

[pərǽləsis]

명 마비 (상태), 정체

To require perfection is to invite **paralysis**. (모평)

완벽을 요구하는 것은 **마비 상태**를 초래하는 것이다.

➕ **paralyze** 통 마비시키다, 쓸모없게 만들다

melancholy

[mélənkɑ:li]

휑 구슬픈, 침울한　**명** 우울감

To present a winter day, Shakespeare presents the **melancholy** "tu-whit, tu-whoo" of the owl in his poem. (학평)

겨울날을 묘사하기 위해, 셰익스피어는 자신의 시에서 올빼미의 **구슬픈** "부엉부엉" 소리를 나타낸다.

➕ **melancholic** 휑 우울한

🟰 **depressed, gloomy**

Daily Quiz

영어는 우리말로, 우리말은 영어로 쓰세요.

01 surge   _____

02 eminent   _____

03 decode   _____

04 shatter   _____

05 dizzy   _____

06 establish   _____

07 depict   _____

08 melancholy   _____

09 stir   _____

10 theory   _____

11 마비 (상태), 정체   _____

12 화산재, 재, 유골   _____

13 목표로 하다, 목적, 목표   _____

14 거품을 일으키다, 거품   _____

15 나타내다, 언급하다   _____

16 눈을 깜빡이다   _____

17 비정상적인, 이상한   _____

18 없애다, 제거하다   _____

19 이익을 얻다, 이익   _____

20 부분, 몫, 나누다   _____

다음 빈칸에 들어갈 가장 알맞은 것을 박스 안에서 고르세요.

communal	blend	withstand	mechanic	outstanding

21 Tigers' stripes help them _____ in with tall grasses.
호랑이의 줄무늬는 그들이 키가 큰 풀과 조화되도록 도와준다.

22 A car _____ isn't much different from a doctor.
자동차 정비공은 의사와 크게 다르지 않다.

23 A high building density releases more land for _____ facilities.
높은 건축 밀도는 공용 시설을 위한 토지를 더 많이 풀어준다.

24 Michael Lee is a(n) _____ essayist and critic.
Michael Lee는 뛰어난 수필가이자 평론가이다.

25 The wood is able to _____ the swelling and contracting of the anode.
목재는 양극의 팽창과 수축 현상을 견딜 수 있다.

어근으로 외우는 어휘 ⑪

mit　　보내다

permit　　동 허락하다　명 허가(증)

▶ per[통하여] + mit[보내다] → 통하여 보내줄 수 있도록 허락하다

Our innate stubbornness refuses to **permit** us to accept the criticism. (모평)

우리의 타고난 고집은 우리가 비판을 받아들이는 것을 **허락하기를** 거부한다.

commit　　동 전념하다, 이행하다

▶ com[함께] + mit[보내다] → 함께 보낼 수 있도록 전념하다

To prevent procrastination, **commit** to having no random breaks. (학평)

꾸물거리는 것을 방지하기 위해, 임의의 휴식 시간을 가지지 않는 것에 **전념해라**.

submit　　동 제출하다, 복종하다, 굴복하다

▶ sub[아래에] + mit[보내다] → 어떤 사람 아래에 무언가를 보내다, 즉 그에게 제출하다

Please **submit** a letter of recommendation in person. (학평)

추천서를 직접 **제출해** 주세요.

emit　　동 배출하다, (빛·열·가스·소리 등을) 내다

▶ e[밖으로] + mit[보내다] → 밖으로 내보내다, 즉 배출하다

Electric cars do not cause air pollution and global warming by **emitting** carbon dioxide. (학평)

전기 차는 이산화탄소를 **배출하는** 것으로 인한 대기 오염과 지구 온난화를 야기하지 않는다.

transmit　　동 전달하다, 전송하다, 전염시키다

▶ trans[가로질러] + mit[보내다] → 가로질러 보내다, 즉 전달하다

Electric bulbs **transmit** light but keep out the oxygen that would cause their hot filaments to burn up. (수능)

전구는 빛을 **전달하지만** 뜨거운 필라멘트가 타버리게 할 수도 있는 산소는 차단한다.

DAY 27

MP3 바로 듣기

최빈출 단어

1041 ☐☐☐

opportunity

[ὰ:pərtú:nəti]

명 기회

Twins provide a unique **opportunity** to study genes. (학평)
쌍둥이는 유전자를 연구할 수 있는 특별한 **기회**를 제공한다.

🔲 chance, possibility

1042 ☐☐☐

measure

[méʒər]

동 측정하다, 재다 명 측정, 척도, 조치

It is possible to **measure** how far away from us each galaxy is. (학평)
각각의 은하가 우리로부터 얼마나 멀리 떨어져 있는지 **측정하는** 것이 가능하다.

➕ measurement 명 측정, 치수
🔲 assess, calculate

Tips **시험에는 이렇게 나온다**

수능에서 measure는 '조치'를 의미하는 명사로도 종종 나와요.
I ask you to take measures to prevent the noise at night. (수능)
밤의 소음을 막기 위한 조치를 취해줄 것을 당부합니다.

1043 ☐☐☐

grade

[greid]

명 성적, 학점, 등급, 학년 동 (등급을) 나누다

She was a class president with high **grades** and a good personality. (학평)
그녀는 우수한 **성적**과 좋은 성격을 가진 반장이었다.

➕ grading 명 성적 매기기
🔲 level, degree

Tips **시험에는 이렇게 나온다**

grade는 다양한 의미를 가지고 있는 다의어예요. grade 앞에 first(첫 번째의), sixth(여섯 번째의)
와 같은 서수가 사용된 경우에는 '학년'을, poor(형편없는), good(좋은) 등의 형용사가 사용된 경우
에는 '성적'을 의미하는 것처럼 함께 사용된 단어와 문맥에 따라 의미를 유추할 수 있어야 해요.

1044 ☐☐☐

survive

[sərváiv]

동 살아남다, 생존하다, 견뎌 내다

Animals of several species help other injured animals survive. (학평)

몇몇 동물 종들은 다른 부상당한 동물들이 **살아남도록** 돕는다.

➕ survival 명 생존 survivor 명 생존자

🟰 last, endure

1045 ☐☐☐

remind

[rimáind]

동 상기시키다, 생각나게 하다

We'd like to remind you all to use the east entrance today. (학평)

여러분 모두에게 오늘은 동쪽 출입구를 이용하는 점을 **상기시켜** 드리고자 합니다.

➕ reminder 명 상기시키는 것 remind A of B A에게 B를 상기시키다

🟰 recall, prompt

1046 ☐☐☐

region

[ríːdʒən]

명 지역, 지방, 영역

People from warmer regions tend to use hand gestures more than people from colder ones. (학평)

따뜻한 **지역**의 사람들은 추운 곳의 사람들보다 손동작을 더 많이 사용하는 경향이 있다.

➕ regional 형 지역의, 지방의

🟰 area, place

1047 ☐☐☐

former

[fɔ́ːrmər]

형 이전의, 과거의 명 (둘 중에서) 전자

The Great Salt Lake underwent a reduction to one-twentieth of its former size. (수능)

그레이트 솔트 호는 **이전** 크기의 20분의 1로 줄어들게 되었다.

🟰 previous ✖ latter 형 후자의, 후반의 명 (둘 중에서) 후자

1048 ☐☐☐

install

[instɔ́ːl]

동 설치하다, 설비하다

We will remove the old lighting and install LED lighting. (학평)

우리는 오래된 조명을 치우고 LED 조명을 **설치할** 것이다.

➕ installation 명 설치

🟰 set up, establish

1049 ☐☐☐

historical

[histɔ́ːrikəl]

혱 역사적인, 역사(학)의

Students remember **historical** facts when they are tied to a story. (학평)

학생들은 **역사적인** 사실이 이야기에 결부되어 있을 때 그것들을 기억한다.

➕ **historic** 혱 역사적으로 중요한 **historically** 閉 역사상, 역사적으로
historian 몡 역사학자

1050 ☐☐☐

devote

[divóut]

동 (노력·시간 등을) 바치다, 전념하다

Many mothers **devote** themselves to raising children. (모평)

많은 어머니들은 아이를 키우는 데 그들 자신을 **바친다**.

➕ **devotion** 몡 헌신, 전념
🟰 **sacrifice, commit**

> **Tips** | **시험에는 이렇게 나온다**
>
> devote는 전치사 to와 함께 'be devoted to(~에 전념하다)'의 형태로도 자주 사용돼요.

1051 ☐☐☐

victory

[víktəri]

몡 승리

She congratulated him on his **victory**. (학평)

그녀는 그의 **승리**를 축하했다.

➕ **victorious** 혱 승리한, 승리의
🟰 **triumph, success** ↔ **defeat** 몡 패배 동 패배시키다

1052 ☐☐☐

diminish

[dimíniʃ]

동 감소하다, 줄이다

When the sheep population **diminished**, the red ant population also shrank. (교과서)

양의 개체 수가 **감소하자**, 붉은 개미의 개체 수도 줄어들었다.

🟰 **decrease, decline, shrink** ↔ **increase** 동 증가하다, 늘리다

1053 ☐☐☐

retail

[ríːteil]

혱 소매(상)의 몡 소매(업) 동 소매하다

He ran a **retail** shoe store near my house. (학평)

그는 우리 집 근처에서 구두 **소매**점을 운영했다.

➕ **retailer** 몡 소매업자
↔ **wholesale** 혱 도매의 몡 도매 동 도매하다

1054 ☐☐☐

domestic

[dəméstik]

혱 국산의, 국내의, 가정의

Domestic oil may require protection because of its importance to national defense. (수능)

국산 석유는 국방에 중요하기 때문에 보호가 필요할 수 있다.

➕ **domestically** 몜 국내에서, 가정적으로　**domesticate** 동 길들이다, 자국화하다

　domestication 몜 길들이기

1055 ☐☐☐

grave

[greiv]

몡 무덤, 묘

The little girl directed her to a grave and placed the rose on it. (모평)

어린 소녀가 그녀를 **무덤**으로 안내하고 그 위에 장미를 올려놓았다.

빈출 단어

1056 ☐☐☐

undergo

[ʌ̀ndərgóu]

동 겪다, 경험하다

The automobile industry is currently undergoing great technological developments. (학평)

자동차 산업은 현재 큰 기술 발전을 **겪고** 있다.

🟰 experience

1057 ☐☐☐

grip

[grip]

동 꽉 잡다, 움켜잡다　몡 붙잡음, 손잡이, 장악

Geckos are able to grip even very smooth surfaces. (학평)

도마뱀붙이는 심지어 매우 매끄러운 표면도 **꽉 잡을** 수 있다.

🟰 grasp, hold, seize

1058 ☐☐☐

elusive

[ilúːsiv]

혱 파악하기 어려운, (교묘히) 피하는

Philosophers have advanced explanations of elusive concepts. (학평)

철학자들은 **파악하기 어려운** 개념들에 대한 설명을 제시해왔다.

➕ **elude** 동 교묘히 피하다

🟰 tricky, evasive

commodity

[kəmáːdəti]

명 상품, 물품, 유용한 것

An automobile is a **commodity** that can be relocated anywhere. 학평
자동차는 어디로든 이동될 수 있는 **상품**이다.

malfunction

[mælfʌ́ŋkʃən]

명 오작동, 고장　동 제대로 작동하지 않다

Crashes due to aircraft **malfunction** tend to occur during long-haul flights. 학평
항공기 **오작동**으로 인한 추락 사고는 장거리 비행 중에 발생하는 경향이 있다.

chill

[tʃil]

명 한기, 냉기　동 춥게 만들다, 식히다　형 쌀쌀한

I felt a sudden **chill** in the air followed by an uncomfortable stillness. 수능
나는 갑작스러운 **한기**가 감도는 것을 느꼈고 불편한 고요함이 이어졌다.

rage

[reidʒ]

명 분노, 격노　동 몹시 화를 내다

If the other person is in a **rage**, you need to be calm enough for both of you. 학평
만약 상대방이 **분노**하고 있다면, 당신은 두 사람 모두를 위해 충분히 침착할 필요가 있다.

🔁 fury, temper, anger

ambivalent

[æmbívələnt]

형 양면성이 있는, 상반된 감정이 공존하는

The fruits of science show the practical benefits of science but those fruits are **ambivalent**. 수능
과학의 성과는 과학의 실질적인 이점을 보여주지만 그러한 성과에는 **양면성이 있다**.

➕ ambivalence 명 양면 가치, 반대 감정 공존

drastic

[drǽstik]

형 과감한, 극단적인, 급격한

I firmly believe **drastic** measures should be taken before it's too late. 수능
나는 너무 늦기 전에 **과감한** 조치가 취해져야 한다고 굳게 믿는다.

➕ drastically 부 과감하게, 철저히

🔁 extreme, severe

1065 □□□

indulge

[indʌ́ldʒ]

동 (욕구·관심 등을) 충족시키다, 마음껏 하다

Some people may **indulge** fantasies of violence by watching a film. 수능

어떤 사람들은 영화를 봄으로써 폭력의 환상을 **충족시킬지도** 모른다.

➕ **indulgence** 명 빠짐, 탐닉 **indulgent** 형 멋대로 하게 하는

1066 □□□

flesh

[fleʃ]

명 살(점), 고기, (사람의) 피부

They treat the wounds by removing dead and infected **flesh** from around the wounds. 학평

그들은 상처 주위로부터 죽고 감염된 **살점**을 제거함으로써 상처를 치료한다.

Tips **주의해야 할 혼동어**

flesh와 철자가 비슷한 flash에 주의하세요! flash는 '비치다', '섬광', '번쩍임'을 의미하는 단어예요.

1067 □□□

thorough

[θə́ːrou]

형 철저한, 빈틈없는

Thorough discussions are essential in guiding us in the right direction. 교과서

철저한 논의는 우리를 올바른 방향으로 인도하는 데 필수적이다.

➕ **thoroughly** 부 철저히, 완전히

🟰 **meticulous** ⬛ **careless** 형 부주의한, 조심성 없는

Tips **주의해야 할 혼동어**

thorough와 철자가 비슷한 through에 주의하세요! through는 '~을 통해', '~을 사이에 두고'를 의미하는 단어예요.

1068 □□□

pronounce

[prənáuns]

동 발음하다, (공식적으로) 표명하다

When the English tried to **pronounce** it, it came out "Dutch." 학평

영국인들이 그것을 **발음하려고** 했을 때, 그것은 "Dutch"로 나왔다.

➕ **pronunciation** 명 발음

1069 □□□

terrain

[təréin]

명 지형, 지역

The hike covers three to four miles and includes moderately difficult **terrain**. 모평

그 하이킹은 3마일에서 4마일에 달하며 적당히 어려운 **지형**을 포함한다.

1070 ☐☐☐

glimpse

[glimps]

명 힐끗 보기, 짧은 경험 동 힐끗 보다

Movies are a time machine, taking us back into the past or even giving us a **glimpse** of the future. 학평

영화는 우리를 과거로 되돌아가게 하거나 심지어 우리에게 미래를 **힐끗 보여주는** 타임머신이다.

➕ **get[catch] a glimpse of** ~을 힐끗 보다

1071 ☐☐☐

antisocial

[æ̀ntisóuʃəl]

형 비사교적인, 반사회적인

Working with technology provided an outlet for brilliant but **antisocial** people. 학평

과학 기술을 다루는 것은 똑똑하지만 **비사교적인** 사람들에게 배출구를 제공했다.

➡ unsociable, unfriendly   ⬅ sociable 형 사교적인, 사회적인

1072 ☐☐☐

beneath

[biníːθ]

전 아래에, 밑에, ~보다 못한

At the close of the ice age, the entire region was submerged **beneath** a lake of meltwater. 수능

빙하기의 끝 무렵, 그 지역 전체가 해빙 호수 **아래에** 잠겼다.

➡ under, below, underneath

1073 ☐☐☐

recession

[riséʃən]

명 불경기, 불황, 후퇴

Both the budget deficit and federal debt have soared during the recent financial crisis and **recession**. 모평

재정 적자와 연방 정부 부채가 최근 금융 위기와 **불경기** 동안에 모두 급증했다.

➡ depression

1074 ☐☐☐

twilight

[twáilait]

명 해질녘, 황혼, 쇠퇴기

She was happy to view the bridge in the **twilight**. 모평

그녀는 **해질녘**에 그 다리를 봐서 행복했다.

➡ sunset, dusk, nightfall   ⬅ dawn 명 새벽

1075 ☐☐☐

scrutiny

[skrúːtəni]

명 정밀 조사, 철저한 검토

They should be providing the most intense **scrutiny**. 수능

그들은 가장 강도 높은 **정밀 조사**를 제공해야 한다.

1076 ☐☐☐

alley

[ǽli]

몡 골목, 좁은 길

Melbourne, Australia has many small buildings and narrow **alleys** between them. (교과서)

호주 멜버른에는 많은 작은 건물들이 있고 그 사이에 좁은 **골목들**이 있다.

🔁 pathway, passage, lane

1077 ☐☐☐

overthrow

[ðuvərθróu]

동 타도하다   몡 타도, 전복

She became involved in a plot to **overthrow** the king. (모평)

그녀는 왕을 **타도하려는** 음모에 관여하게 되었다.

🔁 defeat, conquer, overcome

1078 ☐☐☐

sin

[sin]

몡 죄, 죄악   동 죄를 짓다

People remembered a terrible **sin** from their past. (학평)

사람들은 그들 과거의 끔찍한 **죄**를 기억해냈다.

🔁 crime, wrongdoing

1079 ☐☐☐

eject

[idʒékt]

동 분출하다, 쫓아내다, 튀어나오게 하다

The eruption of the Krakatoa volcano **ejected** fine dust particles into Earth's upper atmosphere. (학평)

크라카토아 화산의 폭발은 지구의 대기 상층부로 미세먼지 입자를 **분출했다**.

➕ ejection 몡 분출(물), 추방

1080 ☐☐☐

persevere

[pə̀ːrsəvíər]

동 꾸준히 계속하다, 인내하다

I realize that I can do things if I try and **persevere**. (학평)

나는 내가 노력하고 **꾸준히 계속하면** 일들을 해낼 수 있다는 것을 깨닫는다.

➕ perseverance 몡 인내(심)

🔁 persist, continue

Daily Quiz

영어는 우리말로, 우리말은 영어로 쓰세요.

01 flesh _____
02 eject _____
03 remind _____
04 domestic _____
05 region _____
06 malfunction _____
07 scrutiny _____
08 chill _____
09 recession _____
10 survive _____

11 승리 _____
12 철저한, 빈틈없는 _____
13 상품, 물품, 유용한 것 _____
14 골목, 좁은 길 _____
15 (노력·시간 등을) 바치다 _____
16 충족시키다 _____
17 분노, 격노 _____
18 과감한, 극단적인 _____
19 측정하다, 척도, 조치 _____
20 해질녘, 황혼, 쇠퇴기 _____

다음 빈칸에 들어갈 가장 알맞은 것을 박스 안에서 고르세요.

| grade | sin | antisocial | persevere | opportunity |

21 Working with technology provided an outlet for brilliant but _____ people.
과학 기술을 다루는 것은 똑똑하지만 비사교적인 사람들에게 배출구를 제공했다.

22 Twins provide a unique _____ to study genes.
쌍둥이는 유전자를 연구할 수 있는 특별한 기회를 제공한다.

23 People remembered a terrible _____ from their past.
사람들은 그들 과거의 끔찍한 죄를 기억해냈다.

24 She was a class president with high _____(e)s and a good personality.
그녀는 우수한 성적과 좋은 성격을 가진 반장이었다.

25 I realize that I can do things if I try and _____.
나는 내가 노력하고 꾸준히 계속하면 일들을 해낼 수 있다는 것을 깨닫는다.

log　말

ideology　명 이념, 관념, 사상

▶ ide(o)[생각] + log[말] + y[명·접] → 생각을 말로서 구체화한 것, 즉 이념이나 사상

Groups are now formed less on shared activities and more on shared **ideologies**. (학평)

요즘 모임은 공유되는 활동을 바탕으로는 더 적게 형성되고, 공유되는 **이념**을 바탕으로 더 많이 형성된다.

psychology　명 심리(학)

▶ psycho[정신, 심리] + log[말] + y[명·접] → 심리에 대해 말하는 학문인 심리학

You should take the **psychology** class this semester. (학평)

너는 이번 학기에 **심리학** 수업을 들어야 해.

dialogue　명 대화

▶ dia[가로질러] + log(ue)[말] → 서로를 가로질러 오가는 말, 즉 대화

Shakespeare borrowed plots, characters, and even **dialogue** from Plutarch. (학평)

셰익스피어는 플루타르크에서 줄거리, 등장인물, 그리고 심지어 **대화**까지 빌려왔다.

logic　명 논리, 타당성

▶ log(ic)[말] → 말을 이끌어 가는 원리, 즉 논리

Logic has a well-defined set of rules. (학평)

논리에는 잘 정의된 규칙들의 집합이 있다.

analogy　명 비유, 유사, 유추

▶ ana[따라하는] + log[말] + y[명·접] → 유사하게 따라하여 설명하는 말, 즉 비유

A closer look reveals the flaw in this **analogy**. (모평)

자세히 들여다보는 것은 이 **비유**의 결함을 드러내 보인다.

DAY 28

최빈출 단어

1081 ☐☐☐

reduce

[ridjúːs]

동 줄이다, 감소시키다

Wearing a helmet reduces the risks of serious injuries in case of an accident. (학평)
헬멧을 착용하는 것은 사고 발생 시 심각한 부상의 위험을 **줄인다**.

➕ reduction 명 축소, 감소
🟰 lessen, diminish, decrease　🔁 increase 동 증가시키다 명 증가

Tips
> **시험에는 이렇게 나온다**
>
> reduce carbon emission 탄소 배출을 줄이다　　reduce bias 편견을 줄이다
> reduce potential loss 잠재적 손실을 줄이다　reduce stress 스트레스를 줄이다

1082 ☐☐☐

compare

[kəmpér]

동 비교하다, 비유하다

I compared my purchases with the receipt. (학평)
나는 내가 산 물건과 영수증을 **비교했다**.

➕ comparison 명 비교, 비유　comparative 형 비교의, 상대적인
🟰 weigh, contrast

1083 ☐☐☐

draft

[dræft]

명 초안, 원고　동 초안을 작성하다, 선발하다

I wrote a draft, and I was, of course, open to having revisions made to it. (학평)
나는 **초안**을 썼고, 물론 그것을 수정할 용의가 있었다.

🟰 outline, sketch

Tips
> **시험에는 이렇게 나온다**
>
> 영어로 '초안'은 first draft라고도 해요. 이미 '초안'을 의미하는 draft 앞에 '처음'을 의미하는 first를 함께 사용함으로써 완성본이 아닌 여러 개의 안 중 최초의 안이라는 것을 강조하는 단어예요.

additional

[ədíʃənl]

혱 추가의, 보통의

An additional fee is charged for a quick delivery. 학평

빠른 배송에는 **추가** 요금이 청구된다.

➊ **additionally** 뷔 게다가 **addition** 몡 추가, 덧셈

▤ extra, supplementary, spare

Tips | 시험에는 이렇게 나온다

additional charge 추가 요금	**additional cost** 추가 경비
additional inquiry 추가 질문	**additional information** 추가 정보

struggle

[strʌ́gl]

동 애쓰다, 분투하다 **명** 노력, 분투

They struggled to find food and water while the war was taking many innocent lives. 교과서

그 전쟁이 많은 무고한 생명을 앗아가는 동안 그들은 음식과 물을 구하기 위해 **애썼다**.

➊ **struggle to** ~하기 위해 애쓰다 **struggle with** ~으로 고심하다, ~과 씨름하다

▤ strive, strain

stock

[staːk]

명 재고(품), 주식 **동** (물품을) 채우다, 갖추다

Let me check if we have the item in stock. 학평

우리가 그 물품의 **재고**를 가지고 있는지 확인해볼게요.

➊ **in stock** 재고를 가지고 있는 **out of stock** 재고가 없는

destination

[dèstənéiʃən]

명 목적지, 도착지

A slight change in your daily habits can guide your life to a very different destination. 학평

일상 습관에서의 약간의 변화는 당신의 삶을 매우 다른 **목적지**로 인도할 수 있다.

➊ **destiny** 몡 운명 **destined** 혱 ~로 향하는, ~할 운명인

shelter

[ʃéltər]

명 주거지, 은신처, 대피소 **동** 보호하다, 숨겨주다

A home provides shelter and a place to gather. 학평

집은 **주거지**와 모일 장소를 제공한다.

▤ refuge, haven

owe

[ou]

동 지불할 의무가 있다, 빚지다, 신세 지다

If someone **owes** tax money, the government can collect it by taking legal action. 학평

누군가가 세금을 **지불할 의무가 있다면**, 정부는 법적 조치를 취하여 그것을 징수할 수 있다.

> **Tips** | **시험에는 이렇게 나온다**
> owe는 빚이나 신세를 진 '상태'를 나타내는 동사이므로, 진행형으로 쓰이지 않는 점에 유의하세요.

assemble

[əsémbl]

동 모이다, 모으다, 조립하다

Five thousand people **assembled** at a rally to support Parks's act of courage. 교과서

5,000명의 사람들이 Parks의 용기 있는 행동을 지지하기 위해 집회에 **모였다**.

➕ **assembly** 명 의회, 집회

🟰 **gather, meet, congregate**   ⬛ **disperse** 동 흩어지다, 해산하다

constitute

[ká:nstətjuːt]

동 구성하다, 설립하다, 제정하다

Yeti crabs survive by growing bacteria on their hairy claws, which **constitute** their main food source. 교과서

예티 게는 털로 된 집게발에 그들의 주요 식량원을 **구성하는** 박테리아를 자라게 함으로써 생존한다.

➕ **constitution** 명 구성, 헌법   **constituent** 명 구성 요소 형 구성하는

🟰 **compose, comprise, make up**

> **Tips** | **주의해야 할 혼동어**
> constitute와 철자가 비슷한 substitute에 주의하세요! substitute는 '대신하다', '대체물'을 의미하는 단어예요.

vital

[váitl]

형 필수적인, 중요한, 생명의

Water is a **vital** component for our brains to function smoothly. 학평

물은 우리의 뇌가 원활하게 기능하기 위해 **필수적인** 구성 요소이다.

➕ **vitalize** 동 생명을 주다, 생기를 불어넣다   **vitality** 명 활력, 생기

🟰 **essential, important, necessary**   ⬛ **unnecessary** 형 불필요한

> **Tips** | **시험에는 이렇게 나온다**
> vital은 concern(우려, 사안), factor(요인, 인자) 등의 단어와 함께 사용되는 경우가 많아요.

1093 ☐☐☐

inevitable

[inévətəbl]

형 불가피한, 필연적인

It seems that the global shift to a cash-free economy is **inevitable**. (교과서)

현금 없는 경제로의 전 세계적인 전환은 **불가피해** 보인다.

➕ inevitably 图 불가피하게, 필연적으로

🟰 unavoidable, inescapable 🔲 evitable 형 피할 수 있는

1094 ☐☐☐

candidate

[kǽndideit]

명 지원자, 후보자

After the evaluation procedure, selected **candidates** will be contacted individually for an interview. (모평)

평가 절차 이후에, 선발된 **지원자들**은 면접을 위해 개별적으로 연락을 받을 것이다.

🟰 applicant

1095 ☐☐☐

maintain

[meintéin]

동 유지하다, 지속하다, 주장하다

Wearing proper footwear while jogging will help you **maintain** healthy knees. (학평)

조깅할 때 적절한 신발을 신는 것은 건강한 무릎을 **유지하는** 데 도움이 될 것이다.

➕ maintenance 명 유지, 지속

🟰 continue, retain, sustain

빈출 단어

1096 ☐☐☐

fluid

[flúːid]

명 액체, 유동체 형 유동적인

On Earth, gravity drags bodily **fluids** downwards, but in space this does not happen. (교과서)

지구에서는 중력이 체**액**을 아래로 끌어당기지만, 우주에서는 이러한 일이 일어나지 않는다.

➕ fluidity 명 유동성

🟰 liquid 🔲 solid 명 고체 형 단단한, 고체의

1097 ☐☐☐

patrol

[pətróul]

동 순찰하다, 돌아다니다 명 순찰

Our qualified staff will **patrol** the park. (학평)

자격을 갖춘 우리 직원들이 공원을 **순찰할** 것이다.

🟰 guard, inspect

1098 □□□

migrate

[máigreit]

동 이동하다, 이주하다

Most song thrushes **migrate** from northern Scotland. (모평)

대부분의 노래지빠귀는 스코틀랜드 북부로부터 **이동한다**.

⊕ migration 명 이동, 이주

目 move, travel

Tips

주의해야 할 혼동어

migrate와 철자가 비슷한 emigrate, immigrate에 주의하세요! migrate는 '(한 곳에서 다른 곳으로) 이동하다', '이주하다'를, emigrate는 '이민을 가다', '(다른 나라로) 이주하다'를, immigrate는 '(다른 나라로) 이주해 오다', '이민을 오다'를 의미하는 단어예요.

1099 □□□

drawback

[drɔ́:bæk]

명 결점, 문제점

A **drawback** of daily plans is that they lack flexibility. (학평)

일일 계획의 **결점**은 융통성이 부족하다는 것이다.

目 deficiency, flaw, downside **■ advantage** 명 이점, 장점

1100 □□□

tease

[ti:z]

동 놀리다, 괴롭히다

Bob was worried that Jason might be **teased** by the other kids. (학평)

Bob은 Jason이 다른 아이들로부터 **놀림을 받을지도** 모른다고 걱정했다.

⊕ teasing 형 놀리는, 괴롭히는

目 mock, make fun of

1101 □□□

expel

[ikspél]

동 배출하다, 쫓아내다, 추방하다

Loneliness can be uprooted and **expelled** only when these barriers are lowered. (수능)

외로움은 이 장벽들이 낮아졌을 때만 근절되고 **배출될** 수 있다.

1102 □□□

contagious

[kəntéidʒəs]

형 전염성의, 전염되는

Many **contagious** diseases spread through carriers such as birds and mosquitoes. (학평)

많은 **전염성** 질병들은 새나 모기 같은 매개체를 통해 퍼진다.

⊕ contagion 명 전염(병), 감염

目 infectious

1103 □□□

segment

명 부분, 조각 동 나누다, 분할하다

명[sέgmənt]
동[segmént]

Globalization has certainly benefited large **segments** of humanity. (학평)

세계화는 인류의 많은 **부분**에 확실히 혜택을 주었다.

⊜ **section, part, portion**

1104 □□□

falter

동 흔들리다, 불안정해지다

[fɔ́:ltər]

He would revive his old eager ambitions and pursue them without **faltering**. (모평)

그는 자신의 오래된 열렬한 야망을 되살리고 **흔들림** 없이 그것을 추구할 것이다.

⊜ **waver**

1105 □□□

stall

명 가판대, 좌판, 마구간 동 (엔진이) 멎다

[stɔ:l]

Justin's dad sold plastic souvenirs to tourists from a street **stall**. (학평)

Justin의 아버지는 길거리 **가판대**에서 관광객들에게 플라스틱 기념품을 팔았다.

1106 □□□

epic

명 서사시 형 서사시의, 영웅적인

[épik]

Lawrence of Arabia is a British **epic** about the Arab rebellion against the Turks. (학평)

「아라비아의 로렌스」는 터키군에 맞서는 아랍의 저항에 관한 영국의 **서사시**이다.

1107 □□□

fond

형 좋아하는, 애정을 느끼는

[fɑ:nd]

Emma was very **fond** of singing. (학평)

Emma는 노래하는 것을 매우 **좋아했다**.

⊕ **fondness** 명 애착, 애호 **be fond of** ~을 좋아하다

1108 □□□

intolerable

형 견딜 수 없는, 참을 수 없는

[intɑ́:lərəbl]

They were all dressed to an **intolerable** state of discomfort. (수능)

그들은 모두 **견딜 수 없이** 불편한 상태가 될 정도로 차려 입고 있었다.

⊕ **intolerance** 명 참을 수 없음

⊜ **unbearable** ⇔ **tolerable** 형 참을 수 있는 **bearable** 형 견딜 만한

1109 □□□

medieval

형 중세의

[medíːvəl]

Fez was the **medieval** capital of Morocco. (교과서)
페즈는 모로코의 **중세** 수도였다.

1110 □□□

vulnerability

명 취약함, 상처받기 쉬움

[vʌ̀lnərəbíləti]

Life is painful, risky, and full of **vulnerability**. (학평)
인생은 고통스럽고, 위험하며, **취약함**으로 가득 차 있다.

➕ vulnerable **형** 취약한, 연약한

1111 □□□

flourish

통 번영하다, 잘 자라다

[fláːriʃ]

Tolerance allows the world to **flourish**. (학평)
관용은 세계를 **번영하게** 만든다.

■ thrive, advance, prosper

1112 □□□

aviation

명 항공(술)

[èiviéiʃən]

Because of the **aviation** regulation for student pilots, the camp is limited to participants over 16 years old. (모평)
학생 조종사에 대한 **항공** 규정 때문에, 그 캠프는 16세 이상의 참가자들로 제한된다.

➕ aviate **통** 비행하다

1113 □□□

verify

통 확인하다, 입증하다

[vérifai]

A man spends an hour every morning **verifying** that all the doors are shut before he leaves for work. (학평)
한 남자는 매일 아침 출근하기 전에 모든 문이 닫혀 있는지 **확인하는** 데 한 시간을 보낸다.

➕ verification **명** 확인, 입증
■ check, confirm, validate

1114 □□□

stern

형 근엄한, 엄중한

[stəːrn]

The soldier gave orders in a **stern** voice. (학평)
군인이 **근엄한** 목소리로 명령을 내렸다.

■ strict, rigid, serious ◼ friendly **형** 친절한, 상냥한

1115 ☐☐☐

dictator

[díkteitər]

명 독재자, 독재자 같은 사람

Even **dictators** find that there are limits to their power to change society. (학평)

독재자들조차도 사회를 변화시키기 위한 그들의 힘에 한계가 있다고 생각한다.

➕ **dictate** 동 지시하다, 받아쓰게 하다 명 명령 **dictatorship** 명 독재 정권

🟰 **tyrant, oppressor**

1116 ☐☐☐

notorious

[noutɔ́ːriəs]

형 악명 높은

The Rust Belt is **notorious** for its poor air quality. (모평)

러스트 벨트는 공기의 질이 좋지 않은 것으로 **악명 높다**.

➕ **notoriously** 부 악명 높게 **notoriety** 명 악명, 악평

1117 ☐☐☐

stitch

[stitʃ]

명 바늘땀, (뜨개질에서의) 코 **동** 바느질하다, 꿰매다

A typical baseball has 108 double hand **stitches**. (교과서)

일반적인 야구공은 손으로 꿰맨 108개의 이중 **바늘땀**이 있다.

1118 ☐☐☐

benevolent

[bənévələnt]

형 자애로운, 자비로운

A dictatorship can, in theory, be brutal or **benevolent**. (모평)

독재 정권은 이론적으로, 잔혹하거나 **자애로울** 수 있다.

🟰 **kind, generous, charitable** ⬛ **malevolent** 형 악의적인

1119 ☐☐☐

prolong

[prəlɔ́ːŋ]

동 연장하다, 늘이다, 길게 하다

The key is to help people let go of the struggle against pain, which only **prolongs** their awareness of pain. (학평)

그 핵심은 사람들이 통증과의 싸움을 내려놓도록 돕는 것인데, 그 싸움은 통증의 인식을 **연장시킬** 뿐이다.

➕ **prolongation** 명 연장

🟰 **lengthen, extend**

1120 ☐☐☐

liver

[lívər]

명 간

Extremely high amounts of vitamin A can eventually lead to **liver** damage. (학평)

극도로 많은 양의 비타민 A는 결국 **간** 손상으로 이어질 수 있다.

Daily Quiz

영어는 우리말로, 우리말은 영어로 쓰세요.

01	constitute	11	비교하다, 비유하다
02	segment	12	결정, 문제점
03	reduce	13	확인하다, 입증하다
04	struggle	14	항공(술)
05	shelter	15	취약함, 상처받기 쉬움
06	assemble	16	악명 높은
07	destination	17	근엄한, 엄중한
08	medieval	18	흔들리다, 불안정해지다
09	intolerable	19	유지하다, 주장하다
10	stock	20	자애로운, 자비로운

다음 빈칸에 들어갈 가장 알맞은 것을 박스 안에서 고르세요.

prolong   additional   inevitable   candidate   epic

21 *Lawrence of Arabia* is a British _____ about the Arab rebellion against the Turks.
「아라비아의 로렌스」는 터키군에 맞서는 아랍의 저항에 관한 영국의 서사시이다.

22 A(n) _____ fee is charged for a quick delivery.
빠른 배송에는 추가 요금이 청구된다.

23 After the evaluation procedure, selected _____(e)s will be contacted individually for an interview.
평가 절차 이후에, 선발된 지원자들은 면접을 위해 개별적으로 연락을 받을 것이다.

24 The key is to help people let go of the struggle against pain, which only _____(e)s their awareness of pain.
그 핵심은 사람들이 통증과의 싸움을 내려놓도록 돕는 것인데, 그 싸움은 통증의 인식을 연장시킬 뿐이다.

25 It seems that the global shift to a cash-free economy is _____.
현금 없는 경제로의 전 세계적인 전환은 불가피해 보인다.

plic/ply/ploy/plo(it) 꼬다, 접다

simplicity
명 단순함, 간단함

▶ sim[같은] + plic[꼬다] + ity[명·접] → 같은 방향으로 꼬아 단순함

To be creative problem solvers, people must learn to approach complexity with **simplicity**. (모평)

창의적인 문제 해결자가 되기 위해서는, 사람들은 **단순함**을 가지고 복잡성에 접근하는 법을 배워야 한다.

replicate
동 모방하다, 복제하다

▶ re[다시] + plic[접다] + ate[동·접] → 다시 접어 동일한 것을 만들다, 즉 모방하다

No one's been able to **replicate** the research. (모평)

아무도 그 연구를 **모방할** 수 없었다.

apply
동 지원하다, 신청하다, 적용하다

▶ ap[~에] + ply[접다] → 자리에 맞도록 접어서 맞춰보다, 즉 그 자리에 지원하다

I want to **apply** for an internship at a trading company. (학평)

나는 무역 회사의 인턴십에 **지원하고** 싶다.

exploit
동 착취하다, (부당하게) 이용하다

▶ ex[밖으로] + plo(it)[접다] → 밖으로 접어 꺼낸 것을 부당하게 착취하다

His employer is trying to **exploit** for his own gain. (모평)

그의 고용주는 자신의 이익을 위해 **착취하려** 하고 있다.

employ
동 고용하다, (기술·방법 등을) 이용하다

▶ em[안에] + ploy[접다] → 접어서 안에 들어오게 하다, 즉 고용하다

Jenny Hernandez is the manager of a medium-sized company that **employs** about 25 people. (학평)

Jenny Hernandez는 약 25명을 **고용하고** 있는 중간 규모의 회사의 책임자이다.

DAY 29

MP3 바로 듣기

최빈출 단어

1121 ☐☐☐

encourage

[inkə́:ridʒ]

동 격려하다, 용기를 주다, 장려하다

It is a good thing for parents to encourage and support their children. 학평
부모가 자녀들을 **격려하고** 지지하는 것은 좋은 일이다.

➕ encouragement 명 격려, 고무 encourage A to B A가 B하도록 격려하다

1122 ☐☐☐

prefer

[prifə́:r]

동 선호하다, ~을 더 좋아하다

In America, people prefer cold drinks with ice. 학평
미국에서, 사람들은 얼음을 넣은 차가운 음료를 **선호한다**.

➕ preference 명 선호 prefer A to B A를 B보다 선호하다
🟰 favor

1123 ☐☐☐

principle

[prínsəpəl]

명 원리, 원칙

Science fiction helps students see scientific principles in action. 학평
공상과학소설은 과학적 **원리**가 작용하는 것을 학생들이 볼 수 있도록 돕는다.

Tips | 시험에는 이렇게 나온다
| abstract principles 추상적인 원칙 | basic principles 근본 원리, 기본 원칙 |
| moral principles 도덕적 원칙 | ethical principles 윤리적 원칙 |

1124 ☐☐☐

chase

[tʃeis]

명 추격 동 뒤쫓다, 추격하다, 추구하다

When you watch a chase scene in an action movie, your heart races as well. 학평
당신이 액션 영화의 **추격** 장면을 볼 때, 당신의 심장도 같이 뛴다.

🟰 race, hunt

degree

[digrí:]

명 학위, (각도·온도 단위) 도, 정도

He has a master's degree in engineering. (수능)

그는 공학 석사 **학위**를 가지고 있다.

Tips 주의해야 할 혼동어

degree와 철자 및 발음이 비슷한 decree에 주의하세요! '학위', '정도'를 뜻하는 degree는 [디그리]라고 발음하고, '법령', '판결', '포고하다'를 뜻하는 decree는 [디크리]라고 발음해요.

release

[rilí:s]

통 방출하다, 풀어주다, 출시하다 명 방출, 석방, 출시

The heat releases an aroma that attracts certain insects. (수능)

그 열은 특정 곤충들을 유인하는 향기를 **방출한다**.

🔁 discharge, loose 🔄 imprison 통 감금하다

register

[rédʒistər]

통 등록하다, 기재하다

I've just registered for a cooking class. (학평)

나는 방금 요리 강좌에 **등록했다**.

➕ registration 명 등록, 신고 registry 명 등록, 등기소

🔁 enroll, record

overall

[òuvərɔ́:l]

형 전반적인, 총체적인 부 전반적으로, 종합적으로

Checkups provide important insight into the patient's overall physical condition. (수능)

건강 검진은 환자의 **전반적인** 신체 상태에 대한 중요한 통찰을 제공한다.

🔁 general, total, whole

primary

[práimeri]

형 주된, 주요한, 최초의

The primary food for the tarsier species is insects. (학평)

안경원숭이 종의 **주된** 먹이는 곤충이다.

➕ prime 형 주된, 최고의 primarily 부 주로

🔁 main, first

Tips 시험에는 이렇게 나온다

primary aim 주된 목적   primary goal 주요 목표
primary reason 주된 이유   primary source 주요 원천

29 DAY

intense

[inténs]

형 극심한, 격렬한, 치열한

The intense heat, cold, and scarcity of water in the desert are well known. 모평

사막에서의 **극심한** 더위, 추위, 그리고 물 부족은 잘 알려져 있다.

➕ intensive 형 격렬한, 집약적인　intensify 동 강화하다, 심해지다

🟰 extreme, severe

editor

[édətər]

명 편집장, 편집자

He became the youngest editor ever hired by *The Saturday Evening Post*. 학평

그는 The Saturday Evening Post에 고용된 역대 최연소 **편집장**이 되었다.

➕ editorial 형 편집의 명 사설　edit 동 편집하다, 수정하다

abundant

[əbʌ́ndənt]

형 풍부한

When food is abundant, a nutcracker hides nuts throughout the forest as a reserve for harder times. 학평

식량이 **풍부할** 때, 잣까마귀는 더 힘든 시기를 대비해 숲 구석구석에 견과류를 숨겨둔다.

➕ abound 동 풍부하다　abundance 명 풍부

🟰 plentiful, ample, rich

aggressive

[əgrésiv]

형 공격적인, 적극적인

If you are looking for a guard dog, you have to choose an aggressive dog such as a Great Dane. 학평

만약 당신이 경비견을 찾고 있다면, 그레이트데인과 같은 **공격적인** 개를 선택해야 한다.

➕ aggressively 부 공격적으로　aggression 명 공격(성), 침략

➖ passive 형 수동적인, 소극적인　defensive 형 방어적인, 수비의

harvest

[háːrvist]

명 수확(물), 추수 동 수확하다

Farmers at harvest time have selected seeds from superior plants to save for the next planting. 모평

수확 시기에 농부들은 다음 파종을 위해 저장하려고 우량 식물로부터 씨앗들을 골라냈다.

🟰 crop

1135 □□□

burden

[bə́ːrdn]

명 부담, 짐 동 부담을 주다, 짐을 지우다

Burdens such as mowing the lawn or repairing the fence come along with home ownership. (학평)

주택을 소유하는 것에는 잔디를 깎거나 울타리를 수리하는 것과 같은 **부담**이 따른다.

빈출 단어

1136 □□□

confine

[kənfáin]

동 가두다, 한정하다, 국한하다

Renoir was **confined** to his home during the last decade of his life. (학평)

르누아르는 생애 마지막 십 년 동안 그의 집에 **갇혀** 있었다.

➕ confinement 명 감금, 속박

🟰 restrict, limit

1137 □□□

embrace

[imbréis]

동 껴안다, 받아들이다

When the music came to an end, they **embraced** passionately and cried tears of joy. (교과서)

음악이 끝났을 때, 그들은 열정적으로 **껴안고**, 기쁨의 눈물을 흘렸다.

➕ embracement 명 수락, 포옹

🟰 hug, cuddle

1138 □□□

decay

[dikéi]

명 부패, 부식 동 부패하다, 썩다

Ripening is followed sometimes quite rapidly by deterioration and **decay**. (모평)

때때로 숙성 이후에 품질 저하와 **부패**가 아주 급속히 잇따르곤 한다.

🟰 corruption, rot, decomposition

1139 □□□

basement

[béismənt]

명 지하실, 지하층

While clearing out the **basement**, Kate's father found many old things such as children's books. (학평)

지하실을 청소하는 동안, Kate의 아버지는 아동 도서와 같은 많은 오래된 것들을 발견했다.

moderate

형 적당한, 보통의 동 누그러지다, 완화하다

형[mάːdərət]
동[mάːdəreit]

Moderate exercise has no effect on the duration of the common cold. (학평)

적당한 운동은 일반적인 감기의 지속 기간에 아무 효과도 없다.

➕ **moderately** 부 적당히, 알맞게 **moderation** 명 적당함, 절제
🟰 **modest, average** ✖ **extreme** 형 극도의, 극심한 명 극단

Tips

주의해야 할 혼동어

moderate과 철자가 비슷한 modest에 주의하세요! modest는 '겸손한', '얌전한', '보통의'를 의미하는 단어예요.

haste

명 서두름, 급함

[heist]

We'd better make haste. (학평)

우리는 **서두르는** 게 좋겠어.

➕ **hasten** 동 서둘러 하다, 재촉하다 **hasty** 형 서두르는, 급한
🟰 **hurry, rush**

reside

동 살다, 거주하다

[rizáid]

The Nuer are one of the largest ethnic groups in South Sudan, primarily residing in the Nile River Valley. (수능)

누어족은 남수단의 가장 큰 민족 집단 중 하나로, 주로 나일강 계곡에 **산다**.

➕ **resident** 명 거주자, 주민 **residence** 명 주거, 주택
🟰 **live, dwell, stay**

impersonal

형 인간미 없는, 비인격적인

[impə́ːrsənl]

Canadians often use the impersonal formality of a lawyer's services to finalize agreements. (모평)

캐나다인들은 합의를 마무리 짓기 위해 변호사의 도움이라는 **인간미 없는** 형식상의 절차를 종종 사용한다.

detective

명 탐정, 형사 형 탐정의

[ditéktiv]

A detective must find the clues. (학평)

탐정은 단서를 찾아야만 한다.

➕ **detect** 동 발견하다 **detection** 명 발견, 탐지

deduct

图 공제하다, 빼다

[didʌ́kt]

The employees decide what type of coverage they want and the cost is **deducted** from their bonus. (학평)

직원들은 원하는 보상 범위의 유형을 결정하고 그 비용은 그들의 상여금에서 **공제된다**.

➕ **deduction** 몡 공제(액), 추론, 연역

➖ **subtract, remove, take away**   ➡ **add** 图 더하다, 추가하다

unity

몡 통합, 통일(성)

[júːnəti]

China's frequent times of **unity** and Europe's constant disunity both have a long history. (학평)

중국의 빈번한 **통합**과 유럽의 끊임없는 분열은 모두 오랜 역사를 가지고 있다.

➕ **unite** 图 연합하다, 통합하다

➖ **union, integration**   ➡ **disunity** 몡 분열, 불화

restrain

图 억누르다, 저지하다, 참다

[ristréin]

He was unable to **restrain** his obvious joy. (학평)

그는 자신의 명백한 기쁨을 **억누를** 수 없었다.

➕ **restraint** 몡 규제, 통제

➖ **control, inhibit**   ➡ **encourage** 图 격려하다, 권장하다

deceive

图 속이다, 기만하다, 현혹하다

[disíːv]

We unknowingly **deceive** ourselves. (학평)

우리는 자기도 모르게 우리 자신을 **속인다**.

➕ **deceit** 몡 속임수, 사기   **deceiver** 몡 사기꾼

➖ **trick, cheat, mislead**

align

图 (~에 맞춰) 조정하다, 나란히 만들다, 일직선으로 하다

[əláin]

If you can **align** your expectations with reality, you will be better off in the end. (모평)

만약 당신의 기대를 현실**에 맞춰 조정할** 수 있다면, 결국에는 더 좋은 상태일 것이다.

➕ **alignment** 몡 정렬, 제휴, 지지

➖ **adjust**

1150 ☐☐☐

erode

[iróud]

🔵 침식시키다, 부식시키다

Rainwater **erodes** the bedrock. (교과서)

빗물이 기반암을 **침식시킨다**.

➕ **erosion** 몡 침식, 부식

1151 ▫☐☐

comparative

[kəmpǽrətiv]

🔵 상대적인, 비교의

Countries import those products for which they have **comparative** cost disadvantage. (학평)

국가들은 **상대적인** 생산 비용이 불리한 제품들을 수입한다.

➕ **comparatively** 뷔 비교적 **compare** 동 비교하다

🟰 **relative**

> Tips
>
> **주의해야 할 혼동어**
>
> comparative와 철자가 비슷한 comparable에 주의하세요! '상대적인', '비교의'를 뜻하는 comparative는 두 대상 사이의 차이점에, '비교할 만한'을 뜻하는 comparable은 두 대상 사이의 유사점에 중점을 두고 있어요.

1152 ☐☐☐

tangible

[tǽndʒəbəl]

🔵 실재적인, 만질 수 있는

Achievement is something **tangible**, clearly defined, and measurable. (학평)

성취는 **실재적이고**, 명확하게 정의되며, 측정 가능한 어떤 것이다.

🔳 **intangible** 혱 실체가 없는, 무형의

1153 ☐☐☐

province

[prá:vins]

🔵 (행정 단위인) 주, 지방, 분야

The Canadian **province** of Quebec is the largest producer of maple syrup. (학평)

캐나다의 퀘벡 **주**는 메이플 시럽의 가장 큰 생산지이다.

1154 ☐☐☐

proclaim

[proukléim]

🔵 선언하다, 분명히 보여주다

I **proclaimed** that the next person who didn't recite the poem perfectly had to drop the class. (학평)

나는 그 시를 완벽하게 암송하지 못한 다음 사람은 수강을 취소해야 한다고 **선언했다**.

➕ **proclamation** 몡 선언(서)

🟰 **declare, announce**

1155

brutal

[brúːtl]

형 잔인한, 악랄한

Physically separating a mother from her children is a **brutal** act. (교과서)

엄마와 아이들을 물리적으로 따로 떼어놓는 것은 **잔인한** 행위이다.

➕ brutality 명 잔인성, 잔혹 행위

🟰 cruel, vicious ✖ kind 형 친절한

1156

imperative

[impérətiv]

형 필수적인, 긴요한 명 의무 사항

It is **imperative** that people share a general responsibility for humanity. (교과서)

사람들이 인류를 위한 전반적인 책임을 공유하는 것은 **필수적이다**.

🟰 essential, vital, crucial

1157

strand

[strænd]

명 가닥, 요소, 성분 동 오도 가도 못 하게 하다

Attributes are passed down from parents to child across the generations through **strands** of DNA. (학평)

특성은 DNA **가닥**을 통해 세대에 걸쳐 부모로부터 자식에게로 전달된다.

1158

escort

동[iskɔ́ːrt]
명[éskɔːrt]

동 인도하다, 호위하다 명 보호자, 호위대

The teacher **escorted** the boy along the aisle to the door. (모평)

선생님은 복도를 따라 문까지 그 소년을 **인도했다**.

1159

radiant

[réidiənt]

형 환한, 빛나는

She smiled from a face that was as **radiant** as an angel's. (학평)

그녀는 천사처럼 **환한** 얼굴로 미소 지었다.

1160

invert

[invə́ːrt]

동 뒤집다, 도치시키다

She **inverted** the glass on her right palm. (학평)

그녀는 유리잔을 그녀의 오른쪽 손바닥 위에서 **뒤집었다**.

➕ inverse 형 반대의, 역의 inversion 명 전도, 도치

🟰 reverse, flip

Daily Quiz

영어는 우리말로, 우리말은 영어로 쓰세요.

01	release	_____	11	서두름, 급함	_____
02	overall	_____	12	학위, 정도	_____
03	invert	_____	13	잔인한, 악랄한	_____
04	chase	_____	14	인도하다, 호위하다	_____
05	imperative	_____	15	탐정, 형사, 탐정의	_____
06	moderate	_____	16	침식시키다, 부식시키다	_____
07	impersonal	_____	17	(행정 단위인) 주, 지방	_____
08	unity	_____	18	지하실, 지하층	_____
09	aggressive	_____	19	풍부한	_____
10	restrain	_____	20	가두다, 국한하다	_____

다음 빈칸에 들어갈 가장 알맞은 것을 박스 안에서 고르세요.

> encourage   proclaim   decay   burden   deceive

21 It is a good thing for parents to _____ and support their children.
부모가 자녀들을 격려하고 지지하는 것은 좋은 일이다.

22 We unknowingly _____ ourselves.
우리는 자기도 모르게 우리 자신을 속인다.

23 I _____(e)d that the next person who didn't recite the poem perfectly had to drop the class.
나는 그 시를 완벽하게 암송하지 못한 다음 사람은 수강을 취소해야 한다고 선언했다.

24 Ripening is followed sometimes quite rapidly by deterioration and _____.
때때로 숙성 이후에 품질 저하와 부패가 아주 급속히 잇따르곤 한다.

25 _____(e)s such as mowing the lawn or repairing the fence come along with home ownership.
주택을 소유하는 것에는 잔디를 깎거나 울타리를 수리하는 것과 같은 부담이 따른다.

pos/pon 놓다

dispose 동 버리다, 없애다, 처리하다

▶ dis[떨어져] + pos(e)[놓다] → 떨어트려 놓아서 버리다

Koreans **dispose** of over 15 billion cups each year. 교과서
한국인들은 매년 150억 개 이상의 컵을 **버린다**.

expose 동 노출시키다, 폭로하다

▶ ex[밖으로] + pos(e)[놓다] → 밖으로 놓아 노출시키다

All the company wants is to **expose** you to those product brands and images. 학평
회사가 원하는 것은 단지 당신을 그 제품 브랜드와 이미지에 **노출시키는** 것뿐이다.

posture 명 자세, 태도

▶ pos(t)[놓다] + ure[명·접] → 놓아져 있는 자세

Your **posture** affects your mind. 교과서
당신의 **자세**는 당신의 마음에 영향을 준다.

impose 동 강요하다, 부과하다

▶ im[안에] + pos(e)[놓다] → 상대의 안에 놓아 책임 등을 강요하다

Schools should not **impose** religion or indoctrinate children. 수능
학교는 종교를 **강요하거나** 아이들을 세뇌해서는 안 된다.

component 명 (구성) 요소, 성분 형 구성하는

▶ com[함께] + pon[놓다] + ent[명·접] → 어떤 것을 이루기 위해 함께 놓인 요소

A key **component** of bee interaction is movement. 교과서
벌들의 상호 작용의 핵심 **요소**는 움직임이다.

DAY 30

최빈출 단어

1161 ☐☐☐

popular

[pá:pjulər]

형 인기 있는, 대중적인, 일반적인

Your novel is very popular among my literature students. (학평)
당신의 소설은 제 문학생들 사이에서 매우 **인기 있어요.**

➕ **popularity** 몡 인기, 대중성

Tips **시험에는 이렇게 나온다**

popular belief 일반적인 믿음	**popular pastime** 인기 있는 오락
least popular 가장 인기 없는	**popular culture** 대중문화

1162 ☐☐☐

regard

[rigá:rd]

동 ~으로 여기다, 간주하다 **명** 고려, 관심

Young people regard making friends as a top priority. (학평)
젊은이들은 친구를 사귀는 것을 최우선**으로 여긴다.**

➕ **regard A as B** A를 B로 여기다 **regardless** 뿐 상관없이
🟰 **consider, view** ➖ **disregard** 동 무시하다 명 무시, 묵살

1163 ☐☐☐

protect

[prətékt]

동 보호하다, 지키다

Blueberries help protect the brain from stress and delay brain aging. (학평)
블루베리는 스트레스로부터 뇌를 **보호하고** 뇌의 노화를 지연시키는 데 도움을 준다.

➕ **protection** 명 보호 **protective** 형 보호하는
🟰 **defend, guard, preserve**

Tips **주의해야 할 혼동어**

protect와 철자가 비슷한 protest에 주의하세요! protest는 '시위', '항의', '항의하다'를 의미하는 단어예요.

private

[práivət]

형 개인의, 사적인, 사립의

Smartphones are at a high risk for private information leaks. 학평

스마트폰은 **개인** 정보 유출의 위험이 높다.

➕ **privacy** 명 사생활

➖ **individual**　➖ **public** 형 공공의, 공적인

Tips **시험에는 이렇게 나온다**

| private institution 사립 기관 | private organization 민간 단체 |
| private school 사립 학교 | private life 사생활 |

claim

[kleim]

동 주장하다, 요구하다　**명** 주장, 요구

Lots of media reports claim that breakfast is the most important out of the three meals of the day. 학평

많은 언론 보도는 아침 식사가 하루 세끼 중 가장 중요하다고 **주장한다**.

➖ **insist, demand, assert**

industrial

[indʌ́striəl]

형 산업의, 공업의

Today, the industrial economy is changing into a knowledge economy based on science and technology. 수능

오늘날, **산업** 경제는 과학과 기술에 기반을 둔 지식 경제로 바뀌고 있다.

➕ **industrialize** 동 산업화하다　**industrialization** 명 산업화

Tips **시험에는 이렇게 나온다**

| industrial agriculture 산업형 농업 | industrial capitalism 산업 자본주의 |
| industrial diamond 공업용 다이아몬드 | industrial society 산업 사회 |

independent

[ìndipéndənt]

형 독립적인, 독자적인

The eldest children become independent at an early age. 학평

맏이들은 이른 나이에 **독립적이게** 된다.

➕ **independently** 부 독립적으로　**independence** 명 독립, 자립

➖ **dependent** 형 의존적인

1168 ☐☐☐

obvious

[ɑ́:bviəs]

형 분명한, 명백한

Sometimes, the meaning of analogies may not be **obvious**. (교과서)

때때로, 비유의 의미는 **분명하지** 않을 수 있다.

➕ obviously 부 분명히, 확실히

🟰 clear, apparent, evident ◀▶ unclear 형 불명확한 ambiguous 형 모호한

1169 ☐☐☐

punishment

[pʌ́niʃmənt]

명 처벌, 벌

The mere threat of **punishment** is enough to induce the desired behavior. (수능)

단순한 **처벌** 위협만으로도 원하는 행동을 유도하기에 충분하다.

➕ punish 동 처벌하다, 벌하다

🟰 penalty, discipline ◀▶ reward 명 보상, 사례금 동 보상하다

1170 ☐☐☐

occupy

[ɑ́:kjupai]

동 차지하다, 거주하다

Remember not to **occupy** one place for too long in the fitness room. (학평)

체력 단련실에서 한 장소를 너무 오랫동안 **차지하지** 않을 것을 기억하세요.

➕ occupation 명 직업, 점령 occupant 명 사용자, 점유자

◀▶ vacate 동 비우다, 떠나다 withdraw 동 물러나다, 철수하다

1171 ☐☐☐

scholarship

[skɑ́:lərʃip]

명 장학금, 학문

My dream school had offered me a full **scholarship**. (학평)

나의 꿈의 학교가 내게 전액 **장학금**을 제공했었다.

➕ scholar 명 학자, 장학생 scholarly 형 학자의, 학문적인

1172 ☐☐☐

characterize

[kǽrəktəraiz]

동 특징짓다, ~의 특징을 나타내다

Spanish portrait painting had long been **characterized** by a high degree of naturalism. (모평)

스페인의 초상화는 오랫동안 고도의 자연주의로 **특징지어졌다**.

➕ character 명 성격, 특성

🟰 distinguish, identify

1173 ☐☐☐

genius

[dʒíːnjəs]

명 천재(성)

The driving force of history largely comes from a few **geniuses**. 학평

역사의 원동력은 대개 소수의 **천재들**로부터 나온다.

目 talent, gift

1174 ☐☐☐

portrait

[pɔ́ːrtrit]

명 인물 사진, 초상화

Use a digital camera to get a good **portrait**. 학평

좋은 **인물 사진**을 찍으려면 디지털카메라를 사용해라.

➕ portray 동 그리다, 나타내다

1175 ☐☐☐

temporal

[témpərəl]

형 시간적인, 시간의, 현세의

Preschoolers confuse **temporal** and spatial dimensions. 수능

미취학아동은 **시간적** 및 공간적 차원을 혼동한다.

빈출 단어

1176 ☐☐☐

frighten

[fráitn]

동 놀라게 하다, 겁먹게 하다

When we make a loud noise, it will **frighten** fish and cause them to swim away. 학평

우리가 큰 소리를 내면, 그것이 물고기들을 **놀라게 하여** 멀리 헤엄쳐 달아나게 할 것이다.

➕ fright 명 두려움, 놀람   frightening 형 무서운
目 scare, shock, startle   ⊟ reassure 동 안심시키다

1177 ☐☐☐

carve

[kɑːrv]

동 조각하다, 새기다

Each room is decorated with furniture **carved** from ice blocks. 학평

각 방은 얼음덩어리로 **조각된** 가구로 장식된다.

目 sculpt, engrave

Tips

> **주의해야 할 혼동어**
>
> carve와 철자가 비슷한 curve에 주의하세요! curve는 '곡선', '구부러지다'를 의미하는 단어예요.

1178 ☐☐☐

circulate

[sə́:rkjəleit]

통 순환하다, 유포시키다

Refrigerators stay colder, and last longer if the cold air can **circulate** easily. 학평

냉장고는 차가운 공기가 쉽게 **순환할** 수 있다면 더 차갑게 유지되고, 더 오래 지속된다.

➕ **circulation** 명 순환, 유통 **circular** 형 원형의, 순환하는

1179 ☐☐☐

allowance

[əláuəns]

명 용돈, 허용(량)

Mary receives a weekly **allowance** by helping her mother with the household chores. 모평

Mary는 그녀의 어머니를 도와 집안일을 하면서 매주 **용돈**을 받는다.

1180 ☐☐☐

intermediate

[ìntərmí:diət]

형 중급의, 중간의 명 중급자

There are three levels in the course: beginner, **intermediate**, and advanced. 모평

그 과정에는 초급, **중급**, 그리고 고급 이렇게 세 가지 수준이 있다.

➕ **intermediary** 명 중재자, 중개인

1181 ☐☐☐

intertwine

[ìntərtwáin]

통 뒤얽히다, 엮다

The history of food includes what happened when cuisine and culture **intertwined**. 교과서

음식의 역사는 요리와 문화가 **뒤얽혔을** 때 어떤 일이 일어났는지를 포함한다.

1182 ☐☐☐

leftover

[léftouvər]

형 먹다 남은, 나머지의 명 남은 음식, 잔재

I ate some **leftover** pizza last night. 모평

나는 어젯밤에 **먹다 남은** 피자를 조금 먹었다.

🟰 **remaining**

1183 ☐☐☐

introspective

[ìntrəspéktiv]

형 자기 성찰적인

Introspective reflections, which are liable to stall, are helped along by the flow of the landscape. 수능

정체되기 쉬운 **자기 성찰적인** 생각은 풍경의 흐름에 따라 진척되도록 도움받는다.

➕ **introspection** 명 자기 성찰, 내성

1184 ☐☐☐

obey

[oubéi]

동 따르다, 순종하다

If we **obey** the rules, we shall never get into trouble. 학평
만약 우리가 규칙을 **따른다면**, 절대 곤경에 처하지 않을 것이다.

➕ **obedience** 명 순종, 복종 **obedient** 형 순종하는
🟰 **submit to** 🔲 **disobey** 동 반항하다 **disregard** 동 무시하다

1185 ☐☐☐

exemplify

[igzémplifai]

동 전형적인 예가 되다, 예를 들다

The great basketball coach perfectly **exemplified** the power of consistency. 학평
그 농구부의 훌륭한 코치는 일관성의 힘을 보여주는 완벽하게 **전형적인 예가 되었다**.

1186 ☐☐☐

sanitation

[sǽnitéiʃən]

명 위생 (시설)

The **sanitation** department doubled the littering fine. 학평
위생부는 쓰레기 투기 벌금을 두 배로 올렸다.

➕ **sanitary** 형 위생적인 **sanitate** 동 위생적으로 하다 **sanitizer** 명 살균제

1187 ☐☐☐

terminate

[tə́:rməneit]

동 끝내다, 종결시키다

Insects are always present, since the tropical forest never has a frost that will **terminate** them. 학평
열대 삼림에는 곤충이 늘 존재하는데, 이는 그들을 **끝내버릴** 혹한이 절대 없기 때문이다.

➕ **terminal** 명 종착역, 터미널 형 끝의, 말기의 **termination** 명 종료
🟰 **end, conclude, finish**

1188 ☐☐☐

intelligible

[intélədʒəbəl]

형 이해할 수 있는, 알기 쉬운

Administrators needed a lexicon that was mutually **intelligible** by literate and nonliterate parties. 수능
통치자들은 읽고 쓸 줄 아는 집단과 문맹 집단 간 상호 **이해할 수 있는** 어휘가 필요했다.

1189 ☐☐☐

camouflage

[kǽməflɑ:ʒ]

명 위장 동 위장하다, 감추다

Locusts are born with coloring designed for **camouflage**. 모평
메뚜기는 **위장**을 위해 의도된 색상을 지닌 채 태어난다.

🟰 **disguise, cover** 🔲 **reveal** 동 드러내다, 폭로하다

30 DAY

1190 ☐☐☐

entrust

[intrʌ́st]

동 (임무·금전 등을) 맡기다, 위임하다

Dad **entrusted** me with his movie projector. (모평)

아버지가 자신의 영사기를 나에게 **맡겼다**.

1191 ☐☐☐

displace

[displéis]

동 대체하다, 대신하다

The telescope did not **displace** laborers in large numbers — instead, it enabled us to perform new tasks. (학평)

망원경은 많은 수의 노동자들을 **대체하지** 않았고, 대신 우리가 새로운 일들을 수행할 수 있도록 했다.

➕ **displacement** 명 대체, 이동, 파면

🟰 replace, take the place of

1192 ☐☐☐

prolific

[prəlífik]

형 다작하는, 다산하는, 먹이가 풍부한

Edwin Armstrong is often considered the most **prolific** inventor in radio history. (모평)

에드윈 암스트롱은 흔히 라디오의 역사상 가장 **다작한** 발명가로 여겨진다.

🟰 productive, fertile, fruitful ⬛ infertile 형 불모의, 불임의

1193 ☐☐☐

sheer

[ʃiər]

형 순전한, 순수한

By **sheer** habit, we fixate on the words people say, while also thinking about what we'll say next. (학평)

순전한 습관으로, 우리는 사람들이 하는 말에 집중하면서도 다음에 무슨 말을 할지 생각한다.

🟰 utter, pure ⬛ moderate 형 보통의, 중간의

1194 ☐☐☐

bypass

[báipɑːs]

동 건너뛰다, 우회하다 명 우회 도로

If you're concerned with producing the right answers, you'll **bypass** the germinal phase of the creative process. (학평)

만약 당신이 정답을 내는 것에 관심이 있다면, 창의적 과정의 초기 단계를 **건너뛸** 것이다.

1195 ☐☐☐

diploma

[diplóumə]

명 졸업장, 학위 (증서)

Tammy was able to earn her high school **diploma**. (모평)

Tammy는 고등학교 **졸업장**을 얻을 수 있었다.

1196 ☐☐☐

transparent

[trænspǽrənt]

혱 투명한, 명백한

Many deep sea animals have **transparent** bodies that can be seen through. (교과서)

많은 심해 동물들은 속이 들여다보이는 **투명한** 몸통을 가지고 있다.

➕ **transparency** 몡 투명도

⊟ clear, obvious   ⊠ opaque 혱 불투명한, 불분명한

1197 ☐☐☐

synchronize

[síŋkrənaiz]

됭 동시에 움직이다, 동시성을 가지다

The flocks that birds form often move very quickly in a highly **synchronized** fashion. (학평)

새들이 형성하는 무리는 종종 매우 **동시에 움직이는** 방식으로 아주 빠르게 이동한다.

➕ **synchronous** 혱 동시 발생하는   **synchronization** 몡 동기화

1198 ☐☐☐

crave

[kreiv]

됭 갈망하다, 열망하다

Research finds that consumers **crave** more information on harmful ingredients in products. (학평)

연구는 소비자들이 제품의 해로운 성분에 대한 더 많은 정보를 **갈망한다는** 것을 발견한다.

⊟ desire, long for

1199 ☐☐☐

reconcile

[rékənsail]

됭 화해하다, 조화시키다

If an apology is not accepted, leave the door open for if and when he wishes to **reconcile**. (학평)

만약 사과가 받아들여지지 않는다면, 혹시라도 그가 **화해하기를** 원할 수도 있으니 문을 열어두세요.

➕ **reconciliation** 몡 화해, 조화

⊟ resolve, reunite

1200 ☐☐☐

seize

[siːz]

됭 잡다, 빼앗다

Humans are deeply sociable creatures, and will **seize** the chance to help others. (학평)

인간은 철저히 사회적인 존재이고, 다른 사람들을 도울 기회를 **잡으려** 할 것이다.

➕ **seizure** 몡 압수, 장악, (병의) 발작

⊟ grab, grip, grasp

30 DAY

Daily Quiz

영어는 우리말로, 우리말은 영어로 쓰세요.

01	characterize	_____	11	순환하다, 유포시키다	_____
02	sanitation	_____	12	화해하다, 조화시키다	_____
03	private	_____	13	자기 성찰적인	_____
04	carve	_____	14	장학금, 학문	_____
05	portrait	_____	15	보호하다, 지키다	_____
06	intertwine	_____	16	중급의, 중간의, 중급자	_____
07	bypass	_____	17	대체하다, 대신하다	_____
08	claim	_____	18	투명한, 명백한	_____
09	temporal	_____	19	먹다 남은, 잔재	_____
10	intelligible	_____	20	인기 있는, 일반적인	_____

다음 빈칸에 들어갈 가장 알맞은 것을 박스 안에서 고르세요.

> industrial   camouflage   obvious   occupy   sheer

21 Remember not to _____ one place for too long in the fitness room.
체력 단련실에서 한 장소를 너무 오랫동안 차지하지 않을 것을 기억하세요.

22 Today, the _____ economy is changing into a knowledge economy based on science and technology.
오늘날, 산업 경제는 과학과 기술에 기반을 둔 지식 경제로 바뀌고 있다.

23 Sometimes, the meaning of analogies may not be _____.
때때로, 비유의 의미는 분명하지 않을 수 있다.

24 Locusts are born with coloring designed for _____.
메뚜기는 위장을 위해 의도된 색상을 지닌 채 태어난다.

25 By _____ habit, we fixate on the words people say, while also thinking about what we'll say next.
순전한 습관으로, 우리는 사람들이 하는 말에 집중하면서도 다음에 무슨 말을 할지 생각한다.

| sta | 서다, 세우다 |

withstand
동 견디다, 저항하다

▶ with[떨어져] + sta(nd)[서다] → 떨어져 서서 저항하며 견디다

Build the road strong enough to **withstand** spring floods. (학평)
도로를 봄의 홍수에 **견딜** 수 있을 만큼 튼튼하게 지어라.

stance
명 태도, 입장, 자세

▶ sta[서다] + (a)nce[명·접] → 한 쪽에 서서 취하는 태도

The sense of tone in another's voice gives us information about her **stance** toward life. (수능)
다른 사람의 목소리에 담긴 어조의 느낌은 우리에게 삶에 대한 그 사람의 **태도**에 관한 정보를 준다.

standard
명 기준, 표준 **형** 일반적인, 보통의

▶ sta(nd)[서다] + ard[명·접] → 움직이지 않고 서 있는 기준

Match your interest to the social **standard**. (학평)
당신의 관심을 사회적 **기준**에 맞추어라.

static
형 고정된, 고정적인

▶ sta(t)[서다] + ic[형·접] → 움직이지 않고 가만히 서 있는, 즉 고정된

The complaint that immigrants take people's jobs is based on an erroneously **static** view of the world. (학평)
이민자들이 사람들의 일자리를 앗아간다는 불평은 잘못 **고정된** 세계관에 근거한 것이다.

stable
형 안정적인, 차분한

▶ sta[서다] + ble[할 수 있는] → 계속 서 있을 수 있는, 즉 안정적인

I needed to have a more **stable** job after having a family, so I decided to quit acting. (학평)
나는 가정을 꾸린 후에 더 **안정적인** 직업을 가져야 했기 때문에, 연기를 그만두기로 결심했다.

DAY
31

MP3 바로 듣기

최빈출 단어

1201 ☐☐☐

influence
[ínfluəns]

통 영향을 미치다 명 영향(력)

What you think **influences** what you do. (학평)
당신이 생각하는 것은 당신이 하는 것에 **영향을 미친다**.

➕ **influential** 형 영향력 있는
🟰 affect

Tips | 시험에는 이렇게 나온다
have an influence on ~에 영향을 끼치다　　**under the influence of** ~의 영향 아래
have influence over[with] ~을 좌우하는 힘이 있다

1202 ☐☐☐

contact
[ká:ntækt]

통 연락하다, 접촉하다 명 연락, 접촉

For more information or to register, **contact** Dave. (학평)
더 많은 정보를 원하거나 등록하려면, Dave에게 **연락하세요**.

🟰 call, reach, approach

1203 ☐☐☐

sweep
[swi:p]

통 쓸다, 청소하다

I'll **sweep** and wipe my room until it's shiny. (학평)
나는 내 방이 반짝반짝 빛날 때까지 **쓸고** 닦을 것이다.

➕ **sweeping** 형 휩쓰는, 광범위한
🟰 brush, clean

1204 ☐☐☐

aspect
[ǽspekt]

명 측면, 양상, 관점

One of the most important **aspects** of green products
should be durability. (학평)
저공해 상품의 가장 중요한 **측면** 중 하나는 내구성이어야 한다.

🟰 feature, factor

promote

[prəmóut]

통 증진하다, 홍보하다, 승진시키다

The event is held every year to promote students' interest in science. (모평)

그 행사는 과학에 대한 학생들의 관심을 **증진하기** 위해 매년 열린다.

➕ **promotion** 명 증진, 홍보, 승진 **promotional** 형 홍보의, 판촉의

trigger

[trígər]

통 유발하다, 촉발하다, 쏘다 명 계기, 방아쇠

Food allergies can trigger certain reactions in your body. (학평)

음식 알레르기는 당신의 몸에 특정 반응을 **유발할** 수 있다.

🟰 cause, provoke

contract

통[kəntrǽkt]
명[káːntrækt]

통 수축하다, 계약하다 명 계약(서)

Fast muscle fibers are cells that can contract more quickly and powerfully than slow muscle fibers. (수능)

속근섬유는 지근섬유보다 더 빠르고 강하게 **수축할** 수 있는 세포이다.

➕ **contraction** 명 수축 **contractive** 형 수축성의

Tips

시험에는 이렇게 나온다

contract에는 '(병에) 걸리다'라는 뜻도 있다는 점을 알아두세요.
During his stay in Egypt he contracted a strange illness. (수능)
이집트에 머무는 동안 그는 이상한 병에 걸렸다.

potential

[pəténʃəl]

명 잠재력, 가능성 형 잠재적인, 가능성 있는

The growth potential of the company is really great. (모평)

그 회사의 성장 **잠재력**은 정말 크다.

➕ **potentially** 부 잠재적으로, 가능성 있게 **potent** 형 유력한, 영향력 있는
🟰 ability, capability

colony

[káːləni]

명 집단, 식민지

Ants carry off dead members of the colony to burial grounds. (모평)

개미는 **집단**의 죽은 개체를 매장지로 운반한다.

➕ **colonial** 형 식민지의 **colonize** 통 식민지화하다 **colonization** 명 식민지화

1210 □□□

dominant

[dɑ́:mənənt]

형 우세한, 우성의, 지배적인 **명** 우세한 것

We humans, by cooperating with one another, have become the earth's dominant species. (학평)

우리 인간들은 서로 협력함으로써, 지구의 **우세한** 종이 되었다.

➕ dominate 图 지배하다, 우세하다 **dominance** 몡 우월, 우세, 우성
domination 몡 지배, 우세

➖ main, primary, prominent **⊟ minor** 톙 하찮은, 작은 **recessive** 톙 열성의

1211 □□□

imitate

[ímiteit]

동 모방하다, 본뜨다, 흉내 내다

When a team member displays a strong work ethic and begins to have a positive impact, others imitate him. (학평)

팀의 한 구성원이 강한 직업 윤리 의식을 보여주어 긍정적인 영향을 미치기 시작하면, 다른 사람들이 그를 **모방한다**.

➕ imitation 몡 모조품, 모방 **imitative** 톙 모방적인
➖ copy, simulate

Tips | **주의해야 할 혼동어**
imitate와 철자가 비슷한 initiate에 주의하세요! initiate는 '시작하다', '일으키다'를 의미하는 단어예요.

1212 □□□

council

[káunsəl]

명 의회, 협의회

The local council has taken to switching off all the streetlights at night. (학평)

지방 **의회**는 밤에 모든 가로등을 끄기 시작했다.

➖ committee, assembly

Tips | **주의해야 할 혼동어**
council과 철자가 비슷한 counsel에 주의하세요! counsel은 '조언', '충고', '상담하다'를 의미하는 단어예요.

1213 □□□

hesitate

[héziteit]

동 주저하다, 망설이다

Do not hesitate to ask people to speak slowly or to repeat themselves. (학평)

사람들에게 천천히 말하게 하거나 반복해서 말하도록 요청하기를 **주저하지** 마라.

➕ hesitant 톙 주저하는, 망설이는 **hesitation** 몡 주저, 망설임
hesitancy 몡 주저, 망설임

1214 □□□

admission

[ədmíʃən]

명 입장(료), 입학, 가입

Admission and parking are free. (모평)

입장료와 주차는 무료입니다.

✚ **admit** 동 입장을 허락하다, 인정하다　**admissive** 형 입장의, 입장시키는

1215 □□□

leak

[liːk]

동 새다, 누설하다　명 새는 곳, 누설

Our ship began to leak. (학평)

우리 배에 물이 **새기** 시작했다.

✚ **leakage** 명 누출, 누설

빈출 단어

1216 □□□

holy

[hóuli]

형 경건한, 신성한

They wanted to lead as holy lives as the great people of old. (학평)

그들은 과거의 위대한 사람들처럼 **경건한** 삶을 살고 싶어 했다.

🟰 **sacred**　↔ **sinful** 형 죄 많은, 죄가 되는

1217 □□□

accordingly

[əkɔ́ːrdiŋli]

부 (그에) 따라서, 부응해서

The key is to learn what your baby needs and respond accordingly. (학평)

핵심은 당신은 아기가 필요로 하는 것을 습득하고 **그에 따라서** 반응하는 것이다.

✚ **accord** 동 일치하다, 조화하다　명 일치, 합의　**according to** ~에 따르면

🟰 **consequently, therefore**

Tips 　│ **시험에는 이렇게 나온다**

│ accordingly는 때때로 앞 문장과 뒷 문장을 이어주는 접속부사로 사용돼요. 이때 accordingly는
│ '따라서', '그런 이유로'를 의미하기 때문에 뒷 문장이 앞 문장의 '결론'을 나타내요.

1218 □□□

broaden

[brɔ́ːdn]

동 넓히다, 넓어지다, 퍼지다

The program will help me broaden my knowledge. (학평)

그 프로그램은 나의 지식을 **넓히는** 데 도움이 될 것이다.

✚ **broad** 형 넓은, 광범위한

🟰 **expand, widen**　↔ **restrict** 동 제한하다, 방해하다

leisurely

[líːʒərli]

형 여유로운, 한가한, 느긋한

An older man spent a **leisurely** afternoon shopping at the mall. (학평)

한 나이 든 남자가 쇼핑몰에서 쇼핑을 하며 **여유로운** 오후를 보냈다.

➕ **leisure** 명 여가, 한가함

secondhand

[sèkəndhǽnd]

형 중고의, 간접적인 부 중고로, 간접적으로

There are many websites dealing with **secondhand** furniture. (학평)

중고 가구를 취급하는 많은 웹 사이트들이 있다.

shiver

[ʃívər]

동 (몸을) 떨다 명 전율, 몸서리, 오한

We began to **shiver** at the sense of dread. (학평)

우리는 두려움에 **떨기** 시작했다.

➕ **shivering** 명 몸의 떨림, 전율   **shivery** 형 (몸을) 떠는
🟰 tremble, shake

disposal

[dispóuzəl]

명 처리, 처분, 배치

Environmentalists argue that no system of waste **disposal** can be absolutely safe. (모평)

환경론자들은 어떤 쓰레기 **처리** 시스템도 절대적으로 안전할 수는 없다고 주장한다.

➕ **dispose** 동 폐기하다, 처리하다, 배치하다
🟰 dumping

toxic

[táːksik]

형 독성의, 유독한

Toxic particles in cigarette smoke can remain on nearby surfaces. (학평)

담배 연기의 **독성** 입자들은 근처 표면에 남아 있을 수 있다.

🟰 poisonous, harmful

painkiller

[péinkìlər]

명 진통제

If the pain doesn't go away, take these **painkillers**. (학평)

통증이 사라지지 않는다면, 이 **진통제**를 복용하세요.

1225 □□□

vicious

[víʃəs]

형 공격적인, 지독한, 타락한

The ants swarm out of their homes and attack with **vicious** stings. (학평)

개미들이 그들의 집에서 떼를 지어 나와 **공격적인** 침을 쏘며 덤벼든다.

➕ **viciously** 〔부〕 맹렬하게, 악랄하게 **vice** 〔명〕 악덕, 범죄

🟰 cruel, malicious ◀▶ gentle 〔형〕 온화한, 순한

1226 □□□

formidable

[fɔ́ːrmidəbl]

형 감당할 수 없는, 어마어마한

When people who resist are ignored or pushed aside, they become a **formidable** opposition. (학평)

저항하는 사람들이 무시당하고 배제될 때, 그들은 **감당할 수 없는** 적대 세력이 된다.

➕ **formidability** 〔명〕 무서움, 어마어마함

🟰 tremendous

1227 □□□

testimony

[téstəmouni]

명 증언, 증거

The historian works with what is left behind, such as oral **testimony**, to make the past come alive. (학평)

역사가는 과거를 생생하게 표현하기 위해 구술 **증언**과 같이 후세에 남겨진 것들을 가지고 작업한다.

➕ **testimonial** 〔명〕 추천장

🟰 proof, evidence, statement

1228 □□□

misunderstand

[mìsʌndərstǽnd]

동 오해하다

He **misunderstood** the needs of his customers. (학평)

그는 고객들의 요구를 **오해했다**.

➕ **misunderstanding** 〔명〕 오해, 착오

🟰 misinterpret, misread

1229 □□□

collide

[kəláid]

동 충돌하다, 부딪치다

Billiard balls rolling around the table **collide** and affect each other's trajectories. (모평)

당구대에 굴러다니는 당구공들은 **충돌하여** 서로의 궤도에 영향을 미친다.

➕ **collision** 〔명〕 충돌

🟰 crash, conflict

1230 □□□

viewpoint

[vjú:pɔint]

명 관점, (무엇을 바라보는) 방향

Your **viewpoints** are favored above others. 학평

당신의 **관점들**이 다른 것들보다 선호된다.

🔁 perspective, point of view

1231 □□□

equate

[ikwéit]

동 동일시하다, 일치하다

There are still millions of people who **equate** success with money and power. 학평

성공을 돈 그리고 권력과 **동일시하는** 사람들이 아직도 수백만 명이 있다.

➕ **equation** 명 동일시, 방정식 **equator** 명 적도
🔁 identify

1232 □□□

lodge

[lɑ:dʒ]

명 오두막, 산장 동 (반대·이의 등을) 제기하다

I'm looking at a brochure about popular forest **lodges**. 모평

나는 인기 있는 숲속 **오두막**에 대한 안내 책자를 보고 있다.

1233 □□□

skeleton

[skélətn]

명 골격, 뼈대, 해골

The dinosaur **skeleton** has remained untouched in the field for millions of years. 학평

공룡의 **골격**이 수백만 년 동안 훼손되지 않고 들판에 남아 있었다.

➕ **skeletal** 형 뼈대의, 해골 같은

1234 □□□

shipment

[ʃípmənt]

명 운송, 수송(품)

The damage occurred during the **shipment** from the furniture manufacturer to our warehouse. 학평

그 손상은 가구 제조사에서 우리 창고로의 **운송** 도중에 발생했다.

1235 □□□

compelling

[kəmpéliŋ]

형 설득력 있는, 강제적인

Your political preference determines the arguments that you find **compelling**. 학평

당신의 정치적 선호는 당신이 **설득력 있다고** 여기는 주장을 결정한다.

🔁 convincing

1236 ☐☐☐

haunting

[hɔːnt]

형 뇌리를 떠나지 않는, 잊을 수 없는

With the **haunting** quality of the imagery, media has given us the feeling that we are fragile creatures. (모평)

뇌리를 떠나지 않는 영상의 특성을 이용하여, 매체는 우리가 연약한 생명체라는 느낌을 가지게 했다.

➕ **haunt** 동 뇌리를 떠나지 않다, 자주 드나들다　**haunted** 형 귀신이 나오는, 겁에 질린

1237 ☐☐☐

thrust

[θrʌst]

동 내밀다, 밀치다, 찌르다　**명** 밀침, 습격, 취지

Chris instantly stepped forward and **thrust** out his hand to receive a congratulatory handshake. (학평)

Chris는 즉시 앞으로 나와 축하의 악수를 받기 위해 손을 **내밀었다**.

➕ **thrusting** 형 자기주장이 강한, 공격적인

1238 ☐☐☐

constrain

[kənstréin]

동 제약을 주다, 강요하다, 억누르다

We are **constrained** by the scarcity of resources, including the limited availability of time. (학평)

이용 가능한 시간의 제한을 포함하여, 우리는 자원의 부족에 의한 **제약을 받는다**.

➕ **constraint** 명 제약, 통제

🟰 restrict, confine, restrain

1239 ☐☐☐

cynical

[sínikəl]

형 냉소적인, 빈정대는, 비꼬는

"Our houses are basically garbage-processing centers," said one **cynical** comedian. (학평)

"우리들의 집은 기본적으로 쓰레기 처리장이에요,"라고 한 **냉소적인** 코미디언이 말했다.

➕ **cynically** 부 냉소적으로　**cynic** 명 냉소가, 비꼬는 사람

🟰 skeptical

1240 ☐☐☐

incessant

[insésnt]

형 끊임없는, 쉴 새 없는

After **incessant** trading on the website, Ortiz finally turned his worn-out phone into a luxury used car. (학평)

웹 사이트에서의 **끊임없는** 거래 후에, Ortiz는 마침내 자신의 낡은 휴대폰을 고급 중고차로 바꿨다.

➕ **incessantly** 부 끊임없이, 쉴 새 없이

🟰 constant, continual, ceaseless

31 DAY

Daily Quiz

영어는 우리말로, 우리말은 영어로 쓰세요.

01	leisurely	_____	11	연락하다, 연락, 접촉	_____
02	viewpoint	_____	12	운송, 수송(품)	_____
03	constrain	_____	13	끊임없는, 쉴 새 없는	_____
04	hesitate	_____	14	증언, 증거	_____
05	formidable	_____	15	입장(료), 입학, 가입	_____
06	compelling	_____	16	오두막, 산장	_____
07	leak	_____	17	수축하다, 계약(서)	_____
08	sweep	_____	18	잠재력, 잠재적인	_____
09	imitate	_____	19	골격, 뼈대, 해골	_____
10	collide	_____	20	공격적인, 지독한, 타락한	_____

다음 빈칸에 들어갈 가장 알맞은 것을 박스 안에서 고르세요.

accordingly	equate	trigger	cynical	dominant

21 "Our houses are basically garbage-processing centers," said one _____ comedian.
"우리들의 집은 기본적으로 쓰레기 처리장이에요,"라고 한 냉소적인 코미디언이 말했다.

22 There are still millions of people who _____ success with money and power.
성공을 돈 그리고 권력과 동일시하는 사람들이 아직도 수백만 명이 있다.

23 We humans, by cooperating with one another, have become the earth's _____ species.
우리 인간들은 서로 협력함으로써, 지구의 우세한 종이 되었다.

24 The key is to learn what your baby needs and respond _____.
핵심은 당신은 아기가 필요로 하는 것을 습득하고 그에 따라서 반응하는 것이다.

25 Food allergies can _____ certain reactions in your body.
음식 알레르기는 당신의 몸에 특정 반응을 유발할 수 있다.

정답
01 여유로운, 한가한, 느긋한 02 관점, (무엇을 바라보는) 방향 03 제약을 주다, 강요하다, 억누르다 04 주저하다, 망설이다
05 감당할 수 없는, 어마어마한 06 설득력 있는, 강제적인 07 새다, 누설하다, 새는 곳, 누설 08 쓸다, 청소하다 09 모방하다, 본뜨다, 흉내 내다
10 충돌하다, 부딪치다 11 contact 12 shipment 13 incessant 14 testimony 15 admission 16 lodge 17 contract
18 potential 19 skeleton 20 vicious 21 cynical 22 equate 23 dominant 24 accordingly 25 trigger

cept/ceive/cupy   잡다, 취하다

concept   명 개념, 관념

▶ con[모두] + cept[잡다] ➜ 모두 잡아서 관념화한 개념

Students were presented with problems that required them to apply a mathematical **concept**. (학평)

학생들에게 수학적 **개념**을 적용하기를 요구하는 문제들이 제시되었다.

misconception   명 오해, 잘못된 생각

▶ mis[잘못된] + con[모두] + cept[잡다] + ion[명·접] ➜ 모두 잘못 잡아 생긴 오해

It is a common **misconception** that individualism means isolation. (학평)

개인주의가 고립을 의미한다는 것은 흔한 **오해**이다.

deceive   동 속이다, 사기 치다

▶ de[떨어져] + ceive[취하다] ➜ 취하여 떨어져 도망가다, 즉 속이다

He thought his fancy must have **deceived** him. (학평)

그는 자신의 상상이 자신을 **속인** 것이 분명하다고 생각했다.

perceive   동 인지하다, 이해하다

▶ per[완전히] + ceive[잡다] ➜ 완전히 개념을 잡아 인지하다

People from different cultures **perceive** expressions in different ways. (학평)

다른 문화권의 사람들은 다른 방식으로 표현들을 **인지한다**.

occupy   동 거주하다, 차지하다, 점거하다

▶ oc[향하여] + cupy[취하다] ➜ 그곳을 향하여 원하는 것을 취하여 살다, 즉 거주하다

There is no tenant **occupying** an apartment. (학평)

아파트에 **거주하고** 있는 세입자가 없다.

MP3 바로 듣기

최빈출 단어

1241 ☐☐☐

accept

[æksépt]

동 받아들이다, 수락하다

She would not allow herself to accept defeat. (학평)

그녀는 스스로 패배를 **받아들이는** 것을 용납하지 않으려 했다.

➕ acceptance 명 수락, 승인   acceptable 형 받아들일 수 있는

🟰 admit   ↔ reject 동 거절하다, 거부하다   refuse 동 거절하다, 거부하다

1242 ☐☐☐

direct

[dirékt]

형 직접적인   동 감독하다, 지휘하다, ~로 향하다

When farmers have direct access to consumers, they can keep more of each dollar earned from a sale. (학평)

농부들이 소비자에게로의 **직접적인** 접근권이 있으면, 그들은 판매를 통해 얻어지는 돈을 더 많이 가질 수 있다.

➕ direction 명 방향

1243 ☐☐☐

assume

[əsúːm]

동 추정하다, 가정하다, (책임을) 지다

Because dogs are so good at using their noses, we assume that they can smell anything. (수능)

개는 코를 사용하는 데 아주 능숙하기 때문에, 우리는 그들이 무엇이든 냄새를 맡을 수 있다고 **추정한다**.

➕ assumption 명 추정, 가정

🟰 presume, expect

1244 ☐☐☐

objective

[əbdʒéktiv]

형 객관적인   명 목적, 목표

My decision not to eat meat is rational and based on objective research. (교과서)

고기를 먹지 않기로 한 나의 결정은 합리적이며 **객관적인** 연구에 기반을 두고 있다.

🟰 unbiased, impartial   ↔ subjective 형 주관적인

1245 ☐☐☐

relieve

[rilíːv]

통 완화하다, 경감하다, 안심시키다

Hobbies are a great way to relieve our stress. 모평
취미는 우리의 스트레스를 **완화하기** 위한 좋은 방법이다.

⊕ relief 명 완화, 안도

目 ease, alleviate, soothe   ⊠ intensify 통 심해지다, 강화하다

Tips 시험에는 이렇게 나온다

relieve는 명사 stress와 함께 'relieve stress(스트레스를 완화하다)'의 형태로 자주 사용돼요.

1246 ☐☐☐

reserve

[rizə́ːrv]

통 예약하다, 보존하다, 비축하다 명 비축(물)

We need to reserve the cabin online. 학평
우리는 온라인으로 객실을 **예약해야** 한다.

⊕ reservation 명 예약   reservoir 명 저수지, 저장

目 book

Tips 시험에는 이렇게 나온다

reserve는 'reserve a ticket(표를 예약하다)', 'reserve a room(방을 예약하다)' 등의 형태로
자주 나와요.

1247 ☐☐☐

neighborhood

[néibərhud]

명 근처, 이웃 (사람들)

Her family recently moved into the neighborhood. 모평
그녀의 가족은 최근에 **근처**로 이사 왔다.

⊕ neighbor 명 이웃 사람 형 이웃의

1248 ☐☐☐

flat

[flæt]

형 평평한, 납작한 명 아파트

A flat screen is just a screen with no curve at all. 학평
평평한 화면은 그저 곡면이 전혀 없는 화면일 뿐이다.

目 even, level   ⊠ uneven 형 평평하지 않은, 고르지 않은

1249 ☐☐☐

stroke

[strouk]

명 (글씨·그림 등의) 획, 뇌졸중, 일격 통 쓰다듬다

Xia Gui painted rapidly, using short and sharp strokes
of the brush. 학평
하규는 붓의 짧고 날카로운 **획**을 사용하여 빠르게 그림을 그렸다.

1250 □□□

notion

[nóuʃən]

명 관념, 개념, 생각

Most of you are familiar with the romantic notion of "Love at first sight." (학평)

여러분 대부분은 "첫눈에 반한 사랑"이라는 낭만적인 **관념**에 익숙하다.

⊕ notional 형 관념적인, 개념상의
目 idea, opinion, belief

1251 □□□

illusion

[ilúːʒən]

명 착각, 환각, 환상

An illusion about time is a common trait of hypnotic states. (학평)

시간에 대한 **착각**은 최면 상태의 일반적인 특징이다.

⊕ illusory 형 착각을 일으키는, 환상에 불과한
目 fantasy

1252 □□□

subtle

[sʌ́tl]

형 미묘한, 교묘한

By contrasting light and dark, Rembrandt created subtle moods on canvas. (학평)

빛과 어둠을 대조함으로써, 렘브란트는 캔버스에 **미묘한** 분위기를 자아냈다.

目 faint, slight   目 obvious 형 분명한, 명백한

1253 □□□

trace

[treis]

동 찾아내다, 추적하다   **명** 흔적, 자취

Unable to trace his previous owner, they kept the dog and called him Toby. (학평)

이전 주인을 **찾아낼** 수 없어서, 그들은 그 개를 키웠고 그를 Toby라고 불렀다.

⊕ traceable 형 추적할 수 있는   **trace back to** ~로 거슬러 올라가다
目 track, find, detect

1254 □□□

subjective

[səbdʒéktiv]

형 주관적인

It is not only beliefs, attitudes, and values that are subjective. (학평)

주관적인 것은 믿음, 태도, 가치뿐만이 아니다.

⊕ subjectively 부 주관적으로, 개인적으로   **subjectivity** 명 주관성, 주관적임
目 prejudiced, biased   目 objective 형 객관적인 명 목적, 목표

1255 ☐☐☐

elect

[ilékt]

🔵 선출하다, 선택하다

When she was in high school, she was **elected** class president a couple of times. 교과서

고등학교에 다녔을 때, 그녀는 학급 회장으로 두어 번 **선출되었다**.

➕ election 📎 선거, 당선 electoral 📎 선거의 electorate 📎 유권자
🟰 choose, pick

Tips

> **시험에는 이렇게 나온다**
> elect의 명사형인 election은 '선거', '당선'을 의미하며 수능에 자주 나와요.
> **You'll be a great help with the election.** 당신은 선거에 큰 도움이 될 것입니다. 수능

빈출 단어

1256 ☐☐☐

investigate

[invéstigeit]

🔵 조사하다, 수사하다

A professor **investigated** the downside of spreading malicious gossip. 학평

한 교수는 퍼지고 있는 악의적인 소문의 이면을 **조사했다**.

➕ investigation 📎 조사, 수사
🟰 examine, study, research

1257 ☐☐☐

adolescent

[ædəlésnt]

📎 청소년 📎 청년기의

It is normal for **adolescents** to be extremely preoccupied with how they look. 학평

청소년들이 자신이 어떻게 보이는지에 극도로 몰두하는 것은 정상이다.

➕ adolescence 📎 청소년기

1258 ☐☐☐

nationwide

[nèiʃənwáid]

📎 전국적인 📎 전국적으로

The photographer could gain **nationwide** fame. 학평

그 사진작가는 **전국적인** 명성을 얻을 수 있었다.

🟰 national, countrywide

1259 ☐☐☐

torch

[tɔːrtʃ]

📎 횃불, 손전등 🔵 방화하다

He took a **torch** and walked around the stable. 교과서

그는 **횃불**을 들고 마구간 주변을 걸었다.

1260 □□□

coherent

[kouhíərənt]

형 일관성 있는, 논리정연한

Einstein's unified field theory describes nature's forces within a single, **coherent** framework. (모평)

아인슈타인의 통일장 이론은 하나의 **일관성 있는** 체계 안에서 자연의 힘을 설명한다.

➕ cohere 통 일관성이 있다 **coherence** 명 일관성
➖ consistent ✖ incoherent 형 일관성이 없는 **inconsistent** 형 모순된

1261 □□□

anthropology

[ὰnθrəpάːlədʒi]

명 인류학

Social science includes the departments of **anthropology**, economics, politics, and sociology. (학평)

사회과학은 **인류학**, 경제학, 정치학, 사회학 분야를 포함한다.

➕ anthropological 형 인류학의 **anthropologist** 명 인류학자

1262 □□□

rob

[rɑːb]

통 털다, 도둑질하다

The man in the black jacket has **robbed** the bank. (모평)

검은 재킷을 입은 남자가 은행을 **털었다**.

➕ robbery 명 강도(질) **robber** 명 강도 **rob A of B** A에게서 B를 강탈하다
➖ steal, deprive

1263 □□□

slave

[sleiv]

명 노예 통 노예처럼 일하다

During the Civil War, President Abraham Lincoln freed the **slaves**. (교과서)

남북전쟁 동안, 에이브러햄 링컨 대통령은 **노예들**을 해방했다.

➕ slavery 명 노예 제도, 노예 신분
➖ servant ✖ freeman 명 자유인

1264 □□□

sacred

[séikrid]

형 신성한, 성스러운, 종교적인

The Thais consider their king **sacred**, so stepping on his image is unforgivable. (학평)

태국인들은 그들의 왕을 **신성하게** 여기기 때문에, 그의 사진을 밟는 것은 용서될 수 없다.

➖ holy, divine, religious ✖ secular 형 세속적인

1265 ☐☐☐

oblige

[əbláidʒ]

§ 강요하다, 의무적으로 ~하게 하다, 베풀다

The country adopted a national time and **obliged** its population to live according to an artificial clock. (학평)

그 나라는 국가적 시간을 채택했고, 국민들에게 그 인위적인 시간에 따라 살도록 **강요했다**.

⊕ obligation 명 의무 **obligatory** 형 의무적인 **be obliged to** 어쩔 수 없이 ~해야 하다

≡ compel, force, constrain

1266 ☐☐☐

geology

[dʒiá:lədʒi]

명 지질학, 지질학적 특징

Geology can explain the formation of the Ngorongoro Crater in Tanzania. (학평)

지질학은 탄자니아에 있는 응고롱고로 분화구의 형성을 설명할 수 있다.

⊕ geological 형 지질학의 **geologist** 명 지질학자

1267 ☐☐☐

orbit

[ɔ́:rbit]

명 궤도, 영향권 **동** 궤도를 돌다

America's National Aeronautics and Space Administration put chimpanzees into **orbit** in 1959. (학평)

미국 항공 우주국은 1959년에 침팬지들을 **궤도**로 보냈다.

⊕ orbital 형 궤도의

1268 ☐☐☐

subsidy

[sʌ́bsədi]

명 (국가·기관의) 보조금, 장려금

Losing your job means losing your home, as there are few public **subsidies** for rent. (학평)

직장을 잃는 것은 집을 잃는 것을 의미하는데, 이는 임대료에 대한 공공 **보조금**이 거의 없기 때문이다.

⊕ subsidize 동 보조금을 주다

1269 ☐☐☐

evade

[ivéid]

동 피하다, 모면하다

Some wealthy members of the community continually find ways to **evade** paying taxes. (학평)

지역 사회의 몇몇 부유한 구성원들은 계속해서 세금 납부를 **피하기** 위한 방법을 찾는다.

⊕ evasion 명 회피, 모면 **evasive** 형 회피적인

≡ avoid, escape

1270 ☐☐☐

sympathy

[símpəθi]

명 동정(심), 연민, 동조

He had great **sympathy** for the poor Mexicans. (학평)
그는 가난한 멕시코인들에게 큰 **동정심**을 느꼈다.

➕ **sympathetic** 혱 동정하는, 동조하는　**sympathize** 동 동정하다, 동조하다
≡ compassion, pity

1271 ☐☐☐

condense

[kəndéns]

동 응축하다, 농축시키다, 압축하다

The water vapor in the clouds **condenses** on dust particles in the form of water drops. (교과서)
구름 속의 수증기는 물방울 형태로 먼지 입자들과 **응축한다**.

➕ **condensation** 명 응결, 압축

1272 ☐☐☐

foresee

[fɔːrsíː]

동 예상하다, 예견하다

Sometimes people interact with someone whom they do not **foresee** meeting again. (모평)
때때로 사람들은 다시 만나리라고 **예상하지** 못한 사람과 교류하게 된다.

➕ **foresight** 명 예견, 선견지명
≡ predict, forecast, foretell

1273 ☐☐☐

fraud

[frɔːd]

명 사기(꾼), 기만, 가짜

Cyber-related **fraud** is by far the most common form of crime that hits individuals. (학평)
사이버 관련 **사기**는 개개인을 공격하는 단연코 가장 흔한 형태의 범죄이다.

➕ **fraudulent** 혱 사기를 치는, 속이는
≡ deception, deceit　↔ honesty 명 정직

1274 ☐☐☐

comply

[kəmplái]

동 따르다, 준수하다

Failure to **comply** with any of the rules will disqualify the entry. (모평)
어떤 규칙이든 **따르지** 않음은 참가 자격을 박탈시킬 것이다.

➕ **compliance** 명 (법 등의) 준수, 승낙　**compliant** 혱 따르는, 순응하는
≡ obey, follow, abide by　↔ defy 동 거역하다, 반항하다

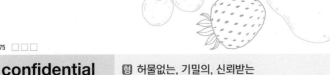

1275 ☐☐☐

confidential

[kὰ:nfədénʃəl]

圈 허물없는, 기밀의, 신뢰받는

Her father made her a **confidential** friend. (모평)
그녀의 아버지는 그녀에게 **허물없는** 친구가 되었다.

➕ confidentiality 圈 기밀성
🟰 intimate

1276 ☐☐☐

dreary

[dríəri]

圈 음울한, 따분한

The same **dreary** pattern seemed to be unfolding. (모평)
똑같은 **음울한** 양상이 펼쳐지고 있는 것 같았다.

🟰 dull, boring, tedious   ⬛ exciting 圈 신나는, 흥미진진한

1277 ☐☐☐

enlist

[inlíst]

图 요청하다, 입대하다, 징집하다

You need to **enlist** the help of others. (학평)
당신은 다른 사람들의 도움을 **요청할** 필요가 있다.

➕ enlistment 圈 입대, 모병

1278 ☐☐☐

dignity

[dígnəti]

圈 위엄, 품위, 존엄성

Treat every person you encounter with **dignity**. (학평)
당신이 마주치는 모든 사람을 **위엄**을 갖추어 대하라.

➕ dignify 图 위엄을 갖추다   dignified 圈 위엄 있는
🟰 majesty, nobility

1279 ☐☐☐

spectacle

[spéktəkl]

圈 장관, (굉장한) 구경거리

They say *Transformers* is a real **spectacle**. (학평)
사람들이 「트랜스포머」는 정말 **장관**이라고 한다.

➕ spectacular 圈 장관인, 극적인

1280 ☐☐☐

foremost

[fɔ́:rmoust]

圈 일류의, 가장 중요한, 맨 앞의

I witnessed an intelligence test given by the **foremost** trainers and behaviorists in the field. (학평)
나는 그 분야에서 **일류의** 훈련가와 행동주의자들에 의해 행해지는 지능 검사를 보았다.

🟰 supreme, leading, prime

Daily Quiz

영어는 우리말로, 우리말은 영어로 쓰세요.

01	adolescent	_____	11	신성한, 종교적인	_____
02	trace	_____	12	착각, 환각, 환상	_____
03	flat	_____	13	전국적인, 전국적으로	_____
04	subjective	_____	14	노예, 노예처럼 일하다	_____
05	rob	_____	15	일관성 있는, 논리 정연한	_____
06	foremost	_____	16	근처, 이웃 (사람들)	_____
07	oblige	_____	17	직접적인, 감독하다	_____
08	notion	_____	18	위엄, 품위, 존엄성	_____
09	accept	_____	19	궤도, 궤도를 돌다	_____
10	enlist	_____	20	미묘한, 교묘한	_____

다음 빈칸에 들어갈 가장 알맞은 것을 박스 안에서 고르세요.

torch	condense	objective	investigate	geology

21 The water vapor in the clouds _____(e)s on dust particles in the form of water drops.
구름 속의 수증기는 물방울 형태로 먼지 입자들과 응축한다.

22 He took a(n) _____ and walked around the stable.
그는 횃불을 들고 마구간 주변을 걸었다.

23 A professor _____(e)d the downside of spreading malicious gossip.
한 교수는 퍼지고 있는 악의적인 소문의 이면을 조사했다.

24 _____ can explain the formation of the Ngorongoro Crater in Tanzania.
지질학은 탄자니아에 있는 응고롱고로 분화구의 형성을 설명할 수 있다.

25 My decision not to eat meat is rational and based on _____ research.
고기를 먹지 않기로 한 나의 결정은 합리적이며 객관적인 연구에 기반을 두고 있다.

정답
01 청소년, 청년기의 02 찾아내다, 추적하다, 흔적, 자취 03 평평한, 납작한, 아파트 04 주관적인 05 털다, 도둑질하다 06 일류의, 가장 중요한, 맨 앞의
07 강요하다, 의무적으로 ~하게 하다, 베풀다 08 관념, 개념, 생각 09 받아들이다, 수락하다 10 요청하다, 입대하다, 징집하다 11 sacred
12 illusion 13 nationwide 14 slave 15 coherent 16 neighborhood 17 direct 18 dignity 19 orbit 20 subtle
21 condense 22 torch 23 investigate 24 Geology 25 objective

vent/ven 오다

convention   명 관습, 전통, 집회

▶ con[함께] + vent[오다] + ion[명·접] → 함께 와서 만들어낸 관습

There are no social **conventions** regulating our grief at the death of an animal. 학평

동물의 죽음에 대한 우리의 애도를 규제하는 사회적인 **관습**은 없다.

invent   동 발명하다

▶ in[안으로] + vent[오다] → 안으로 생각이 들어와 발명하다

No matter how many electronic wonders we **invent**, we will need to read. 수능

우리가 아무리 많은 놀라운 전자 기기들을 **발명할지라도**, 우리는 책을 읽어야 할 것이다.

avenue   명 길, 대로

▶ a[~쪽으로] + ven(ue)[오다] → 어느 쪽으로 오는 길 또는 대로

They came to an **avenue** that was darker than the rest. 교과서

그들은 다른 곳보다 더 어두운 **길**로 왔다.

revenue   명 수입, 세입

▶ re[다시] + ven(ue)[오다] → 대가로 다시 돌아오는 수입

They discussed the company's expenses and dwindling **revenue**. 수능

그들은 회사의 경비와 점점 줄어드는 **수입**에 대해 논의했다.

venture   명 모험 동 모험하다

▶ vent[오다] + ure[명·접] → 인생에서 내게 다가오는 모험

Young people can start their **venture** and lead social change. 교과서

젊은이들은 그들의 **모험**을 시작하여 사회적 변화를 이끌 수 있다.

32 DAY

DAY 33

최빈출 단어

1281 □□□

subject
[sʌ́bdʒikt]

명 대상, 주제, 과목 형 ~하기 쉬운

The artist may ask the **subject** to look serious while doing a portrait. (모평)
화가는 초상화를 그리는 동안 **대상**에게 진지한 표정을 짓도록 요청할 수도 있다.

➕ subjective 형 주관적인 　be subject to ~하기 쉽다

🟰 topic, issue

1282 □□□

insight
[ínsàit]

명 통찰(력), 이해

History can provide **insights** into current issues and problems. (학평)
역사는 최근 이슈와 문제들에 대한 **통찰력**을 제공할 수 있다.

➕ insightful 형 통찰력 있는

🟰 sense, perception

Tips | **시험에는 이렇게 나온다**
수능에서 insight는 'provide insights into(~에 대한 통찰력을 제공하다)'의 형태로 자주 사용돼요.

1283 □□□

career
[kəríər]

명 경력, 직업

She began her **career** as a teacher and went on to earn a master's degree in elementary education. (학평)
그녀는 교사로서의 **경력**을 시작했고 초등 교육에서 석사 학위를 받기 위한 공부를 계속했다.

🟰 occupation, vocation

Tips | **주의해야 할 혼동어**
career와 철자 및 발음이 비슷한 carrier에 주의하세요! '경력', '직업'을 뜻하는 career는 [커리어]라고 발음하고, '항공사', '수송 차량', '매개체'를 뜻하는 carrier는 [캐뤼어]라고 발음해요.

1284 ☐☐☐

progress

명[prá:gres]
동[prəgrés]

명 진전, 발전, 진행 **동** 진보하다, 나아가다

He hasn't made any progress yet, so he got depressed. (학평)

그는 아직 아무런 **진전**을 이루지 못해서 우울해졌다.

➕ progressive 형 진보적인 **progression** 명 전진, 연속

▣ development, growth, improvement **✖ regression** 명 퇴행

Tips **시험에는 이렇게 나온다**

human progress 인류 발전   **scientific progress** 과학적 발전
technical progress 기술적 발전   **steady progress** 꾸준한 진전

1285 ☐☐☐

manage

[mǽnidʒ]

동 관리하다, 운영하다, 해내다

Thanks to my study plan, I can manage my time better for each subject. (학평)

나의 공부 계획 덕분에, 나는 각 과목에 대한 내 시간을 더 잘 **관리할** 수 있다.

➕ management 명 관리 **manager** 명 관리자

▣ administer, supervise, handle

1286 ☐☐☐

predict

[pridíkt]

동 예측하다, 예언하다

The weather forecast predicts heavy rain and wind. (학평)

일기예보에서 폭우와 강풍을 **예측한다**.

➕ prediction 명 예측 **predictable** 형 예측 가능한 **predictability** 명 예측 가능함

▣ foretell, forecast

1287 ☐☐☐

scale

[skeil]

명 규모, 척도, 저울 **동** (가파른 곳을) 오르다

The improvement of transportation allowed modern tourism to develop on a large scale. (모평)

교통의 개선은 현대 관광업이 대**규모**로 발전할 수 있게 해주었다.

➕ on a large scale 대규모로

▣ scope, range, extent

Tips **시험에는 이렇게 나온다**

full scale 전체 규모   **small scale** 소규모   **global scale** 세계적 규모
spatial scale 공간 규모   **rating scale** 평가 척도

economic

[èkəná:mik]

형 경제(학)의

More and more women are engaged in economic activities. (학평)

점점 더 많은 여성들이 **경제** 활동에 종사하고 있다.

➕ **economy** 명 경제 **economical** 형 경제적인, 절약하는 **economics** 명 경제학

Tips **시험에는 이렇게 나온다**

economic crisis 경제 위기   economic growth 경제 성장
economic policy 경제 정책   economic system 경제 체제

attach

[ətǽtʃ]

동 첨부하다, 붙이다, (단체 등에) 소속시키다

Please see the attached document for registration and tuition information. (모평)

등록 및 등록금 정보는 **첨부된** 문서를 참조하십시오.

➕ **attachment** 명 부착, 애착

➖ **stick** ✖ **detach** 동 떼어내다, 분리하다

electric

[iléktrik]

형 전기의, 전자의

Electric cars have many advantages compared to traditional ones. (학평)

전기 자동차는 종래의 것들과 비교하여 많은 이점이 있다.

➕ **electricity** 명 전기, 전력 **electrical** 형 전기의

Tips **시험에는 이렇게 나온다**

electric shock 전기 충격   electric motor 전동기
electric bulbs 전구   electric power 전력

convenience

[kənví:niəns]

명 편리함, 편의

Freedom brings convenience. (학평)

자유는 **편리함**을 가져온다.

➕ **convenient** 형 편리한, 간편한 **conveniently** 부 편리하게

➖ **usefulness, accessibility, utility** ✖ **inconvenience** 명 불편

Tips **시험에는 이렇게 나온다**

convenience store 편의점   provide convenience 편의를 제공하다
at your convenience 당신이 편리한 때에   for your convenience 당신의 편의를 위해

1292 ☐☐☐

launch

[lɔːntʃ]

📘 출시하다, 시작하다, 발사하다 📙 출시, 발사

The food companies launch new products each year. (학평)
식품 회사들은 매년 새로운 제품들을 **출시한다**.

🔁 release, begin, initiate

1293 ☐☐☐

elaborate

[형][ilǽbərət]
[동][ilǽbəreit]

📘 정교한, 공들인 📙 공들여 만들다, 자세히 설명하다

How do ants build elaborate nests? (교과서)
개미들은 어떻게 **정교한** 집을 지을까?

➕ elaboration 📙 정교, 공들임

🔁 detailed, precise, sophisticated

1294 ☐☐☐

irritated

[íriteitid]

📘 짜증이 난

She was getting more irritated as the minutes ticked by. (학평)
그녀는 시간이 흘러갈수록 점점 더 **짜증이 났다**.

➕ irritate 📘 짜증나게 하다   irritation 📙 성남, 자극

🔁 annoyed, furious

1295 ☐☐☐

illustrate

[íləstreit]

📘 (예시 등을 통해) 설명하다, 보여주다, 삽화를 넣다

We can simply state our beliefs, or we can tell stories that illustrate them. (학평)
우리는 단순히 우리의 믿음을 진술하거나, 그것들을 **설명하는** 이야기를 들려줄 수 있다.

➕ illustration 📙 삽화, 설명   illustrator 📙 삽화가

🔁 explain, demonstrate

<u>빈출 단어</u>

1296 ☐☐☐

exclude

[iksklúːd]

📘 배제하다, 제외하다, 막다

Being excluded is psychologically painful. (학평)
배제되는 것은 심리적으로 고통스럽다.

➕ exclusive 📘 독점적인, 배타적인   exclusion 📙 배제, 제외

🔁 reject, eliminate   ⛔ include 📘 포함하다

fatal

[féitl]

형 치명적인, 죽음을 초래하는

A single high dose of radiation can be **fatal**. (학평)

단 한 번의 높은 방사선의 양도 **치명적일** 수 있다.

➕ **fatality** 명 사망자, 치사율

🟰 **lethal, deadly, mortal**

disability

[dìsəbíləti]

명 (신체적·정신적) 장애, 무능력

There are various inventions that can reduce the condition of **disability**. (학평)

장애의 상태를 낮출 수 있는 다양한 발명품들이 있다.

➕ **disable** 동 장애를 입히다, 무능하게 하다   **disabled** 형 장애를 가진

selfish

[sélfiʃ]

형 이기적인

He's **selfish**, and his temper is difficult to deal with. (학평)

그는 **이기적이고**, 그의 성질은 다루기 어렵다.

➕ **selfishness** 명 제멋대로임, 이기적임   **selfishly** 부 제멋대로, 이기적으로

🟰 **self-centered, egoistic**   ❎ **unselfish** 형 이기적이 아닌   **selfless** 형 이타적인

affair

[əfér]

명 정세, 일, 사건

The development of nylon had a surprisingly profound effect on world **affairs**. (학평)

나일론의 개발은 세계**정세**에 놀랄 만큼 엄청난 영향을 미쳤다.

disrupt

[disrʌ́pt]

동 방해하다, 지장을 주다

A room that's too cool can **disrupt** normal sleep. (학평)

너무 서늘한 방은 정상 수면을 **방해할** 수 있다.

➕ **disruption** 명 붕괴, 분열

🟰 **interrupt, disturb**

primate

[práimeit]

명 영장류, 대주교

Primates are very good at using the cues of the same species. (학평)

영장류들은 같은 종의 신호를 사용하는 데에 매우 능숙하다.

1303 ☐☐☐

subscribe

[səbskráib]

📖 구독하다, 가입하다

We **subscribe** to a video-streaming service. 학평

우리는 비디오 스트리밍 서비스를 **구독한다**.

➕ **subscription** 명 구독, 가입 **subscriber** 명 구독자

1304 ☐☐☐

namely

[néimli]

📖 즉, 다시 말해

The pauses are removed through editing, and new sounds are added — **namely**, a laugh track. 학평

끊김은 편집을 통해 제거되고, 새로운 소리 **즉**, 웃음 트랙이 추가된다.

1305 ☐☐☐

linger

[líŋgər]

📖 남다, 오래 머물다

The Creation of Adam, one of Michelangelo's masterpieces, still **lingers** in my mind. 교과서

미켈란젤로의 걸작 중 하나인 「아담의 창조」가 아직도 내 마음속에 **남아 있다**.

➕ **lingering** 형 오래 끄는, 오래 가는

🟰 remain, stay

1306 ☐☐☐

frost

[frɔːst]

📖 서리, 성에 📖 성에로 뒤덮다, 성에가 끼다

A **frost** damaged the coffee crop. 학평

서리가 커피 작물에 피해를 입혔다.

1307 ☐☐☐

rotate

[róuteit]

📖 회전하다, 교대하다, 순환시키다

Mars **rotates** at almost the same speed as Earth. 교과서

화성은 지구와 거의 똑같은 속도로 **회전한다**.

➕ **rotation** 명 회전, 교대, 순환

🟰 revolve, spin

1308 ☐☐☐

casualty

[kǽʒuəlti]

📖 피해자, 사상자

We see lots of **casualties** every day worldwide resulting from the lack of education. 학평

우리는 매일 전 세계에서 교육의 부족으로 인해 생긴 많은 **피해자들**을 본다.

🟰 victim, fatality, death

1309 ☐☐☐

sip

[sip]

몡 한 모금　똥 (음료를) 홀짝이다, 조금씩 마시다

She took a **sip** of the sweet tea. 학평
그녀는 달콤한 차를 **한 모금** 마셨다.

1310 ☐☐☐

timely

[táimli]

혱 시기적절한, 때맞춘　뿐 때마침

Perform your responsibilities in a **timely** fashion. 교과서
당신의 책무를 **시기적절한** 방식으로 수행해라.

↔ **untimely** 혱 때 이른, 시기상조의　뿐 시기상조로

1311 ☐☐☐

integrity

[intégrəti]

몡 진실성, 완전한 상태, 온전함

She trusted Dr. B's expertise and **integrity**. 학평
그녀는 B 박사의 전문 지식과 **진실성**을 신뢰했다.

1312 ☐☐☐

envision

[invíʒən]

똥 마음속에 그리다, (미래 등을) 상상하다

Participants **envisioned** the most positive outcome. 모평
참가자들은 가장 긍정적인 결과를 **마음속에 그렸다**.

▤ visualize, imagine, picture

1313 ☐☐☐

vocation

[voukéiʃən]

몡 소명 (의식), 천직, 직업

Studying history can lead to all sorts of brilliant **vocations**, explorations, and careers. 학평
역사를 공부하는 것은 모든 종류의 훌륭한 **소명**, 탐구, 그리고 경력으로 이어질 수 있다.

1314 ☐☐☐

apparatus

[æpərǽtəs]

몡 기구, 장치, (신체) 기관

Joseph became a nurse and began designing exercise **apparatus** for immobilized hospital patients. 학평
Joseph은 간호사가 되었고 거동을 못하는 병원 환자들을 위한 운동 **기구**를 고안하기 시작했다.

1315 ☐☐☐

demoralize

[dimɔ́:rəlaiz]

똥 의기소침하게 만들다, 사기를 꺾다

Do not be **demoralized** if you make some mistakes. 모평
실수를 조금 하더라도 **의기소침해하지** 마라.

1316 □□□

discredit

[diskrédit]

통 신용하지 않다, 의심하다　명 불신

No one can really **discredit** leaders who are the hardest-working individuals in their organizations. (모평)

자신의 조직에서 가장 열심히 일하는 지도자라면 누구라도 **신용하지 않을** 수 없다.

🔁 mistrust, distrust　🔄 honor 명 명예, 영예 통 존경하다

1317 □□□

adore

[ədɔ́ːr]

통 아주 좋아하다, 존경하다

If you constantly take pictures of your children, they will surely feel loved and **adored** by you. (학평)

만약 당신이 계속해서 아이들의 사진을 찍는다면, 그들도 분명 당신이 자신들을 사랑하고 **아주 좋아하는** 것을 느낄 것이다.

➕ adorable 형 사랑스러운

🔁 love, admire

1318 □□□

esteem

[istíːm]

통 높이 평가하다, 존경하다　명 존경, 존중

The service from the attendants was highly **esteemed** by passengers. (학평)

승무원의 서비스는 승객들에 의해 매우 **높이 평가받았다**.

Tips

시험에는 이렇게 나온다

esteem은 self(자아)와 결합하여 '자존감', '자부심'을 의미하는 합성어인 'self-esteem'으로도 자주 나와요.

1319 □□□

symmetry

[símətri]

명 대칭, 균형

The vertical line down the middle of the oval is the line of **symmetry**. (학평)

타원형의 가운데 아래로 내려가는 수직선은 **대칭** 선이다.

➕ symmetrical 형 대칭적인

🔁 balance　🔄 asymmetry 명 비대칭, 불균형

1320 □□□

excursion

[ikskə́ːrʒən]

명 여행, 소풍

His scientific interests were stimulated by Rousseau, with whom he went on botanical **excursions**. (학평)

그의 과학적인 흥미는 그와 함께 식물학 **여행**을 떠났던 루소에 의해 자극되었다.

➕ excurse 통 배회하다, 소풍 가다

Daily Quiz

영어는 우리말로, 우리말은 영어로 쓰세요.

01	attach	11	규모, 척도, 저울
02	affair	12	편리함, 편의
03	predict	13	마음속에 그리다
04	rotate	14	방해하다, 지장을 주다
05	adore	15	출시하다, 발사하다
06	elaborate	16	배제하다, 제외하다
07	insight	17	경력, 직업
08	disability	18	서리, 성에로 뒤덮다
09	casualty	19	시기적절한, 때맞춘
10	excursion	20	짜증이 난

다음 빈칸에 들어갈 가장 알맞은 것을 박스 안에서 고르세요.

manage	linger	subscribe	demoralize	fatal

21 Thanks to my study plan, I can _____ my time better for each subject.
나의 공부 계획 덕분에, 나는 각 과목에 대한 내 시간을 더 잘 관리할 수 있다.

22 A single high dose of radiation can be _____.
단 한 번의 높은 방사선도 치명적일 수 있다.

23 Do not be _____(e)d if you make some mistakes.
실수를 조금 하더라도 의기소침해하지 마라.

24 *The Creation of Adam*, one of Michelangelo's masterpieces, still _____(e)s in my mind.
미켈란젤로의 걸작 중 하나인 「아담의 창조」가 아직도 내 마음속에 남아 있다.

25 We _____ to a video-streaming service.
우리는 비디오 스트리밍 서비스를 구독한다.

정답

01 첨부하다, 붙이다, (단체 등에) 소속시키다　02 정세, 일, 사건　03 예측하다, 예언하다　04 회전하다, 교대하다, 순환시키다　05 아주 좋아하다, 존경하다
06 정교한, 공들인, 공들여 만들다, 자세히 설명하다　07 통찰(력), 이해　08 (신체적·정신적) 장애, 무능력　09 피해자, 사상자　10 여행, 소풍　11 scale
12 convenience　13 envision　14 disrupt　15 launch　16 exclude　17 career　18 frost　19 timely　20 irritated　21 manage
22 fatal　23 demoralize　24 linger　25 subscribe

어근으로 외우는 어휘 ⑱

ject	던지다

reject — 동 거부하다, 부인하다

▶ re[다시] + ject[던지다] → 내게 온 것을 다시 던져 거부하다

A "blind person" **reject** all new evidence that could change his knowing. (학평)

"앞을 보지 못하는 사람"은 그의 지식을 바꿀 수 있는 모든 새로운 증거를 **거부한다**.

inject — 동 주입하다, 주사하다

▶ in[안으로] + ject[던지다] → 몸 안으로 던져넣다, 즉 주입하다

Injecting this bacteria into mice has been shown to decrease anxiety. (학평)

이 박테리아를 쥐에게 **주입하는** 것은 불안감을 경감하는 것으로 나타났다.

eject — 동 튀어나오다, 쫓아내다

▶ e[밖으로] + ject[던지다] → 밖으로 던져서 튀어나오다

He **ejected**, and safely parachuted to the ground. (학평)

그는 **튀어나왔고**, 안전하게 낙하산으로 지상에 내려갔다.

subject — 명 주제, 과목

▶ sub[아래에] + ject[던지다] → 연구거리로 아래로 던져 둔 주제

We were the **subject** of the conversation. (학평)

우리가 그 대화의 **주제**였다.

object — 동 반대하다 명 물건, 대상

▶ ob[맞서] + ject[던지다] → 맞서서 던져 반대하다

When schools began allowing students to use portable calculators, many parents **objected**. (학평)

학교에서 휴대용 계산기를 사용하는 것을 허락하기 시작했을 때, 많은 부모들은 **반대했다**.

최빈출 단어

1321 ☐☐☐

term

[təːrm]

명 용어, 기간, 학기, 조건

Today, the term "artist" is used to refer to a broad range of creative individuals. (모평)

오늘날, "예술가"라는 **용어**는 넓은 범위의 창의적인 사람들을 지칭하는 데 사용된다.

➕ terminology 명 전문 용어   in terms of ~의 면에서, ~에 관하여

1322 ☐☐☐

purpose

[pə́ːrpəs]

명 목적, 의도

Time and money should be used for better purposes. (학평)

시간과 돈은 더 나은 **목적**을 위해 사용되어야 한다.

➕ purposely 부 고의로, 일부러   on purpose 고의로, 일부러

🟰 aim, intention

1323 ☐☐☐

attract

[ətrǽkt]

동 유혹하다, (마음·주의 등을) 끌다

When a male lyrebird tries to attract a female, he dances and sings unique songs. (학평)

수컷 금조가 암컷을 **유혹하려고** 할 때, 그는 춤을 추고 독특한 노래를 부른다.

➕ attraction 명 매력, 명소   attractive 형 매력적인

🟰 allure, tempt, draw

1324 ☐☐☐

element

[éləmənt]

명 요소, 성분, (화학) 원소

Every element in an ecosystem depends on every other element. (수능)

생태계의 모든 **요소**는 다른 모든 **요소**에 의존한다.

➕ elementary 형 기본적인, 초보의, 원소의

🟰 component, part, unit

---

award

[əwɔ́ːrd]

동 수여하다　명 상, 상품

Marie Curie is the first and only female scientist to be awarded the Nobel prize in two different categories. (교과서)

마리 퀴리는 두 개의 다른 부문에서 노벨상을 **수여받은** 최초이자 유일한 여성 과학자이다.

🟰 grant, present

Tips

주의해야 할 혼동어

award와 철자가 비슷한 reward에 주의하세요! reward는 '보상', '보상하다'를 의미하는 단어예요.

1326 ☐☐☐

explore

[iksplɔ́ːr]

동 탐사하다, 탐험하다, 탐구하다

We explore the universe by observing it with all kinds of telescopes. (수능)

우리는 모든 종류의 망원경으로 관측함으로써 우주를 **탐사한다.**

➕ explorer 명 탐험가　exploration 명 탐사, 탐험, 탐구

🟰 investigate, research

1327 ☐☐☐

contemporary

[kəntémpəreri]

형 동시대의, 현대의　명 동년배

Rousseau's painting style was markedly different from the contemporary mainstream. (교과서)

루소의 화풍은 **동시대의** 주류와는 현저하게 달랐다.

➕ contemporarily 부 동시대에

🟰 modern, current

1328 ☐☐☐

rescue

[réskjuː]

동 구조하다, 구출하다　명 구조, 구출

The World Wildlife Fund has rescued several species of animals since 1961. (수능)

세계 야생 동물 기금은 1961년 이래로 여러 종의 동물들을 **구조해왔다.**

🟰 save

1329 ☐☐☐

symptom

[símptəm]

명 증상, 징후

Coughing is one of the most common symptoms of a cold. (학평)

기침은 감기의 가장 흔한 **증상** 중 하나이다.

➕ symptomatic 형 증상을 보이는, 징후의

🟰 sign, indication

afford

[əfɔ́:rd]

동 제공하다, 여유가 있다

Our students are afforded a safe and secure environment in school each day. (학평)

우리 학생들은 매일 학교에서 안전하고 안심되는 환경을 **제공받는다**.

✚ **affordable** 형 (가격이) 적당한, 감당할 수 있는 **afford to** ~할 여유가 있다

venture

[véntʃər]

동 위험을 무릅쓰고 가다, 감행하다 명 모험, 벤처 사업

For centuries, people have ventured into the icy northern territory. (학평)

수 세기 동안, 사람들은 얼음처럼 차가운 북쪽의 영토로 **위험을 무릅쓰고 갔다**.

✚ **venturous** 형 모험적인, 무모한

norm

[nɔ:rm]

명 규범, 표준

It is fundamental to have a norm that ads must adhere to. (학평)

광고가 고수해야 하는 **규범**을 가지는 것은 기본적이다.

✚ **normative** 형 규범적인

▤ **standard, rule**

Tips

> **시험에는 이렇게 나온다**
>
> norm은 social(사회의), cultural(문화의) 등의 사회, 문화, 풍습과 관련된 단어와 짝지어 사용되는 경우가 많아요.

integrate

[íntigreit]

동 통합되다, 합치다

Lowering the federal fund rate takes time to fully integrate into the economy. (학평)

연방 자금 금리를 낮추는 것은 경제에 완전히 **통합되는** 데 시간이 걸린다.

✚ **integration** 명 통합

▤ **join, unite, combine, incorporate**

merit

[mérit]

명 장점, 가치

Wise people focus on others' merits. (학평)

현명한 사람들은 다른 사람들의 **장점**에 집중한다.

▤ **strength, advantage**

1335 ☐☐☐

convention

[kənvénʃən]

명 관습, 집회, 협약

The convention of communication between scientists is formal and complicated. (학평)

과학자들 사이에서 의사소통의 **관습**은 형식적이고 복잡하다.

➕ conventional 형 관습적인, 집회의

🟰 custom, tradition, practice

빈출 단어

1336 ☐☐☐

optical

[á:ptikəl]

형 시각적인, 눈의, 광학의

There are many optical illusions. (수능)

많은 **시각적인** 환각들이 있다.

➕ optics 명 광학   optic 형 눈의

🟰 visual

Tips | **주의해야 할 혼동어**
optical과 철자가 비슷한 optional에 주의하세요! optional은 '선택적인'을 의미하는 단어예요.

1337 ☐☐☐

irresistible

[ìrizístəbəl]

형 억누를 수 없는, 거부할 수 없는

Sleep-clinic patients have irresistible urges to sleep during the day. (학평)

수면 클리닉 환자들은 낮 동안 자고 싶은 **억누를 수 없는** 충동을 가지고 있다.

➕ irresistibly 부 저항 못 할 정도로, 꼼짝없이

🟰 overwhelming   ↔ resistible 형 저항할 수 있는

1338 ☐☐☐

remedy

[rémədi]

명 치료(법), 해결책   동 치료하다, 개선하다

He created a recipe for a remedy against poison. (교과서)

그는 독에 대항하는 **치료**를 위한 제조법을 만들었다.

➕ remediable 형 치료[해결]될 수 있는   remedial 형 교정의, 치료하는

🟰 cure, treatment, medicine

Tips | **시험에는 이렇게 나온다**

effective remedies 효과적인 치료   home remedies 민간요법
temporary remedy 일시적인 해결책   herbal remedies 한방 치료

ambitious

[æmbíʃəs]

® 야심찬, 의욕적인, (일이) 대규모의

Our incredible growth rate leads to a continuous recruitment of **ambitious** programmer analysts. (수능)

우리의 놀라운 성장률은 **야심찬** 프로그래머 분석가들의 지속적인 채용으로 이어진다.

➕ ambitiously ® 야심차게   ambition ® 야망, 야심

🟰 eager, enthusiastic   ✖ unambitious ® 야심이 없는

strain

[strein]

⑧ 혹사하다, 긴장시키다, 잡아당기다   ® 부담, 중압(감)

He doesn't want to **strain** his eyes reading subtitles. (학평)

그는 자막을 읽으면서 눈을 **혹사하고** 싶지 않다.

➕ strained ® 긴장한, 팽팽한, 억지의

🟰 strive, struggle   ✖ ease ⑧ 완화하다 ® 편안함   relax ⑧ 휴식을 취하다

Tips

주의해야 할 혼동어

strain과 철자가 비슷한 stain에 주의하세요! stain은 '얼룩지다', '얼룩'을 의미하는 단어예요.

pulse

[pʌls]

® 맥(박), 고동   ⑧ 맥박 치다, 고동치다

Your **pulse** should be 50 to 100 beats per minute. (학평)

당신의 **맥박**은 분당 50회에서 100회여야 한다.

enlarge

[inláːrdʒ]

⑧ 확대하다, 확장하다, 커지다

When children drew frontal views of the adults, the size of the heads was markedly **enlarged**. (모평)

어린이들이 성인의 정면 모습을 그렸을 때, 머리의 크기가 현저하게 **확대되었다**.

➕ enlargement ® 확대, 확장

🟰 expand, extend

acute

[əkjúːt]

® 급박한, 급성의, 예리한

Through evolution, our brains have developed to deal with **acute** dangers. (학평)

진화를 통해, 우리의 두뇌는 **급박한** 위험에 대처하도록 발달해왔다.

➕ acutely ® 강렬히, 몹시

🟰 urgent   ✖ chronic ® 만성적인

1344 ☐☐☐

disperse

[dispə́:rs]

동 흩어지게 하다, 해산하다, 퍼뜨리다

Currents can **disperse** waste products, eggs, larvae, and adult life-forms. 학평

해류는 폐기물, 알, 유충, 그리고 다 자란 생물들을 **흩어지게 할** 수 있다.

➕ **dispersal** 명 해산, 확산 **dispersion** 명 확산, 분산 **dispersive** 형 흩어지는
🟰 scatter, spread, distribute

1345 ☐☐☐

mediate

[mí:dieit]

동 중재하다, 조정하다 형 중개의, 간접의

The organization has **mediated** labor disputes. 수능

그 단체는 노동 분쟁들을 **중재해왔다**.

➕ **mediation** 명 중재, 조정 **mediator** 명 중재인, 조정자
🟰 intercede, intervene

Tips | **주의해야 할 혼동어**
mediate와 철자가 비슷한 meditate에 주의하세요! meditate는 '명상하다', '~을 꾀하다'를
의미하는 단어예요.

1346 ☐☐☐

diplomat

[dípləmæt]

명 외교관, 외교에 능한 사람

A man who had been a poor shepherd became a very wealthy, respected **diplomat**. 모평

가난한 양치기였던 한 남자는 매우 부유하고 존경받는 **외교관**이 되었다.

➕ **diplomatic** 형 외교의 **diplomacy** 명 외교(술)

1347 ☐☐☐

choir

[kwaiər]

명 합창단, 성가대

She arranged for a large audition for potential new members of the **choir**. 학평

그녀는 **합창단**의 새로운 잠재적 구성원들을 위한 대규모 오디션을 계획했다.

1348 ☐☐☐

escalate

[éskəleit]

동 증가하다, 확대하다, 점증하다

In 1944, the German rocket-bomb attacks on London suddenly **escalated**. 학평

1944년에 런던을 향한 독일의 로켓 폭탄 공격이 갑자기 **증가했다**.

➕ **escalation** 명 확대, 점증 **escalator** 명 에스컬레이터
🟰 grow, increase, intensify

1349 ☐☐☐

copper

[kάːpər]

명 구리, 동

Valuable minerals such as gold, tin, and **copper** are found by geologists. 학평

금, 주석, 그리고 **구리**와 같은 귀중한 광물들은 지질학자들에 의해 발견된다.

1350 ☐☐☐

gigantic

[dʒaigǽntik]

형 거대한

A **gigantic** new species of palm, the Tahina palm, is found only in a small area of northwestern Madagascar. 학평

거대한 신종 야자수인 Tahina 야자수는 마다가스카르 북서부의 작은 지역에서만 발견된다.

🔳 huge, massive, enormous 🔳 tiny 형 아주 작은

1351 ☐☐☐

intonation

[ìntounéiʃən]

명 억양, 어조

Speaking with falling **intonation** comes across as a statement. 학평

내리는 **억양**으로 말하는 것은 평서문으로 이해된다.

➕ intonational 형 억양의, 어조의

1352 ☐☐☐

amplify

[ǽmplifai]

통 증폭시키다, 확대하다

As memory takes over, the unpleasantness fades and the good parts get **amplified** beyond reality. 모평

기억이 더 커질수록, 불쾌감은 사라지고 좋은 부분이 실제 이상으로 **증폭된다**.

➕ ample 형 충분한, 풍부한 amplification 명 증폭, 확대

1353 ☐☐☐

weep

[wiːp]

통 울다, 눈물을 흘리다

I went out into the yard and **wept** all by myself. 모평

나는 마당으로 나가 혼자서 **울었다**.

1354 ☐☐☐

intact

[intǽkt]

형 온전한, 손상되지 않은

Some amnesia victims are unable to form new memories, but most memories of the past are **intact**. 모평

어떤 기억 상실 환자들은 새로운 기억을 형성할 수 없지만, 대부분의 과거 기억은 **온전하다**.

🔳 undamaged, whole, complete 🔳 damaged 형 손상된, 손해를 입은

1355 ☐☐☐

undergraduate

형 학부생의, 대학생의 명 학부생, 대학생

[ʌ̀ndərgrǽʒuət]

Some leading colleges receive enormous amounts of **undergraduate** applications every year. (학평)

몇몇 일류 대학들은 매년 엄청난 양의 **학부생** 지원서를 받는다.

1356 ☐☐☐

profile

명 측면, 인물 소개, 개요

[próufail]

A crack in the wall looks a little like the **profile** of a nose. (모평)

그 벽에 간 금은 코의 **측면**과 약간 닮았다.

1357 ☐☐☐

adverse

형 부정적인, 불리한, 반대의

[ǽdvəːrs]

Pregnant women are told to stay indoors just in case there's an **adverse** effect on their unborn child. (학평)

임산부는 태아에게 **부정적인** 영향이 미칠 경우를 대비해서 실내에 머무르도록 당부받는다.

➕ **adversely** 부 불리하게, 반대로 **adversity** 명 역경

🟰 **negative, opposing, damaging** ⏹ **beneficial** 형 유익한, 이로운

1358 ☐☐☐

betray

동 배신하다, 배반하다, (기밀 등을) 누설하다

[bitréi]

Real effort never **betrays** you. (학평)

진정한 노력은 당신을 절대 **배신하지** 않는다.

➕ **betrayal** 명 배신, 배반, 밀고 **betrayer** 명 배신자, 매국노, 밀고자

1359 ☐☐☐

treaty

명 조약

[tríːti]

The turkey vulture has legal protection under the Migratory Bird **Treaty** Act of 1918. (학평)

칠면조 독수리는 1918년 철새 보호 **조약**에 따라 법적 보호를 받는다.

🟰 **agreement, pact, convention**

1360 ☐☐☐

evacuate

동 피난시키다, 대피하다, 비우다

[ivǽkjueit]

British activist Sally Becker **evacuated** many children during the war. (학평)

영국의 운동가인 Sally Becker는 전쟁 중에 많은 아이들을 **피난시켰다**.

➕ **evacuation** 명 피난, 대피, 배설(물)

Daily Quiz

영어는 우리말로, 우리말은 영어로 쓰세요.

01 attract _____
02 irresistible _____
03 ambitious _____
04 intonation _____
05 profile _____
06 term _____
07 treaty _____
08 pulse _____
09 intact _____
10 rescue _____

11 합창단, 성가대 _____
12 치료(법), 치료하다 _____
13 증폭시키다, 확대하다 _____
14 울다, 눈물을 흘리다 _____
15 구리, 동 _____
16 규범, 표준 _____
17 위험을 무릅쓰고 가다 _____
18 통합되다, 합치다 _____
19 급박한, 급성의, 예리한 _____
20 요소, (화학) 원소 _____

다음 빈칸에 들어갈 가장 알맞은 것을 박스 안에서 고르세요.

escalate	adverse	symptom	purpose	disperse

21 Pregnant women are told to stay indoors just in case there's a(n) _____ effect on their unborn child.
임산부는 태아에게 부정적인 영향이 미칠 경우를 대비해서 실내에 머무르도록 당부받는다.

22 Time and money should be used for better _____(e)s.
시간과 돈은 더 나은 목적을 위해 사용되어야 한다.

23 Coughing is one of the most common _____(e)s of a cold.
기침은 감기의 가장 흔한 증상 중 하나이다.

24 Currents can _____ waste products, eggs, larvae, and adult life-forms.
해류는 폐기물, 알, 유충, 그리고 다 자란 생물들을 흩어지게 할 수 있다.

25 In 1944, the German rocket-bomb attacks on London suddenly _____(e)d.
1944년에 런던을 향한 독일의 로켓 폭탄 공격이 갑자기 증가했다.

정답

01 유혹하다, (마음·주의 등을) 끌다　02 억누를 수 없는, 거부할 수 없는　03 야심찬, 의욕적인, (일이) 대규모의　04 억양, 어조
05 측면, 인물 소개, 개요　06 용어, 기간, 학기, 조건　07 조약　08 맥(박), 고동, 맥박 치다, 고동치다　09 온전한, 손상되지 않은
10 구조하다, 구출하다, 구조, 구출　11 choir　12 remedy　13 amplify　14 weep　15 copper　16 norm　17 venture　18 integrate
19 acute　20 element　21 adverse　22 purpose　23 symptom　24 disperse　25 escalate

어근으로 외우는 어휘 ⑲

vert/vers 돌리다

---

convert   동 전환되다, 개조하다

▶ con[모두] + vert[돌리다] → 모두 돌려서 전환되다 또는 개조하다

Fats from coconut oil easily **convert** to energy. (학평)

코코넛 오일의 지방은 에너지로 쉽게 **전환된다**.

---

vertical   형 수직의 명 수직선

▶ vert[돌리다] + ical[형·접] → 수평선을 돌린 수직선

The smallmouth bass has a series of dark **vertical** bands along its sides. (수능)

작은입 우럭은 옆구리를 따라 일련의 짙은 **수직** 줄무늬가 있다.

---

reverse   동 거꾸로 하다, 뒤집다, 반전시키다

▶ re[뒤로] + vers(e)[돌리다] → 뒤로 돌려 거꾸로 하다

To prove this wrong, Newton **reversed** the process. (학평)

이것이 틀렸다는 것을 증명하기 위해, 뉴턴은 그 과정을 **거꾸로 했다**.

---

adverse   형 부정적인, 반대하는

▶ ad[~에] + vers(e)[돌리다] → ~에 등을 돌려 부정적인

People who are self-aware manage their affairs even in **adverse** circumstances. (학평)

자기 인식적인 사람은 **부정적인** 상황에서도 자신의 일을 해낸다.

---

diverse   형 다양한, 가지각색의

▶ di[옆으로] + vers(e)[돌리다] → 옆으로 돌려 가지각색의 방향으로 다양한

She needs experiences in **diverse** areas. (학평)

그녀는 **다양한** 분야에서의 경험이 필요하다.

34 DAY

최빈출 단어

1361 ☐☐☐

suppose

[səpóuz]

동 가정하다, 추정하다

Suppose that people live forever. (교과서)
사람들이 영원히 산다고 **가정해보라.**

➕ supposed 형 추정되는, 여겨지는   supposedly 부 추정상, 아마
⬛ assume, presume

Tips 　┌───
　　　│ **시험에는 이렇게 나온다**
　　　│ suppose는 'be supposed to(~하기로 되어 있다)'의 형태로도 자주 나오니 함께 알아두세요.
　　　└───

1362 ☐☐☐

complete

[kəmplíːt]

형 완전한, 완벽한   동 완료하다, 끝내다

Opinions vary from rejection to **complete** acceptance. (수능)
의견은 거절에서 **완전한** 수용까지 다양하다.

➕ completely 부 완전히, 전적으로   completion 명 완료, 완성
⬛ perfect   ⬛ incomplete 형 불완전한   partial 형 부분적인

Tips 　┌───
　　　│ **시험에는 이렇게 나온다**
　　　│ 수능에서 형용사 complete는 주로 control(통제), isolation(고립), stranger(낯선 사람) 등의
　　　│ 명사와 함께 사용돼요.
　　　└───

1363 ☐☐☐

general

[dʒénərəl]

형 일반적인, 보편적인   명 장군

Physical appearance includes facial expressions, eye contact, and **general** appearance. (수능)
신체적 외형은 얼굴 표정, 눈 맞춤, 그리고 **일반적인** 외형을 포함한다.

➕ generalize 동 일반화하다, 보편화하다   generalization 명 일반화, 보편화
⬛ common, universal   ⬛ individual 형 개별의 명 개인

Tips 　┌───
　　　│ **시험에는 이렇게 나온다**
　　　│ general은 'in general(일반적으로)'의 형태로도 자주 나오니 함께 알아두세요.
　　　└───

represent

[rèprizént]

동 나타내다, 상징하다, 대표하다

Paintings don't have to **represent** history accurately. (학평)
그림은 역사를 정확하게 **나타낼** 필요가 없다.

➕ representative 〔형〕대표하는 〔명〕대표(자), 대리인   representation 〔명〕표현, 대표
🟰 express, symbolize, exemplify

recall

[rikɔ́ːl]

동 상기하다, 기억해내다, 회수하다   **명** 상기, 회상, 회수

He **recalled** his conviction during the interview. (모평)
그는 인터뷰 동안 자신의 신념을 **상기했다**.

🟰 recollect, remember

strategy

[strǽtədʒi]

명 전략, 전술

Each species has a characteristic **strategy** for hunting. (학평)
각각의 종은 사냥을 위한 특유의 **전략**을 가지고 있다.

➕ strategic 〔형〕전략적인
🟰 plan, scheme

crucial

[krúːʃəl]

형 중요한, 중대한, 결정적인

Conflict is not only unavoidable but actually **crucial** for the long-term success of the relationship. (학평)
갈등은 피할 수 없을 뿐만 아니라 관계의 장기적인 성공에 실제로 **중요하다**.

➕ crucially 〔부〕결정적으로
🟰 important, essential, urgent

Tips
시험에는 이렇게 나온다	
crucial role 결정적 역할	**crucial factor** 결정적 요인
crucial influence 결정적 영향	**crucial for[to]** ~에 중요한

instinct

[ínstiŋkt]

명 본능, 직감

Learning how to use your **instincts** as a guide in decision-making requires effort. (수능)
당신의 **본능**을 의사 결정의 지침으로 사용하는 방법을 배우는 것에는 노력이 필요하다.

➕ instinctive 〔형〕본능적인   instinctively 〔부〕본능적으로
🟰 intuition

1369 ☐☐☐

bond

[bɑ:nd]

명 유대, 결속, 접착제   동 유대를 맺다

I've seen people from different religions come together to form a strong bond. 수능

나는 서로 다른 종교의 사람들이 강한 **유대**를 형성하기 위해 뭉치는 것을 본 적이 있다.

Tips | **시험에는 이렇게 나온다**

수능에서 bond는 '유대'를 의미하는 단어로 자주 나오며, 주로 strong(강한), special(특별한), social(사회적인) 등의 형용사와 함께 사용돼요.

1370 ☐☐☐

invest

[invést]

동 투자하다, (노력·시간 등을) 쏟다

The city should invest more in public transport. 학평

그 도시는 대중교통에 더 많이 **투자해야** 한다.

➕ investment 명 투자(액)   investor 명 투자자

1371 ☐☐☐

confront

[kənfrʌ́nt]

동 직면하다, 맞서다

At first Emma didn't want to confront this issue, but it started bothering her. 학평

처음에 Emma는 이 문제에 **직면하고** 싶지 않았지만, 그것이 그녀를 괴롭히기 시작했다.

➕ confrontation 명 직면, 대립

1372 ☐☐☐

convey

[kənvéi]

동 전하다, 운반하다

He sought to convey a message rather than simply to please his patrons. 학평

그는 단순히 후원자들을 기쁘게 하려고 하기보다는 메시지를 **전하려고** 했다.

➕ conveyance 명 전달, 운송 (수단)

🟰 communicate, carry

1373 ☐☐☐

undermine

[ʌ̀ndərmáin]

동 약화시키다, 쇠퇴시키다

The belief "to err is wrong" can greatly undermine your attempts to generate new ideas. 학평

"실수는 잘못된 것"이라는 믿음은 새로운 아이디어를 창출하려는 당신의 시도를 크게 **약화시킬** 수 있다.

🟰 weaken   ◼ reinforce 동 강화하다, 보강하다

1374 ☐☐☐

prominent

[prá:minənt]

휑 유명한, 탁월한, 현저한, 두드러진

Designed by Antoni Gaudi, the church is one of the most **prominent** buildings in the world. 교과서

안토니 가우디에 의해 설계된 그 성당은 세계에서 가장 **유명한** 건물 중 하나이다.

➕ **prominence** 몡 중요성, 명성 **prominently** 閉 현저히, 두드러지게

🟰 **famous, well-known, notable**

1375 ☐☐☐

dense

[dens]

휑 밀도가 높은, 밀집한, 빽빽한

Ice is less **dense** than water. 교과서

얼음은 물보다 **밀도가** 덜 **높다**.

➕ **density** 몡 밀도, 농도

🟰 **compact, solid, thick**

빈출 단어

1376 ☐☐☐

territory

[térətɔːri]

몡 영토, 영역

The **territory** became the 49th state in 1959. 학평

그 **영토**는 1959년에 49번째 주가 되었다.

➕ **territorial** 휑 영토의

🟰 **district, area, region**

1377 ☐☐☐

suspend

[səspénd]

동 (잠시) 중단하다, 정학시키다, 매달다

We had to **suspend** those classes during the winter. 학평

우리는 겨울 동안 그 수업들을 **잠시 중단해야** 했다.

➕ **suspension** 몡 중단, 정학

🟰 **discontinue, interrupt**

1378 ☐☐☐

frown

[fraun]

동 눈살을 찌푸리다 **몡** 찡그림, 찌푸림

Have you ever **frowned** at thoughtless people who were talking loudly in the library? 교과서

도서관에서 큰 소리로 말하는 배려심 없는 사람들에 **눈살을 찌푸린** 적이 있나요?

🟰 **scowl, glare**

outgrow

[autgróu]

동 ~보다 더 커지다, (몸이 커져서 옷 등이) 맞지 않게 되다

Internet advertising revenue began to **outgrow** radio advertising revenue after 2008. (학평)

2008년 이후 인터넷 광고 수익이 라디오 광고 수익**보다 더 커지기** 시작했다.

invariable

[invériəbl]

형 변함없는, 변치 않는 **명** 변치 않는 것

The meanings of words are not **invariable**. (수능)

말의 의미는 **변함없지** 않다.

➕ **invariably** 〔부〕변함없이 **invariability** 〔명〕불변(성)
🔲 **unchanging, consistent** 🔲 **variable** 〔형〕변동이 심한 〔명〕변수

autobiography

[ɔ̀:təbaiɑ́:grəfi]

명 자서전

The way you move is your **autobiography** in motion. (모평)

당신이 행동하는 방식이 당신의 움직이는 **자서전**이다.

➕ **autobiographical** 〔형〕자서전의, 자전적인

startle

[stɑ́:rtl]

동 놀라게 하다

Turn off the camera flash while taking pictures of the animals because it can **startle** them. (학평)

동물들을 **놀라게 할** 수 있으므로 그들의 사진을 찍는 동안에는 카메라 플래시를 끄십시오.

➕ **startled** 〔형〕놀란
🔲 **shock, surprise, scare**

intimate

〔형〕[íntəmət]
〔동〕[íntimeit]

형 친밀한, 사적인   **동** 넌지시 알리다, 시사하다

Most multicellular forms of life live in **intimate** association with a host of microbes. (학평)

대부분의 다중 세포 형태의 생물은 다수의 미생물과 **친밀한** 관계로 살아간다.

➕ **intimacy** 〔명〕친밀함 **intimately** 〔부〕친밀히, 상세하게
🔲 **close, familiar, private**

Tips

> **주의해야 할 혼동어**
> intimate과 철자가 비슷한 intimidate에 주의하세요! intimidate는 '겁을 주다', '위협하다'를 의미하는 단어예요.

1384 ☐☐☐

illegal

[ilíːgəl]

웹 불법의, 비합법적인

I'll remove the **illegal** flyers in the buildings. (모평)

나는 건물에 있는 **불법** 전단지들을 제거할 것이다.

➕ illegally 🔲 불법적으로

🟰 unlawful, illicit ⬛ legal 🔲 법(률)의, 합법적인

1385 ☐☐☐

outburst

[aútbəːrst]

명 (화산·감정 등의) 폭발, 분출

There is no excuse for the violent **outbursts** of anger among airline passengers. (학평)

항공기 승객들 사이에서의 격렬한 분노의 **폭발**에 대해서는 변명의 여지가 없다.

🟰 explosion, outbreak, eruption

1386 ☐☐☐

illuminate

[ilúːmineit]

동 비추다, 밝아지다, (이해하기 쉽게) 밝히다

Yellow lights **illuminate** much of the city at night. (학평)

노란 불빛이 밤에 도시의 많은 부분을 **비춘다**.

➕ illumination 🔲 빛, 조명   illuminative 🔲 비추는, 밝게 하는

🟰 brighten, light up

1387 ☐☐☐

naked

[néikid]

웹 벌거벗은, 나체의, 적나라한

Do not run around **naked** in front of company. (모평)

함께 있는 사람들 앞에서 **벌거벗고** 뛰어다니지 마라.

1388 ☐☐☐

endow

[indáu]

동 (재능 등을) 부여하다, 기부하다

It seems that you are **endowed** with special talents. (학평)

당신은 특별한 재능들을 **부여받은** 것 같다.

35 DAY

1389 ☐☐☐

oversee

[òuvərsíː]

동 감독하다, 감시하다

Tina was working as a manager **overseeing** the operations of 320 stores. (학평)

Tina는 320개 점포의 운영을 **감독하는** 관리자로 일하고 있었다.

🟰 supervise, inspect

steer

图 조종하다, 움직이다

[stiər]

It's up to the diver to **steer** the parachute to a landing point by pulling on lines attached to the parachute. 학평

낙하산에 붙은 줄을 당겨 착륙점까지 낙하산을 **조종하는** 것은 스카이다이버에게 달려 있다.

🟰 control, drive, handle

deduce

图 추론하다, 연역하다

[didjú:s]

We should construct theories, **deduce** propositions, and prove them against the sampled data. 모평

우리는 이론을 세우고, 명제를 **추론하며**, 그것들을 표본 자료에 대응하여 증명해야 한다.

➕ **deduction** 명 추론, 연역, 공제(액)

🟰 infer　🔺 induce 图 유도하다, 설득하다

affirmative

형 긍정적인, 확언적인　명 긍정, 동의

[əfə́:rmətiv]

It is of the very greatest importance that a person be started in the **affirmative** direction. 학평

사람이 **긍정적인** 방향에서 시작하는 것이 가장 중요하다.

➕ **affirm** 图 단언하다, 확언하다　**affirmation** 명 단언, 확언

🔺 **negative** 형 부정적인

quote

명 인용문, 인용구　图 인용하다

[kwout]

Nobody surpassed Plutarch in the writing of psychology and witty **quotes**. 학평

심리 묘사와 재치 있는 **인용문**에서는 아무도 플루타르크를 능가하지 못했다.

➕ **quotation** 명 인용(구)

🟰 citation

intuitive

형 직감에 의한, 직관적인, 이해하기 쉬운

[intjú:ətiv]

Our everyday **intuitive** abilities are no less marvelous than the striking insights of physician. 학평

우리의 일상적인 **직감에 의한** 능력들은 의사의 놀라운 통찰력 못지않게 경이롭다.

➕ **intuitively** 부 직감적으로　**intuition** 명 직감, 직관(력)

🟰 instinctive

1395 ☐☐☐

diversion

[divə́ːrʒən]

명 (방향·주의·기분 등의) 전환, 오락, 우회로

Athletes bring enjoyable **diversion** to our lives. (학평)
운동선수들은 우리의 삶에 즐거운 **기분 전환**을 가져다준다.

➕ **divert** 동 방향을 바꾸다, 전환하다

1396 ☐☐☐

marvel

[máːrvəl]

동 경탄하다, 경이로워 하다   명 경탄, 경이로운 일

Morocco is one of the places where you can **marvel** at the beauty of the Sahara Desert. (교과서)
모로코는 사하라 사막의 아름다움에 **경탄할** 수 있는 장소 중 하나이다.

➕ **marvelous** 형 놀라운, 경이로운

1397 ☐☐☐

agony

[ǽgəni]

명 고통, 번민, 괴로움

The initial pain will be larger, but the total amount of **agony** over time will be lower. (학평)
초기의 고통은 더 크겠지만, 시간이 지나면서 **고통**의 전체 총량은 더 작아질 것이다.

1398 ☐☐☐

ascend

[əsénd]

동 오르다, 상승하다, 승진하다

The roller coaster began **ascending** to the top. (학평)
롤러코스터가 꼭대기로 **오르기** 시작했다.

➕ **ascent** 명 오름, 등반, 상승
🟰 **climb, rise**   ⏴ **descend** 동 내려가다

1399 ☐☐☐

unanimous

[juːnǽnəməs]

형 만장일치의

Most experts are **unanimous** in telling parents to adopt an attitude of freedom. (학평)
대부분의 전문가들은 부모들에게 자유의 태도를 취하라고 말하는 것에서 **만장일치이다**.

➕ **unanimously** 부 만장일치로   **unanimity** 명 만장일치
🟰 **agreed**   ⏴ **divided** 형 분열된, 분리된

1400 ☐☐☐

elicit

[ilísit]

동 이끌어내다, 유도해내다

The reduction in the capacity of territorial borders often **elicits** adverse reactions in numerous populations. (학평)
국경의 수용력 감소는 흔히 수많은 주민들의 거부 반응을 **이끌어낸다**.

Daily Quiz

영어는 우리말로, 우리말은 영어로 쓰세요.

01 outburst _____
02 frown _____
03 affirmative _____
04 bond _____
05 endow _____
06 strategy _____
07 unanimous _____
08 outgrow _____
09 undermine _____
10 suppose _____

11 비추다, 밝아지다 _____
12 직감에 의한, 직관적인 _____
13 중요한, 결정적인 _____
14 일반적인, 장군 _____
15 감독하다, 감시하다 _____
16 전환, 오락, 우회로 _____
17 이끌어내다, 유도해내다 _____
18 놀라게 하다 _____
19 상기하다, 회상 _____
20 벌거벗은, 적나라한 _____

다음 빈칸에 들어갈 가장 알맞은 것을 박스 안에서 고르세요.

| autobiography | quote | dense | intimate | illegal |

21 Ice is less _____ than water.
얼음은 물보다 밀도가 덜 높다.

22 Nobody surpassed Plutarch in the writing of psychology and witty _____(e)s.
심리 묘사와 재치 있는 인용문에서는 아무도 플루타르크를 능가하지 못했다.

23 Most multicellular forms of life live in _____ association with a host of microbes.
대부분의 다중 세포 형태의 생물은 다수의 미생물과 친밀한 관계로 살아간다.

24 The way you move is your _____ in motion.
당신이 행동하는 방식이 당신의 움직이는 자서전이다.

25 I'll remove the _____ flyers in the buildings.
나는 건물에 있는 불법 전단지들을 제거할 것이다.

정답
01 (화산·감정 등의) 폭발, 분출 02 눈살을 찌푸리다, 찡그림, 찌푸림 03 긍정적인, 확언적인, 긍정, 동의 04 유대, 결속, 접착제, 유대를 맺다
05 (재능 등을) 부여하다, 기부하다 06 전략, 전술 07 만장일치의 08 ~보다 더 커지다, (몸이 커져서 옷 등이) 맞지 않게 되다 09 약화시키다, 쇠퇴시키다
10 가정하다, 추정하다 11 illuminate 12 intuitive 13 crucial 14 general 15 oversee 16 diversion 17 elicit 18 startle
19 recall 20 naked 21 dense 22 quote 23 intimate 24 autobiography 25 illegal

ple/pli 채우다

complete
형 완전한, 완성된 동 끝내다, 완성하다

▶ com[모두] + ple(te)[채우다] → 모두 채워 완전한, 완성된

Even with **complete** grammar knowledge, machine translation is often inaccurate. (학평)

완전한 문법 지식을 가지고도, 기계 번역은 종종 부정확하다.

deplete
동 고갈시키다, 감소시키다

▶ de[떨어져] + ple(te)[채우다] → 채운 것을 떨어트려 고갈시키다

General exercise does not **deplete** any nutrients to affect athletic ability. (학평)

일반적인 운동은 운동 능력에 영향을 미칠 어떤 영양분도 **고갈시키지** 않는다.

implement
명 도구, 수단 동 이행하다

▶ im[안에] + ple[채우다] + ment[명·접] → 안을 채우는 일을 이행하기 위한 도구

Extending back to about a million years, natural objects began to be used as **implements**. (학평)

약 100만 년 전으로 거슬러 올라가서, 자연물들은 **도구**로 사용되기 시작했다.

supplement
명 보충(물) 동 보충하다, 추가하다

▶ sup[아래에] + ple[채우다] + ment[명·접] → 아래에 더 채워 추가하는 보충물

Non-verbal communication is not a substitute for verbal communication and should function as a **supplement**. (학평)

비언어적 의사소통은 언어적 소통의 대체물이 아니라 **보충물**로서의 역할을 해야 한다.

compliment
명 칭찬 동 칭찬하다

▶ com[모두] + pli[채우다] + ment[명·접] → 원하는 것을 모두 채워주는 칭찬

They are affected more easily by **compliments** than criticism. (학평)

그들은 비판보다 **칭찬**에 더 쉽게 영향을 받는다.

35 DAY

DAY 36

MP3 바로 듣기

최빈출 단어

1401 ☐☐☐

state

[steit]

명 상태, 국가, 주 형 국가의, 주의 동 진술하다

Nearly all snakes experience some form of deep sleep
state during winter. (학평)

거의 모든 뱀들은 겨울 동안 어떤 형태로든 깊은 수면 **상태**를 겪는다.

➕ **statement** 명 진술, 성명

🟰 **condition**

Tips **시험에는 이렇게 나온다**

state of balance 균형 상태	**emotional state** 정서 상태
state of mind 정신 상태	**state law** 주의 법

1402 ☐☐☐

essential

[isénʃəl]

형 필수적인, 본질적인

One of the most essential decisions any of us can make
is how we invest our time. (학평)

우리 중 어느 누구든 내릴 수 있는 가장 **필수적인** 결정 중의 하나는 우리의 시간을 어떻게
투자하는가이다.

➕ **essence** 명 본질 **essentially** 부 본질적으로

🟰 **vital, necessary**

1403 ☐☐☐

absorb

[æbsɔ́ːrb]

동 흡수하다, 받아들이다

The leaves of a tree appear green because all other
wavelengths of the light hitting them are absorbed. (수능)

나무의 잎들은 그것들에 부딪히는 다른 모든 빛의 파장이 **흡수되기** 때문에 초록빛을 띤다.

➕ **absorption** 명 흡수 **absorptive** 형 흡수하는, 흡수성의

Tips **주의해야 할 혼동어**

absorb와 철자가 비슷한 absurd에 주의하세요! absurd는 '우스꽝스러운', '터무니없는', '부조리'
를 의미하는 단어예요.

1404 □□□

perspective

[pərspéktiv]

명 관점, 시각, 원근법

Any moral opinions are affected by an individual's cultural **perspective**. 학평

어떤 도덕적 의견이든지 개인의 문화적 **관점**에 의해 영향을 받는다.

1405 □□□

preserve

[prizə́ːrv]

동 보존하다, 보호하다

Dinosaurs' bones have been **preserved** as fossils. 학평

공룡의 뼈는 화석으로 **보존되어** 왔다.

➕ **preservation** 명 보존, 보호

🟰 **protect, maintain**

1406 □□□

arrange

[əréindʒ]

동 배열하다, 정리하다, 준비하다

The rooms of the Tubo Hotel are **arranged** in a pyramid shape. 학평

Tubo 호텔의 방들은 피라미드 모양으로 **배열되어** 있다.

➕ **arrangement** 명 배열, 준비, 합의

🟰 **array, order**

1407 □□□

advocate

명[ǽdvəkət]
동[ǽdvəkeit]

명 지지자, 옹호자　**동** 지지하다, 옹호하다

Advocates for each side of the issue presented arguments for their positions. 학평

그 문제의 양측 **지지자들**은 자신들의 입장에 대한 주장을 펼쳤다.

➕ **advocacy** 명 지지, 옹호

🟰 **supporter**　↔ **opponent** 명 반대자, 상대

1408 □□□

agency

[éidʒənsi]

명 대행사, 기관

The travel **agency** wasn't very helpful, and I still need to find a hotel. 수능

여행 **대행사**는 별로 도움이 되지 않았고, 나는 여전히 호텔을 찾아야 한다.

➕ **agent** 명 대리인, 중개상, 요원

Tips

시험에는 이렇게 나온다

protection agency 보호 기관	**advertising agency** 광고 대행사
media agency 언론 기관	**government agency** 정부 기관

01 02 03 04 05 06 07 08 09 10 11 12 13 14 15 16 17 18 19 20 21 22 23 24 25 26 27 28 29 30 31 32 33 34 35 36 DAY 37 38 39 40 41 42 43 44 45

precise

[prisáis]

형 정확한, 정밀한

Only a good dictionary will give you the precise definition. (학평)

좋은 사전만이 당신에게 **정확한** 정의를 제시할 것이다.

➕ **precisely** 뛰 바로, 정확하게 **precision** 몡 정확, 정밀

🟰 **accurate, correct, exact**

Tips | 시험에는 이렇게 나온다

precise location 정확한 위치	**precise meaning** 정확한 의미
precise number 정확한 수	**precise amount** 정확한 양[금액]

severe

[sivíər]

형 심각한, 맹렬한, 엄격한

He was suffering from severe malnutrition. (학평)

그는 **심각한** 영양실조로 고통받고 있었다.

➕ **severely** 뛰 심하게, 엄격하게 **severity** 몡 격렬, 엄격

🟰 **serious, intense**

attend

[əténd]

동 참석하다, 출석하다

The number of foreign students attending Korean language programs has increased. (수능)

한국어 프로그램에 **참석하는** 외국인 학생들의 수가 증가했다.

➕ **attendance** 몡 참석, 출석 **attendee** 몡 참석자

compose

[kəmpóuz]

동 작곡하다, 만들다, 구성하다

Irving Berlin composed *White Christmas* in 1939. (학평)

어빙 벌린은 1939년에 「화이트 크리스마스」를 **작곡했다**.

➕ **composer** 몡 작곡가 **composition** 몡 구성 (요소), 작곡
  be composed of ~으로 구성되어 있다

plot

[plɑːt]

명 줄거리, 구상 **동** 음모하다, 모의하다

A novel is often robbed of much of its interest if you know the plot beforehand. (학평)

당신이 **줄거리**를 미리 알고 있다면 소설은 종종 많은 흥미를 빼앗기게 된다.

🟰 **story, scenario**

principal

[prínsəpəl]

명 교장, 학장　**형** 주요한, 주된

The name of the school **principal** is spelled wrong in the school magazine. 학평

학교장의 이름 철자가 학교 잡지에 잘못 적혀 있다.

Tips **주의해야 할 혼동어**

principal과 철자가 비슷하고 발음이 동일한 principle에 주의하세요! principle은 '원칙', '신조'를 뜻하는 단어예요. 두 단어의 발음이 동일하기 때문에 듣기 영역에서는 맥락에 따라서 혼동어를 구별해야 해요.

strict

[strikt]

형 엄격한, 엄밀한

Some parents are afraid that they might be too **strict** with their children. 학평

일부 부모들은 자신들이 자녀에게 너무 **엄격할까** 봐 두려워한다.

➕ strictly 튄 엄격히, 엄밀히　**strictness** 명 엄격함
🟰 rigid, stern, firm　**◀▶ easy-going** 형 느긋한, 태평스러운

빈출 단어

breed

[bri:d]

동 기르다, 번식하다, 낳다　**명** (동식물의) 품종

In the Middle Ages, people **bred** horses for farm work and for hauling wagons. 학평

중세시대에, 사람들은 농사와 마차 끌기를 위해 말을 **길렀다**.

🟰 raise, rear

fold

[fould]

동 접다　**명** (천 등의) 주름

Mom **folded** a dish towel and tucked it into her handbag. 학평

어머니는 행주를 **접어서** 그녀의 핸드백 안으로 집어넣었다.

ratio

[réiʃou]

명 비율, (~에 대한) 비

A **ratio** is a way of expressing the relationship between one number and another. 학평

비율은 하나의 숫자와 또 다른 숫자 사이의 관계를 표현하는 방법이다.

🟰 proportion, rate, percentage

column

[káːləm]

명 기둥, 세로 열, (신문·잡지 등의) 기고

Gaudi designed the **columns** inside the church to resemble trees and branches. (교과서)

가우디는 성당 내부의 **기둥들**을 나무, 그리고 나뭇가지와 닮도록 디자인했다.

thrift

[θrift]

명 검소, 절약

In nearly every culture, some degree of **thrift** and hard work is empathized. (학평)

거의 모든 문화에서, 어느 정도의 **검소**와 근면은 강조된다.

➕ **thrifty** 형 절약하는　**thriftiness** 명 절약함

🟰 **frugality**　◀▶ **extravagance** 명 낭비(벽), 사치(품)　**waste** 명 낭비

beloved

[bilʌ́vid]

형 사랑하는, 총애받는　**명** 아주 사랑하는 사람

All of a sudden, he had an irresistible urge to go to see his **beloved** wife and his two sons. (수능)

갑자기, 그는 **사랑하는** 아내와 두 아들을 만나러 가고 싶은 참을 수 없는 충동을 느꼈다.

suspicious

[səspíʃəs]

형 의심스러운, 의혹을 품는

Consumers were **suspicious** of food that had been kept in cold storage. (학평)

소비자들은 냉장 보관되어 있던 음식이 **의심스러웠다**.

➕ **suspiciously** 부 수상쩍은 듯이　**suspicion** 명 의심, 의혹

🟰 **doubtful**

respective

[rispéktiv]

형 각각의, 각자의

He took his son to see the animals in their **respective** cages. (학평)

그는 **각각의** 우리 안에 있는 동물들을 보여주려고 자신의 아들을 데려갔다.

➕ **respectively** 부 각각, 각자

🟰 **individual, own**

Tips

> **주의해야 할 혼동어**
>
> respective와 철자가 비슷한 respectful에 주의하세요! respectful은 '존경심을 보이는'을 의미하는 단어예요.

1424 □□□

peninsula

[pənínsjulə]

명 반도

Baja California is a **peninsula** located in North America. 학평

바하칼리포르니아는 북아메리카에 위치한 **반도**이다.

1425 □□□

visualize

[víʒuəlaiz]

동 시각화하다, 마음속에 그리다, 상상하다

Doctors use ultrasound to **visualize** the size and structure of internal organs. 학평

의사들은 장기의 크기와 구조를 **시각화하기** 위해 초음파를 사용한다.

➕ **visual** 형 시각의, 보이는   **visualization** 명 시각화

1426 □□□

initiative

[iníʃətiv]

명 주도(권), 계획, 진취성

Taking the **initiative** means recognizing our responsibility to make things happen. 모평

주도권을 잡는 것은 어떤 일을 성사시키도록 해야 하는 우리의 책임을 인식하는 것을 의미한다.

➕ **initiate** 동 시작하다, 착수시키다

▣ **lead, leadership**

1427 □□□

exclusive

[iksklú:siv]

형 배타적인, 독점적인, 전용의

Business leaders have portrayed environmental protection and jobs as mutually **exclusive**. 학평

기업가들은 환경 보호와 일자리가 상호 **배타적이라고** 표현해 왔다.

➕ **exclusively** 부 배타적으로, 독점적으로   **exclude** 동 제외하다, 배제하다

➖ **inclusive** 형 포함된, 포괄적인

1428 □□□

emigrate

[émigreit]

동 이민을 가다, 이주하다

He **emigrated** to the US and continued to make films. 수능

그는 미국으로 **이민을 가서** 계속 영화를 만들었다.

➕ **emigrant** 명 이민자, 이주민

➖ **immigrate** 동 이민을 오다, 이주해 오다

greedy

[gríːdi]

형 탐욕스러운, 욕심 많은

You cannot act like a **greedy** brute. 모평
당신은 **탐욕스러운** 짐승처럼 행동하면 안 된다.

➕ greed 명 탐욕, 욕심

paragraph

[pǽrəgræf]

명 단락, 절

The teacher read us a **paragraph** in Spanish, and I didn't understand a word of it. 모평
선생님은 우리에게 한 **단락**을 스페인어로 읽어주셨는데, 나는 그것을 단 한 마디도 이해하지 못했다.

▤ passage, section

buddy

[bʌ́di]

명 친구, 단짝

My **buddy** and his wife were in constant conflict. 학평
내 **친구**와 그의 아내는 끊임없이 충돌했다.

withhold

[wiðhóuld]

동 유보하다, 주지 않다

You should be prepared to **withhold** judgment for a while. 모평
당신은 판단을 당분간 **유보할** 준비가 되어 있어야 한다.

▤ reserve, put off, hold back

friction

[fríkʃən]

명 마찰 (저항), 불화

Reduced **friction** helps the curling stone move farther. 교과서
줄어든 **마찰**은 컬링 스톤이 더 멀리 나아가도록 돕는다.

➕ frictional 형 마찰(성)의, 마찰에 의한   frictionless 형 마찰이 없는

inventory

[ínvəntɔːri]

명 재고(품), 물품 목록 동 재고 조사를 하다

The merchant reduces **inventory** to balance supply and demand. 모평
상인은 수요와 공급의 균형을 맞추기 위해 **재고**를 줄인다.

▤ stock

1435

ferment

[fɔ́:rment]

동 발효시키다, 발효하다   명 (정치적) 동요

When sugar is **fermented**, it produces alcohol. (모평)
설탕이 **발효되면**, 그것은 알코올을 생성한다.

➕ **fermentation** 명 발효 (작용)

1436

aggravate

[ǽgrəveit]

동 악화하다, 화나게 하다

Difficulty in assessing information is **aggravated** by the overabundance of information. (모평)
정보 평가의 어려움은 정보의 과잉으로 인해 **악화된다**.

🟰 **worsen**   🔁 **improve** 동 향상하다   **please** 동 기쁘게 하다

1437

allot

[əlά:t]

동 할당하다, 배당하다

Generally, we have more time than we **allot** ourselves to make decisions and draw conclusions. (학평)
일반적으로, 우리는 결정을 내리고 결론을 도출하기 위해 우리 자신에게 **할당하는** 시간보다 더 많은 시간이 있다.

🟰 **assign, allocate**

1438

timid

[tímid]

형 소심한, 용기가 없는, 겁 많은

If you tend to be shy or **timid**, give yourself a push to be more aggressive. (학평)
만약 당신이 수줍거나 **소심한** 경향이 있다면, 더 적극적이기 위해 자신을 밀어붙여라.

1439

vowel

[váuəl]

명 모음   형 모음의

Two **vowels** used together can represent different sounds. (학평)
함께 사용된 두 개의 **모음들**은 다른 소리를 나타낼 수 있다.

🔁 **consonant** 명 자음

1440

drowsy

[dráuzi]

형 졸리는, 나른하게 만드는

Jet lag can make you feel **drowsy** and tired. (학평)
시차증은 당신을 **졸리고** 피곤하게 만들 수 있다.

➕ **drowsiness** 명 졸림, 나른함

Daily Quiz

영어는 우리말로, 우리말은 영어로 쓰세요.

01	fold	_____	11	흡수하다, 받아들이다	_____
02	advocate	_____	12	필수적인, 본질적인	_____
03	paragraph	_____	13	마찰 (저항), 불화	_____
04	allot	_____	14	모음, 모음의	_____
05	precise	_____	15	졸리는, 나른하게 만드는	_____
06	ratio	_____	16	기르다, (동식물의) 품종	_____
07	buddy	_____	17	발효시키다, 동요	_____
08	greedy	_____	18	기둥, 세로 열	_____
09	thrift	_____	19	참석하다, 출석하다	_____
10	plot	_____	20	배열하다, 정리하다	_____

다음 빈칸에 들어갈 가장 알맞은 것을 박스 안에서 고르세요.

exclusive	severe	initiative	compose	state

21 Business leaders have portrayed environmental protection and jobs as mutually
_____.
기업가들은 환경 보호와 일자리가 상호 배타적이라고 표현해 왔다.

22 Nearly all snakes experience some form of deep sleep _____ during winter.
거의 모든 뱀들은 겨울 동안 어떤 형태로든 깊은 수면 상태를 겪는다.

23 Taking the _____ means recognizing our responsibility to make things happen.
주도권을 잡는 것은 어떤 일을 성사시키도록 해야 하는 우리의 책임을 인식하는 것을 의미한다.

24 He was suffering from _____ malnutrition.
그는 심각한 영양실조로 고통받고 있었다.

25 Irving Berlin _____(e)d *White Christmas* in 1939.
어빙 벌린은 1939년에 「화이트 크리스마스」를 작곡했다.

sound

1 　명 소리, 음

Humans usually experience **sound** as the result of vibrations in air or water. 학평
인간은 보통 공기나 물의 진동의 결과로서 **소리**를 경험한다.

2 　동 ~하게 들리다, (말을 듣거나 글을 읽어보니) ~인 것 같다

My recorded voice **sounded** a little strange to me. 교과서
녹음된 내 목소리가 내게는 조금 이상**하게 들렸다**.

3 　형 건강한, 상하지 않은, 흠이 없는

A **sound** mind rests in a **sound** body. 학평
건강한 정신은 **건강한** 육체에 깃든다.

company

1 　명 회사

Sara is a manager at a trading **company**. 학평
Sara는 무역 **회사**의 관리자이다.

2 　명 함께 있음

Diego enjoyed the **company** of Juan Salvado. 교과서
Diego는 Juan Salvado와 **함께 있음**을 즐겼다.

3 　명 일행, (집에 온) 손님

Do you have any **company**? 학평
일행이 있으신가요?

DAY 37

최빈출 단어

1441 ☐☐☐

involve
[invá:lv]

图 수반하다, 포함하다, 관련되다

Reading **involves** a complex form of mental activity. (수능)
독서는 복합적인 형태의 지적 활동을 **수반한다**.

➕ involvement 명 포함, 관련 **be involved in** ~에 관여하다
🟰 entail, imply

1442 ☐☐☐

apply
[əplái]

图 지원하다, 신청하다, 적용하다, (약 등을) 바르다

I'm not qualified to **apply** for the position. (수능)
나는 그 자리에 **지원할** 자격이 없다.

➕ application 명 지원(서), 적용 applicant 명 지원자

Tips

시험에는 이렇게 나온다	
apply for a job 일자리에 지원하다	**apply for a credit card** 신용 카드를 신청하다
apply A to B A를 B에 적용하다	**apply lotion** 로션을 바르다

1443 ☐☐☐

treat
[tri:t]

图 치료하다, 대우하다 명 대접, 한턱

We rescue and **treat** wild animals that are injured. (모평)
우리는 다친 야생 동물들을 구조하고 **치료한다**.

➕ treatment 명 치료, 대우
🟰 cure, care for, deal with

1444 ☐☐☐

lonely
[lóunli]

톙 외로운, 쓸쓸한

Despite all the crowds, it is still possible to feel very **lonely** in a city. (수능)
그 많은 군중에도 불구하고, 여전히 도시에서는 아주 **외로운** 감정을 느낄 수 있다.

➕ loneliness 명 외로움, 고독

decade

[dékeid]

명 십(10) 년

Just in the last decade, we have acquired the ability to do amazing things with computers. 학평
지난 단 **십 년** 동안, 우리는 컴퓨터로 놀라운 일들을 할 수 있는 능력을 습득해왔다.

Tips	시험에는 이렇게 나온다
decades ago 수십 년 전에(몇십 년 전만 해도) **three decades** 30년
over the past decades 지난 수십 년 동안 **for decades** 수십 년간

generate

[dʒénəreit]

동 발생시키다, 초래하다

Slow muscle fibers don't generate a lot of quick power for the body. 수능
지근섬유는 신체에 빠른 힘을 많이 **발생시키지** 않는다.

➕ generation 명 발생, 세대 generate A from B B로부터 A를 발생시키다
🟰 cause, produce, make

surround

[səráund]

동 둘러싸다, 에워싸다

Surround yourself with people you want to be around. 교과서
당신이 함께 있고 싶은 사람들로 당신 주변을 **둘러싸라**.

➕ surrounding 형 인근의, 주변의 surroundings 명 (주변) 환경

impress

[imprés]

동 깊은 인상을 주다, 감명을 주다

Some writers think that to impress their readers, they have to use long words and sound "intellectual." 수능
몇몇 작가들은 독자들에게 **깊은 인상을 주기** 위해, 자신들이 긴 단어를 쓰고 "지적으로" 들려야 한다고 생각한다.

➕ impressive 형 인상적인 impressed 형 감명받은 impression 명 인상

guilty

[gílti]

형 유죄의, 죄책감이 드는

It is the responsibility of the court to prove that a person is guilty. 수능
한 사람이 **유죄인** 것을 증명하는 것은 법원의 책임이다.

➕ guilt 명 유죄, 죄책감
➖ innocent 형 결백한, 무고한

37 DAY

priority

[praiɔ́:rəti]

명 우선 사항, 우선(권)

Your teachers want to make your safety the top priority. (학평)

선생님들은 여러분의 안전을 최**우선 사항**으로 삼고 싶어 한다.

➕ **prioritize** 통 우선순위를 매기다

Tips | **시험에는 이렇게 나온다**
우선시되어야 하는 사항 중에서도 가장 앞서서 다뤄져야 하는 '최우선 사항'은 'top priority' 또는 'first priority'라고 해요.

settle

[sétl]

통 해결하다, 처리하다, 정착하다

I hope you can help me settle the conflict. (학평)

내가 그 갈등을 **해결하는** 것을 당신이 도와줄 수 있기를 바랍니다.

➕ **settlement** 명 해결, 정착 **settle down** 정착하다, 안정되다

■ **resolve, work out**

association

[əsòusiéiʃən]

명 협회, 연합, 연상

Some associations work together with the police to help protect their neighborhoods from crime. (학평)

일부 **협회**는 범죄로부터 주민들을 보호하는 것을 돕기 위해 경찰과 협력한다.

➕ **associate** 통 연상하다, 관련 짓다 **associative** 형 연합의, 연상의

starvation

[stɑːrvéiʃən]

명 굶주림, 기아

Disease, enemies, and starvation were always menacing primitive man. (모평)

질병, 적, 그리고 **굶주림**은 원시인을 항상 위협했다.

➕ **starve** 통 굶주리다, 굶어 죽다 **starved** 형 굶주린

immune

[imjúːn]

형 면역의, 면제된

The nutrients in apples help you strengthen your immune system. (모평)

사과에 들어 있는 영양소는 **면역** 체계를 강화하는 데 도움을 준다.

➕ **immunity** 명 면역(력)

■ **resistant**

1455 □□□

finance

[fáinæns]

동 자금을 조달하다 **명** 재원, 재정

A partnership is an agreement between two or more people to **finance** and operate a business. (학평)

동업은 두 명 또는 그 이상의 사람들 간에 **자금을 조달하고** 사업을 운영하기 위한 합의이다.

➕ **financial** [형] 금융의, 재정의

▬ **fund, support**

빈출 단어

1456 □□□

impose

[impóuz]

동 부과하다, 강요하다

The limitations we **impose** on ourselves can be the obstacles to our future success. (학평)

우리가 자신에게 **부과하는** 제한들이 우리 미래의 성공에 걸림돌이 될 수 있다.

➕ **imposition** [명] 부과, 부담

Tips

> **시험에는 이렇게 나온다**
>
> impose는 religion(종교), values(가치) 등의 사상이나 가치관과 관련된 명사와 함께 나오는 경우가 많아요.

1457 □□□

personnel

[pə̀:rsənél]

명 (회사의) 인사과, (조직·군대의) 인원

She calls the **personnel** manager of the company before sending the document. (학평)

그녀는 서류를 보내기 전에 회사의 **인사과** 관리자에게 전화한다.

1458 □□□

conscience

[kɑ́:nʃəns]

명 양심

We want our children to develop a **conscience** — an inner voice that will keep them on the right path. (수능)

우리는 아이들이 자신을 올바른 길로 가게 할 내면의 목소리인 **양심**을 키우기를 바란다.

➕ **conscientious** [형] 양심적인   **conscienceless** [형] 비양심적인

1459 □□□

texture

[tékstʃər]

명 질감, 감촉, 구조

Freezing will change the tofu's **texture**, making it slightly chewier. (학평)

냉동은 두부의 **질감**을 바꾸어, 그것을 조금 더 쫄깃하게 만들 것이다.

01
02
03
04
05
06
07
08
09
10
11
12
13
14
15
16
17
18
19
20
21
22
23
24
25
26
27
28
29
30
31
32
33
34
35
36
37 DAY
38
39
40
41
42
43
44
45

geometry

[dʒiɑ́:mətri]

명 기하학, 기하학적 구조

The Greeks figured out mathematics, **geometry**, and calculus long before calculators were available. (학평)

그리스인들은 계산기가 사용 가능하기 훨씬 이전에 수학, **기하학**, 그리고 미적분을 알아냈다.

➕ **geometric** 형 기하학의, 기하학적인

ecology

[ikɑ́:lədʒi]

명 생태(학)

One glaciologist said that "a road is like a direct attack on **ecology**." (학평)

한 빙하학자는 "도로는 마치 **생태**에 대한 직접적인 공격과 같다"라고 말했다.

➕ **ecologist** 명 생태학자   **ecological** 형 생태학의, 생태계의

penetrate

[pénətreit]

동 관통하다, 침투하다, 꿰뚫다

The light from the flash **penetrates** the eyes through the pupils. (학평)

플래시로부터의 빛이 동공을 통해 눈을 **관통한다**.

➕ **penetration** 명 관통, 침투
🟰 **pierce, go through**

interior

[intíəriər]

명 내부, 내륙   형 내부의

Mary wanted the **interior** of the house to look attractive. (학평)

Mary는 집의 **내부**가 매력적으로 보이기를 바랐다.

🟰 **inside**   🔁 **exterior** 명 외부, 겉(모습) 형 외부의

medication

[mèdəkéiʃən]

명 약, 약물 (치료)

All the **medications** you prescribed have always been effective. (학평)

당신이 처방했던 모든 **약**은 항상 효과가 있었습니다.

➕ **medicine** 명 의학, 약   **medical** 형 의학의   **be on medication** 약물 치료를 받다

Tips | **주의해야 할 혼동어**

medication과 철자가 비슷한 meditation에 주의하세요! meditation은 '명상', '묵상'을 의미하는 단어예요.

1465 □□□

humility

[hjuːmíləti]

명 겸손

Humility makes great men twice honorable. (학평)

겸손은 훌륭한 사람들을 두 배로 존경할만하게 만든다.

🔁 modesty, humbleness

Tips | **주의해야 할 혼동어**
humility와 철자가 비슷한 humiliation에 주의하세요! humiliation은 '굴욕', '창피'를 의미하는 단어예요.

1466 □□□

thrive

[θraiv]

통 잘 자라다, 번창하다

The traveler's palm **thrives** best in full sun, so it requires a lot of light. (학평)

여인초는 햇빛이 가득해야 가장 **잘 자라기** 때문에 많은 빛이 필요하다.

🔁 flourish, prosper ↔ decline 통 쇠퇴하다

1467 □□□

astronomy

[əstrάːnəmi]

명 천문학

The young astronomer came into the spotlight in the field of **astronomy** when he discovered Pluto. (학평)

그 젊은 천문학자는 명왕성을 발견했을 때 **천문학** 분야에서 주목을 받았다.

➕ astronomer 명 천문학자 astronomical 형 천문학의, 천문학적인

1468 □□□

catastrophe

[kətǽstrəfi]

명 재난, 참사, 재앙

To help societies reduce damage from **catastrophes**, a huge amount of effort is often employed. (수능)

사회가 **재난**으로 인한 피해를 줄이는 데 도움을 주기 위해, 종종 엄청난 노력이 쓰인다.

➕ catastrophic 형 대재앙의, 파멸의, 비극적인

🔁 disaster

1469 □□□

hinder

[híndər]

통 저해하다, 방해하다

A popular notion with regard to creativity is that constraints **hinder** our creativity. (학평)

창의성에 대한 대중적인 생각은 제약들이 우리의 창의성을 **저해한다는** 것이다.

➕ hindrance 명 방해, 장애

🔁 disrupt, obstruct, interrupt

fort

[fɔːrt]

명 요새, 보루

Kids built secret **forts** and treehouses. 학평
아이들이 비밀 **요새**와 나무 위의 집을 지었다.

➕ **fortify** 동 요새화하다, 강화하다

implement

동[ímpləment]
명[ímpləmənt]

동 시행하다, 이행하다 명 도구, 수단

Hawaii has **implemented** one of the nation's strictest no-smoking laws. 학평
하와이는 국가의 가장 엄격한 금연법 중의 하나를 **시행해왔다**.

➕ **implementation** 명 시행, 이행
➖ **carry out, perform**

stiff

[stif]

형 뻣뻣한, 경직된

His body became numb and **stiff** from the cold wind. 학평
차가운 바람에 그의 몸은 무감각해지고 **뻣뻣해졌다**.

➕ **stiffen** 동 뻣뻣해지다, 경직시키다   **stiffness** 명 뻣뻣함, 완고함
➖ **inflexible, rigid, firm**   ➗ **flexible** 형 신축성 있는, 유연한

comet

[káːmit]

명 혜성

The **comet** grew 400,000 times brighter than normal. 학평
그 **혜성**은 평소보다 40만 배 더 밝아졌다.

insure

[inʃúər]

동 보험에 들다, 보험을 팔다

Would you like to have it **insured**? 학평
당신은 그것을 **보험에 들고** 싶으신가요?

➕ **insurance** 명 보험(금)

gratify

[grǽtəfai]

동 (욕구 등을) 충족시키다, 기쁘게 하다

Many of the substances plants make draw other creatures to them by **gratifying** their desire. 학평
식물들이 만드는 상당수의 물질들은 다른 생물체의 욕구를 **충족시킴**으로써 그것들을 식물들 쪽으로 유인한다.

➕ **gratification** 명 만족감

collaborate

[kəlǽbəreit]

통 협력하다, 협동하다

The hormones that drive us to compete are the same hormones that drive us to **collaborate**. (학평)

우리를 경쟁하게 만드는 호르몬은 우리를 **협력하게** 만드는 호르몬과 동일하다.

➕ **collaborative** 형 협력적인, 공동의   **collaboration** 명 협력, 합작

cooperate

Tips | **시험에는 이렇게 나온다**
| collaborate는 주로 전치사 on이나 with와 함께 쓰이는데, on 뒤에는 협력 내용이, with 뒤에는 협력 대상이 와요.
| **collaborate on** ~에 대해 협력하다   **collaborate with** ~와 협력하다

aspire

[əspáiər]

통 열망하다, 갈망하다

Aspire, and you will achieve. (학평)

열망하라, 그러면 이룰 것이다.

➕ **aspiration** 명 열망, 포부

Tips | **주의해야 할 혼동어**
| aspire와 철자가 비슷한 inspire에 주의하세요! inspire는 '영감을 주다'를 의미하는 단어예요.

sway

[swei]

통 흔들리다, 흔들다   **명** 흔들림

The tree he was holding on to was **swaying** dangerously. (학평)

그가 붙잡고 있던 나무가 위태롭게 **흔들리고** 있었다.

apprehend

[æprihénd]

통 이해하다, 파악하다, 체포하다

The most important aspect of "authorship" is the vaguely **apprehended** presence of human creativity. (학평)

"작가 정체성"의 가장 중요한 측면은 막연하게 **이해되는** 인간 독창성의 존재이다.

➕ **apprehensive** 형 이해가 빠른, 우려하는   **apprehension** 명 이해, 우려

understand, comprehend

dispel

[dispél]

통 떨쳐 버리다, 없애다

Physical movement can **dispel** negative feelings. (학평)

신체적 운동은 부정적인 감정을 **떨쳐 버릴** 수 있다.

37 DAY

Daily Quiz

영어는 우리말로, 우리말은 영어로 쓰세요.

01	impose	_____	**11**	깊은 인상을 주다	_____
02	involve	_____	**12**	내부, 내부의	_____
03	apply	_____	**13**	생태(학)	_____
04	decade	_____	**14**	협력하다, 협동하다	_____
05	hinder	_____	**15**	충족시키다	_____
06	fort	_____	**16**	열망하다, 갈망하다	_____
07	implement	_____	**17**	뻣뻣한, 경직된	_____
08	association	_____	**18**	약, 약물 (치료)	_____
09	conscience	_____	**19**	해결하다, 정착하다	_____
10	surround	_____	**20**	관통하다, 꿰뚫다	_____

다음 빈칸에 들어갈 가장 알맞은 것을 박스 안에서 고르세요.

texture	catastrophe	sway	finance	thrive

21 A partnership is an agreement between two or more people to _____ and operate a business.
동업은 두 명 또는 그 이상의 사람들 간에 자금을 조달하고 사업을 운영하기 위한 합의이다.

22 The traveler's palm _____(e)s best in full sun, so it requires a lot of light.
여인초는 햇빛이 가득해야 가장 잘 자라기 때문에 많은 빛이 필요하다.

23 To help societies reduce damage from _____(e)s, a huge amount of effort is often employed.
사회가 재난으로 인한 피해를 줄이는 데 도움을 주기 위해, 종종 엄청난 노력이 쓰인다.

24 The tree he was holding on to was _____ing dangerously.
그가 붙잡고 있던 나무가 위태롭게 흔들리고 있었다.

25 Freezing will change the tofu's _____, making it slightly chewier.
냉동은 두부의 질감을 바꾸어, 그것을 조금 더 쫄깃하게 만들 것이다.

정답
01 부과하다, 강요하다　02 수반하다, 포함하다, 관련되다　03 지원하다, 신청하다, 적용하다, (약 등을) 바르다　04 십(10)년　05 저해하다, 방해하다
06 요새, 보루　07 시행하다, 이행하다, 도구, 수단　08 협회, 연합, 연상　09 양심　10 둘러싸다, 에워싸다　11 impress　12 interior　13 ecology
14 collaborate　15 gratify　16 aspire　17 stiff　18 medication　19 settle　20 penetrate　21 finance　22 thrive　23 catastrophe
24 sway　25 texture

area

1 　명 지역, 구역

The addax is a kind of antelope found in some **areas** in the Sahara Desert. (학평)

아닥스는 사하라 사막의 일부 **지역**에서 발견되는 영양의 한 종류이다.

2 　명 영역, 분야

Medals are awarded in five **areas**: architecture, literature, music, painting, and sculpture. (모평)

메달은 건축, 문학, 음악, 그림, 그리고 조각의 다섯 가지 **영역**에서 수여된다.

3 　명 면적

When it is dry, the cactus contracts like an accordion to minimize the surface **area** exposed to the sun. (학평)

건조해지면, 선인장은 태양에 노출되는 **면적**을 최소화하기 위해 아코디언처럼 수축한다.

minute

1 　명 (시간 단위의) 분

The video should be longer than 1 **minute** and shorter than 4 **minutes**. (학평)

영상은 1**분**보다 길고 4**분**보다 짧아야 합니다.

2 　명 순간, 잠깐

We bought tickets at the last **minute** and were not able to get seats next to each other. (모평)

우리는 마지막 **순간**에 표를 샀고 서로의 옆 좌석을 잡을 수는 없었다.

3 　형 미세한, 아주 작은, 세심한

Tradition is not static, but constantly subject to **minute** variations. (모평)

전통은 정적인 것이 아니라 **미세한** 변화를 끊임없이 겪는다.

최빈출 단어

1481 ☐☐☐

negative

[négətiv]

형 부정적인, 적대적인

Ads will cover up negative aspects of the company or service they advertise. (학평)

광고는 그것들이 광고하는 회사나 서비스의 **부정적인** 측면을 숨길 것이다.

➕ negatively 부 부정적으로

🟰 pessimistic ⬛ positive 형 긍정적인 affirmative 형 긍정적인, 확언적인

Tips ┃ **시험에는 이렇게 나온다**

negative effects 부정적인 영향	**negative emotions** 부정적인 감정
negative reaction 부정적인 반응	**negative attitudes** 부정적인 태도

1482 ☐☐☐

decrease

동[dikríːs]
명[díkriːs]

동 감소하다, 줄다 명 감소, 하락

The percentage of breastfeeding mothers began to decrease after 1980. (학평)

모유 수유를 하는 산모의 비율은 1980년 이후 **감소하기** 시작했다.

🟰 decline, diminish, lessen ⬛ increase 동 증가하다, 늘다 명 증가

Tips ┃ **주의해야 할 혼동어**

decrease와 철자가 비슷한 decease에 주의하세요! '감소하다', '감소'를 뜻하는 decrease는 [디크뤼즈]라고 발음하고, '사망하다', '사망'을 뜻하는 decease는 [디시스]라고 발음해요.

1483 ☐☐☐

enhance

[inhǽns]

동 향상시키다, 높이다

Identifying what we can do in the workplace serves to enhance the quality of our professional career. (수능)

직장에서 우리가 할 수 있는 것을 발견하는 것은 우리의 직업 경력의 질을 **향상시키는** 데 도움이 된다.

➕ enhancement 명 향상, 상승

🟰 improve, strengthen

1484 ☐☐☐

opinion

[əpínjən]

명 의견, 견해

Feel free to share your opinion. (학평)
여러분의 **의견**을 자유롭게 나누세요.

🔁 view, idea

1485 ☐☐☐

donation

[dounéiʃən]

명 기부, 기증

All donations this year go toward purchasing new books for the children's library. (수능)
올해의 모든 **기부**는 어린이 도서관을 위한 새 책들을 구매하는 데 사용됩니다.

➕ donate 동 기부하다, 기증하다   donor 명 기부자, 기증자

1486 ☐☐☐

facility

[fəsíləti]

명 시설, 설비, 편의

Due to some mechanical problems, the facility is not open to visitors at the moment. (학평)
일부 기계적인 문제 때문에, 그 **시설**은 현재 방문객에게 열려 있지 않다.

➕ facilitate 동 가능하게 하다, 촉진하다

1487 ☐☐☐

intellectual

[ìntəléktʃuəl]

형 지적인, 지성의

Information accessibility leads to intellectual advances. (학평)
정보 접근성은 **지적** 발전으로 이어진다.

➕ intellect 명 지적 능력, 지식인

Tips

시험에는 이렇게 나온다	
intellectual approach 지적 접근	intellectual conduct 지적인 행위
intellectual factor 지적인 요소	intellectual property 지적 재산

1488 ☐☐☐

induce

[indjúːs]

동 유발하다, 유도하다, 설득하다

The anxiety induced by anticipating the loss of their jobs damaged their health and well-being. (모평)
실직을 예상함으로써 **유발되는** 불안감은 그들의 건강과 행복을 해쳤다.

➕ induction 명 유발, 유도

🔁 cause, trigger

apparent

[əpǽrənt]

형 확실히 보이는, 명백한, 겉보기의

Traces of volcanic activity are **apparent** across the island on its walking trails called ollegil. 교과서

화산 활동의 흔적은 섬 전역의 올레길이라고 불리는 산책로에서 **확실히 보인다**.

➕ **apparently** 뙤 보아하니, 분명히
🟰 **obvious, evident** ↔ **unclear** 형 불분명한 **obscure** 형 모호한

prey

[prei]

명 먹이, 사냥감, 희생자

Leaf fish seizes unsuspecting **prey** with a lightning-fast snap of the jaws. 수능

리프 피시는 번개처럼 빠르게 턱으로 덥석 물어 경계하고 있지 않던 **먹이**를 잡는다.

↔ **predator** 명 포식자, 약탈자

attain

[ətéin]

동 달성하다, 이루다, 도달하다

Achievement is something you reach or **attain**. 학평

성취란 당신이 도달하거나 **달성하는** 무언가이다.

➕ **attainment** 명 달성, 성취 **attainable** 형 달성할 수 있는
🟰 **achieve, accomplish, acquire**

accumulate

[əkjúːmjəleit]

동 쌓이다, 축적하다, 모으다

Try not to let moments of doubt **accumulate** and affect your self-belief. 모평

의심의 순간들이 **쌓여** 자기 신뢰에 영향을 미치지 않도록 노력하라.

➕ **accumulation** 명 축적(물)
🟰 **gather, build up** ↔ **disperse** 동 흩어지게 하다, 퍼뜨리다

Tips | **시험에는 이렇게 나온다**

accumulate는 knowledge(지식), wisdom(지혜) 등 견문이나 교양과 관련된 명사와 함께 사용되는 경우가 많아요.

promising

[prɑ́ːmisiŋ]

형 유망한, 촉망되는

He is a **promising** local writer. 학평

그는 **유망한** 지역 작가이다.

➕ **promise** 동 약속하다 명 약속, 전망

prompt

[prɑːmpt]

형 즉각적인, 신속한 동 촉구하다, 자극하다

Thank you for your prompt attention in advance. 학평
당신의 **즉각적인** 조치에 미리 감사드립니다.

➕ promptly 부 지체 없이, 즉시   promptness 명 재빠름, 신속
➖ immediate, instant

alert

[ələ́ːrt]

명 (경계) 경보 형 기민한, 경계하는 동 경고하다

Our field trip was canceled due to the fine dust alert. 학평
우리의 현장 학습은 미세먼지 **경보**로 인해 취소되었다.

➕ on the alert 경계하여
➖ warning, alarm

빈출 단어

eternal

[itə́ːrnəl]

형 영원한, 영구불변의

The ads feature couples using diamonds to express their eternal love. 학평
그 광고는 그들의 **영원한** 사랑을 표현하기 위해 다이아몬드를 사용하는 연인들을 보여준다.

➕ eternity 명 영원   eternally 부 영원히
➖ lasting, permanent   ➖ temporary 형 일시적인

isolate

[áisəleit]

동 고립시키다, 격리하다

Cultures have rarely been completely isolated from outside influence. 학평
문화는 외부의 영향으로부터 완전히 **고립된** 적이 거의 없다.

➕ isolation 명 고립, 격리   isolated 형 고립된, 외딴

fluctuate

[flʌ́ktʃueit]

동 변동을 거듭하다, 동요하다

Interest rates and exchange rates are now fluctuating more rapidly than at any previous time. 학평
금리와 환율은 현재 이전의 어느 때보다도 더 급격하게 **변동을 거듭하고** 있다.

➕ fluctuation 명 변동, 동요   fluctuating 형 변동이 있는, 동요하는

38 DAY

graze

[greiz]

⟨동⟩ 방목하다, 풀을 뜯다, 스치다 ⟨명⟩ 찰과상

I want to raise more sheep and **graze** them on the land. ⟨학평⟩

나는 더 많은 양들을 기르고 그것들을 땅에서 **방목하고** 싶다.

Tips	주의해야 할 혼동어
	graze와 철자가 비슷한 gaze에 주의하세요! gaze는 '응시하다', '시선'을 의미하는 단어예요.

envelope

[énvəloup]

⟨명⟩ (편지) 봉투

She tore open the **envelope** to pull out the winner's name. ⟨학평⟩

그녀는 우승자의 이름을 꺼내기 위해 **봉투**를 찢어 열었다.

➕ **envelop** ⟨동⟩ 감싸다, 뒤덮다

retreat

[ritríːt]

⟨동⟩ 후퇴하다, 물러나다 ⟨명⟩ 후퇴, 철수

The tides advance and **retreat** in their eternal rhythms. ⟨수능⟩

조수는 그것의 끊임없는 박자로 전진하고 **후퇴한다**.

🟰 **withdraw, back off**

ironic

[airɑ́ːnik]

⟨형⟩ 모순적인, 반어적인, 역설적인

The **ironic** effect seems to be caused by the interplay of two related cognitive processes. ⟨모평⟩

그 **모순적인** 결과는 관련된 두 가지 인지 과정의 상호 작용에 의해 생기는 것으로 보인다.

➕ **irony** ⟨명⟩ 모순, 반어(법) **ironically** ⟨부⟩ 반어적으로, 얄궂게도
🟰 **paradoxical**

blunt

[blʌnt]

⟨형⟩ 무딘, 뭉툭한, 직설적인 ⟨동⟩ 둔하게 하다

If you have ever tried to cut wood with a **blunt** axe, you will know how much effort it takes to succeed. ⟨학평⟩

당신이 만약 **무딘** 도끼로 나무를 베려고 해본 적이 있다면, 그것을 성공하기 위해 얼마나 많은 노력이 필요한지 알 것이다.

➖ **sharp** ⟨형⟩ 날카로운, 예리한

bare

[ber]

형 빈, 벌거벗은 **동** 드러내다

With a few plants, you can fill every **bare** space between the house and the backyard. (학평)

몇 개의 식물들로, 당신은 집과 뒷마당 사이의 모든 **빈** 공간을 채울 수 있다.

➕ **barely** 뿐 거의 ~ 아니게, 간신히

> Tips **주의해야 할 혼동어**
>
> bare와 발음이 동일한 bear에 주의하세요! bear는 '참다', '견디다', '곰'을 의미해요. 발음이 동일하기 때문에 듣기 영역에서는 맥락에 따라 혼동어를 구별해야 해요.

warrior

[wɔ́:riər]

명 전사, 용사

Iron gave Ghana's **warriors** a great advantage over their enemies. (학평)

철은 가나의 **전사들**을 그들의 적들보다 훨씬 유리하게 만들어주었다.

counterpart

[káuntərpɑːrt]

명 상대, 대응 관계에 있는 사람

By the 1800s, the female divers of Jeju Island had come to outnumber their male **counterparts**. (교과서)

1800년대쯤에는, 제주도의 여성 잠수부들이 남성 **상대**보다 수가 더 많아졌다.

misfortune

[misfɔ́:rtʃən]

명 불행, 불운

If someone has suffered a **misfortune**, you should show sympathy. (학평)

누군가가 **불행**을 겪었다면, 당신은 연민을 보여야 한다.

outfit

[áutfit]

명 옷, 의상

I'd avoid **outfits** that the locals would not wear. (학평)

나는 현지인들이 입지 않을 **옷**은 피할 것이다.

🔲 clothes, dress

overwork

[òuvərwə́:rk]

명 과로, 혹사 **동** 과로하다, 혹사하다

Fatigue can be caused by exercise or **overwork**. (학평)

피로는 운동이나 **과로**에 의해 야기될 수 있다.

38 DAY

racism

[réisizəm]

명 인종 차별, 민족 우월 의식

Racism is a dangerous human attribute that is essentially found in all societies. (교과서)
인종 차별은 모든 사회에서 근본적으로 발견되는 위험한 인간 속성이다.

➕ **race** 명 인종 **racial** 형 인종의 **racist** 명 인종 차별주의자

attorney

[ətə́:rni]

명 변호사, (법적) 대리인

A defense **attorney** constructed an argument to persuade the judge toward the opposite conclusion. (모평)
피고 측 **변호사**는 판사가 정반대의 판결을 내리도록 설득하기 위해 변론을 구상했다.

🟰 **lawyer**

tidy

[táidi]

형 깔끔한, 정돈된 동 치우다, 정돈하다

By wearing **tidy** clothes, you are telling your customers that you do care about them. (학평)
깔끔한 옷을 입음으로써, 당신이 고객들을 신경 쓴다고 그들에게 말하고 있는 것이다.

➕ **tidiness** 명 깔끔함, 정돈 **tidily** 부 단정히
🟰 **neat, clean, orderly** ⏹ **untidy** 형 단정치 못한, 어수선한

Tips

> **주의해야 할 혼동어**
> tidy와 철자가 비슷한 tide에 주의하세요! tide는 '조수', '조류', '흐름'을 의미하는 단어예요.

expend

[ikspénd]

동 (돈·시간·에너지 등을) 쏟다, 들이다

The management should **expend** time and effort in devising ways to reduce employee turnover. (학평)
경영진은 직원 이직률을 줄이기 위한 방법을 고안해내는 데 시간과 노력을 **쏟아야** 한다.

➕ **expenditure** 명 지출, 소비 **expense** 명 돈, 비용
🟰 **spend, use**

parliament

[pá:rləmənt]

명 의회, 국회

The Reichstag is the building for the German **Parliament**. (학평)
Reichstag은 독일의 **의회**를 위한 건물이다.

🟰 **assembly, council**

1515 □□□

grieve

[griːv]

동 비통해하다, 슬프게 만들다

It's natural for us to **grieve** over things we've lost. 학평
우리가 잃어버린 것에 대해 **비통해하는** 것은 자연스러운 일이다.

➕ **grief** 명 비통, 큰 슬픔 **grievance** 명 불만, 고충
🟰 **mourn, lament**

1516 □□□

animate

형[ǽnəmət]
동[ǽnəmeit]

형 살아 있는, 생물인 동 생기를 불어넣다, 만화 영화로 만들다

Primitive societies tend to view man and beast as participants in an integrated, **animated** totality. 수능
원시 사회는 인간과 짐승을 통합적이고 **살아 있는** 총체의 참여자들로 보는 경향이 있다.

➕ **animation** 명 생기, 만화 영화
🟥 **inanimate** 형 생기 없는, 무생물의 **dead** 형 죽은 명 죽은 사람들

1517 □□□

assault

[əsɔ́ːlt]

동 폭행하다, 공격하다 명 폭행, 습격

It is not acceptable to **assault** a flight attendant in the air because your plane is delayed. 학평
비행기가 지연된다고 해서 비행 중에 승무원을 **폭행하는** 것은 허용될 수 없다.

🟰 **attack** 🟥 **retreat** 동 후퇴하다, 물러서다 명 후퇴

1518 □□□

summon

[sʌ́mən]

동 호출하다, 소환하다

In 1589, Galileo **summoned** learned professors to the base of the Leaning Tower of Pisa. 학평
1589년에, 갈릴레오는 학식 있는 교수들을 피사의 사탑 아래로 **호출했다**.

1519 □□□

artery

[áːrtəri]

명 동맥

What causes blocked **arteries**? 학평
무엇이 **동맥**을 막히게 하나요?

1520 □□□

disinterested

[disíntrestid]

형 무관심한, 사심이 없는

With a **disinterested** voice and no eye contact, he says, "I'll give you a call later. Goodbye." 학평
무관심한 목소리로 눈 맞춤 없이, 그는 "나중에 전화할게. 안녕."이라고 말한다.

Daily Quiz

영어는 우리말로, 우리말은 영어로 쓰세요.

01 intellectual	_____	11 후퇴하다, 후퇴	_____
02 misfortune	_____	12 상대	_____
03 eternal	_____	13 전사, 용사	_____
04 fluctuate	_____	14 비통해하다	_____
05 summon	_____	15 무딘, 뭉툭한	_____
06 alert	_____	16 먹이, 희생자	_____
07 animate	_____	17 기부, 기증	_____
08 tidy	_____	18 향상시키다, 높이다	_____
09 artery	_____	19 의회, 국회	_____
10 outfit	_____	20 빈, 드러내다	_____

다음 빈칸에 들어갈 가장 알맞은 것을 박스 안에서 고르세요.

attorney	apparent	overwork	promising	accumulate

21 Try not to let moments of doubt _____ and affect your self-belief.
의심의 순간들이 쌓여 자기 신뢰에 영향을 미치지 않도록 노력하라.

22 Traces of volcanic activity are _____ across the island on its walking trails called ollegil.
화산 활동의 흔적은 섬 전역의 올레길이라고 불리는 산책로에서 확실히 보인다.

23 A defense _____ constructed an argument to persuade the judge toward the opposite conclusion.
피고 측 변호사는 판사가 정반대의 판결을 내리도록 설득하기 위해 변론을 구상했다.

24 He is a(n) _____ local writer.
그는 유망한 지역 작가이다.

25 Fatigue can be caused by exercise or _____.
피로는 운동이나 과로에 의해 야기될 수 있다.

독해 필수 다의어 ③

matter

1 명 문제, 일, 사안

Private consultation is also possible for personal **matters** any time you wish. 학평
개인적인 **문제**에 대한 사적인 상담 또한 당신이 원하는 어느 시간에든 가능합니다.

2 명 (특정한 종류의) 물질, 물건, 성분

The dark **matter** has a gravitational pull on both the light and the sources of light. 학평
암흑 **물질**은 빛과 광원 모두에 중력을 가지고 있다.

3 동 중요하다, 문제되다

Personal accomplishments do **matter**. 모평
개인적인 성취는 **중요하다**.

interest

1 동 ~에 관심을 갖게 하다 명 관심

Humans are animals who are **interested** in new things. 학평
인간은 새로운 것**에 관심을 갖게 되는** 동물이다.

2 명 이자

If at age 20, you put aside $100 a month earning 8 percent **interest**, you'd have $525,454 at retirement. 학평
만약 20세 때, 당신이 8퍼센트의 **이자**를 받고 한 달에 100달러를 저축한다면, 은퇴 시 525,454달러를 갖게 될 것이다.

3 명 이익, 이해관계

Darwin's theories of evolution presume that individuals should act to preserve their own **interests**. 모평
다윈의 진화론은 개인이 자신의 **이익**을 보존하기 위해 행동해야 한다고 가정한다.

DAY 39

MP3 바로 듣기

최빈출 단어

1521 ☐☐☐

approach

[əpróutʃ]

명 접근 통 접근하다, 다가가다

There are some kinds of questions that the scientific **approach** cannot solve. 학평

과학적인 **접근**으로는 해결할 수 없는 몇몇 종류의 질문들이 있다.

➕ **approachable** 형 가까이하기 쉬운, 접근 가능한

1522 ☐☐☐

due

[dju:]

형 (~하기로) 예정된, 지불 기일이 된

When is your baby **due**? 학평

출산 **예정이** 언제인가요?

➕ **due date** 만기일 **due to** ~ 때문에, ~으로 인해

1523 ☐☐☐

contribute

[kəntríbju:t]

통 기여하다, 공헌하다

She plans on finding volunteer work to **contribute** to the community. 수능

그녀는 지역 사회에 **기여하기** 위한 자원봉사 활동을 알아볼 계획이다.

➕ **contribution** 명 기여, 공헌

1524 ☐☐☐

significant

[signífikənt]

형 중요한, 의미 있는, 상당한

Highlight the **significant** dates in your planner. 학평

일정표에서 **중요한** 날짜들을 강조 표시해라.

➕ **significantly** 부 중요하게, 상당히 **significance** 명 중요성, 의의

➖ **important, noteworthy** ⊟ **insignificant** 형 중요하지 않은

Tips | 시험에는 이렇게 나온다
---

significant contribution 상당한 공헌 **significant role** 중요한 역할
significant impact 상당한 영향 **significant difference** 중요한 차이

evolution

[èvəlúːʃən]

명 진화, 발전

Through evolution, animals have been able to adapt to the environment. 학평
진화를 거쳐, 동물들은 환경에 적응해올 수 있었다.

➊ evolutionary 형 진화의, 점진적인 evolve 동 진화하다, 발전시키다
🔁 development, progress

Tips | **주의해야 할 혼동어**
evolution과 철자가 비슷한 revolution에 주의하세요! revolution은 '혁명', '공전'을 의미하는 단어예요.

contain

[kəntéin]

동 함유하다, 포함하다

Lemonade contains a lot of vitamin C. 모평
레모네이드는 많은 비타민 C를 함유하고 있다.

➊ container 명 그릇, 용기
🔁 include, comprise

Tips | **시험에는 이렇게 나온다**
contain은 주로 '포함하다'의 의미로 나오는데, '(감정을) 억누르다'라는 의미로도 종종 쓰여요.
They may find they cannot contain these feelings any longer. 수능
그들은 더 이상 자신들이 이런 감정을 억누를 수 없다는 것을 알게 될지도 모른다.

fame

[feim]

명 명성

The desire for fame has its roots in the experience of neglect. 학평
명성에 대한 욕망은 무시당한 경험에 그 뿌리를 둔다.

➊ famous 형 유명한
🔁 renown, prestige 🔀 notoriety 명 악명, 악평

numerous

[núːmərəs]

형 수많은, 다수의

Numerous animal species may become extinct soon because of tourism. 학평
수많은 동물 종들이 관광업으로 인해 곧 멸종될지도 모른다.

➊ numerously 부 수없이 많이 numeral 형 수의 명 숫자
🔁 many, abundant 🔀 few 형 거의 없는, 많지 않은

1529 ☐☐☐

ingredient

[ingríːdiənt]

명 재료, 성분

I need some ingredients to make a cheesecake. (학생)

나는 치즈 케이크를 만들기 위해 몇몇 **재료들**이 필요하다.

> **Tips** | **주의해야 할 혼동어**
>
> ingredient와 의미가 비슷한 material에 주의하세요! 두 단어 모두 '재료'를 뜻하지만 주로 ingredient는 '음식이나 화장품의 재료나 성분'을, material은 '의류나 건물 등을 만드는 데 쓰이는 재료'를 나타낼 때 사용해요.

1530 ☐☐☐

phrase

[freiz]

명 구절, 구 **동** (말로) 표현하다

The often-used phrase "pay attention" is insightful. (학평)

흔히 사용되는 "주의를 기울여라"라는 **구절**은 통찰력이 있다.

1531 ☐☐☐

abstract

형형[ǽbstrækt]
동[æbstrǽkt]

형 추상적인, 관념적인 **명** 추상, 요약 **동** 추출하다

Koko, a gorilla, understands abstract words like "love." (학평)

고릴라 Koko는 "사랑"과 같은 **추상적인** 단어를 알아듣는다.

➕ **abstraction** 명 추상적 개념 **abstractive** 형 추상적인

➖ **practical** 형 실질적인, 실용적인 **concrete** 형 구체적인

> **Tips** | **시험에는 이렇게 나온다**
>
> abstract painting 추상적인 그림 abstract thought 추상적인 생각
> abstract concept 추상적인 개념 abstract art 추상 미술

1532 ☐☐☐

row

[rou]

명 열, 줄 **동** 노를 젓다

Each ticket was marked with the row and seat number. (학평)

각 티켓에는 **열**과 좌석 번호가 표시되어 있었다.

🟰 **line, column, tier**

> **Tips** | **주의해야 할 혼동어**
>
> row와 철자가 비슷한 raw에 주의하세요! raw는 '익히지 않은', '가공되지 않은'을 의미하는 단어예요.

1533 ☐☐☐

certificate

[sərtífikət]

명 증명서, 자격증

You'll get a certificate if you complete the program. (학평)

프로그램을 끝마치면 당신은 **증명서**를 받을 것입니다.

➕ **certification** 명 증명, 보증 **certify** 동 증명하다, 보증하다

1534 □□□

glance

[glæns]

명 흘낏 보기　동 흘낏 보다

One glance at the pyramid can leave the viewer in awe of its beauty and splendor. 학평

피라미드를 한 번 **흘낏 보기**만으로도 보는 이들이 그 아름다움과 화려함에 대해 감탄하게 할 수 있다.

⊕ at a glance 한눈에　**at first glance** 처음에는, 언뜻 보기에는

▤ glimpse

1535 □□□

admire

[ədmáiər]

동 존경하다, 감탄하다

My essay is about the person I admire. 학평

나의 에세이는 내가 **존경하는** 사람에 대한 것이다.

⊕ admiration 명 존경, 감탄　**admirable** 형 감탄할 만한

▤ respect　**▧ despise** 동 경멸하다

빈출 단어

1536 □□□

priest

[priːst]

명 사제, 성직자

In ancient Hawaii, building a canoe was a specialized art supervised by a high priest. 학평

고대 하와이에서, 카누를 만드는 것은 대**사제**에 의해 감독되는 전문적인 예술이었다.

1537 □□□

activate

[ǽktiveit]

동 활성화하다, 작동시키다

It is important to help students activate prior knowledge so they can build on it productively. 학평

학생들이 배경지식을 토대로 생산적으로 쌓아올릴 수 있도록 그것을 **활성화하게** 돕는 것은 중요하다.

⊕ activation 명 활성화

▤ initiate, start　**▧ deactivate** 동 비활성화하다, 정지시키다

1538 □□□

furnish

[fə́ːrniʃ]

동 제공하다, (가구를) 비치하다

The Internet sometimes furnishes millions of sources of distraction. 학평

인터넷은 가끔 수많은 방해의 근원을 **제공한다**.

⊕ furniture 명 가구

39 DAY

priceless

[práislǝs]

혱 매우 귀중한, 값을 매길 수 없는

The doll was not so fancy but to her it was a **priceless** doll. 학평

그 인형은 아주 화려하지는 않았지만 그녀에게 그것은 **매우 귀중한** 인형이었다.

目 valuable, precious **⬛** worthless 혱 가치 없는

prehistoric

[prìːhistɔ́ːrik]

혱 선사(시대)의

In **prehistoric** times, humans faced challenges that were different from those they face today. 학평

선사시대에, 인간은 오늘날 직면하는 것과는 다른 난제들에 직면했다.

evaporate

[ivǽpǝreit]

동 증발시키다, 사라지다

During the daytime, clouds are continually being formed and then **evaporated**. 학평

낮 동안, 구름은 계속해서 생성된 후에 **증발되고** 있다.

➕ evaporation 명 증발

execute

[éksikjuːt]

동 처형하다, 실행하다, 해내다

The Greek philosopher Socrates was **executed** as punishment for publicizing his ideas. 학평

그리스의 철학자인 소크라테스는 그의 사상들을 공표한 것에 대한 벌로 **처형되었다**.

➕ execution 명 처형, 실행

await

[ǝwéit]

동 기다리다, 대기하다

While **awaiting** the birth of a new baby, parents typically furnish a room as the infant's sleeping quarters. 수능

새로운 아기의 탄생을 **기다리는** 동안, 부모들은 보통 한 방을 아기의 침실로 꾸민다.

supernatural

[sùːpǝrnǽtʃǝrǝl]

혱 초자연적인

Religious myths feature tales of **supernatural** beings. 학평

종교적 신화는 **초자연적인** 존재들에 대한 이야기를 특징으로 한다.

目 paranormal, uncanny

1545 □□□

collapse

[kəlǽps]

[동] 무너지다, 붕괴되다, 쓰러지다　[명] 실패, 붕괴

The floor **collapsed** almost immediately after the firefighters escaped. (학평)

소방관들이 탈출한 거의 직후에 바닥이 **무너졌다**.

➊ **collapsible** [형] 접을 수 있는, 조립식인

1546 □□□

surmount

[sərmáunt]

[동] 극복하다, (산·언덕 등을) 오르다

It is possible to **surmount** the barrier to science by associating science with mathematics. (수능)

과학을 수학과 접목시킴으로써 과학의 장벽을 **극복하는** 것이 가능하다.

➡ **overcome, conquer**

1547 □□□

interchange

[명][íntərtʃeindʒ]
[동][intərtʃéindʒ]

[명] 교환, 분기점　[동] 서로 교환하다, 주고받다

The Silk Road could function because translators were always available at **interchange** points. (학평)

실크 로드는 **교환** 지점들에 통역가들이 항상 있었기 때문에 기능할 수 있었다.

➊ **interchangeable** [형] 서로 교환할 수 있는

➡ **exchange**

1548 □□□

blunder

[blʌ́ndər]

[명] 실수　[동] 실수하다

Committing **blunders** will make one's humanness endearing to others. (학평)

실수를 저지르는 것은 그 사람의 인간성이 다른 사람들에게 사랑스럽게 느껴지도록 할 것이다.

➡ **mistake**　◼ **correctness** [명] 정확함

1549 □□□

except

[iksépt]

[전] ~을 제외하고, ~ 외에는　[동] 제외하다

I've already packed everything **except** a raincoat. (학평)

나는 우비를 **제외하고** 벌써 모든 것을 챙겼다.

➊ **exception** [명] 제외, 예외　**except for** ~을 제외하고

Tips　**주의해야 할 혼동어**

except와 발음이 비슷한 accept에 주의하세요! '~을 제외하고', '제외하다'를 뜻하는 except는 [익셉트]라고 발음하고, '받아들이다', '수락하다'를 뜻하는 accept는 [억셉트]라고 발음해요.

notable

[nóutəbl]

형 유명한, 주목할 만한   명 유명 인물

Richard Porson is one of Britain's most **notable** classical scholars. (모평)

리처드 포슨은 영국의 가장 **유명한** 고전학자 중 한 명이다.

➕ **notability** 명 유명함   **notably** 부 현저하게
🟰 **famous, remarkable, outstanding**

shallow

[ʃǽlou]

형 얕은, 얄팍한, 피상적인

If our knowledge is broad but **shallow**, we really know nothing. (학평)

만약 우리의 지식이 넓지만 **얕다면**, 우리는 사실상 아무것도 모르는 것이다.

🔲 **deep** 형 깊은

Tips | 주의해야 할 혼동어
shallow와 철자가 비슷한 swallow에 주의하세요! swallow는 '삼키다', '제비'를 의미하는 단어예요.

landfill

[lǽndfil]

명 쓰레기 매립(지), 매립 쓰레기

In the past, old money was buried in **landfills**. (학평)

과거에, 오래된 돈은 **쓰레기 매립지**에 묻혔다.

limb

[lim]

명 (사람·동물의) 사지, (새의) 날개, 큰 나뭇가지

My **limbs** got tired and stiff. (학평)

나의 **사지**는 피곤하고 뻣뻣해졌다.

overhead

[òuvərhéd]

부 머리 위로, 하늘 높이   형 머리 위의

Suddenly, a flock of birds flew **overhead**. (교과서)

갑자기, 한 무리의 새들이 **머리 위로** 날아갔다.

inscribe

[inskráib]

동 새기다, 쓰다

The pottery pieces had been individually **inscribed** with some marks on the underside. (모평)

그 도자기 작품들은 밑면에 몇몇 표시들이 개별적으로 **새겨져** 있었다.

➕ **inscription** 명 새겨진 글, 명언

1556

gasp
[gæsp]

동 헐떡거리다, 숨이 차다

Both swimmers collapsed and lay in the sand, **gasping** for breath. (학평)

두 수영 선수 모두 쓰러졌고 모래 위에 누워 숨을 **헐떡거렸다**.

> **Tips** 주의해야 할 혼동어
>
> gasp과 철자가 비슷한 grasp에 주의하세요! grasp은 '꽉 잡다', '완전히 이해하다', '통제'를 의미하는 단어예요.

1557

blush
[blʌʃ]

동 얼굴을 붉히다, 부끄러워하다 명 얼굴이 붉어짐

When I smile at people, some **blush**, and others are surprised and smile back. (학평)

내가 사람들에게 미소 지으면, 어떤 사람들은 **얼굴을 붉히고**, 다른 사람들은 놀라며 미소로 응답한다.

1558

sneeze
[sniːz]

동 재채기를 하다 명 재채기

When you're suffering from a cold, you cough and **sneeze**. (학평)

당신이 감기에 걸려 고생할 때, 기침과 **재채기를 한다**.

1559

artisan
[ɑ́ːrtizən]

명 장인, 기능공

Medieval artists were little more than wage-earning **artisans**. (학평)

중세 예술가들은 돈을 버는 **장인**에 불과했다.

🔁 craftsman

1560

desirous
[dizáiərəs]

형 원하는, 간절히 바라는

Applicants **desirous** of applying for an opportunity to audition should send their resumes to our e-mail. (학평)

오디션을 볼 기회에 지원하기 **원하는** 지원자들은 저희 이메일로 이력서를 보내야 합니다.

➕ **desirously** 부 원하여, 바라며 **desire** 명 욕구, 바람 동 바라다, 원하다

> **Tips** 주의해야 할 혼동어
>
> desirous와 철자가 비슷한 desirable에 주의하세요! desirable은 '바람직한', '호감 가는', '가치 있는'을 의미하는 단어예요.

Daily Quiz

영어는 우리말로, 우리말은 영어로 쓰세요.

01 supernatural	_____	11 존경하다, 감탄하다	_____
02 ingredient	_____	12 머리 위로, 하늘 높이	_____
03 await	_____	13 추상적인, 추출하다	_____
04 evaporate	_____	14 무너지다, 실패, 붕괴	_____
05 except	_____	15 원하는, 간절히 바라는	_____
06 execute	_____	16 접근, 접근하다	_____
07 furnish	_____	17 구절, (말로) 표현하다	_____
08 priest	_____	18 명성	_____
09 prehistoric	_____	19 극복하다, 오르다	_____
10 due	_____	20 기여하다, 공헌하다	_____

다음 빈칸에 들어갈 가장 알맞은 것을 박스 안에서 고르세요.

evolution	certificate	interchange	sneeze	limb

21 You'll get a(n) _____ if you complete the program.
프로그램을 끝마치면 당신은 증명서를 받을 것입니다.

22 Through _____, animals have been able to adapt to the environment.
진화를 거쳐, 동물들은 환경에 적응해올 수 있었다.

23 The Silk Road could function because translators were always available at _____ points.
실크 로드는 교환 지점들에 통역가들이 항상 있었기 때문에 기능할 수 있었다.

24 My _____(e)s got tired and stiff.
나의 사지는 피곤하고 뻣뻣해졌다.

25 When you're suffering from a cold, you cough and _____.
당신이 감기에 걸려 고생할 때, 기침과 재채기를 한다.

독해 필수 다의어 ④

sign

1 명 징후, 조짐

Each of the subjects inside the pressure chamber showed all the usual **signs** of panic. (학평)

압력실 안에 있었던 각각의 피실험자들은 공포심의 모든 일반적인 **징후들**을 보여주었다.

2 명 표지판, 간판

Maybe restrooms in the future will have **signs** for Men, Women, and Robots. (학평)

어쩌면 미래의 화장실은 남성, 여성, 그리고 로봇을 위한 **표지판**을 갖게 될지도 모른다.

3 동 서명하다, 사인하다

I need you to **sign** a contract first. (학평)

먼저 계약서에 **서명해** 주셔야 합니다.

term

1 명 용어, 말

In today's highly professionalized world, the **term** amateur invites rejection from business executives and economists. (학평)

오늘날의 매우 전문화된 세상에서, 아마추어라는 **용어**는 회사의 중역들이나 경제학자들에게 거부감을 가져다 준다.

2 명 학기

You should decide what country to discuss in your **term** paper. (학평)

너는 **학기** 과제물에서 논할 국가를 결정해야 한다.

3 명 기간, 기한, 만기

People are thinking of the long **term** benefits that a hybrid car can give. (학평)

사람들은 하이브리드 차량이 제공할 수 있는 장**기간**에 걸친 이익들에 대해 생각한다.

MP3 바로 듣기

최빈출 단어

1561 ☐☐☐

affect

[əfékt]

동 영향을 미치다, 작용하다

A decreased amount of daylight can affect your mood and cause you to feel depressed. (학평)

줄어든 일조량은 당신의 기분에 **영향을 미칠** 수 있고 우울함을 느끼게 할 수 있다.

➕ affection **명** 영향, 작용, 애정 affective **형** 정서적인

Tips
> **주의해야 할 혼동어**
>
> affect와 철자 및 발음이 비슷한 effect에 주의하세요! '영향을 미치다'를 뜻하는 affect는 [어펙트]라고 발음하고, '영향', '효과'를 뜻하는 effect는 [이펙트]라고 발음해요.

1562 ☐☐☐

feature

[fíːtʃər]

명 기능, 특징, 특색 **동** 특징으로 삼다

He always has the newest model loaded with the latest features and services. (수능)

그는 항상 최신 **기능**과 서비스를 탑재한 최신 모델을 가지고 있다.

目 quality, property

1563 ☐☐☐

charity

[tʃǽrəti]

명 자선 (단체)

Through the campaign, the school expects to cut costs and will donate the money saved to a charity. (학평)

캠페인을 통해, 학교는 비용의 절감을 기대하며 절약된 돈을 **자선 단체**에 기부할 것이다.

➕ charitable **형** 자선을 베푸는, 자비로운

1564 ☐☐☐

signal

[sígnəl]

명 신호 **동** 신호를 보내다

Hand signals became common use in baseball among the players and coaches. (학평)

수**신호**는 야구에서 선수들과 코치들 사이에서 흔히 쓰이는 것이 되었다.

目 sign, cue

1565 ☐☐☐

bother

[bάːðər]

동 애쓰다, 신경 쓰다, 귀찮게 하다　명 귀찮은 일

A penny is worth so little that we don't usually bother to pick it up on the street. 수능

동전 하나는 값어치가 너무 적어서 우리는 보통 길에서 그것을 주우려고 **애쓰지** 않는다.

1566 ☐☐☐

comment

[kάːment]

명 논평, 의견　동 논평하다, 언급하다

Always question the person's reason for the comment. 모평

항상 **논평**에 대한 그 사람의 근거에 의문을 가져라.

➕ commentator 명 논평자, 해설자　comment on ~에 대해 논평하다

🟰 remark, commentary

1567 ☐☐☐

colleague

[kάːliːg]

명 동료

Most fights inside a company happen when colleagues compete for the same responsibilities. 학평

회사 내 대부분의 싸움은 같은 임무를 두고 **동료들**끼리 경쟁할 때 일어난다.

🟰 co-worker

1568 ☐☐☐

react

[riǽkt]

동 반응하다, 반작용하다

Your emotions influence the way your body reacts. 교과서

감정은 당신의 몸이 **반응하는** 방식에 영향을 준다.

➕ reaction 명 반응　reactive 형 반응을 보이는　react to ~에 반응하다

1569 ☐☐☐

laboratory

[lǽbərətɔːri]

명 실험실, 연구실

In a laboratory, we can control all or most of the factors that go into experimental situations. 학평

실험실에서, 우리는 실험적인 상황에 들어가는 요인들 전부 또는 대부분을 통제할 수 있다.

1570 ☐☐☐

predator

[prédətər]

명 포식자, 약탈자

Many predators direct their initial attack at the head of their prey. 학평

많은 **포식자들**이 첫 공격을 바로 그들 먹이의 머리로 겨냥한다.

➕ predatory 형 포식성의

➖ prey 명 먹이, 희생자

1571 ☐☐☐

revise

[riváiz]

동 수정하다, 변경하다

I'll **revise** the story as you recommended. 학평
당신이 권고한 대로 이야기를 **수정하겠습니다**.

➕ revision 명 수정, 변경
🟰 edit, correct, modify

1572 ☐☐☐

executive

[igzékjutiv]

명 경영진, 임원 형 경영의, 실행의

Some **executives** have replaced their standard office
desks with simple writing tables. 학평
일부 **경영진들**은 그들의 일반적인 사무실 책상을 간소한 필기용 탁자로 교체했다.

➕ execute 동 실행하다, 처형하다   execution 명 실행, 처형

1573 ☐☐☐

restore

[ristɔ́ːr]

동 복원하다, 복구하다, 회복하다

We try to **restore** our cultural heritage when it is
damaged. 교과서
우리는 우리의 문화유산이 훼손되면 **복원하려고** 노력한다.

➕ restoration 명 복원, 복구

1574 ☐☐☐

stare

[ster]

동 응시하다, 빤히 쳐다보다 명 응시

The lady gave no reply but **stared** coldly at him, leaving
without saying a word. 학평
그 여자는 대답하지 않았지만, 그를 차갑게 **응시했고** 아무 말 없이 떠났다.

➕ staring 형 노려보는   stare at ~을 응시하다
🟰 gaze, watch

1575 ☐☐☐

guidance

[gáidns]

명 지도, 안내, 지침

The **guidance** of a real doctor is essential when a
significant problem develops. 학평
심각한 문제가 발생할 때는 실제 의사의 **지도**가 필수적이다.

➕ guide 동 지도하다, 안내하다

Tips

시험에는 이렇게 나온다	
parental guidance 부모의 지도	**academic guidance** 학업 지도
career guidance 진로 지도	**useful guidance** 유용한 지침

빈출 단어

1576 ☐☐☐

approve

[əprúːv]

동 승인하다, 찬성하다

Recently, the city decided to **approve** construction of a new central library. (학평)

최근에, 그 도시는 새로운 중앙 도서관의 건설을 **승인하기로** 결정했다.

➊ **approval** 명 승인, 인정 **approve of** ~을 승인하다

⊟ **agree, permit** ⊡ **disapprove** 동 반대하다, 못마땅해 하다

1577 ☐☐☐

compact

[kəmpǽkt]

형 조밀한, 꽉 찬, 작은 동 꽉 채우다, 압축하다

In Western Europe, steep gasoline taxes and other policies have produced relatively **compact** cities. (수능)

서유럽에서는, 너무 비싼 유류세 및 다른 정책들이 상대적으로 **조밀한** 도시들을 만들어냈다.

⊟ **dense, packed**

Tips | **주의해야 할 혼동어**
| compact와 철자가 비슷한 impact에 주의하세요! impact는 '영향', '충격', '영향을 주다'를 의미하는 단어예요.

1578 ☐☐☐

aesthetic

[esθétik]

형 미적인, 미(학)의, 심미적인

There are both **aesthetic** reasons and practical reasons for preserving biodiversity. (모평)

생물의 다양성을 보존하는 데에는 **미적인** 이유와 실용적인 이유가 모두 있다.

1579 ☐☐☐

archaeology

[ùːrkiáːlədʒi]

명 고고학

The quest for profit and the search for knowledge cannot coexist in **archaeology**. (수능)

이익 추구와 지식 탐구는 **고고학**에서 공존할 수 없다.

➊ **archaeological** 형 고고학의 **archaeologist** 명 고고학자

1580 ☐☐☐

cease

[siːs]

동 그치다, 중단되다, 중단하다

He was a man who never **ceased** to challenge himself and grow as an artist. (교과서)

그는 스스로에게 도전하는 것을 **그치지** 않고 예술가로서 성장하는 사람이었다.

⊟ **end, stop** ⊡ **begin** 동 시작하다, 시작되다

inhabitant

[inhǽbətənt]

몡 주민, 서식 동물

The site is located near a large river, where **inhabitants** could get drinking water. (학평)

그 장소는 큰 강 근처에 위치해 있는데, 그곳에서 **주민들**은 식수를 얻을 수 있었다.

➕ inhabit 통 살다, 서식하다

🔁 occupant, resident

embed

[imbéd]

통 (단단히) 박다, 끼워 넣다, 깊이 새겨두다

Memories associated with important emotions tend to be deeply **embedded** in our minds. (학평)

중요한 감정들과 관련된 기억들은 우리의 마음 깊숙이 **박히는** 경향이 있다.

➕ embedment 몡 꽂아 넣기, 꽂힌 상태

spiritual

[spírit∫uəl]

톙 영적인, 정신의, 종교적인

Ancient Egyptians thought cats were **spiritual** animals. (학평)

고대 이집트인들은 고양이가 **영적인** 동물이라고 생각했다.

➕ spirit 몡 영혼, 정신   spirituality 몡 영성

🔁 religious, holy, sacred   ⬛ material 톙 물질적인 몡 재료

Tips

시험에는 이렇게 나온다	
spiritual development 정신 발달	spiritual growth 영적인 성장
spiritual journey 종교적인 여정	spiritual age 정신 연령

stink

[stiŋk]

통 악취를 풍기다   몡 악취

This whole house **stinks**. (학평)

이 집 전체가 **악취를 풍긴다**.

privilege

[prívəlidʒ]

몡 특권, 특혜   통 특권을 주다

Limitless dreaming is a **privilege** of the young. (교과서)

무한한 꿈꾸기는 젊은이들의 **특권**이다.

➕ privileged 톙 특권을 가진

🔁 advantage

1586 ☐☐☐

resourceful

[risɔ́ːrsfəl]

형 수완이 있는, 자원이 풍부한

Starvation helps filter out those less **resourceful** in finding food. (모평)

굶주림은 식량을 찾는 데 덜 **수완 있는** 사람들을 걸러내는 데 도움이 된다.

▤ enterprising

1587 ☐☐☐

recharge

[rìːtʃáːrdʒ]

동 (재)충전하다

I **recharged** my phone last night. (모평)

나는 어젯밤에 전화기를 **재충전했다**.

➕ rechargeable **형** 재충전되는

1588 ☐☐☐

biotechnology

[bàioutekná:lədʒi]

명 생명 공학

Improvements in **biotechnology** might translate economic inequality into biological inequality. (학평)

생명 공학의 발전은 경제적 불평등을 생물학적 불평등으로 바꿀지도 모른다.

1589 ☐☐☐

gymnastics

[dʒimnǽstiks]

명 체조

She attempted to do the high bar in **gymnastics** class. (학평)

그녀는 **체조** 수업 시간에 철봉을 하려고 시도했다.

1590 ☐☐☐

fluency

[flúːənsi]

명 유창성, 능숙도

First, you will take a placement test to measure your English **fluency** level. (학평)

먼저, 영어의 **유창성** 수준을 측정하기 위해 당신은 배치 고사를 볼 것입니다.

➕ fluent **형** 유창한 **fluently** **부** 유창하게

1591 ☐☐☐

undo

[ʌndúː]

동 원상태로 돌리다, 무효로 만들다

Catch-up sleep may **undo** some but not all of the damage that sleep deprivation causes. (학평)

밀린 잠을 자는 것은 수면 부족이 야기하는 손상의 전부까지는 아니지만 어느 정도는 **원상태로 돌릴** 수 있다.

▤ reverse, invalidate

flame

[fleim]

명 불길, 불꽃 통 활활 타오르다

Fire comes in many forms like candle **flame**, charcoal fire, and torch light. (학평)
불은 촛불의 **불길**, 석탄의 불, 그리고 햇불과 같이 다양한 형태로 나타난다.

➕ **flammability** 명 가연성, 인화성 **flammable** 형 가연성의

pray

[prei]

통 기도하다, 간절히 바라다

She **prayed** for his safety. (학평)
그녀는 그의 안전을 위해 **기도했다**.

➕ **prayer** 명 기도 **pray for** ~을 위해 기도하다

Tips **주의해야 할 혼동어**

pray와 철자가 비슷하고 발음이 동일한 prey에 주의하세요! prey는 '먹이', '희생자', '피해자'를 의미하는 단어예요. 두 단어의 발음이 동일하기 때문에 듣기 영역에서는 맥락에 따라서 혼동어를 구별해야 해요.

congress

[káːŋgres]

명 의회, 국회, 회의

Jeannette became the first woman elected to the US **Congress** in 1916. (학평)
Jeannette은 1916년 미국 **의회**에 선출된 최초의 여성이 되었다.

🔳 assembly, council, parliament

mercy

[máːrsi]

명 자비, 고마운 일

Have **mercy** on me. (교과서)
저에게 **자비**를 베풀어 주세요.

➕ **merciful** 형 자비로운, 다행인

descend

[disénd]

통 내려가다, 내려오다

The climbers, who were not used to dealing with snow storms, decided to **descend** in zero visibility. (교과서)
눈보라에 대처하는 것에 익숙하지 않았던 그 등산가들은 앞이 전혀 보이지 않는 상황 속에서 **내려가기로** 결정했다.

➕ **descent** 명 하강, 혈통 **descendant** 명 자손, 후예

🔳 fall 🔳 ascend 통 올라가다, 오르다 **rise** 통 오르다 명 증가, 인상

1597 ☐☐☐

dehydrate

[diːháidreit]

동 탈수 상태가 되다, 건조하다

After death, the human body **dehydrates**, causing the skin to shrink, or become smaller. (학평)

죽음 이후, 인간의 몸은 피부가 줄어들게 하면서 **탈수 상태가 되거나** 작아지게 된다.

➕ dehydration 명 탈수, 건조

🟰 dry

1598 ☐☐☐

liable

[láiəbl]

형 ~하기 쉬운, (법적) 책임이 있는

The bird is **liable** to swallow poisonous oil and die since it preens its feathers using its beak. (학평)

새는 부리를 사용해서 깃털을 단장하기 때문에 독성 기름을 삼키고 죽**기 쉽다**.

➕ liability 명 책임, 부채

🟰 likely, prone, susceptible

1599 ☐☐☐

conceit

[kənsíːt]

명 자만, 자부심

One of the greatest **conceits** practiced by academics is that in studying people we often forget to ask them to personally weigh in on the topics being studied. (학평)

학자들에 의해 행해진 가장 큰 **자만** 중 하나는 우리가 사람들을 연구할 때 종종 그들에게 연구되고 있는 주제에 대해 개인적으로 의견을 제시해주기를 요청하는 것을 잊는다는 것이다.

➕ conceited 형 자만하는

🟰 arrogance   ⬌ humility 명 겸손

1600 ☐☐☐

delusion

[dilúːʒən]

명 착각, 망상, 오해

"Calorie **Delusion**" explains that obesity is caused, partly by the degree to which our food has been processed. (학평)

"칼로리 **착각**"은 비만이 부분적으로는 음식이 가공된 정도에 의해 야기된다고 설명한다.

➕ delusive 형 기만적인, 현혹하는   delude 동 속이다, 기만하다

🟰 misconception, hallucination

Tips | **주의해야 할 혼동어**

delusion과 철자가 비슷한 illusion에 주의하세요! illusion은 '환상', '환각'을 의미하는 단어예요.

Daily Quiz

영어는 우리말로, 우리말은 영어로 쓰세요.

01 stink _____
02 dehydrate _____
03 inhabitant _____
04 descend _____
05 charity _____
06 cease _____
07 congress _____
08 restore _____
09 compact _____
10 archaeology _____

11 체조 _____
12 착각, 망상, 오해 _____
13 신호, 신호를 보내다 _____
14 동료 _____
15 자만, 자부심 _____
16 애쓰다, 귀찮게 하다 _____
17 ~하기 쉬운, 책임이 있는 _____
18 경영진, 경영의, 실행의 _____
19 영향을 미치다, 작용하다 _____
20 지도, 안내, 지침 _____

다음 빈칸에 들어갈 가장 알맞은 것을 박스 안에서 고르세요.

| resourceful | react | undo | spiritual | revise |

21 Catch-up sleep may _____ some but not all of the damage that sleep deprivation causes.
밀린 잠을 자는 것은 수면 부족이 야기하는 손상의 전부까지는 아니지만 어느 정도는 원상태로 돌릴 수 있다.

22 I'll _____ the story as you recommended.
당신이 권고한 대로 이야기를 수정하겠습니다.

23 Starvation helps filter out those less _____ in finding food.
굶주림은 식량을 찾는 데 덜 수완 있는 사람들을 걸러내는 데 도움이 된다.

24 Ancient Egyptians thought cats were _____ animals.
고대 이집트인들은 고양이가 영적인 동물이라고 생각했다.

25 Your emotions influence the way your body _____(e)s.
감정은 당신의 몸이 반응하는 방식에 영향을 준다.

독해 필수 다의어 ⑤

certain

1 🔲 확신하는, 확실한, 틀림없는

I'm **certain** that we can build a better future. 교과서
나는 우리가 더 나은 미래를 만들 수 있다고 **확신한다**.

2 🔲 특정한, 어떤, 무슨

Some scientists believe that **certain** animals use a type of language. 학평
몇몇 과학자들은 **특정한** 동물들이 일종의 언어를 사용한다고 믿는다.

3 🔲 어느 정도의, 약간의

A **certain** amount of recreation reduces the chances of developing stress-related disorders. 수능
어느 정도의 오락은 스트레스와 관련된 질병에 걸릴 가능성을 줄여준다.

ground

1 🔲 땅, 토양, 지면

Permafrost is frozen **ground** that remains at or below 0℃ for more than two years. 모평
동토층은 섭씨 0도나 그 이하로 2년 이상 얼어 있는 **땅**이다.

2 🔲 (특정 용도를 위한) -지(地), -장(場)

Poorly maintained plants can provide excellent breeding **grounds** for harmful bugs. 학평
잘 관리되지 않은 식물은 해로운 벌레들에게 훌륭한 번식**지**를 제공할 수 있다.

3 🔲 이유, 배경 🔲 ~에 근거를 두다

Some universities remain silent on the important issues of the day on the **grounds** that universities are neutral. 수능
일부 대학은 당대의 중요한 사안에 대해 대학들은 중립적이라는 **이유**로 침묵을 지키고 있다.

최빈출 단어

1601 ☐☐☐

depend

[dipénd]

동 의존하다, 의지하다, ~에 달려 있다

An animal is bound to **depend** on other living creatures. (수능)
동물은 다른 생물들에게 **의존하기** 마련이다.

➕ **dependence** 명 의존 **dependent** 형 의존하는 **depend on** ~에 의존하다
🟰 rely

1602 ☐☐☐

achieve

[ətʃíːv]

동 성취하다, 달성하다

We all **achieve** one thing by failing to **achieve** something else. (교과서)
우리는 모두 다른 무언가를 **성취하는** 것을 실패함으로써 한 가지를 **성취한다**.

➕ **achievement** 명 성취, 달성

1603 ☐☐☐

expert

[ékspəːrt]

명 전문가, 권위자 형 전문적인, 숙련된

Different groups of **experts** can disagree significantly about what is the "best practice". (학평)
각기 다른 집단의 **전문가들**은 "최선의 행위"가 무엇인지에 대한 의견이 상당히 다를 수 있다.

➕ **expertise** 명 전문 지식, 전문 기술
🔁 **amateur** 명 비전문가, 아마추어 형 아마추어의

1604 ☐☐☐

twin

[twin]

형 쌍둥이의 명 쌍둥이

I'd like to buy baseball gloves for my **twin** sons. (모평)
저의 **쌍둥이** 아들들을 위한 야구 글러브를 사고 싶어요.

Tips ┃ **시험에는 이렇게 나온다**

수능에서 twin은 twin danger(두 가지 위험), twin facts(두 가지 사실)처럼 '(긴밀히 연결된) 두 가지의'라는 의미로 사용되기도 해요.

1605 ☐☐☐

reveal

[riví:l]

동 드러내다, 보여주다, 폭로하다

Your workspace may reveal a lot about your personality. (학평)

당신의 업무 공간은 당신의 성격에 대한 많은 것을 **드러낼** 수 있다.

➕ revelation 명 폭로

🟰 show, disclose   🟥 conceal 동 숨기다, 감추다

1606 ☐☐☐

guarantee

[gǽrəntí:]

동 보장하다, 보증하다   **명** 보증(서), 담보

You're guaranteed customer service for one year. (학평)

당신은 1년간 고객 서비스를 **보장받게** 됩니다.

🟰 assure, promise

1607 ☐☐☐

inspire

[inspáiər]

동 영감을 주다, 고무하다, 격려하다

Tolkein and his works inspired Lewis to create Narnia, his fantasy world. (학평)

톨킨과 그의 작품들은 루이스가 그의 판타지 세상인 나니아를 만들어내도록 **영감을 줬다**.

➕ inspiration 명 영감, 영감을 주는 것

🟰 motivate, stimulate

1608 ☐☐☐

intelligent

[intélədʒənt]

형 총명한, 똑똑한, 지능이 있는

Wolves are very intelligent and social animals. (학평)

늑대는 매우 **총명하고** 사회적인 동물이다.

➕ intelligence 명 지능, 지성

🟰 clever, smart, knowledgeable   🟥 unintelligent 형 무지한, 우둔한

Tips   **주의해야 할 혼동어**

intelligent와 철자가 비슷한 intelligible에 주의하세요! 철자가 비슷해서 서로의 파생어라고 오인하기 쉽지만, intelligible은 '(쉽게) 이해할 수 있는'이라는 전혀 다른 뜻을 의미하는 단어예요.

1609 ☐☐☐

bump

[bʌmp]

동 들이받다, 부딪치다   **명** 충돌

I bumped the wall while parking the car. (학평)

나는 주차하던 중에 벽을 **들이받았다**.

➕ bump into ~와 마주치다, ~에 부딪치다

🟰 hit, strike

forbid

[fərbíd]

동 금지하다, 못하게 하다

Many countries have passed laws that forbid the fishing of endangered species. (학평)

많은 국가들이 멸종 위기에 처한 종의 어획을 **금지하는** 법을 통과시켰다.

➕ forbidden **형** 금지된

目 prohibit, ban **⟷** permit **동** 허용하다, 허락하다 **명** 허가(증)

detect

[ditékt]

동 감지하다, 발견하다

There is an alarm system in our bodies that prepares us to take action whenever we detect a threat. (교과서)

우리 몸속에는 위험을 **감지할** 때마다 우리가 조치를 취하도록 준비시키는 경고 체계가 있다.

➕ detection **명** 감지 detective **명** 형사, 탐정 detectable **형** 찾아낼 수 있는

目 notice, discover

ethnic

[éθnik]

형 민족의, 인종의

The most widespread of the ethnic cuisines are probably Chinese, Italian, and Mexican. (학평)

민족 요리 중 가장 널리 퍼진 것은 아마 중국, 이탈리아, 그리고 멕시코 요리일 것이다.

➕ ethnicity **명** 민족성

exact

[igzǽkt]

형 정확한, 정밀한, 꼼꼼한

Tesla always measured the exact amount of soup, coffee, and every portion of food before eating. (학평)

Tesla는 항상 식사 전에 수프, 커피 그리고 매 끼니의 **정확한** 양을 측정했다.

➕ exactly **부** 정확히, 틀림없이 exactness **명** 정확성

Tips **시험에는 이렇게 나온다**

exact의 부사형인 exactly는 '정확히', '틀림없이'를 의미하며, 듣기 영역 대화에서 '맞아!', '바로 그거야!'라는 뜻으로 주로 상대방의 말에 맞장구치는 표현으로 쓰여요.

sculpture

[skʌ́lptʃər]

명 조각(품)

Look at the lion sculpture on the right side. (학평)

오른쪽에 있는 사자 **조각품**을 보세요.

➕ sculptor **명** 조각가 sculpt **동** 조각하다

adjust

[ədʒʌ́st]

통 조절하다, 조정하다, 적응하다

It is best to face cold environments with layers so you can **adjust** your body temperature. 학평

추운 환경에 직면할 때는 체온을 **조절할** 수 있도록 옷을 겹겹이 입는 것이 최선이다.

➕ **adjustment** 명 조절, 적응   **adjust to** ~에 적응하다

🟰 adapt, change, alter

Tips **시험에는 이렇게 나온다**

adjust the fence 울타리를 조정하다	**adjust the temperature** 온도를 조절하다
adjust the focus 초점을 조정하다	**adjust to university life** 대학 생활에 적응하다

빈출 단어

randomly

[rǽndəmli]

부 무작위로, 임의로

All participants were **randomly** separated into three groups. 학평

모든 참가자들은 **무작위로** 세 집단으로 나뉘었다.

➕ **random** 형 임의의, 되는 대로의

motive

[móutiv]

명 동기, 이유   형 움직이게 하는, 원동력이 되는

Some people were better at the concealment of their true **motives**. 학평

몇몇 사람들은 자신의 진정한 **동기**를 숨기기에 더 능했다.

➕ **motivate** 동 동기를 부여하다, 자극하다   **motivation** 명 동기 부여, 자극

🟰 reason, incentive, inspiration

Tips **시험에는 이렇게 나온다**

motive는 문학, 예술 관련 지문에서 '중심 주제'를 의미하는 '모티브'로 사용되는 경우도 있어요.
Tiv interpreted the motives in Hamlet using their cultural knowledge. 수능
티브 족은 햄릿의 모티브를 그들의 문화적 지식을 이용하여 해석했다.

alternate

동 [ɔ́:ltərneit]
형 [ɔ́:ltə:rnət]

동 번갈아 하다, 대체하다   형 번갈아 하는, 교대의

The classes will **alternate** between cooking lessons and gardening lessons. 학평

강좌는 요리 수업과 원예 수업으로 **번갈아 하게** 될 것이다.

➕ **alternative** 명 대안 형 대안의   **alternately** 부 번갈아, 교대로

cautious

[kɔ́:ʃəs]

형 신중한, 조심스러운

We need to be both flexible and **cautious** about food. 학평

우리는 음식에 대해 융통성 있으면서도 **신중할** 필요가 있다.

➕ **caution** 명 주의, 조심
🟰 **careful** ◀▶ **careless** 형 부주의한, 조심성 없는

recruit

[rikrú:t]

동 모집하다, 설득하다 명 신병

I want to **recruit** a person who appreciates the help and sacrifice of others. 학평

나는 다른 사람들의 도움과 희생을 감사히 여기는 사람을 **모집하고** 싶다.

➕ **recruitment** 명 신규 모집, 채용

subsequent

[sʌ́bsikwənt]

형 차후의, 그다음의

The use of dietary supplements would influence **subsequent** health-related behaviors. 학평

식이 보조제의 사용은 **차후의** 건강 관련 작용에 영향을 미칠 것이다.

➕ **subsequently** 분 차후에, 나중에
🟰 **following, succeeding** ◀▶ **previous** 형 이전의

Tips

> **주의해야 할 혼동어**
>
> subsequent와 철자가 비슷한 substantial에 주의하세요! substantial은 '상당한', '근본의'를 의미하는 단어예요.

commerce

[kɑ́:məːrs]

명 상업, 무역

The rise in **commerce** and the decline of authoritarian religion allowed science to follow reason. 수능

상업의 번성과 권위주의적 종교의 쇠퇴는 과학이 이성을 따르도록 했다.

➕ **commercial** 형 상업의 명 광고 방송
🟰 **trade**

saint

[seint]

명 성인, 성자 같은 사람

After his death, Valentine was named a **saint**. 학평

사망 이후, 발렌타인은 **성인**으로 명명되었다.

1624

roam

[roum]

동 배회하다, 돌아다니다

Many dogs **roamed** the streets in Ajmer. 학평
많은 개들이 아지메르의 거리를 **배회했다**.

🔁 wander

1625

vigor

[vígər]

명 힘, 활력, 원기

Domesticated species of European animals diminished in **vigor** upon crossing the Atlantic. 모평
유럽의 가축화된 동물 종들은 대서양을 건너자 곧 **힘**이 약해졌다.

➕ **vigorous** 형 활발한, 격렬한

1626

rejoice

[ridʒɔ́is]

동 크게 기뻐하다

Try to **rejoice** in the little victories. 모평
사소한 승리에 **크게 기뻐하도록** 노력하라.

🔄 **lament** 동 슬퍼하다

1627

linear

[líniər]

형 (일직)선의, 선으로 된

A **linear** settlement is one in which houses are lined up along both sides of a river. 학평
일직선의 거류지는 집들이 강의 양쪽을 따라 줄지어 서 있는 것이다.

1628

beak

[biːk]

명 (새의) 부리

The top part of a woodpecker's **beak** is longer than the bottom half. 교과서
딱따구리 **부리**의 상단 부분은 하단의 절반보다 길다.

1629

enclose

[inklóuz]

동 둘러싸다, 에워싸다, 동봉하다

The igloo is a building using the thermal mass of ice to **enclose** heat and resist snow. 학평
이글루는 열을 **둘러싸고** 눈을 견뎌내기 위해 얼음의 열용량을 이용한 건물이다.

➕ **enclosure** 명 둘러쌈, 동봉된 것
🔁 surround, circle

1630 □□□

cling

[kliŋ]

동 매달리다, 꼭 붙잡다, 달라붙다

When you require perfection, you **cling** ever more tightly to what you already know you can do. (모평)

완벽함을 추구할 때, 당신은 이미 할 수 있다고 알고 있는 것에 더욱더 단단히 **매달린다**.

➕ **cling to** ~에 매달리다, ~을 고수하다

1631 □□□

utensil

[juːténsəl]

명 (가정에서 사용하는) 도구, 기구

Wood is used for making **utensils** like chopsticks. (학평)

나무는 젓가락과 같은 **도구**를 만드는 데 사용된다.

1632 □□□

transcribe

[trænskráib]

동 옮겨 적다, 베끼다

Write down key answers from an interview so that they can be **transcribed** easily afterwards. (학평)

나중에 쉽게 **옮겨 적을** 수 있도록 인터뷰의 주요 답변을 적어두어라.

➕ **transcript** 명 사본, 성적 증명서

1633 □□□

spine

[spain]

명 척추, 등뼈, 가시

Slouching can put stress on your **spine**. (교과서)

구부정한 자세는 당신의 **척추**에 압박을 줄 수 있다.

➕ **spinal** 형 척추의

1634 □□□

ragged

[rǽgid]

형 누더기가 된, 다 해진, 고르지 못한

Most people had only one or two **ragged** pieces of clothing. (학평)

대부분의 사람들은 **누더기가 된** 옷 한두 벌만 가지고 있었다.

➕ **rag** 명 누더기, 해진 천

1635 □□□

predecessor

[prédəsesər]

명 전신, 전임자, 이전 것

The symbols noting the tradesmen who created the goods are the **predecessors** of modern trademarks. (모평)

상품을 만든 상인들을 가리켰던 기호들은 현대 상표의 **전신**이다.

➖ **successor** 명 후임자, 계승자

1636 □□□

speculate

[spékjuleit]

图 추측하다, 투기하다

The researchers **speculated** that Stonehenge was a cemetery and memorial. (학평)

연구원들은 스톤헨지가 공동묘지이자 기념비라고 **추측했다**.

➕ **speculation** 명 추측, 투기　**speculative** 형 추론적인, 투기적인

1637 □□□

dispense

[dispéns]

图 내놓다, 나누어 주다, 조제하다

A plan to devise a trash can that could **dispense** coins for litter was rejected as too expensive. (학평)

쓰레기를 버리면 동전을 **내놓을** 수 있는 쓰레기통을 고안하려는 계획은 너무 비용이 많이 들어 거부되었다.

➕ **dispensable** 형 없어도 되는, 불필요한

🟰 distribute, allot

1638 □□□

compress

[kəmprés]

图 압축하다, 꾹 누르다

When you step on a scale, you **compress** a spring inside it that is linked to a pointer. (학평)

당신이 저울에 올라설 때, 저울의 바늘과 연결된 내부의 스프링을 **압축한다**.

➕ **compression** 명 압축, 압착, 요약　**compressive** 형 압축의, 압착하는

🟰 press, condense

1639 □□□

astrology

[əstrá:lədʒi]

명 점성술, 점성학

In Kathmandu, popular TV **astrology** shows are reporting an increase in calls. (학평)

카트만두에서, 인기 있는 텔레비전 **점성술** 쇼의 전화 문의 증가가 보고되고 있다.

Tips

주의해야 할 혼동어

astrology와 철자가 비슷한 astronomy에 주의하세요! astronomy는 우주와 천체에 관한 연구를 하는 '천문학'을 의미하는 단어에요.

1640 □□□

delegate

명[déləgət]
图[déligeit]

명 대표(자)　图 (권한·업무 등을) 위임하다, 파견하다

Daylight Saving Time was first suggested by Benjamin Franklin as an American **delegate** in Paris. (학평)

일광 절약 시간제는 미국 **대표**로서 파리에 있던 벤저민 프랭클린에 의해 처음으로 제안되었다.

➕ **delegation** 명 대표단, 위임

Daily Quiz

영어는 우리말로, 우리말은 영어로 쓰세요.

01	ethnic	_____	11	둘러싸다, 동봉하다	_____
02	beak	_____	12	압축하다, 꾹 누르다	_____
03	vigor	_____	13	쌍둥이의, 쌍둥이	_____
04	inspire	_____	14	모집하다, 설득하다	_____
05	forbid	_____	15	내놓다, 조제하다	_____
06	detect	_____	16	누더기가 된, 다 해진	_____
07	expert	_____	17	정확한, 정밀한, 꼼꼼한	_____
08	reveal	_____	18	상업, 무역	_____
09	cling	_____	19	추측하다, 투기하다	_____
10	randomly	_____	20	옮겨 적다, 베끼다	_____

다음 빈칸에 들어갈 가장 알맞은 것을 박스 안에서 고르세요.

predecessor	roam	cautious	adjust	rejoice

21 Try to _____ in the little victories.

사소한 승리에 크게 기뻐하도록 노력하라.

22 The symbols noting the tradesmen who created the goods are the _____(e)s of modern trademarks.

상품을 만든 상인들을 가리켰던 기호들은 현대 상표의 전신이다.

23 We need to be both flexible and _____ about food.

우리는 음식에 대해 융통성 있으면서도 신중할 필요가 있다.

24 Many dogs _____(e)d the streets in Ajmer.

많은 개들이 아지메르의 거리를 배회했다.

25 It is best to face cold environments with layers so you can _____ your body temperature.

추운 환경에 직면할 때는 체온을 조절할 수 있도록 옷을 겹겹이 입는 것이 최선이다.

정답

01 민족의, 인종의　02 (새의) 부리　03 힘, 활력, 원기　04 영감을 주다, 고무하다, 격려하다　05 금지하다, 못하게 하다　06 감지하다, 발견하다
07 전문가, 권위자, 전문적인, 숙련된　08 드러내다, 보여주다, 폭로하다　09 매달리다, 꼭 붙잡다, 달라붙다　10 무작위로, 임의로　11 enclose
12 compress　13 twin　14 recruit　15 dispense　16 ragged　17 exact　18 commerce　19 speculate　20 transcribe
21 rejoice　22 predecessor　23 cautious　24 roam　25 adjust

application

1 몡 지원(서)

The **application** deadline is this Saturday. (학평)
지원 마감일은 이번 주 토요일이다.

2 몡 적용, 응용

The **application** of mathematics to art, particularly in paintings, was one of the primary characteristics of Renaissance art. (수능)
예술, 특히 회화에 대한 수학의 **적용**은 르네상스 예술의 주요한 특징 중 하나였다.

3 몡 애플리케이션, 응용 프로그램

Why don't you use mobile **applications** to compare the hotel prices? (학평)
호텔 가격을 비교하기 위해 모바일 **애플리케이션**을 사용하는 게 어때요?

account

1 몡 계좌, (회계) 장부

I have a savings **account** and a checking **account**. (학평)
나는 저축 예금 **계좌**와 당좌 예금 **계좌**를 가지고 있다.

2 몡 (정보 서비스) 계정

You should change your online **account** passwords regularly. (학평)
당신은 당신의 온라인 **계정** 암호를 정기적으로 변경해야 한다.

3 몡 (있었던 일에 대한) 기술, 설명

Some of the early personal **accounts** of anthropologists in the field make fieldwork sound exciting. (모평)
현장에서 작업하던 인류학자들의 초기의 개인적인 **기술들** 중 몇몇은 현지 조사가 흥미진진하게 들리게 한다.

최빈출 단어

1641 ☐☐☐

recognize

[rékəgnaiz]

통 인식하다, 알아보다, 인정하다

When people are trying to recognize a face, the first thing they look at is the nose. (학평)

사람들이 얼굴을 **인식하려고** 할 때, 그들이 가장 먼저 보는 것은 코이다.

➕ recognition 명 인식, 인정 recognizable 형 알아볼 수 있는
🟰 identify, notice

1642 ☐☐☐

charge

[tʃɑːrdʒ]

통 청구하다, 고소하다, 충전하다 명 요금, 고발, 책임

The store doesn't charge an additional fee for delivery. (학평)

그 상점은 배송에 대한 추가 금액을 **청구하지** 않는다.

➕ in charge of ~을 맡아서, 담당하여

Tips 시험에는 이렇게 나온다

수능에서 charge는 free of charge(무료로), extra charge(추가 요금) 등으로도 자주 나와요.

1643 ☐☐☐

vehicle

[víːhikl]

명 수단, 차량, 탈것

Supplement reviews have been used as vehicles to promote the sale of nutrition products. (모평)

보충제 논평 기사는 영양 제품의 판매를 촉진하는 **수단**으로 사용되어 왔다.

1644 ☐☐☐

gene

[dʒiːn]

명 유전자

The gene that allows people to perceive the color red is found only in the X chromosome. (교과서)

사람들이 빨간색을 인식할 수 있게 하는 **유전자**는 오로지 X 염색체에서만 발견된다.

➕ genetics 형 유전의, 유전학의

transport

명 교통, 수송　동 수송하다

명[trǽnspɔːrt]
동[trænspɔ́ːrt]

The quality of our public transport system forces people to drive. (학평)

우리의 대중**교통** 체계의 품질은 사람들이 차를 운전할 수밖에 없도록 만든다.

➕ **transportation** 명 교통 (수단), 운송 수단　**transportable** 형 수송 가능한

sentence

명 선고, 형벌, 문장　동 (형을) 선고하다

[séntəns]

A broken leg can mean a death sentence to mountain climbers. (교과서)

부러진 다리는 등산가들에게 사형 **선고**를 의미할 수 있다.

wealth

명 부, 재산, 풍부한 양

[welθ]

Using his wealth, he purchased hundreds of paintings. (모평)

부를 이용해서, 그는 수백 점의 그림을 구입했다.

➕ **wealthy** 형 부유한, 재산이 많은
🟰 **fortune, affluence**

confident

형 자신감 있는, 확신하는

[kɑ́ːnfidənt]

Confident leaders are not afraid to ask the basic questions. (학평)

자신감 있는 리더들은 기초적인 질문을 하는 것을 두려워하지 않는다.

➕ **confidence** 명 신뢰, 자신, 확신　**confidently** 부 자신 있게, 확신하여
➖ **unsure** 형 자신이 없는, 불확실한

Tips　주의해야 할 혼동어

confident와 철자가 비슷한 confidential에 주의하세요! confidential은 '기밀의', '허물없는'을 의미하는 단어예요.

replace

동 교체하다, 대체하다, 대신하다

[ripléis]

I forgot to replace the towels with fresh ones. (학평)

나는 수건들을 새것으로 **교체하는** 것을 잊어버렸다.

➕ **replacement** 명 교체, 대체　**replaceable** 형 교체 가능한
　replace A with B A를 B로 교체하다
🟰 **substitute, switch**

42 DAY

internal

[intэ́:rnl]

형 내부의, 내면의

Most fish have a special internal organ which is called the swim bladder. 학평
대부분의 물고기는 부레라고 불리는 특수한 **내부** 장기를 가지고 있다.

➕ internalize 통 내면화하다
🟰 inner, interior　🔀 external 형 외부의, 외면의

incentive

[inséntiv]

명 장려책, 동기

People's behavior changes when incentives come into play. 학평
사람들의 행동은 **장려책**이 작용하기 시작할 때 변화한다.

🟰 motivation, encouragement　🔀 disincentive 명 의욕을 꺾는 것

Tips | **시험에는 이렇게 나온다**
incentive는 주로 provide(제공하다), offer(제안하다), give(주다) 등의 동사와 함께 짝을 이루어 사용돼요.

distinctive

[distíŋktiv]

형 독특한, 특유의

You have a distinctive and beautiful voice. 학평
당신은 **독특하고** 아름다운 목소리를 가지고 있어요.

➕ distinct 형 뚜렷한, 구별되는　distinction 명 차이, 대조
🟰 unique　🔀 ordinary 형 보통의, 일상적인

affection

[əfékʃən]

명 애착, 애정

During his childhood, he had a great affection for his aunt Lucy. 학평
어린 시절 동안, 그는 Lucy 이모에게 큰 **애착**이 있었다.

➕ affectionate 형 애정 어린, 다정한
🟰 attachment

Tips | **주의해야 할 혼동어**
affection과 철자가 비슷한 affectation에 주의하세요! affectation은 '가장', '꾸밈'을 의미하는 단어예요.

1654 ☐☐☐

asset

[ǽset]

명 자산, 재산

Workers are an organization's most precious assets. (학평)

직원들은 조직의 가장 소중한 **자산**이다.

🔳 property, capital

Tips **시험에는 이렇게 나온다**

수능에서 asset은 주로 major(주요한), important(중요한), valuable(귀중한), greatest(가장 훌륭한)처럼 긍정적인 의미를 가진 형용사와 함께 사용돼요.

1655 ☐☐☐

valid

[vǽlid]

형 유효한, 타당한

Tickets are valid for 24 hours from the first time of use. (학평)

표는 최초 사용 시 부터 24시간 동안 **유효하다**.

➕ validity 명 유효함, 타당성   validate 동 입증하다, 인증하다

🔁 invalid 형 무효한, 근거 없는

빈출 단어

1656 ☐☐☐

chief

[tʃiːf]

명 ~장, 우두머리   형 주요한, 최고의

The chief of the Forest Service explained that there is a new and better way to save our forests. (학평)

산림청**장**은 우리의 숲을 보호할 새롭고 더 좋은 방법이 있다고 설명했다.

➕ chiefly 부 주로

🔳 head   🔁 subordinate 명 하급자, 부하   형 종속된

1657 ☐☐☐

sensible

[sénsəbəl]

형 합리적인, 분별력 있는, 상당한

The rule sounded sensible and quickly caught on. (학평)

그 규칙은 **합리적인** 것 같았고 빠르게 인기를 얻었다.

➕ sense 명 감각, 느낌   동 감지하다, 느끼다

🔳 rational

Tips **주의해야 할 혼동어**

sensible과 철자가 비슷한 sensitive에 주의하세요! sensitive는 '세심한', '예민한'을 의미하는 사람의 감정이나 감각과 관련된 단어예요.

worsen

[wə́:rsn]

동 악화하다, 악화되다

Longer life spans mean more people, **worsening** food and housing supply difficulties. 학평

길어진 수명은 더 많은 인구를 의미하고, 이는 식량과 주택 공급의 어려움을 **악화한다**.

➕ worse 형 더 나쁜

🟰 deteriorate, aggravate ◼ improve 동 개선하다, 향상하다

equivalent

[ikwívələnt]

형 상당하는, 동등한 명 상당하는 것, 등가물

Americans take in the caffeine **equivalent** of 530 million cups of coffee every day. 학평

미국인들은 매일 5억 3천만 잔의 커피에 **상당하는** 카페인을 섭취한다.

➕ equivalence 명 같음, 등가 equivalent to ~과 같은, 상응하는

🟰 equal, comparable

deliberate

형[dilíbərət]
동[dilíbəreit]

형 의도적인, 신중한 동 숙고하다

Much of socialization takes place without the **deliberate** intent to impart knowledge or values. 학평

대부분의 사회화는 지식이나 가치를 전하려는 **의도적인** 목적 없이 일어난다.

➕ deliberation 명 숙고, 신중함 deliberative 형 깊이 생각하는

🟰 intentional, intended ◼ accidental 형 우연한, 돌발적인

empathy

[émpəθi]

명 공감, 감정 이입

Empathy is made possible by a special group of nerve cells called mirror neurons. 학평

공감은 거울 뉴런이라 불리는 특별한 신경 세포군에 의해 가능해진다.

➕ empathize 동 공감하다 empathetic 형 감정 이입의

🟰 sympathy

triumph

[tráiəmf]

명 승리, 대성공 동 승리를 거두다, 이기다

We witness their struggles, **triumphs**, and failures. 수능

우리는 그들의 투쟁, **승리**, 그리고 실패를 목격한다.

➕ triumphant 형 승리를 거둔, 의기양양한

🟰 success, victory ◼ failure 명 실패

1663 ☐☐☐

thermometer

[θərmá:mitər]

명 온도계, 체온계

Thermometers are supposed to measure air temperature. 학평
온도계는 공기 온도를 측정하게 되어 있다.

1664 ☐☐☐

litter

[lítər]

동 어지럽히다, 쓰레기를 버리다 명 어질러진 것, 쓰레기

The paths are **littered** with rocks and debris. 학평
그 길은 바위와 잔해로 **어지럽혀져** 있다.

➕ **littery** 형 난잡한, 어질러진

1665 ☐☐☐

stake

[steik]

명 말뚝, 화형대 동 (돈 등을) 걸다

They tied his hands, piled some wood, set up a **stake**, and bound him to the **stake**. 학평
그들은 그의 손을 결박하고, 나무를 쌓았으며, **말뚝**을 세우고, 그 **말뚝**에 그를 묶었다.

1666 ☐☐☐

mischief

[místʃif]

명 나쁜 짓, 장난(기), 해악

He was a wild boy, always getting into **mischief**. 수능
그는 항상 **나쁜 짓**을 저지르는 거친 소년이었다.

➕ **mischievous** 형 짓궂은

1667 ☐☐☐

obscure

[əbskjúər]

동 모호하게 하다, 가리다 형 모호한, 잘 알려지지 않은

Superficial analogies between the eye and a camera **obscure** the fundamental difference between the two. 수능
눈과 카메라 사이의 피상적인 비유는 그 둘 사이의 근본적인 차이를 **모호하게 한다**.

➕ **obscurity** 명 모호함, 불분명
🟰 **vague** ⏹ **clear** 형 분명한, 맑은 **famous** 형 유명한

1668 ☐☐☐

anecdote

[ǽnikdout]

명 일화, 개인적인 진술

In a revised edition of *Lives*, Vasari combined biographical **anecdotes** with critical comment. 수능
「Lives」의 개정판에서, 바사리는 전기적인 **일화**와 비판적인 논평을 결합했다.

🟰 **story, tale**

console

툉[kənsóul]
명[ká:nsoul]

툉 위로하다 명 제어 장치

In an attempt to **console** his master, Nasrudin said, "Sir, there are no mistakes, only lessons." 학평

스승을 **위로하기** 위한 노력으로, Nasrudin은 "선생님, 실수는 없고 단지 교훈만이 있을 뿐입니다."라고 말했다.

➕ consolation 명 위로, 위안

🟰 comfort ❌ distress 툉 괴롭히다 명 고통, 고민

oral

[ɔ́:rəl]

형 구두의, 입의 명 구두시험

The position requires strong communication skills, both **oral** and written. 교과서

그 직책은 뛰어난 **구두** 및 서면의 의사소통 능력을 모두 필요로 한다.

🟰 spoken, verbal

vein

[vein]

명 정맥, 잎맥, 방식, 태도

Both the heart and the skin rely on **veins**. 학평

심장과 피부는 모두 **정맥**에 의존한다.

repel

[ripél]

툉 쫓아버리다, 물리치다, 밀어내다

Leaders who are irritable and bossy **repel** people. 모평

짜증을 내고 위세를 부리는 지도자들은 사람들을 **쫓아버린다**.

➕ repellent 형 물리치는 명 방충제 repellence 명 반발성, 격퇴성

warfare

[wɔ́:rfer]

명 전투, 전쟁

Horses came to play a major part in **warfare**. 모평

말이 **전투**에서 중요한 역할을 하게 되었다.

🟰 war, combat

hatred

[héitrid]

명 증오, 혐오

Hatred is never ended by **hatred** but by love. 학평

증오는 **증오**에 의해서는 결코 끝날 수 없고 사랑에 의해서 끝날 수 있다.

➕ hate 툉 몹시 싫어하다, 증오하다 hateful 형 혐오스러운

proficient

[prəfíʃənt]

형 능숙한, 숙달한

Those who claim to be **proficient** at countless tasks cannot perform a single one of them well. (모평)

수많은 일에 **능숙하다고** 주장하는 사람들은 그것들 중 단 한 가지도 잘 수행하지 못한다.

➕ proficiency 명 능숙, 숙달

🔁 skilled, competent, experienced

monopoly

[mənáːpəli]

명 독점(권), 전매

Patent laws give the firm a **monopoly** on the sale of that drug. (학평)

특허법은 회사에게 그 약품 판매의 **독점권**을 준다.

➕ monopolize 동 독점하다

dwell

[dwel]

동 살다, 거주하다

The woman **dwelled** in a land where all was dark. (교과서)

그 여자는 모든 것이 어두운 나라에 **살았다**.

➕ dwelling 명 주거(지), 주택

preliminary

[prilíməneri]

명 예선전, 예비 행위, 서두 형 예비의

The high school student survived all the **preliminary** rounds of the national spelling bee. (학평)

그 고등학생은 전국 철자 맞추기 대회의 모든 **예선전** 경기에서 살아남았다.

audible

[ɔ́ːdəbl]

형 (귀에) 들리는

Our eyes and ears receive lights and sounds across the spectrums of visible and **audible** wavelengths. (학평)

우리 눈과 귀는 보이고 **들리는** 파장의 스펙트럼에 걸쳐 빛과 소리를 수신한다.

➖ inaudible 형 들리지 않는, 알아들을 수 없는

deform

[difɔ́ːrm]

동 변형시키다, 기형으로 만들다

For divers, the experience of having their internal organs rudely **deformed** is thought exciting. (학평)

다이빙 선수들에게, 내부 장기가 불쑥 **변형되는** 경험은 짜릿하다고 여겨진다.

Daily Quiz

영어는 우리말로, 우리말은 영어로 쓰세요.

01	asset	11	일화, 개인적인 진술
02	valid	12	모호하게 하다, 모호한
03	proficient	13	수단, 차량, 탈것
04	repel	14	독점(권), 전매
05	deform	15	정맥, 방식, 태도
06	affection	16	상당하는, 등가물
07	sentence	17	어지럽히다, 쓰레기
08	incentive	18	교체하다, 대체하다
09	deliberate	19	자신감 있는, 확신하는
10	console	20	증오, 혐오

다음 빈칸에 들어갈 가장 알맞은 것을 박스 안에서 고르세요.

---

wealth   thermometer   worsen   distinctive   preliminary

---

21 Using his _____, he purchased hundreds of paintings.
부를 이용해서, 그는 수백 점의 그림을 구입했다.

22 _____(e)s are supposed to measure air temperature.
온도계는 공기 온도를 측정하게 되어 있다.

23 The high school student survived all the _____ rounds of the national spelling bee.
그 고등학생은 전국 철자 맞추기 대회의 모든 예선전 경기에서 살아남았다.

24 You have a _____ and beautiful voice.
당신은 독특하고 아름다운 목소리를 가지고 있어요.

25 Longer life spans mean more people, _____ing food and housing supply difficulties.
길어진 수명은 더 많은 인구를 의미하고, 이는 식량과 주택 공급의 어려움을 악화한다.

정답

01 자산, 재산　**02** 유효한, 타당한　**03** 능숙한, 숙달한　**04** 쫓아버리다, 물리치다, 밀어내다　**05** 변형시키다, 기형으로 만들다　**06** 애착, 애정
07 선고, 형벌, 문장, (형을) 선고하다　**08** 장려책, 동기　**09** 의도적인, 신중한, 숙고하다　**10** 위로하다, 제어 장치　**11** anecdote　**12** obscure
13 vehicle　**14** monopoly　**15** vein　**16** equivalent　**17** litter　**18** replace　**19** confident　**20** hatred　**21** wealth
22 Thermometer　**23** preliminary　**24** distinctive　**25** worsen

board

1 📖 판자, 널, (특정 목적의) 판

You can use the **board** as a place to post all those sticky notes reminding you of things you have to do. 학평
당신은 그 **판자**를 당신이 해야 할 일들을 상기시켜주는 그 모든 접착용 쪽지들을 게시하는 공간으로 사용할 수 있다.

2 📖 위원회, 이사회

The **Board** of Education is considering breaking up the Springfield High School football team. 학평
교육 **위원회**는 Springfield 고등학교 축구팀을 해체하는 것을 고려하고 있다.

3 🔵 (배·기차·비행기 등에) 타다, 탑승하다

Seasickness can occur anytime you **board** a sea vessel and ruin your entire cruise trip. 학평
뱃 멀미는 당신이 배를 **타는** 어느 때라도 발생하여 당신의 유람선 여행 전체를 망쳐버릴 수 있다.

bill

1 📖 청구서, 고지서 🔵 청구서를 보내다

You can pay the **bill** online from your account. 학평
당신의 계좌에서 온라인으로 **청구서**를 결제하실 수 있습니다.

2 📖 지폐

I'd like to get three ten-dollar **bills**. 학평
10달러짜리 **지폐** 3장을 주세요.

3 📖 (국회에 제출된) 법안

The rights guaranteed in the **Bill** of Rights are freedom of speech, assembly, religion, and so on. 학평
권리에 대한 **법안**(권리 장전)에 보장되어 있는 권리에는 언론, 집회, 종교 등의 자유가 있다.

MP3 바로 듣기

최빈출 단어

1681 ☐☐☐

figure

[fígjər]

명 모습, 인물, 수치, 도형 동 판단하다, 생각하다

When drawing human **figures**, children often make the head too large for the rest of the body. (모평)

사람의 **모습**을 그릴 때, 아이들은 종종 머리를 몸의 나머지 부분에 비해 너무 크게 그린다.

➕ **figuration** 명 형상, 비유적 표현 **figure out** 생각해내다, 알아내다

🟰 **shape, form**

1682 ☐☐☐

various

[vériəs]

형 다양한, 여러 가지의

Feelings may affect **various** aspects of your eating, including the speed at which you eat. (모평)

감정은 당신이 먹는 속도를 포함하여 식사의 **다양한** 측면에 영향을 줄 수 있다.

➕ **variety** 명 여러 가지, 다양성 **vary** 동 다르다, 달라지다

🟰 **diverse, different, assorted** ↔ **similar** 형 비슷한

Tips | 시험에는 이렇게 나온다

various activities 다양한 활동   **various types** 다양한 종류
various fields 다양한 분야   **various ways** 여러 가지 방법

1683 ☐☐☐

standard

[stǽndərd]

형 일반적인, 보통의 명 표준, 기준

LED bulbs last longer than **standard** bulbs. (수능)

LED 전구는 **일반적인** 전구보다 더 오래 간다.

➕ **standardize** 동 표준화하다

🟰 **general, common, universal** ↔ **unusual** 형 특이한, 드문

Tips | 시험에는 이렇게 나온다

moral standard 도덕적 기준   **standard of living** 생활 수준
standard fare 표준 운임   **standard time** 표준 시간

1684 ☐☐☐

disappear

[dìsəpíər]

통 사라지다, 없어지다

Fedrick watched regretfully as Marshall's sled
disappeared slowly in the distance. (수능)

Fedrick은 Marshall의 썰매가 저 멀리 서서히 **사라지는** 것을 유감스럽게 지켜보았다.

➕ **disappearance** 명 사라짐

🟰 **vanish** ⬌ **appear** 통 나타나다

1685 ☐☐☐

attraction

[ətrǽkʃən]

명 명소, 끌림, 매력

Today, London Bridge is one of Arizona's biggest
attractions. (수능)

오늘날, 런던 브리지는 애리조나의 최고의 **명소** 중 하나이다.

➕ **attract** 통 마음을 끌다, 끌어들이다 **attractive** 형 매력적인

1686 ☐☐☐

reputation

[rèpjutéiʃən]

명 명성, 평판

The company has an excellent **reputation** as a research
institution. (모평)

그 기업은 연구 기관으로서 대단한 **명성**을 가지고 있다.

➕ **reputable** 형 명성 있는, 평판이 좋은

🟰 **name, renown**

1687 ☐☐☐

reward

[riwɔ́:rd]

명 보상(금), 대가 통 보상하다, 보답하다

Not all behavior depends on a **reward**, such as the
determination to succeed. (학평)

성공하겠다는 결심과 같은 모든 행동이 **보상**에 따라 좌우되는 것은 아니다.

➕ **rewarding** 형 보람 있는, 돈을 많이 버는

⬌ **punishment** 명 벌, 처벌

1688 ☐☐☐

rational

[rǽʃənəl]

형 합리적인, 이성적인

Most of us have a general, **rational** sense of what to eat
and when. (모평)

우리들 대부분은 무엇을 언제 먹을지에 대한 일반적이고 **합리적인** 감각을 가지고 있다.

➕ **rationalize** 통 합리화하다 **rationality** 명 합리성

🟰 **sensible, reasonable** ⬌ **irrational** 형 비합리적인, 비이성적인

01
02
03
04
05
06
07
08
09
10
11
12
13
14
15
16
17
18
19
20
21
22
23
24
25
26
27
28
29
30
31
32
33
34
35
36
37
38
39
40
41
42

43 DAY

44
45

attribute

통 ~의 결과로 보다, ~의 탓으로 하다   명 속성, 자질

통 [ətríbjuːt]
명 [ǽtrəbjuːt]

Many experts attribute Finland's high academic ranking to the higher quality of its teachers. (학평)

많은 전문가들은 핀란드의 높은 학업 수준을 높은 교사 수준의 **결과로 본다**.

➕ attribution 명 귀속, 속성   attributable 형 ~에 기인하는

▤ ascribe

appeal

통 관심을 끌다, 호소하다   명 매력, 호소

[əpíːl]

These businesses are designed to appeal particularly to young adults. (학평)

이 사업들은 특히 젊은이들의 **관심을 끌기** 위해 고안되었다.

➕ appealing 형 매력적인   appeal to ~의 관심을 끌다, ~에 호소하다

Tips

> **주의해야 할 혼동어**
>
> appeal과 철자 및 발음이 비슷한 appear에 주의하세요! '관심을 끌다', '호소'를 뜻하는 appeal은 [어피일]이라고 발음하고, '나타나다'를 뜻하는 appear는 [어피어]라고 발음해요.

particle

명 (작은) 조각, 입자

[páːrtikl]

Most of the plastic particles in the ocean are very small. (학평)

바닷속에 있는 대부분의 플라스틱 **조각들**은 매우 작다.

▤ piece, bit

desperate

형 절박한, 절망적인, 필사적인

[déspərət]

Most workers are teenagers, recent immigrants, or others in desperate need of a job. (학평)

대부분의 노동자들이 십 대이거나, 최근에 이민 온 사람들, 또는 일자리가 **절박하게** 필요한 사람들이다.

cultivate

통 함양하다, 재배하다, 경작하다

[kʌ́ltəveit]

It is necessary to cultivate our realistic optimism. (학평)

우리의 현실적인 낙관주의를 **함양할** 필요가 있다.

➕ cultivation 명 함양, 재배, 경작

▤ foster, develop

incorporate

⑧ 포함하다, 통합하다, 법인으로 만들다 ⑱ 결합한, 법인의

⑧[inkɔ́:rpəreit]
⑱[inkɔ́:rpərit]

Many parts of the church incorporate images and forms from nature. (교과서)

그 교회의 많은 부분은 자연의 모습과 형태를 **포함한다**.

➊ incorporation ⑲ 합동, 합병

▣ include, contain, integrate

retire

⑧ 은퇴하다, 퇴직하다

[ritáiər]

Both parents retired in good health. (학평)

부모님 두 분 모두 건강한 상태로 **은퇴하셨다**.

➊ retirement ⑲ 은퇴, 퇴직

빈출 단어

margin

⑲ (판매) 이익, 가장자리, 여백, 차이

[máːrdʒin]

The operating margin of 2007 was not as high as that of 1999. (모평)

2007년의 영업 **이익**은 1999년만큼 높지 않았다.

➊ marginal ⑱ 가장자리의, 미미한 marginally ⑭ 가장자리에, 가까스로

correspond

⑧ 일치하다, 부합하다, 상응하다

[kɔ̀:rəspáːnd]

Brain responses correspond to people's self-report. (모평)

뇌의 반응들이 사람들의 자기 보고와 **일치한다**.

➊ correspondence ⑲ 일치, 상응 correspondent ⑱ 일치하는
correspond to[with] ~에 일치하다, 부합하다

▣ accord ▣ differ ⑧ 다르다

prohibit

⑧ 금지하다, 막다

[prouhíbit]

Pets are prohibited in the garden. (학평)

정원에서 반려동물은 **금지되어** 있습니다.

➊ prohibition ⑲ 금지(법)

▣ forbid, ban ▣ permit ⑧ 허용하다

1699 ☐☐☐

harbor

[háːrbər]

圆 항구, 은신처　圆 항구에 정박시키다, 거처를 제공하다

We took a boat from the **harbor** to see the icebergs. (교과서)
우리는 빙산을 보기 위해 **항구**에서 배를 탔다.

1700 ☐☐☐

probable

[práːbəbəl]

圆 그럴듯한, 있음직한

Indeed, it was exaggerated by his **probable** lying. (교과서)
사실, 그것은 그의 **그럴듯한** 거짓말에 의해 과장되었다.

➕ probably 圆 아마　probability 圆 개연성, 확률
🔁 possible, plausible

1701 ☐☐☐

anchored

[ǽŋkərd]

圆 고착된, 닻을 내린

People who move to a new region generally remain **anchored** to the prices in their former location. (모평)
새로운 지역으로 이주하는 사람들은 일반적으로 그들이 이전에 살던 지역의 물가에 **고착된** 상태를 유지한다.

➕ anchor 圆 고착하다 圆 닻　anchorage 圆 정박지, 닻을 내림

1702 ☐☐☐

throughout

[θruːáut]

圆 도처에, ~ 동안, 내내

The mallard is commonly seen in ponds and lakes **throughout** Minnesota. (학평)
청둥오리는 미네소타 **도처에** 연못과 호수에서 흔히 보인다.

1703 ☐☐☐

interval

[íntərvəl]

圆 간격, 사이, 중간 휴식 시간

Your body needs certain foods at certain **intervals** each day. (학평)
당신의 몸은 매일 특정한 **간격**으로 특정한 음식들이 필요하다.

🔁 period, pause

1704 ☐☐☐

pirate

[páirət]

圆 해적, 저작권 침해자　圆 저작권을 침해하다

While he was en route to Spain, **pirates** robbed him of all his goods. (수능)
그가 스페인으로 가던 도중에, **해적들**이 그의 물건을 모두 빼앗았다.

1705 ☐☐☐

ambiguous

[æmbígjuəs]

혱 모호한, 애매한, 불분명한

A word isn't **ambiguous** by itself but is used ambiguously. 학평

단어 자체는 **모호하지** 않지만 모호하게 사용된다.

➊ ambiguously 뷔 모호하게 **ambiguity** 뗑 모호함

❒ unclear, vague **❒ unambiguous** 혱 명백한

Tips	주의해야 할 혼동어
	ambiguous와 철자가 비슷한 ambitious에 주의하세요! ambitious는 '야심 있는', '야심적인'을 의미하는 단어예요.

1706 ☐☐☐

autonomy

[ɔːtáːnəmi]

뗑 자율(성), 자치(권)

Children can cope with stress and pressures when they are granted an appropriate level of **autonomy**. 학평

아이들은 적절한 수준의 **자율성**이 주어졌을 때 스트레스와 압박감에 대처할 수 있다.

➊ autonomous 혱 자율의, 자주적인 **autonomic** 혱 자치권의, 자발적인

1707 ☐☐☐

mandate

[mǽndeit]

됭 지시하다, 명령하다 **뗑** 명령, 권한

The country **mandated** seat belts, but it is still impossible to see the reduction in road accidents. 수능

국가가 안전벨트를 **지시했지만**, 여전히 교통사고의 감소를 보기가 불가능하다.

➊ mandatory 혱 의무적인, 강제의

❒ command, order

1708 ☐☐☐

vomit

[váːmit]

됭 토하다, 게우다 **뗑** 토사물

Vampire bats frequently **vomit** blood and share it with other nest mates. 수능

흡혈박쥐는 종종 피를 **토하고** 다른 둥지 동료들과 그것을 공유한다.

❒ throw up

1709 ☐☐☐

garment

[gáːrmənt]

뗑 옷, 의복

I dug out an old **garment** that my grandma gave me. 교과서

나는 할머니가 나에게 주신 오래된 **옷**을 찾아냈다.

❒ clothing, apparel

1710 ☐☐☐

damp

[dæmp]

형 축축한, 눅눅한, 습기가 있는

If you're too close to the water source, your shelter will be too **damp** and unpleasant. 학평

수원지와 너무 가까이 있으면, 당신의 주거지는 너무 **축축하고** 불쾌할 것이다.

➕ **dampen** 동 축축하게 하다　**dampness** 명 축축함, 눅눅함

🟰 **wet, moist**　◀▶ **dry** 형 마른, 건조한 동 마르다

1711 ☐☐☐

counteract

[kàuntərǽkt]

동 대응하다, 대항하다, 거스르다

You have the ability to **counteract** negativity with positivity. 학평

당신에게는 부정성에 긍정성으로 **대응하는** 능력이 있다.

1712 ☐☐☐

agenda

[ədʒéndə]

명 계획, 안건, 의제

We want leaders who are appropriately transparent about their motivations and their **agendas**. 학평

우리는 동기 부여와 **계획**에 대해 적절하게 솔직한 지도자를 원한다.

🟰 **plan, program**

1713 ☐☐☐

pervasive

[pərvéisiv]

형 만연한, 스며드는

The culture that we inhabit shapes how we think and act in the most **pervasive** ways. 학평

우리가 사는 문화는 우리가 생각하고 행동하는 방식을 가장 **만연한** 방식으로 형성한다.

➕ **pervade** 동 널리 퍼지다

🟰 **widespread, prevalent**

1714 ☐☐☐

commemorate

[kəméməreit]

동 기념하다

Arts can be used to **commemorate** events. 학평

예술은 사건을 **기념하기** 위해 사용될 수 있다.

1715 ☐☐☐

stumble

[stΛmbl]

동 비틀거리다, 휘청거리다, 더듬거리다

During her recovery, she often **stumbled** and fell. 학평

회복하는 동안, 그녀는 종종 **비틀거리고** 넘어졌다.

1716 ☐☐☐

refrain

[rifréin]

통 삼가다, 그만두다 명 반복구, 후렴

The individual tries to compensate for the negative self-regard by **refraining** from consuming a guilty pleasure. (모평)

그 사람은 죄의식을 동반하는 즐거움을 소비하는 것을 **삼가함으로써** 부정적인 자존감을 보완하려 애쓴다.

➕ refrain from ~을 삼가다

🟰 avoid, abstain

1717 ☐☐☐

voyage

[vɔ́iidʒ]

명 항해, 여행 동 항해하다, 여행하다

In early 15th century Europe, many explorers began long sea **voyages** in search of spices. (교과서)

15세기 초 유럽에서, 많은 탐험가들이 향신료를 찾아 긴 바다 **항해**를 시작했다.

🟰 journey, passage

1718 ☐☐☐

outrage

[áutreidʒ]

동 격분하게 하다 명 격분, 격노

We would be **outraged** by the careless behavior. (학평)

우리는 그 부주의한 행동에 **격분하게 될** 것이다.

➕ outrageous 형 터무니없는, 엄청난

🟰 offend, upset

1719 ☐☐☐

divine

[diváin]

형 신의, 신성한 동 점치다, 예측하다

The saying, "To err is human, to forgive, **divine**," shows the attitude we should have. (학평)

"과오는 인간의 몫이요, 용서는 **신의** 본성이니라"라는 속담은 우리가 가져야 할 태도를 보여준다.

🟰 holy, sacred

1720 ☐☐☐

customs

[kʌ́stəmz]

명 관습, 세관, 관세

Proverbs offer insight into people, nations, and **customs**. (학평)

속담은 사람, 국가, 그리고 **관습**에 대한 통찰력을 제공한다.

➕ customary 형 관례적인 customization 명 주문 제작

Daily Quiz

영어는 우리말로, 우리말은 영어로 쓰세요.

01 agenda _____
02 rational _____
03 incorporate _____
04 attribute _____
05 appeal _____
06 particle _____
07 divine _____
08 interval _____
09 pervasive _____
10 voyage _____

11 명성, 평판 _____
12 일치하다, 상응하다 _____
13 격분하게 하다, 격분 _____
14 보상(금), 보상하다 _____
15 대응하다, 대항하다 _____
16 해적, 저작권을 침해하다 _____
17 비틀거리다, 더듬거리다 _____
18 은퇴하다, 퇴직하다 _____
19 절박한, 절망적인 _____
20 사라지다, 없어지다 _____

다음 빈칸에 들어갈 가장 알맞은 것을 박스 안에서 고르세요.

vomit	customs	prohibit	various	throughout

21 Vampire bats frequently _____ blood and share it with other nest mates.
흡혈박쥐는 종종 피를 토하고 다른 둥지 동료들과 그것을 공유한다.

22 Pets are _____(e)d in the garden.
정원에서 반려동물은 금지되어 있습니다.

23 Proverbs offer insight into people, nations, and _____.
속담은 사람, 국가, 그리고 관습에 대한 통찰력을 제공한다.

24 The mallard is commonly seen in ponds and lakes _____ Minnesota.
청둥오리는 미네소타 도처에 연못과 호수에서 흔히 보인다.

25 Feelings may affect _____ aspects of your eating, including the speed at which you eat.
감정은 당신이 먹는 속도를 포함하여 식사의 다양한 측면에 영향을 줄 수 있다.

정답

01 계획, 안건, 의제 02 합리적인, 이성적인 03 포함하다, 통합하다, 법인으로 만들다, 결합한, 법인의 04 ~의 결과로 보다, ~의 탓으로 하다, 속성, 자질 05 관심을 끌다, 호소하다, 매력, 호소 06 (작은) 조각, 입자 07 신의, 신성한, 점치다, 예측하다 08 간격, 사이, 중간 휴식 시간 09 만연한, 스며드는 10 항해, 여행, 항해하다, 여행하다 11 reputation 12 correspond 13 outrage 14 reward 15 counteract 16 pirate 17 stumble 18 retire 19 desperate 20 disappear 21 vomit 22 prohibit 23 customs 24 throughout 25 various

press

1 명 출판사

The contest is sponsored by East India **Press**. 학평
그 대회는 East India **출판사**에 의해 후원된다.

2 명 언론, 신문

Their tales of adventure were popularized in the **press** back home. 학평
그들의 모험담은 국내 **언론**에서 대중화되었다.

3 동 (무엇에 대고) 누르다, 바짝 대다

Pieces of metal hung all over him, **pressing** him into his seat. 교과서
금속 조각들이 그의 몸 전체에 달려서, 그의 좌석 안쪽으로 그를 **누르고** 있었다.

4 동 (기기 작동을 위해 버튼 등을) 누르다

If you need anything else, **press** the call button. 학평
만약 당신이 더 필요한 것이 있다면, 호출 버튼을 **누르세요**.

tear

1 동 뜯다, 찢다

Tear the package open following the line using both of your hands. 학평
양 손을 이용하여 줄을 따라 포장을 **뜯으세요**.

2 명 닳은 데, 구멍

My car is eleven years old and it has a lot of wear and **tear** on it. 학평
내 자가용은 11년 되었으며 낡고 **닳은 데**가 많다.

3 명 눈물, 울음

My vision was blurred by the **tears** in my eyes. 학평
내 시야는 나의 **눈물**에 의해 흐려졌다.

01 02 03 04 05 06 07 08 09 10 11 12 13 14 15 16 17 18 19 20 21 22 23 24 25 26 27 28 29 30 31 32 33 34 35 36 37 38 39 40 41 42 **43 DAY** 44 45

DAY 44

MP3 바로 듣기

최빈출 단어

1721 ☐☐☐

raise
[reiz]

통 (자금·사람 등을) 모으다, 기르다, 올리다　명 증가

We're planning to **raise** money to rescue abandoned dogs. (학평)
우리는 유기견을 구조하기 위한 기금을 **모으려고** 계획 중이다.

🔳 collect, gather, increase　🔳 lower 통 내리다, 낮추다

1722 ☐☐☐

demand
[dimǽnd]

명 수요, 요구　통 필요로 하다, 요구하다

Less **demand** for meat leads to a decrease in the number of livestock raised for food. (모평)
육류에 대한 줄어든 **수요**는 식용으로 사육되는 가축 수의 감소로 이어진다.

➕ demanding 형 부담이 큰, 요구가 많은

🔳 request, order　🔳 supply 명 공급 통 공급하다　provide 통 제공하다

Tips 　　시험에는 이렇게 나온다

in high demand 수요가 많은　　　meet the demand 수요를 충족시키다
anticipated demand 기대 수요　　law of demand 수요의 법칙

1723 ☐☐☐

current
[kə́ːrənt]

형 현재의, 지금의　명 흐름, 경향

The Global Design Conference aims to keep people informed about the **current** trends in design. (수능)
글로벌 디자인 콘퍼런스는 사람들에게 디자인의 **현재** 동향을 계속 알리는 것을 목표로 한다.

➕ currently 부 현재, 지금　currency 명 통화, 통용

1724 ☐☐☐

escape
[iskéip]

통 벗어나다, 탈출하다　명 탈출, 도망

To **escape** from anxiety, we behave in various ways. (학평)
걱정에서 **벗어나기** 위해, 우리는 다양한 방식으로 행동한다.

1725 ☐☐☐

detail

[ditéil]

명 세부 사항　동 상세히 알리다

Beginners at any art often try to absorb every detail. 수능

어떤 예술에서든 초보자들은 흔히 모든 **세부 사항**을 흡수하려고 노력한다.

➕ detailed 형 상세한

1726 ☐☐☐

appropriate

[əpróupriət]

형 적절한, 적합한

Using appropriate body language strengthens your message. 교과서

적절한 몸짓 언어를 사용하는 것은 당신의 메시지를 강화한다.

➕ appropriately 부 적절하게

➖ suitable　⬛ inappropriate 형 부적절한　unsuitable 형 부적합한

1727 ☐☐☐

merely

[míərli]

부 단지, 그저

Money is merely a convenient medium of exchange. 수능

돈은 **단지** 편리한 교환 수단이다.

➕ mere 형 단순한, 단지, ~에 불과한

➖ only, just, simply

1728 ☐☐☐

harsh

[hɑːrʃ]

형 냉혹한, 혹독한, 거친

Her works portrayed the harsh reality of life in Romania. 학평

그녀의 작품들은 루마니아에서의 **냉혹한** 삶의 현실을 묘사했다.

➕ harshly 부 매몰차게

Tips

시험에는 이렇게 나온다	
harsh conditions 혹독한 상황	harsh weather 혹독한 날씨
harsh words 거친 말	harsh criticism 혹평

1729 ☐☐☐

fade

[feid]

동 사라지다, 희미해지다, 바래다

As physical boundaries fade away, the boundaries between people disappear. 학평

물리적 경계가 **사라질수록**, 사람들 사이의 경계도 사라진다.

➖ disappear, vanish, bleach

permit

暠 허용하다, 허락하다   명 허가(증)

동[pərmít]
명[pə́:rmit]

Bottled water is **permitted** to contain certain amounts of any bacteria. (학평)

병에 든 물은 일정량의 어떤 박테리아든 포함하는 것이 **허용된다**.

➕ **permission** 명 허가, 허락
🟰 **allow, enable**   ⬛ **forbid** 동 금지하다

atmosphere

명 대기, 분위기

[ǽtməsfir]

The paved surfaces heat up and radiate energy into the **atmosphere**. (학평)

포장된 지면은 뜨거워지고 **대기** 중으로 에너지를 방출한다.

➕ **atmospheric** 형 대기의, 분위기 있는

receipt

명 영수증, 수령

[risíːt]

Unlike cash or checks, credit cards make it much easier to handle your documents and **receipts**. (학평)

현금이나 수표와는 달리, 신용 카드는 서류와 **영수증**을 훨씬 더 쉽게 처리할 수 있게 한다.

➕ **receive** 동 받다, 수령하다

Tips

주의해야 할 혼동어
receipt와 철자가 비슷한 recipe에 주의하세요! recipe는 '조리법', '방안'을 의미하는 단어예요.

heal

동 치료하다, 치유하다

[hiːl]

Evidence of using food to **heal** dates back thousands of years. (학평)

치료하기 위해 음식을 사용한 것에 대한 증거는 수천 년 전으로 거슬러 올라간다.

➕ **healing** 명 (몸이나 마음의) 치료, 치유
🟰 **cure, treat**   ⬛ **injure** 동 부상을 입다, 해치다

endure

동 견디다, 참다

[indʒúər]

She **endured** her parent's heartbreaking divorce. (학평)

그녀는 가슴 아픈 부모님의 이혼을 **견뎠다**.

➕ **endurance** 명 인내, 참을성   **endurable** 형 견딜 수 있는
🟰 **bear, tolerate**

1735 ☐☐☐

sophisticated

[səfístikeitid]

형 복잡한, 정교한, 세련된

Some fish species have developed sophisticated systems of vision. 학평

몇몇 어종은 **복잡한** 시력 체계를 발달시켰다.

➕ sophistication 명 교양, 세련

🟰 complex ➖ unsophisticated 형 세련되지 않은, 단순한 simple 형 단순한

빈출 단어

1736 ☐☐☐

overlap

동[òuvərlǽp]
명[óuvərlæp]

동 중복되다, 겹치다, 포개지다 명 중복, 겹침

In complex situations, the processes of advocacy and mediation can overlap. 수능

복잡한 상황에서는, 변호와 중재 과정들이 **중복될** 수 있다.

1737 ☐☐☐

insert

[insə́:rt]

동 삽입하다, 끼워 넣다

In the Paris subway system, users insert a paper card into a machine. 학평

파리의 지하철 시스템에서, 승객들은 기계에 종이 카드를 **삽입한다**.

🟰 put, place

1738 ☐☐☐

ripe

[raip]

형 익은, 숙성한

Fruit picked before it is ripe has less flavor than fruit picked ripe from the plant. 모평

익기 전에 수확된 과일은 나무에서 **익은** 상태로 수확된 과일보다 맛이 덜하다.

➕ ripen 동 익다, 숙성하다

🟰 mature ➖ unripe 형 익지 않은, 미숙한

1739 ☐☐☐

fertile

[fə́:rtl]

형 비옥한, 다산인, 번식력이 있는

There are several factors that facilitate fertile soil formation. 학평

비옥한 토양 형성을 촉진하는 몇 가지 요인들이 있다.

➕ fertility 명 비옥함 fertilize 동 비옥하게 하다 fertilizer 명 비료

🟰 prolific, fruitful, productive ➖ barren 형 척박한, 황량한

1740 ☐☐☐

definite

[défənit]

📋 분명한, 확실한

There is no **definite** order in treating an illness. 학평

병을 치료하는 데는 **분명한** 순서가 없다.

➕ **definitely** 🔸 분명히, 절대

🟰 **clear, obvious, specific** 🔳 **indefinite** 🔸 막연한, 정해져 있지 않은

1741 ☐☐☐

surplus

[sə́:rpləs]

📋 잉여(분), 과잉, 흑자 📋 과잉의, 잉여의

We used our **surplus** to help others. 학평

우리는 다른 사람들을 돕기 위해 우리의 **잉여분**을 사용했다.

🟰 **excess, extra, spare** 🔳 **shortage** 🔸 부족 **deficit** 🔸 결손, 적자

1742 ☐☐☐

futile

[fjú:tl]

📋 헛된, 소용없는

Michael's **futile** attempts to open the door only increased his panic. 모평

문을 열려는 Michael의 **헛된** 시도는 그의 공포심을 증가시켰을 뿐이었다.

🟰 **vain, pointless, useless**

1743 ☐☐☐

tenant

[ténənt]

📋 세입자, 임차인, 소작인

Her father employed her in keeping accounts and in dealing with **tenants**. 모평

그녀의 아버지는 장부를 관리하고 **세입자**를 상대하는 데에 그녀를 고용했다.

🟰 **resident, occupant** 🔳 **landlord** 🔸 집주인, 임대주

1744 ☐☐☐

deployment

[diplɔ́imənt]

📋 배치

Consumers are the product of the systematic **deployment** of power throughout society. 모평

소비자는 사회 전반에 걸친 체계적인 권력 **배치**의 산물이다.

➕ **deploy** 🔸 배치하다

1745 ☐☐☐

stroll

[stroul]

📋 산책하다, 거닐다

He loves **strolling** outside. 학평

그는 밖에서 **산책하는** 것을 아주 좋아한다.

1746 ☐☐☐

prescribe

[priskráib]

동 처방하다, 규정하다

All of the medicines we **prescribe** are tested for use in children. (학평)

우리가 **처방하는** 모든 약은 어린이들의 사용을 위해 검사된다.

➕ prescription 명 처방(전)

1747 ☐☐☐

coward

[káuərd]

명 겁쟁이

If you call a man "chicken" in America, he will be extremely upset because it means **coward**. (교과서)

만약 당신이 미국에서 어떤 남성을 "닭"이라고 부른다면, 그는 매우 화를 낼 것인데 이는 그것이 **겁쟁이**를 뜻하기 때문이다.

➕ cowardly 형 겁 많은, 비겁한 부 겁쟁이처럼, 비겁하게도

1748 ☐☐☐

reassure

[rìːəʃúr]

동 확신시키다, 안심시키다

Understanding the cyclical nature of life will **reassure** you that difficult times won't last forever. (학평)

인생의 순환하는 본질을 이해하는 것은 어려운 시기가 영원히 지속되지 않으리라는 것을 당신에게 **확신시켜** 줄 것이다.

➕ reassurance 명 안심(시키는 것)

1749 ☐☐☐

plausible

[plɔ́ːzəbl]

형 그럴듯한, 이치에 맞는

Consider whether other **plausible** options are being ignored or overlooked. (수능)

다른 **그럴듯한** 선택지가 무시되고 있거나 간과되고 있는지 고려해보라.

➕ plausibility 명 그럴듯함
➖ reasonable, possible ➖ implausible 형 믿기 어려운, 그럴듯하지 않은

1750 ☐☐☐

dissent

[disént]

명 반대 (의견) 동 반대하다

If strong bonds make even a single **dissent** less likely, the performance of groups will be impaired. (수능)

강한 유대가 단 하나의 **반대 의견**이라도 덜 있을 법하게 만든다면, 그 집단의 성과는 약화될 것이다.

➖ opposition, objection ➖ assent 명 찬성, 승인 동 찬성하다

1751 □□□

despite

[dispáit]

전 ~에도 불구하고

Having tolerance means giving every person the same consideration, **despite** his or her qualities. 학평

관용을 갖는 것은 그나 그녀의 자질**에도 불구하고**, 모든 사람들을 동일하게 배려하는 것을 의미한다.

目 in spite of

1752 □□□

childish

[tʃáildiʃ]

형 어린애 같은, 유치한

Lorenz noted that **childish** characteristics trigger a parental instinct. 학평

Lorenz는 **어린애 같은** 성격이 부모의 본능을 유발한다는 것에 주목했다.

目 immature, juvenile 반 mature 형 성숙한, 숙성한

1753 □□□

discriminate

[diskrímǝneit]

동 구별하다, 식별하다, 차별하다

Remember to **discriminate** between the events themselves and your interpretations of them. 학평

사건들 그 자체와 그것들에 대한 당신의 해석을 **구별할** 것을 기억하라.

⊕ discrimination 명 구별, 차별
目 distinguish, differentiate

1754 □□□

nominate

[ná:mǝneit]

동 (지명하여) 추천하다, 지명하다, 임명하다

You can **nominate** yourself for this award. 모평

당신은 이 상에 당신 자신을 **추천할** 수 있습니다.

⊕ nomination 명 지명, 추천
目 suggest, recommend

1755 □□□

immense

[iméns]

형 엄청난, 어마어마한

Corcolle is an area of **immense** cultural and natural value not only for Italy but for all of humanity. 학평

Corcolle는 이탈리아뿐 아니라 모든 인류에게 **엄청난** 문화적, 자연적 가치를 가진 지역이다.

⊕ immensely 부 엄청나게, 대단히 immensity 명 엄청남, 방대함
目 enormous, massive 반 tiny 형 아주 작은, 적은

1756 ☐☐☐

regime

[reiʒíːm]

명 정권, 제도, 체제

Some philosophers of science claim that science cannot be practiced in authoritarian **regimes.** (학평)

일부 과학 철학자들은 과학이 권위주의적인 **정권**에서는 행해질 수 없다고 주장한다.

🔁 government, administration

1757 ☐☐☐

terrestrial

[təréstriəl]

형 지구의, 육지의, 육지에 사는

The energy intake for cells in orbit is about 10 times greater than that of **terrestrial** ones. (학평)

궤도에 있는 전지의 에너지 흡입량은 **지구** 전지의 에너지 흡입량보다 약 10배 더 크다.

1758 ☐☐☐

inhale

[inhéil]

동 (숨을) 들이마시다, (가스·연기 등을) 빨아들이다

Find a perfume that you like and **inhale** its scent at times when you're feeling calm and at peace. (학평)

좋아하는 향수를 찾아보고 당신이 차분하고 평화로운 기분을 느낄 때 그 향기를 때때로 **들이마셔라.**

➕ inhalation 명 흡입

🔁 breath in   🔄 exhale 동 내쉬다, 내뿜다

1759 ☐☐☐

observance

[əbzə́ːrvəns]

명 준수, 축하, 의식

There was a time when priority was given to an **observance** of tradition. (학평)

전통의 **준수**에 우선권이 부여되던 때가 있었다.

➕ observe 동 준수하다, 관찰하다   observant 형 준수하는, 관찰력 있는

🔁 obedience, compliance

Tips **주의해야 할 혼동어**

observance와 철자가 비슷한 observation에 주의하세요! observation은 '관찰', '감시'를 의미하는 단어예요.

1760 ☐☐☐

astray

[əstréi]

부 형 길을 잃고, 잘못된 길에 빠져

As we all know, even the best-laid plans can go **astray.** (학평)

우리 모두가 알고 있듯이, 아무리 잘 세운 계획이라도 **길을 잃을** 수 있다.

01
02
03
04
05
06
07
08
09
10
11
12
13
14
15
16
17
18
19
20
21
22
23
24
25
26
27
28
29
30
31
32
33
34
35
36
37
38
39
40
41
42
43
44 DAY
45

Daily Quiz

영어는 우리말로, 우리말은 영어로 쓰세요.

01 tenant	_____	11 분명한, 확실한	_____
02 astray	_____	12 겁쟁이	_____
03 heal	_____	13 견디다, 참다	_____
04 prescribe	_____	14 사라지다, 희미해지다	_____
05 fertile	_____	15 수요, 요구하다	_____
06 overlap	_____	16 영수증, 수령	_____
07 atmosphere	_____	17 적절한, 적합한	_____
08 dissent	_____	18 (지명하여) 추천하다	_____
09 current	_____	19 산책하다, 거닐다	_____
10 merely	_____	20 구별하다, 차별하다	_____

다음 빈칸에 들어갈 가장 알맞은 것을 박스 안에서 고르세요.

> immense   futile   raise   inhale   escape

21 Find a perfume that you like and _____ its scent at times when you're feeling calm and at peace.
좋아하는 향수를 찾아보고 당신이 차분하고 평화로운 기분을 느낄 때 그 향기를 때때로 들이마셔라.

22 We're planning to _____ money to rescue abandoned dogs.
우리는 유기견을 구조하기 위한 기금을 모으려고 계획 중이다.

23 Michael's _____ attempts to open the door only increased his panic.
문을 열려는 Michael의 헛된 시도는 그의 공포심을 증가시켰을 뿐이었다.

24 To _____ from anxiety, we behave in various ways.
걱정에서 벗어나기 위해, 우리는 다양한 방식으로 행동한다.

25 Corcolle is an area of _____ cultural and natural value not only for Italy but for all of humanity.
Corcolle는 이탈리아뿐 아니라 모든 인류에게 엄청난 문화적, 자연적 가치를 가진 지역이다.

정답
01 세입자, 임차인, 소작인 02 길을 잃고, 잘못된 길에 빠져 03 치료하다, 치유하다 04 처방하다, 규정하다 05 비옥한, 다산의, 번식력이 있는
06 중복되다, 겹치다, 포개지다, 중복, 겹침 07 대기, 분위기 08 반대 (의견), 반대하다 09 현재의, 지금의, 흐름, 경향 10 단지, 그저 11 definite
12 coward 13 endure 14 fade 15 demand 16 receipt 17 appropriate 18 nominate 19 stroll 20 discriminate 21 inhale
22 raise 23 futile 24 escape 25 immense

scale

1 명 규모, 범위

When we observe nature, we can be amazed by its beauty and its grand **scale**. (교과서)
우리가 자연을 관찰할 때, 우리는 그것의 아름다움과 거대한 **규모**에 놀랄 수 있다.

2 명 저울

Please put it on the **scale**. (학평)
그것을 **저울**에 놓아 주세요.

3 명 비늘

The **scales** of fish living in waters, where they should protect themselves from ragged surfaces, are tough. (학평)
울퉁불퉁한 표면으로부터 자신을 보호해야 하는 바다에 사는 물고기의 **비늘**은 단단하다.

capital

1 명 수도

Nauru has no official **capital**, but government buildings are located in Yaren. (학평)
나우루는 공식적인 **수도**가 없지만, 정부 건물들은 야렌에 위치해 있다.

2 명 자본, 자금

Some say that a freer flow of **capital** has raised the risk of financial instability. (학평)
어떤 사람들은 더 자유로운 **자본**의 흐름이 재정적 불안정성의 위험을 증가시켰다고 말한다.

3 명 대문자

I like that the words are written in **capital** letters. (학평)
나는 그 단어들이 **대문자**로 쓰여 있다는 점이 좋다.

DAY 45

최빈출 단어

1761 ☐☐☐

concern
[kənsə́:rn]

몡 걱정, 관심(사) 통 걱정시키다, ~에 관한 것이다

Our growing concern with health has affected the way we eat. (학평)

건강에 대해 커져가는 우리의 **걱정**은 우리가 먹는 방식에 영향을 미쳐왔다.

➕ concerned 혱 걱정하는, 관심이 있는 concerning 전 ~에 관한

Tips **시험에는 이렇게 나온다**

동사 concern은 수동태로도 자주 쓰이는데, 뒤에 오는 전치사에 따라 의미가 달라져요.
be concerned with ~과 관련되다, ~에 관심이 있다
be concerned about[over] ~에 대하여 걱정하다, 염려하다

1762 ☐☐☐

occur
[əkə́:r]

통 일어나다, 발생하다

The breeding season occurs at the end of the wet season, around May. (학평)

번식기는 우기가 끝나는 무렵인 5월경에 **일어난다**.

➕ occurrence 몡 발생, 존재
🟰 happen, take place

Tips **시험에는 이렇게 나온다**

occur는 전치사 to와 함께 사용되는 경우가 있는데, 'occur to'는 '(누군가에게 어떠한) 생각이 떠오르다'라는 의미의 표현이에요.

1763 ☐☐☐

select
[silékt]

통 선택하다, 고르다 혱 엄선된, 고급의

You should consider several options when you select a rental car. (모평)

렌터카를 **선택할** 때는 몇 가지 선택지들을 고려해야 한다.

➕ selection 몡 선택, 선정 selective 혱 선택적인, 까다로운
🟰 choose, pick ⏴ reject 통 거부하다 ordinary 혱 평범한

context

[ká:ntekst]

명 맥락, 문맥

Mr. Brown wanted his students to learn math in the contexts of real life. (모평)

Mr. Brown은 자신의 학생들이 수학을 실생활의 **맥락**에서 배우기를 원했다.

➕ contextual 형 문맥상의, 전후 관계의

🟰 circumstances

delay

[diléi]

동 연기하다, 미루다 명 지연, 연기

The flight was delayed because of fog. (학평)

항공편이 안개로 인해 **연기되었다**.

🟰 postpone, put off, suspend, defer

operate

[á:pəreit]

동 작동하다, 운영하다, 수술하다

I want to know how to operate my speaker set. (학평)

나는 내 스피커 세트를 **작동하는** 방법을 알고 싶다.

➕ operation 명 작동, 운영, 수술

dedicate

[dédikeit]

동 (노력·시간 등을) 바치다, 전념하다, 헌신하다

For almost three decades, Robert dedicated himself to the business. (학평)

거의 30년 동안, Robert는 그 사업에 자기 자신을 **바쳤다**.

➕ dedication 명 전념, 헌신   dedicated to ~에 전념하는, 헌신하는

🟰 devote, commit

Tips **주의해야 할 혼동어**

dedicate와 철자가 비슷한 delicate에 주의하세요! delicate는 '섬세한', '세련된', '연약한'을 의미하는 단어예요.

passion

[pǽʃən]

명 열정

Without such passion, they would have achieved nothing. (학평)

그러한 **열정**이 없었다면, 그들은 아무것도 해내지 못했을 것이다.

➕ passionate 형 열정적인, 열렬한

🟰 enthusiasm

45 DAY

modify

[má:difai]

통 수정하다, 변경하다

We must **modify** our hypothesis when it is shown to be inconsistent with the facts. (학평)

우리의 가설이 사실과 모순되는 것으로 드러난다면 우리는 그것을 **수정해야** 한다.

⊕ modification 〔명〕 수정, 변경   **modified** 〔형〕 완화된, 수정된

目 correct, revise, alter

transmit

[trænsmít]

통 전염시키다, 전송하다, 전하다

The mosquito can **transmit** diseases from one human to another. (학평)

모기는 한 사람에게서 다른 사람에게로 질병을 **전염시킬** 수 있다.

⊕ transmission 〔명〕 전염, 전송

目 transfer, convey

distract

[distrǽkt]

통 집중이 안 되게 하다, (주의를) 산만하게 하다

Movement or noise in the classroom may **distract** the students from their work. (학평)

교실에서의 움직임이나 소음은 학생들이 그들의 일에 **집중이 안 되게 할** 수 있다.

⊕ distraction 〔명〕 집중을 방해하는 것, 기분 전환

⬛ concentrate 〔통〕 집중하다, 집중시키다

competent

[ká:mpitənt]

형 유능한, 능숙한

Competent staff expect their pay to be on par with their peers working in other organizations. (학평)

유능한 직원들은 자신들의 급여가 다른 조직에서 일하는 동료들과 동등하기를 바란다.

⊕ competence 〔명〕 능력, 능숙함

目 capable, proficient   **⬛ incompetent** 〔형〕 무능한

raw

[rɔː]

형 익히지 않은, 날것의, 가공하지 않은

Raw beans contain hydrocyanic acid, which is poisonous. (학평)

익히지 않은 콩은 히드로시안산을 함유하고 있는데, 그것은 독성이 있다.

目 uncooked, natural   **⬛ cooked** 〔형〕 조리된

1774 ☐☐☐

pursue

[pərsúː]

통 추구하다, 계속하다, 추격하다

We have the ability to pursue our goals. 학평

우리는 우리의 목표를 **추구할** 능력이 있다.

➕ pursuit 명 추구, 추격

1775 ☐☐☐

extraordinary

[ikstrɔ́ːrdəneri]

형 놀라운, 비범한

Over the past century, society has witnessed extraordinary advances in technology. 학평

지난 세기에 걸쳐, 사회는 기술에서의 **놀라운** 발전들을 목격해왔다.

➕ extraordinarily 부 이례적으로, 유별나게

🟰 amazing, remarkable ⬛ ordinary 형 보통의, 평범한

빈출 단어

1776 ☐☐☐

suspect

통[səspékt]
명형[sʌ́spekt]

통 의심하다, 추측하다 명 용의자 형 의심스러운

Samantha had suspected that something might be wrong. 학평

Samantha는 무언가가 잘못되었을지도 모른다고 **의심했었다**.

➕ suspicious 형 의심스러운 suspicion 명 의심, 혐의

🟰 distrust, doubt ⬛ trust 통 신뢰하다 명 신뢰, 신임

1777 ☐☐☐

infection

[infékʃən]

명 감염, 전염(병)

Babies have little resistance to infection. 학평

아기들은 **감염**에 대한 저항력이 거의 없다.

➕ infect 통 감염시키다, 전염시키다 infectious 형 전염되는

🟰 disease, virus

1778 ☐☐☐

supervise

[súːpərvaiz]

통 관리하다, 감독하다, 통제하다

Steve had supervised one of his company's warehouses for four years. 수능

Steve는 그의 회사 창고들 중 하나를 4년 동안 **관리했었다**.

➕ supervision 명 관리, 감독, 통제

🟰 monitor, manage

45 DAY

1779 ☐☐☐

disprove

[disprúːv]

동 반증하다

Recently, a study of automobile crashes **disproved** the previous theory. (모평)

최근, 자동차 충돌에 관한 한 연구가 이전의 이론을 **반증했다**.

➕ **disproof** 명 반증, 반박
🟰 **refute** ❌ **prove** 동 증명하다, 입증하다

1780 ☐☐☐

revive

[riváiv]

동 되살리다, 소생시키다, 회복하다

You need to increase your water intake to **revive** your brain function. (학평)

당신의 뇌 기능을 **되살리기** 위해서는 수분 섭취량을 늘려야 한다.

➕ **revival** 명 회복, 부활 **reviving** 형 부활시키는

1781 ☐☐☐

stationary

[stéiʃəneri]

형 고정된, 움직이지 않는

The camera had to be encased in a heavy soundproof box, which made the camera **stationary**. (학평)

카메라는 무거운 방음 상자 안에 있어야 했는데, 그것은 카메라를 **고정되게** 해주었다.

➕ **station** 명 정거장 동 주둔하다
🟰 **still, static, motionless** ❌ **mobile** 형 이동식의

Tips | **주의해야 할 혼동어**
stationary와 철자가 비슷하고 발음이 동일한 stationery에 주의하세요! stationery는 '문구류', '문방구'를 의미하는 단어예요. 두 단어의 발음이 동일하기 때문에 듣기 영역에서는 맥락에 따라서 혼동어를 구별해야 해요.

1782 ☐☐☐

setback

[sétbæk]

명 실패, 차질, 좌절

They had each experienced a major career **setback**. (학평)

그들은 각자 큰 경력상의 **실패**를 경험했었다.

1783 ☐☐☐

embody

[imbáːdi]

동 (사상·특질 등을) 구체화하다, 구현하다

We are deciding what we value, and how we will **embody** our values in the material world. (학평)

우리는 우리가 무엇을 소중히 여기는지 그리고 물질적인 세상에서 어떻게 우리의 가치들을 **구체화할** 것인지 결정하고 있다.

➕ **embodiment** 명 구체화, 구현

1784 ☐☐☐

innate

[inéit]

혱 타고난, 선천적인

Self-confidence is certainly not **innate**, and there is no universal confidence. (학평)

자신감은 분명히 **타고난** 것이 아니며, 보편적인 자신감이라는 것은 없다.

目 inborn, inherent　**↔** acquired **혱** 후천적인, 획득한

1785 ☐☐☐

defective

[diféktiv]

혱 결함이 있는

Many different pieces of bicycle equipment can become **defective** and cause bike accidents. (수능)

다양한 자전거 장비 부품에는 **결함이 있게** 될 수 있고 이는 자전거 사고를 일으킬 수 있다.

⊕ defect **몡** 결함, 결점
目 faulty, flawed

1786 ☐☐☐

rigorous

[rígərəs]

혱 엄격한, 철저한

This step is **rigorous** and it usually ensures that only high-quality articles are published. (학평)

이 단계는 **엄격하고**, 일반적으로 고품질의 기사들만 발행되도록 보장한다.

⊕ rigor **몡** 철저함, 엄함　**rigorously** **뷔** 엄밀히, 엄격히
目 strict, severe

1787 ☐☐☐

reap

[ri:p]

동 거두다, 수확하다

You **reap** what you sow. (학평)

뿌린 대로 **거둔다**.

目 harvest, gain

Tips | **주의해야 할 혼동어**
reap와 철자가 비슷한 leap에 주의하세요! leap는 '뛰다', '뛰어오르다', '도약'을 의미하는 단어예요.

1788 ☐☐☐

stance

[stæns]

몡 자세, 입장

The tone in another's voice gives us information about that person, about his or her **stance** toward life. (수능)

다른 사람의 목소리에 담긴 어조는 그 사람에 대한, 그 사람이 삶을 대하는 **자세**에 관한 정보를 우리에게 준다.

目 attitude, stand, position

1789 □□□

famine

[fǽmin]

명 기근

The green revolution helped avoid **famine** in Asia. 학평

녹색 혁명은 아시아에서 **기근**을 피하는 데에 도움이 되었다.

Tips **주의해야 할 혼동어**

famine과 철자가 비슷한 feminine에 주의하세요! feminine은 '여성의'를 의미하는 단어예요.

1790 □□□

stationery

[stéiʃəneri]

명 문구(류), 문방구

I went into a **stationery** store to buy two boxes of paper. 학평

나는 종이 두 박스를 사기 위해 **문구**점에 들어갔다.

1791 □□□

indispensable

[ìndispénsəbl]

형 없어서는 안 될, 필수적인

Science is an **indispensable** source of information for the contemporary writer. 모평

과학은 현대 작가들에게 **없어서는 안 될** 정보의 원천이다.

🡺 essential, necessary 🡸 dispensable 형 없어도 되는, 불필요한

1792 □□□

kinship

[kínʃip]

명 연대감, 친족 (관계)

Members have the same or almost identical mindset and a strong sense of **kinship**. 학평

구성원들은 같거나 거의 동일한 사고방식과 강한 **연대감**을 가지고 있다.

1793 □□□

multitude

[mʌ́ltitjuːd]

명 다수, 많음, 군중

There are a **multitude** of ways people benefit from insects. 학평

사람들이 곤충으로부터 이익을 얻는 데에는 **다수**의 방법이 있다.

➕ a multitude of 다수의

1794 □□□

reign

[rein]

명 통치 (기간) 동 통치하다, 지배하다

Only after a king died was the Sillok of his **reign** published. 교과서

왕이 사망한 후에야 그의 **통치 기간**에 대한 실록이 출판되었다.

radioactive

형 방사성의

[rèidiouǽktiv]

Switzerland had been trying to find a place to store radioactive nuclear waste. 학평

스위스는 **방사성** 핵폐기물을 보관할 장소를 찾기 위해 노력해왔었다.

➕ **radioactivity** 명 방사능

downplay

동 대단치 않게 생각하다, 경시하다

[dàunpléi]

I have tried hard to downplay my son's mistakes. 모평

나는 내 아들의 실수를 **대단치 않게 생각하려고** 열심히 노력해왔다.

itinerary

명 여행 일정표

[aitínəreri]

The program can turn out a detailed itinerary to help travelers make the most of their limited time. 학평

그 프로그램은 여행객들이 제한된 시간을 최대한 활용할 수 있도록 돕기 위해 상세한 **여행 일정표**를 만들어낼 수 있다.

lunar

형 달의

[lú:nər]

The information enabled astronomers to develop a cycle to predict lunar eclipses. 학평

그 정보는 천문학자들이 **월**식을 예측하는 주기를 개발할 수 있게 했다.

🔲 **solar** 형 태양의

confer

동 주다, 수여하다, 상의하다

[kənfə́:r]

Immigration tends to confer benefits on the host group. 학평

이민은 수용 집단에 혜택을 **주는** 경향이 있다.

➕ **conference** 명 회의, 회담

🟰 **grant, give, award, present**

convict

동 유죄를 선고하다 **명** 죄수

동[kənvíkt]
명[ká:nvikt]

Two brothers were convicted of stealing sheep. 학평

두 형제는 양을 훔친 죄로 **유죄를 선고받았다**.

➕ **conviction** 명 유죄 선고, 확신 **be convicted of** ~으로 유죄를 선고받다

Daily Quiz

영어는 우리말로, 우리말은 영어로 쓰세요.

01	infection	_____	11	맥락, 문맥	_____
02	operate	_____	12	익히지 않은, 날것의	_____
03	modify	_____	13	달의	_____
04	innate	_____	14	실패, 차질, 좌절	_____
05	distract	_____	15	유능한, 능숙한	_____
06	indispensable	_____	16	되살리다, 회복하다	_____
07	downplay	_____	17	여행 일정표	_____
08	famine	_____	18	추구하다, 계속하다	_____
09	delay	_____	19	자세, 입장	_____
10	embody	_____	20	결함이 있는	_____

다음 빈칸에 들어갈 가장 알맞은 것을 박스 안에서 고르세요.

reap	passion	reign	suspect	stationary

21 Without such _____, they would have achieved nothing.
그러한 열정이 없었다면, 그들은 아무것도 해내지 못했을 것이다.

22 Only after a king died was the Sillok of his _____ published.
왕이 사망한 후에야 그의 통치 기간에 대한 실록이 출판되었다.

23 You _____ what you sow.
뿌린 대로 거둔다.

24 Samantha had _____(e)d that something might be wrong.
Samantha는 무언가가 잘못되었을지도 모른다고 의심했었다.

25 The camera had to be encased in a heavy soundproof box, which made the camera
_____.
카메라는 무거운 방음 상자 안에 있어야 했는데, 그것은 카메라를 고정되게 해주었다.

정답
01 감염, 전염(병) 02 작동하다, 운영하다, 수술하다 03 수정하다, 변경하다 04 타고난, 선천적인 05 집중이 안 되게 하다, (주의를) 산만하게 하다
06 없어서는 안 될, 필수적인 07 대단치 않게 생각하다, 경시하다 08 기근 09 연기하다, 미루다, 지연, 연기 10 (사상·특질 등을) 구체화하다, 구현하다
11 context 12 raw 13 lunar 14 setback 15 competent 16 revive 17 itinerary 18 pursue 19 stance 20 defective
21 passion 22 reign 23 reap 24 suspect 25 stationary

net

1 명 (무엇을 잡거나 가리기 위한) 그물, 망

Thousands of dolphins used to be killed in tuna fishing **nets**. 학평
수천 마리의 돌고래들이 참치잡이 **그물**에서 죽임을 당했었다.

2 명 골문, 골대

Imagine a ball going through the **net**, never touching the rim. 학평
공이 골대 가장자리를 전혀 건드리지 않으면서 **골문**을 통과한다고 상상해 보세요.

3 명 (돈의 액수에 대한) 순

During the period from 2001 to 2006, the **net** profit was negative. 모평
2001년부터 2006년까지의 기간 동안, **순**이익은 마이너스였다.

strike

1 동 공격하다, (세게) 치다, 부딪치다

The rattlesnake was in position to **strike**. 학평
그 방울뱀은 **공격할** 자세를 취하고 있었다.

2 동 (생각, 아이디어 등이 갑자기) 떠오르다

Sally sighed heavily, and then an idea **struck** her. 모평
Sally는 한숨을 깊게 내쉬었고, 그때 한가지 생각이 **떠올랐다**.

3 동 인상을 주다, 느낌을 주다

Expert intuition **strikes** us as magical, but it is not. 학평
전문가의 직관은 우리에게 마법 같다는 **인상을 주지만**, 그것은 그렇지 않다.

4 명 파업

The **strike**, which lasted 235 days, ended in April of the next year. 학평
235일 동안 계속된 그 **파업**은 이듬해 4월에 끝났다.

INDEX

O

최빈출 영단어로 수능 1등급 단기 완성

해커스 보카

수능완성 1800+

초판 4쇄 발행 2024년 3월 4일

초판 1쇄 발행 2021년 4월 14일

지은이	해커스 어학연구소
펴낸곳	㈜해커스 어학연구소
펴낸이	해커스 어학연구소 출판팀

주소	서울특별시 서초구 강남대로 61 길 23 ㈜해커스 어학연구소
고객센터	02-537-5000
교재 관련 문의	publishing@hackers.com
	해커스북 사이트 (HackersBook.com) 고객센터 Q&A 게시판
동영상강의	star.Hackers.com

ISBN	978-89-6542-416-1 (53740)
Serial Number	01-04-01

**한국 브랜드선호도 교육그룹 1위,
해커스북 HackersBook.com**

해커스북 중·고등

- 교재 어휘를 언제 어디서나 들으면서 외우는 MP3
- 학습 어휘의 암기 여부를 쉽게 점검할 수 있는 단어 테스트
- 실제 기출 문장으로 영작을 연습할 수 있는 예문 영작테스트&필사노트
- 전략적인 단어 암기를 돕는 Daily Quiz 및 나만의 단어장 양식
- 단어 암기 훈련을 돕는 보카 암기 트레이너

한경비즈니스 선정 2019 한국 브랜드선호도 교육 (교육그룹) 부문 1 위

해커스
보카
수능완성 1800+

미니 암기장

해커스 어학연구소

DAY 01

MP3 바로 듣기 >>

0001	**increase**	통 증가시키다, 증가하다 명 증가, 증대
0002	**respect**	통 존중하다, 존경하다 명 존중, 존경
0003	**wander**	통 배회하다, 돌아다니다 명 배회, 방랑
0004	**conduct**	통 수행하다, 지휘하다 명 행위, 지휘
0005	**direction**	명 방향, 지시, 감독
0006	**landscape**	명 풍경, 경치
0007	**interpret**	통 해석하다, 이해하다, 통역하다
0008	**access**	명 접근, 입장 통 접근하다, 이용하다
0009	**possess**	통 지니다, 보유하다, 소유하다
0010	**capture**	통 붙잡다, 체포하다, (사진 등에) 담다 명 포획
0011	**committee**	명 위원회
0012	**solid**	명 고체 형 단단한, 견고한
0013	**resume**	통 재개되다, 다시 시작하다 명 이력서 (résumé)
0014	**exceed**	통 초과하다, 넘다
0015	**multiply**	통 증식하다, 곱하다, (수·양을) 크게 증가시키다
0016	**extinct**	형 사라진, 멸종된
0017	**automatic**	형 자동의, 무의식적인
0018	**nightmare**	명 악몽, 아주 끔찍한 일
0019	**compel**	통 강요하다, 강제하다
0020	**inspect**	통 점검하다, 검사하다

0021	**reception**	명 접수처, 환영 (연회)
0022	**metabolism**	명 신진대사, 대사 (작용)
0023	**commonplace**	형 아주 흔한, 평범한 명 흔히 있는 일, 다반사
0024	**negotiate**	통 협상하다, 성사시키다
0025	**funeral**	명 장례식
0026	**sphere**	명 구(체), (활동·영향 등의) 영역
0027	**compassion**	명 연민, 동정(심)
0028	**spice**	명 향신료, 양념, 묘미 통 양념을 치다
0029	**refugee**	명 난민, 망명자
0030	**carriage**	명 마차, 운반, 수송
0031	**explode**	통 폭파시키다, 폭발하다
0032	**sensation**	명 느낌, 감각, 세상을 떠들썩하게 하는 사건
0033	**paste**	명 반죽, 풀 통 (풀로) 붙이다
0034	**bold**	형 과감한, 뚜렷한, (선 등이) 굵은
0035	**cluster**	통 밀집하다, 무리를 이루다 명 무리, (열매 등의) 송이
0036	**transplant**	명 이식, 이전 통 이식하다, 옮겨 심다
0037	**vacant**	형 빈, 비어 있는, 공석인
0038	**widow**	명 미망인, 과부 통 남편[아내]을 잃게 하다
0039	**utmost**	형 최고의, 극도의 명 최대한도
0040	**superstition**	명 미신

2

DAY
02

MP3 바로 듣기 >>

0041	**individual**	몡 개인, 개체 혱 개인의, 개개의
0042	**suffer**	통 (부상·고통 등을) 겪다, 시달리다
0043	**novel**	몡 소설 혱 새로운, 신기한
0044	**destroy**	통 파괴하다, 전멸시키다
0045	**capable**	혱 할 수 있는, 유능한
0046	**previous**	혱 이전의, 앞의
0047	**firm**	혱 확고한, 단단한 몡 회사
0048	**philosophy**	몡 철학, 인생관
0049	**qualify**	통 자격을 주다, 자격이 있다
0050	**indicate**	통 나타내다, 가리키다
0051	**fancy**	혱 화려한, 고급의 몡 상상, 공상
0052	**prosper**	통 번영하다, 번창하게 하다
0053	**athletic**	혱 운동의, (몸이) 탄탄한
0054	**swell**	통 증가하다, 팽창하다, 붓다 몡 증가, 팽창
0055	**remote**	혱 외딴, 동떨어진, 원격의
0056	**consult**	통 상담하다, 상의하다
0057	**devise**	통 고안하다, 창안하다
0058	**workforce**	몡 노동(력), 노동자
0059	**downward**	혱 하향의, 내려가는 믜 아래쪽으로
0060	**district**	몡 구역, 지구

0061	**chant**	통 (구호를) 외치다, 노래를 부르다 몡 구호, 성가
0062	**elegant**	혱 우아한, 품격 있는, 고상한
0063	**dawn**	몡 새벽, 동이 틀 무렵 통 동이 트다
0064	**mold**	몡 틀, 거푸집, 곰팡이 통 (틀에 넣어) 만들다
0065	**sled**	몡 썰매 통 썰매를 타다, 썰매로 운반하다
0066	**scrub**	통 문질러 씻다, 문지르다 몡 문질러 씻기
0067	**sarcastic**	혱 빈정대는, 비꼬는, 풍자적인
0068	**formula**	몡 (수학·화학 등의) 공식, 상투적인 문구
0069	**addict**	몡 중독자, 애호가 통 중독되게 하다
0070	**summary**	몡 요약, 개요
0071	**gorgeous**	혱 아주 멋진, 화려한
0072	**formulate**	통 (세심히) 만들어내다, 표현하다, 공식화하다
0073	**equator**	몡 (지구의) 적도
0074	**bid**	통 입찰하다, 값을 매기다 몡 입찰, 호가
0075	**sewage**	몡 하수, 오물
0076	**complement**	통 보완하다, 보태다 몡 보완물
0077	**lure**	통 유인하다 몡 유혹, 매력, 미끼
0078	**unify**	통 통합하다, 통일하다
0079	**adorn**	통 장식하다, 꾸미다
0080	**paradox**	몡 역설, 모순된 일

0081	**provide**	통 제공하다, 공급하다
0082	**request**	통 요청하다, 요구하다 명 요청, 요구
0083	**spare**	형 남는, 여분의 통 할애하다 명 예비품
0084	**gather**	통 모으다, 모이다
0085	**attack**	통 공격하다, 습격하다 명 공격, 습격
0086	**contrary**	형 반대되는, 반대의
0087	**demonstrate**	통 증명하다, 설명하다, 시위하다
0088	**convince**	통 설득하다, 납득시키다
0089	**interrupt**	통 방해하다, 중단시키다, 저지하다
0090	**mature**	형 성숙한, 숙성한 통 성숙하다, 다 자라다
0091	**burst**	통 터뜨리다, 터지다 명 파열, 폭발
0092	**temporary**	형 일시적인, 임시의
0093	**persuade**	통 설득하다, 납득시키다
0094	**ignore**	통 무시하다, 간과하다
0095	**assess**	통 평가하다, 측정하다
0096	**considerate**	형 사려 깊은, 배려하는
0097	**invade**	통 침략하다, 침입하다, 침해하다
0098	**anonymous**	형 익명의, 익명으로 된, 특색 없는
0099	**uneasy**	형 불안한, 걱정되는
0100	**verse**	명 (노래의) 절, (시의) 연, 운문

0101	**stalk**	명 (식물의) 줄기 통 몰래 접근하다
0102	**impede**	통 방해하다, 지연시키다
0103	**cruel**	형 잔인한, 잔혹한
0104	**arithmetic**	명 산수, 연산
0105	**subtract**	통 (수·양을) 빼다
0106	**ridicule**	명 조롱, 조소 통 비웃다, 조롱하다
0107	**solemn**	형 장엄한, 엄숙한
0108	**scope**	명 범위, 기회, 여지
0109	**overhear**	통 (남의 대화 등을) 우연히 듣다
0110	**jury**	명 배심원단, (시합의) 심사위원단
0111	**spear**	명 창 통 찌르다, (물고기를) 작살로 잡다
0112	**chilly**	형 추운, 쌀쌀한, 냉랭한
0113	**frontier**	명 국경, 경계, 한계 형 최첨단의
0114	**veteran**	명 참전 용사, 노련한 사람
0115	**outgoing**	형 외향적인, 사교적인
0116	**populate**	통 살다, 거주하다
0117	**masculine**	형 남성적인, 남성의 명 남성
0118	**underneath**	전 ~의 아래에 부 밑에, 하부에, 낮게
0119	**suck**	통 빨아들이다, 빨다
0120	**veterinarian**	명 수의사

0121	**create**	통 창조하다, 창작하다	0141	**virtue**	명 덕목, 미덕, 선행, 장점	
0122	**define**	통 정의하다, 규정하다	0142	**commission**	명 위원회, 수수료 통 의뢰하다, 주문하다	
0123	**separate**	형 분리된, 별개의 통 분리하다, 떼어놓다	0143	**adjacent**	형 인접한, 가까운	
0124	**embarrass**	통 당황스럽게 만들다, 곤란하게 만들다	0144	**navigate**	통 길을 찾다, 항해하다	
0125	**content**	명 내용(물), 목차, 함량 형 만족하는 통 만족시키다	0145	**timber**	명 목재, 재목, 삼림지	
0126	**overcome**	통 극복하다, 이겨내다	0146	**dynasty**	명 왕조, 왕가	
0127	**diverse**	형 다양한, 다른, 가지각색의	0147	**antibody**	명 항체	
0128	**arise**	통 발생하다, 생겨나다	0148	**alien**	형 생소한, 생경한, 외국의 명 외국인	
0129	**gaze**	통 응시하다, 가만히 보다 명 응시, 시선	0149	**versus**	전 (소송·스포츠 경기 등에서) ~ 대, ~에 비해	
0130	**cooperate**	통 협력하다, 협동하다	0150	**incur**	통 (손해·비용 등을) 발생시키다, 초래하다	
0131	**estimate**	통 추정하다, 평가하다 명 견적(서), 추정(치)	0151	**partial**	형 부분적인, 불완전한, 편파적인	
0132	**nevertheless**	부 그럼에도 불구하고, 그렇기는 하지만	0152	**faculty**	명 (대학의) 교수진, 학부, 능력	
0133	**enthusiastic**	형 열의가 있는, 열광적인	0153	**transit**	명 교통편, 수송, 통과 통 통과하다, 횡단하다	
0134	**transform**	통 바꾸다, 변환하다	0154	**proponent**	명 지지자, 제안자	
0135	**grant**	통 주다, 수여하다, 승인하다 명 보조금	0155	**lick**	통 핥다, 핥아먹다	
0136	**merchant**	명 상인, 무역상 형 해운의, 상선의	0156	**sole**	형 유일한, 혼자의, 독점적인 명 발바닥	
0137	**tumor**	명 종양	0157	**mortgage**	명 (담보) 대출, 융자 통 저당 잡히다	
0138	**shield**	명 방패, 보호물 통 보호하다, 가리다	0158	**conspicuous**	형 눈에 잘 띄는, 뚜렷한	
0139	**clarify**	통 명확히 하다, 분명히 하다, 정화하다	0159	**shrink**	통 줄어들다, 감소하다, 수축하다	
0140	**accuse**	통 고발하다, 비난하다	0160	**inward**	부 (자기) 내부로, 안쪽으로 형 내부의, 안쪽으로 향한	

0161	**effect**	몡 결과, 효과, 영향
0162	**describe**	통 묘사하다, 서술하다
0163	**identify**	통 식별하다, (신원 등을) 확인하다
0164	**logic**	몡 논리, 타당성
0165	**submit**	통 제출하다, 복종하다, 굴복하다
0166	**comfort**	몡 편안함, 위로 통 위로하다
0167	**threat**	몡 위협, 협박
0168	**derive**	통 얻다, 끌어내다, 유래하다
0169	**relate**	통 관련시키다, 관련이 있다
0170	**expose**	통 노출하다, 드러내다, 폭로하다
0171	**urge**	몡 충동, 욕구 통 권고하다, 촉구하다
0172	**core**	몡 중심부, 핵심 톙 핵심의
0173	**rapid**	톙 빠른, 급속한
0174	**frequent**	톙 잦은, 빈번한 통 (특정 장소에) 자주 다니다
0175	**terrific**	톙 훌륭한, 아주 멋진
0176	**extract**	통 추출하다, 끌어내다 몡 추출물, 발췌
0177	**dread**	몡 두려움 통 두려워하다
0178	**royal**	톙 국왕의, 왕족의
0179	**sprout**	통 싹트다, 생기다 몡 싹, 새싹
0180	**simulation**	몡 모의실험, 흉내 내기

0181	**maze**	몡 미로, 미궁
0182	**by-product**	몡 부산물
0183	**discord**	몡 불화, 다툼
0184	**gratitude**	몡 감사, 고마움
0185	**bundle**	몡 묶음, 꾸러미 통 (짐을) 꾸리다
0186	**temperate**	톙 (기후가) 온화한, 차분한
0187	**impair**	통 손상시키다, 악화시키다
0188	**vendor**	몡 노점상, 행상(인)
0189	**cradle**	몡 요람, 발상지 통 요람에 넣다, 부드럽게 잡다
0190	**inflow**	몡 유입(량), 유입물
0191	**contemplate**	통 고려하다, 심사숙고하다
0192	**durable**	톙 내구성이 있는, 오래가는
0193	**plow**	통 일구다, 갈다 몡 쟁기
0194	**sovereign**	톙 독립된, 자주적인 몡 군주, 국왕
0195	**attendee**	몡 참석자, 출석자
0196	**concur**	통 동의하다, 일치하다, 동시에 일어나다
0197	**deficient**	톙 부족한, 결핍된
0198	**monarch**	몡 군주
0199	**torment**	몡 고통, 고민거리 통 괴롭히다, 고통을 주다
0200	**tyrant**	몡 독재자, 폭군

0201	**possible**	혱 가능한, 있음 직한	0221	**magnificent**	혱 장엄한, 멋진, 훌륭한
0202	**annual**	혱 연례의, 연간의	0222	**vibrate**	통 진동하다, 떨다, 흔들리게 하다
0203	**respond**	통 반응하다, 대응하다, 대답하다	0223	**rotten**	혱 썩은, 부패한, 형편없는
0204	**labor**	몡 노동(력) 통 노동하다	0224	**replicate**	통 모사하다, 복제하다 혱 반복되는
0205	**status**	몡 지위, 신분, 상태	0225	**arouse**	통 불러일으키다, 자극하다, 각성시키다
0206	**accompany**	통 동행하다, 동반하다	0226	**consent**	몡 동의, 승낙 통 동의하다, 승낙하다
0207	**encounter**	통 직면하다, 마주치다 몡 (뜻밖의) 만남, 마주침	0227	**assert**	통 주장하다, 확고히 하다
0208	**sufficient**	혱 충분한, 흡족한	0228	**contend**	통 논쟁하다, 다투다, (강력히) 주장하다
0209	**succeed**	통 성공하다, 뒤를 잇다	0229	**practicable**	혱 실행 가능한, 실현 가능한
0210	**stem**	몡 줄기, 대 통 유래하다, 생기다	0230	**bribe**	몡 뇌물 통 뇌물을 주다, 매수하다
0211	**restrict**	통 제한하다, 금지하다	0231	**traitor**	몡 반역자, 배반자
0212	**compensation**	몡 보상(금), 보충	0232	**deteriorate**	통 악화되다, 더 나빠지다
0213	**departure**	몡 출발, 떠남	0233	**alliance**	몡 동맹(국), 연합(체)
0214	**pretend**	통 ~인 척하다, 가장하다, (거짓으로) 주장하다	0234	**wholesale**	혱 도매의, 대규모의 몡 도매 통 도매하다
0215	**infer**	통 추론하다, 추측하다, 암시하다	0235	**divorce**	몡 이혼, 분리, 단절 통 이혼하다
0216	**noble**	몡 귀족 혱 고귀한, 웅장한, 귀족의	0236	**legacy**	몡 유산, 유물
0217	**regulate**	통 조절하다, 규제하다	0237	**grin**	통 활짝 웃다 몡 활짝 웃음
0218	**barter**	몡 물물 교환 통 물물 교환하다	0238	**taboo**	몡 금기 (사항), 금기시되는 것
0219	**bilingual**	혱 이중 언어의, 이중 언어를 사용하는 몡 이중 언어 사용자	0239	**bald**	혱 대머리의, 꾸밈없는, 노골적인
0220	**credible**	혱 신뢰할 수 있는, 믿을 만한	0240	**cozy**	혱 아늑한, 친밀한, 편한

0241	**include**	통 포함하다, 함유하다
0242	**range**	통 (범위가) ~에 이르다, 정렬하다 명 범위, 영역
0243	**policy**	명 정책, 방책
0244	**tendency**	명 성향, 경향, 추세
0245	**efficient**	형 효율적인, 유능한
0246	**budget**	명 예산(안), 비용 통 예산을 짜다
0247	**politics**	명 정치(학), 정치적 견해
0248	**forecast**	명 예보, 예측 통 예보하다, 예측하다
0249	**criticize**	통 비판하다, 비평하다
0250	**conclude**	통 결론을 내리다, 끝내다
0251	**psychology**	명 심리(학)
0252	**depression**	명 우울(증), 불경기
0253	**generous**	형 후한, 관대한, 넉넉한
0254	**substitute**	명 대용품, 대안 통 대체하다, 대신하다
0255	**instruct**	통 지시하다, 가르치다, 알려 주다
0256	**reform**	통 개혁하다, 개선하다 명 개혁, 개선
0257	**embassy**	명 대사관
0258	**pale**	형 창백한, (색깔이) 엷은 통 창백해지다
0259	**indigenous**	형 토착의, 원산의, 타고난
0260	**reluctant**	형 주저하는, 꺼리는, 내키지 않는
0261	**blessing**	명 축복, 행운
0262	**enforce**	통 (법률 등을) 집행하다, 강요하다
0263	**coincide**	통 동시에 일어나다, 일치하다
0264	**pavement**	명 (포장한) 보도, 포장 (지역)
0265	**devastate**	통 완전히 파괴하다, 엄청난 충격을 주다
0266	**affirm**	통 확인하다, 단언하다
0267	**torture**	명 고문 통 고문하다
0268	**avalanche**	명 눈사태, 산사태, 쇄도
0269	**punctuate**	통 중단하다, (문장에) 구두점을 찍다
0270	**adhere**	통 고수하다, 들러붙다, 부착되다
0271	**plunge**	통 떨어지다, 뛰어들다 명 낙하, 급락
0272	**wicked**	형 사악한, 짓궂은 명 악인
0273	**discrete**	형 분리된, 별개의
0274	**utter**	통 (입으로 어떤 소리를) 말하다, 내다 형 완전한, 순전한
0275	**egocentric**	형 자기중심적인, 이기적인
0276	**converse**	통 대화하다, 이야기하다 형 정반대의 명 정반대
0277	**hygiene**	명 위생
0278	**suicide**	명 자살(행위)
0279	**bombard**	통 (공격·질문 등을) 퍼붓다, 쏟아붓다
0280	**temperament**	명 기질, 성질, 격한 성미

0281	**difference**	몡 차이, 다름, 불화
0282	**implication**	몡 영향, 함축, 암시
0283	**final**	혱 마지막의, 최종적인 몡 결승전
0284	**adopt**	통 도입하다, 채택하다, 입양하다
0285	**deserve**	통 (마땅히) ~을 받을 만하다, ~을 누릴 자격이 있다
0286	**sequence**	몡 순서, 연속, 배열 통 차례로 배열하다
0287	**habitat**	몡 서식지, 거주지
0288	**discipline**	몡 절제, 수양 통 훈육하다
0289	**tide**	몡 조수, 흐름, 경향
0290	**shift**	통 바꾸다, 이동하다 몡 변화, 교대 근무
0291	**confirm**	통 입증하다, 확인하다
0292	**sustain**	통 살아가게 하다, 지속하다
0293	**steep**	혱 가파른, 급격한
0294	**purchase**	통 구입하다, 구매하다 몡 구입, 구매
0295	**miracle**	몡 기적
0296	**supplement**	몡 보충(제), 보완 통 보충하다, 보완하다
0297	**adequate**	혱 적절한, 충분한
0298	**coexist**	통 공존하다, 동시에 있다
0299	**refined**	혱 정교한, 정제된, 세련된
0300	**detach**	통 분리하다, 떼어내다

0301	**weary**	혱 피곤한, 지치게 하는 통 싫증나다, 지치게 하다
0302	**prestige**	몡 위신, 명망 혱 위신 있는, 고급의
0303	**dairy**	혱 유제품의 몡 낙농(장)
0304	**omit**	통 빠뜨리다, 누락하다, 생략하다
0305	**shrug**	통 (어깨를) 으쓱하다
0306	**sue**	통 고소하다, 소송을 제기하다
0307	**eligible**	혱 자격이 있는, 적격의
0308	**ascribe**	통 ~에 속하는 것으로 생각하다, ~의 탓으로 돌리다
0309	**recur**	통 반복되다, 재발하다
0310	**cosmetic**	몡 화장품, 겉치레 혱 겉치레에 불과한, 허울뿐인
0311	**precaution**	몡 예방책, 예방 조치
0312	**modesty**	몡 겸손(함), 정숙함, 소박함
0313	**foe**	몡 적, 원수
0314	**tedious**	혱 지루한, 싫증나는
0315	**ventilate**	통 환기하다, (바람·공기 등이) ~에 잘 통하다
0316	**controversial**	혱 논란의 여지가 있는, 논란이 많은
0317	**inject**	통 주사하다, 주입하다, (특성을) 더하다
0318	**submarine**	몡 잠수함
0319	**chaotic**	혱 혼란스러운, 무질서한
0320	**tangle**	통 뒤엉키다, 헝클어지다 몡 얽힌 것, 꼬인 상태

9

0321	**require**	통 필요로 하다, 요구하다
0322	**remove**	통 치우다, 제거하다, 없애다
0323	**circumstance**	명 환경, 상황, 사정
0324	**exist**	통 존재하다, 살아가다
0325	**discovery**	명 발견, 발견된 것
0326	**personality**	명 성격, 개성
0327	**construct**	통 구성하다, 건설하다
0328	**secure**	통 지키다, 안전하게 하다, 확보하다 형 안전한
0329	**drain**	명 배수관, 하수구 통 흘려보내다, 배출하다
0330	**absolute**	형 절대적인, 완전한
0331	**barrier**	명 장벽, 장애물
0332	**layer**	명 막, 겹, 층 통 층층이 쌓다
0333	**resolution**	명 해결, 결의안, 결단력
0334	**assure**	통 보장하다, 확신시키다
0335	**essence**	명 본질, 정수
0336	**suburb**	명 교외, 근교
0337	**rehearse**	통 예행연습하다, 반복하다
0338	**lengthy**	형 아주 긴, 장황한, 지루한
0339	**exaggerate**	통 과장하다, 부풀리다
0340	**flock**	명 떼, 무리 통 떼 지어 가다, 모이다
0341	**eager**	형 열망하는, 열심인
0342	**crawl**	통 기다, 기어가다
0343	**fabulous**	형 아주 멋진, 굉장한, 우화에 나오는
0344	**contradict**	통 부정하다, 반박하다, 모순되다
0345	**naive**	형 순진한, 천진난만한
0346	**spill**	통 엎지르다, 흘리다, 누설하다 명 유출
0347	**applaud**	통 갈채를 보내다, 박수를 치다
0348	**heir**	명 상속인, 계승자
0349	**refute**	통 반박하다, 부인하다
0350	**clash**	명 충돌, 언쟁 통 맞붙다, 격돌하다
0351	**pregnant**	형 임신한, 충만한
0352	**intersect**	통 교차하다, 가로지르다
0353	**reckless**	형 무모한, 난폭한, 신중하지 못한
0354	**superb**	형 최고의, 최상의, 뛰어난
0355	**splendid**	형 훌륭한, 화려한, 아주 인상적인
0356	**eloquent**	형 설득력 있는, 유창한, 웅변을 잘하는
0357	**burglar**	명 절도범, 빈집 털이범
0358	**irrigate**	통 물을 대다, 관개하다
0359	**dye**	통 염색하다 명 염료, 염색제
0360	**susceptible**	형 영향을 받기 쉬운, 민감한, 예민한

0361	**expect**	통 기대하다, 예상하다
0362	**adapt**	통 적응하다, 조정하다
0363	**resource**	명 자원, 원천
0364	**locate**	통 위치시키다, (위치·원인 등을) 찾아내다
0365	**accomplish**	통 성취하다, 이루다, 완수하다
0366	**damage**	명 손상, 피해 통 손상시키다, 피해를 입히다
0367	**primitive**	형 원시의, 초기의
0368	**crisis**	명 위기, 고비
0369	**clue**	명 단서, 실마리
0370	**defend**	통 방어하다, 변호하다, 수비하다
0371	**stable**	형 안정적인, 차분한
0372	**welfare**	명 복지, 후생, 행복
0373	**imaginary**	형 가상의, 상상에만 존재하는
0374	**swallow**	통 삼키다, (감정을) 억누르다 명 삼킴, 제비
0375	**endanger**	통 위태롭게 만들다, 위험에 빠뜨리다
0376	**notify**	통 알리다, 통지하다, 통보하다
0377	**manuscript**	명 원고, (필)사본
0378	**accelerate**	통 가속하다, 촉진하다
0379	**surgeon**	명 외과 의사
0380	**insulate**	통 단열하다, 절연하다, 격리하다

0381	**merge**	통 합치다, 합병하다, 어우러지다
0382	**compile**	통 편집하다, 엮다, (자료 등을) 수집하다
0383	**numeral**	명 숫자 형 수의, 수를 나타내는
0384	**tailor**	명 재단사 통 맞추다
0385	**misplace**	통 잘못 두고 잊어 버리다, 둔 곳을 잊다
0386	**ban**	명 금지(령) 통 금지하다
0387	**provoke**	통 유발하다, 화나게 하다
0388	**informative**	형 유익한, 유용한 정보를 주는
0389	**extinguish**	통 (불을) 끄다, 끝내다, 없애다
0390	**segregation**	명 차별, 분리, 구분
0391	**renovate**	통 개조하다, 보수하다
0392	**suburban**	형 교외의
0393	**alleviate**	통 완화하다
0394	**exhale**	통 (숨·연기 등을) 내쉬다, 내뿜다
0395	**recollect**	통 회상하다, 기억해 내다
0396	**arrest**	통 체포하다, 저지하다 명 체포
0397	**punctual**	형 시간을 잘 지키는, 시간을 엄수하는
0398	**regress**	통 퇴보하다, 퇴행하다
0399	**compulsion**	명 충동, 강요
0400	**statistics**	명 통계(학), 통계 자료

0401	**moment**	몡 순간, 잠깐, (특정한) 때

| 0402 | **complex** | 통 복잡한, 복합의
통 복잡하게 하다 몡 복합 건물 |

| 0403 | **judge** | 통 판단하다, 평가하다
몡 판사, 심판 |

| 0404 | **trail** | 몡 오솔길, 자취
통 추적하다, 질질 끌다 |

| 0405 | **alternative** | 톙 대체의, 대안적인
몡 대안 |

| 0406 | **tempt** | 통 부추기다, 유혹하다, 유도하다 |

| 0407 | **literature** | 몡 문학, 문헌 |

| 0408 | **emerge** | 통 나타나다, 나오다, 드러나다 |

| 0409 | **justify** | 통 정당화하다 |

| 0410 | **occasion** | 몡 행사, 사건, 경우 |

| 0411 | **ensure** | 통 보장하다, 확실하게 하다 |

| 0412 | **genuine** | 톙 진정한, 진짜의 |

| 0413 | **facilitate** | 통 용이하게 하다, 촉진하다 |

| 0414 | **mutual** | 톙 상호의, 서로의, 공통의 |

| 0415 | **virtually** | 閈 사실상, 거의, 가상으로 |

| 0416 | **portray** | 통 (그림·글로) 나타내다, 묘사하다 |

| 0417 | **enroll** | 통 등록하다, 입학시키다 |

| 0418 | **variable** | 몡 변수
톙 변하기 쉬운, 변덕스러운 |

| 0419 | **boost** | 통 신장시키다, 북돋우다
몡 격려, 부양책 |

| 0420 | **insult** | 몡 모욕
통 모욕하다 |

| 0421 | **concrete** | 톙 구체적인, 사실에 따른, 콘크리트
로 된 몡 콘크리트 |

| 0422 | **conceive** | 통 구상하다, 상상하다, 생각하다,
임신하다 |

| 0423 | **reservoir** | 몡 저수지, (지식·부 등의) 비축,
저장(소) |

| 0424 | **pierce** | 통 뚫다, (어둠·적막 등을) 가르다 |

| 0425 | **inability** | 몡 무능(함), 불능 |

| 0426 | **abolish** | 통 없애다, 폐지하다 |

| 0427 | **deplete** | 통 고갈시키다, 크게 감소시키다 |

| 0428 | **excavate** | 통 발굴하다, 출토하다 |

| 0429 | **impart** | 통 전하다, 알리다, 부여하다 |

| 0430 | **precede** | 통 ~에 선행하다, 앞서다 |

| 0431 | **sophomore** | 몡 (고교·대학의) 2학년생 |

| 0432 | **alienate** | 통 소외감을 느끼게 하다, 멀리하다 |

| 0433 | **poll** | 몡 투표, 개표, 여론 조사
통 득표하다 |

| 0434 | **resign** | 통 (일을) 그만두다, 사임하다,
물러나다 |

| 0435 | **imperial** | 톙 제국의, 황제의 |

| 0436 | **rehabilitate** | 통 재활시키다, 회복시키다,
사회 복귀를 돕다 |

| 0437 | **rash** | 몡 발진, 뽀루지
톙 경솔한, 성급한 |

| 0438 | **recede** | 통 (물이) 빠지다, 물러가다,
약해지다 |

| 0439 | **corpse** | 몡 시체, 송장 |

| 0440 | **affluent** | 톙 부유한, 풍부한 |

0441	**public**	명 대중, 일반 사람들 형 공공의, 공적인
0442	**supply**	명 공급(량) 동 공급하다
0443	**appearance**	명 외모, 겉모습, 출현
0444	**exchange**	동 교환하다 명 교환, 환전
0445	**mass**	명 질량, 다량, 대중 형 대량의, 대중의
0446	**constant**	형 일정한, 끊임없는, 지속적인
0447	**typical**	형 보통의, 일반적인, 전형적인
0448	**vast**	형 방대한, 막대한
0449	**artificial**	형 인공의, 인조의, 인위적인
0450	**hostile**	형 적대적인, 강력히 반대하는
0451	**statement**	명 진술, 서술, 성명(서)
0452	**celebrity**	명 유명 인사, 명성
0453	**debt**	명 부채, 빚
0454	**ruin**	동 망치다, 파멸시키다 명 파산, 파멸
0455	**excess**	형 초과한, 여분의 명 지나침, 과잉
0456	**resemble**	동 닮다, 비슷하다
0457	**scarcity**	명 부족, 결핍
0458	**swift**	형 신속한, 빠른
0459	**postpone**	동 연기하다, 미루다
0460	**flush**	동 내보내다, 물을 내리다, (얼굴이) 붉어지다

0461	**monologue**	명 독백, (혼자서 하는) 긴 이야기
0462	**advent**	명 등장, 출현, 도래
0463	**cosmos**	명 우주, 체계, 질서
0464	**shed**	동 (잎 등을) 떨어뜨리다, 없애다, 발산하다
0465	**consensus**	명 합의, 의견 일치
0466	**enact**	동 (법을) 제정하다, (연극 등을) 상연하다
0467	**discern**	동 식별하다, 분간하다
0468	**dismay**	동 크게 실망시키다, 경악하게 만들다 명 실망, 경악
0469	**sermon**	명 설교
0470	**peril**	명 위험(성), 유해함
0471	**cognition**	명 인지, 인식
0472	**abruptly**	부 갑작스럽게, 퉁명스럽게
0473	**purify**	동 정화하다, 정제하다
0474	**pension**	명 연금, 보조금, 작은 호텔
0475	**invoke**	동 기원하다, 빌다, (법에) 호소하다
0476	**duplicate**	동 복제하다, 되풀이하다 형 중복의 명 사본
0477	**rebel**	동 반항하다, 저항하다 명 반역자, 반대자
0478	**plead**	동 애원하다, 변호하다
0479	**trim**	동 손질하다, 다듬다
0480	**scorn**	명 경멸(감) 동 경멸하다, 비웃다

0481	**rate**	몡 속도, 비율, 요금, 등급 동 평가하다
0482	**recommend**	동 추천하다, 권고하다
0483	**account**	몡 계좌, 설명 동 설명하다, 차지하다, 여기다
0484	**phenomenon**	몡 현상, 사건, 비범한 인물
0485	**aware**	혱 알고 있는, 의식하는
0486	**plain**	혱 분명한, 소박한, 무늬가 없는 몡 평원
0487	**mention**	동 언급하다, 말하다 몡 언급
0488	**resist**	동 저항하다, 견디다
0489	**assist**	동 돕다, 조력하다
0490	**imply**	동 함축하다, 암시하다, 시사하다
0491	**anticipate**	동 기대하다, 예상하다
0492	**consistency**	몡 일관성, 농도, 밀도
0493	**enormous**	혱 막대한, 거대한
0494	**convert**	동 전환하다, 바꾸다
0495	**dismiss**	동 묵살하다, 해고하다
0496	**evident**	혱 분명한, 눈에 띄는
0497	**disgrace**	몡 불명예, 망신 동 명예를 더럽히다
0498	**inhibit**	동 저해하다, 억제하다, 저지하다
0499	**fragment**	몡 조각, 파편 동 산산이 부수다, 해체되다
0500	**estate**	몡 사유지, 재산, (주택·공장) 단지

0501	**verdict**	몡 판단, 평결, 의견
0502	**disguise**	동 변장하다, 위장하다, 숨기다
0503	**corporate**	혱 기업의, 법인의, 공동의
0504	**deprive**	동 박탈하다, 빼앗다
0505	**feast**	몡 잔치, 연회 동 맘껏 먹다
0506	**longevity**	몡 장수, 오래 지속됨
0507	**divert**	동 방향을 바꾸게 하다, 전환하다
0508	**tilt**	동 기울이다, 경사지게 하다 몡 기울기, 경사
0509	**prose**	몡 산문
0510	**blast**	몡 강한 바람, 폭발 동 폭발시키다, 폭파하다
0511	**curse**	몡 저주, 욕설 동 저주를 하다, 욕을 하다
0512	**abound**	동 풍부하다, 아주 많다
0513	**debris**	몡 잔해, 쓰레기
0514	**outperform**	동 더 나은 결과를 내다, 능가하다
0515	**perplex**	동 당혹스럽게 하다
0516	**dispose**	동 처분하다, 배치하다, ~의 경향을 갖게 하다
0517	**defy**	동 허용하지 않다, 저항하다, 무시하다
0518	**pessimistic**	혱 비관적인, 비관주의의
0519	**courteous**	혱 공손한, 정중한
0520	**salute**	동 경례하다, 경의를 표하다 몡 거수경례

0521	**material**	명 재료, 물질 형 물질적인
0522	**reflect**	통 반영하다, 반사하다, 숙고하다
0523	**urban**	형 도시의, 도회지의
0524	**craft**	명 (수)공예, 기술, 비행기, 선박 통 공들여 만들다
0525	**valuable**	형 소중한, 귀중한, 값비싼
0526	**disturb**	통 방해하다, 불안하게 하다, 어지럽히다
0527	**mobile**	형 이동식의, 이동하는, 움직이기 쉬운
0528	**defeat**	통 패배시키다, 물리치다 명 타도, 패배
0529	**income**	명 소득, 수입
0530	**frustrated**	형 좌절한, 실망한
0531	**property**	명 부동산, 재산, 소유물, 속성
0532	**found**	통 설립하다, 세우다, 근거를 두다
0533	**pollute**	통 오염시키다
0534	**remark**	명 말, 의견, 주목 통 말하다, 주목하다
0535	**competence**	명 능숙함, 능력, 권한
0536	**impatient**	형 참을성이 없는, 성급한
0537	**massive**	형 막대한, 육중한
0538	**swear**	통 선언하다, 맹세하다, 욕을 하다
0539	**dim**	형 어두운, 흐릿한 통 (불빛 등을) 낮추다, 어둑해지다
0540	**prevail**	통 만연하다, 승리하다, 우세하다

0541	**scatter**	통 흩어지다, 흩뿌리다, 분산시키다 명 흩어진 것
0542	**destiny**	명 운명
0543	**decent**	형 괜찮은, 적절한, 품위 있는
0544	**flee**	통 달아나다, 도망하다
0545	**rear**	형 뒤(쪽)의 명 (어떤 것의) 뒤쪽
0546	**humiliate**	통 굴욕감을 주다, 창피를 주다
0547	**glare**	명 (불쾌하게) 환한 빛 통 노려보다, 번쩍이다
0548	**throne**	명 왕위, 왕좌
0549	**zealous**	형 열성적인, 열광적인
0550	**stun**	통 망연자실하게 하다, 기절시키다
0551	**kneel**	통 무릎을 꿇다
0552	**mustache**	명 콧수염
0553	**recreate**	통 재현하다, 되살리다, 휴양하다
0554	**outlaw**	통 불법화하다, 금하다, 사회에서 매장하다 명 범법자
0555	**slender**	형 가느다란, 날씬한, 빈약한
0556	**stubborn**	형 완고한, 고집스러운, 다루기 힘든
0557	**missionary**	명 선교사 형 선교사의, 전도의
0558	**complicated**	형 복잡한, 뒤얽힌
0559	**deflect**	통 빗나가게 하다, 빗나가다, 편향하다
0560	**retort**	명 (모욕·비난 등에) 대꾸, 응수 통 쏘아붙이다, 응수하다

0561	**amount**	명 양, 액수 동 (액수·수량이) ~에 달하다

0581	**oriented**	형 ~을 지향하는, 경향의

0562	**conscious**	형 의식적인, 자각하는, 의도적인

0582	**mortality**	명 사망, 사망자 수

0563	**suit**	동 (알)맞다, 어울리다 명 정장, 의복, 소송

0583	**deem**	동 여기다, 간주하다

0564	**consume**	동 섭취하다, 소비하다

0584	**troop**	명 군대, 무리 동 무리를 짓다

0565	**origin**	명 기원, 유래, 출신

0585	**attic**	명 다락(방)

0566	**obtain**	동 얻다, 입수하다

0586	**degrade**	동 저하시키다, 비하하다, 분해되다

0567	**manner**	명 방식, 태도

0587	**gross**	형 전체의, 총계의, 총체적인

0568	**distribute**	동 배포하다, 분배하다

0588	**supreme**	형 최고의, 최대의, 지대한

0569	**transfer**	동 환승하다, 옮기다, 이동하다 명 이동, 이전

0589	**detract**	동 (주의를) 딴 데로 돌리다, (가치 등을) 손상시키다

0570	**interfere**	동 방해하다, 간섭하다

0590	**sob**	동 흐느끼다 명 흐느낌, 오열

0571	**article**	명 (신문·잡지의) 글, 기사, 조항, 물품

0591	**lord**	명 귀족, 영주

0572	**violent**	형 폭력적인, 격렬한, 극심한

0592	**subside**	동 가라앉다, 진정되다, 내려앉다

0573	**conserve**	동 보존하다, 유지하다

0593	**whereas**	접 ~에 반해서, ~인데도

0574	**proceed**	동 계속해서 ~하다, 나아가다, 진행하다

0594	**nationality**	명 국적, 민족

0575	**endless**	형 끝없는, 무한한

0595	**dumb**	형 바보 같은, 말을 못 하는

0576	**patent**	명 특허(권) 형 특허의

0596	**vapor**	명 증기 동 발산시키다, 증발하다

0577	**utilize**	동 이용하다, 활용하다

0597	**specimen**	명 표본, 견본

0578	**criminal**	형 범죄의 명 범죄자

0598	**ornament**	명 장신구, 장식품 동 장식하다

0579	**accidental**	형 우연한, 돌발적인

0599	**embark**	동 시작하다, 착수하다, 탑승하다

0580	**tender**	형 다정한, 부드러운, 연약한

0600	**pungent**	형 (냄새·맛이) 자극적인, 톡 쏘는, 신랄한

0601	**positive**	혱 긍정적인, 확신하는
0602	**acknowledge**	통 인정하다, 승인하다
0603	**compete**	통 경쟁하다, 겨루다
0604	**surface**	몡 표면, 수면 통 (수면으로) 떠오르다
0605	**reject**	통 거절하다, 거부하다
0606	**engage**	통 참여하다, 종사하다, 사로잡다
0607	**victim**	몡 피해자, 희생자
0608	**neglect**	통 소홀히 하다, 간과하다 몡 소홀, 태만
0609	**intend**	통 의도하다, ~할 작정이다
0610	**refuse**	통 거절하다, 거부하다
0611	**architect**	몡 건축가, 설계자
0612	**document**	몡 서류, 문서 통 기록하다
0613	**hopeful**	혱 희망에 찬, 기대하는
0614	**boredom**	몡 지루함, 따분함
0615	**offend**	통 불쾌하게 하다, 죄를 저지르다
0616	**lean**	통 기대다, 기울다 혱 마른
0617	**compromise**	몡 타협, 절충(안) 통 타협하다
0618	**carrier**	몡 (이동) 가방, 운송인, 매개체
0619	**approximate**	혱 대략적인, 근사치의 통 (수량 등이) ~에 가깝다
0620	**submerge**	통 물에 잠기다, 잠수하다, 담그다
0621	**astonish**	통 깜짝 놀라게 하다
0622	**mandatory**	혱 의무적인, 법에 정해진
0623	**plague**	통 시달리게 하다, 괴롭히다 몡 전염병
0624	**tactic**	몡 전술, 전략
0625	**crush**	통 눌러 부수다, 으스러뜨리다
0626	**basin**	몡 분지, (큰 강의) 유역, 대야
0627	**spiral**	혱 나선형의 몡 나선(형), 소용돌이
0628	**cheat**	통 속이다, 부정행위를 하다 몡 사기(꾼)
0629	**fury**	몡 분노, 격분, 격노한 상태
0630	**memorial**	혱 추모의, 기념의 몡 기념비, 기념물
0631	**nuisance**	몡 골칫거리, 성가신 것
0632	**morale**	몡 사기, 의욕
0633	**infancy**	몡 유아기
0634	**modernize**	통 현대화하다
0635	**verge**	몡 직전, 가장자리, 경계
0636	**despise**	통 경멸하다, 멸시하다
0637	**inflate**	통 부풀리다, (가격을) 올리다
0638	**manifest**	통 나타나다, 분명해지다, 명시하다 혱 분명한
0639	**enchant**	통 황홀하게 만들다, 마술을 걸다
0640	**prudent**	혱 신중한, 분별 있는

0641	notice	통 알아차리다, 통지하다 명 공고(문), 통지(서), 주목	0661	drought	명 가뭄
0642	debate	명 토론, 논쟁 통 토론하다	0662	ingenuity	명 독창성, 기발한 재주
0643	fundamental	형 근본적인, 기본적인, 필수적인	0663	inborn	형 타고난, 선천적인
0644	rural	형 시골의, 지방의	0664	toll	명 통행료, 사상자 수
0645	acquire	통 습득하다, 얻다, 획득하다	0665	majestic	형 장엄한, 웅장한, 위엄 있는
0646	trustworthy	형 신뢰할 수 있는, 믿을 수 있는	0666	sturdy	형 튼튼한, 견고한, 확고한
0647	combine	통 결합하다, 연합하다	0667	scenery	명 경치, 풍경, (무대의) 배경
0648	attempt	통 시도하다 명 시도	0668	stale	형 신선하지 않은, 오래된, 퀴퀴한
0649	cast	통 (빛·그림자를) 드리우다, 던지다 명 배역	0669	afflict	통 고통을 주다, 괴롭히다, 피해를 입히다
0650	perceive	통 인지하다, 알아차리다, 이해하다	0670	hollow	형 (속이) 빈, 움푹 꺼진 명 움푹 꺼진 곳
0651	neutral	형 중립적인, 중립의	0671	monk	명 수도승, 수도자
0652	observe	통 (법·관습 등을) 준수하다, 지키다, 관찰하다	0672	slaughter	통 도축하다, 학살하다 명 도축, 대량 학살
0653	apology	명 사과, 사죄	0673	arrogant	형 오만한, 건방진
0654	proportion	명 부분, 비율, 균형	0674	confess	통 고백하다, 자백하다
0655	specialize	통 전문으로 하다, 전공하다	0675	vow	통 맹세하다, 서약하다 명 맹세, 서약
0656	recess	명 쉬는 시간, 휴식, 휴정 통 휴정하다	0676	choke	통 질식시키다, 숨이 막히다, 목을 조르다
0657	dietary	형 식이의, 음식(물)의	0677	kidnap	통 납치하다, 유괴하다
0658	incline	통 ~하는 경향이 있다, 기울이다, 경사지다 명 경사(면)	0678	insane	형 미친, 정신 이상의, 제정신이 아닌
0659	ignorant	형 무지한, 무식한	0679	ethics	명 윤리(학), 도덕
0660	pledge	통 약속하다, 서약하다 명 약속, 서약	0680	profess	통 주장하다, 공언하다

0681	**avoid**	图 방지하다, 피하다
0682	**characteristic**	명 특징, 특성 형 특유의
0683	**conflict**	명 갈등, 충돌 통 대립하다, 충돌하다
0684	**edge**	명 가장자리, 우위, (칼 등의) 날
0685	**contrast**	통 대조하다 명 대조, 차이
0686	**inherent**	형 내재된, 고유의, 타고난
0687	**profit**	명 수익, 이익 통 이익을 얻다
0688	**myth**	명 신화, 전설
0689	**lay**	통 놓다, 두다, 알을 낳다
0690	**sacrifice**	통 희생하다, 제물로 바치다 명 희생, 제물
0691	**prejudice**	명 편견, 선입견 통 편견을 갖게 하다
0692	**overnight**	튀 하룻밤 동안, 하룻밤 사이에 형 야간의, 하룻밤 사이의
0693	**exhibit**	명 전시품 통 전시하다, 보이다
0694	**physics**	명 물리학
0695	**commit**	통 (죄를) 저지르다, 전념하다
0696	**mess**	명 엉망, 혼잡
0697	**amuse**	통 즐겁게 하다
0698	**tribe**	명 부족, 종족
0699	**acquaintance**	명 지인, 아는 사람, 면식, 친분
0700	**appoint**	통 임명하다, 지정하다

0701	**crack**	명 틈, 균열 통 갈라지다, 금이 가다, 깨다
0702	**murder**	명 살인, 살해 통 살해하다
0703	**fraction**	명 부분, 일부, 분수
0704	**spacious**	형 널찍한, 넓은
0705	**vessel**	명 (동식물 등의) 관, 선박, 그릇
0706	**rite**	명 의례, 의식
0707	**weird**	형 기이한, 이상한
0708	**optimism**	명 낙천주의, 낙관주의, 낙관론
0709	**asymmetry**	명 불균형, 비대칭
0710	**obsess**	통 사로잡다, 집착하게 하다
0711	**sniff**	통 냄새를 맡다, 코를 훌쩍이다 명 냄새 맡기
0712	**patriot**	명 애국자
0713	**craftsman**	명 장인, 공예가
0714	**inheritance**	명 유산, 상속 재산
0715	**livelihood**	명 생계, 살림
0716	**premature**	형 너무 이른, 시기상조의, 조숙한
0717	**wail**	통 울부짖다, 통곡하다 명 울부짖음, 통곡
0718	**civilian**	명 민간인 형 민간(인)의
0719	**false**	형 잘못된, 거짓의, 가짜의
0720	**preface**	명 서문, 머리말 통 서문을 쓰다, ~으로 말문을 열다

0721	**object**	명 물체, 대상, 목표 동 반대하다
0722	**determine**	동 결정하다, 결심하다, 알아내다
0723	**advance**	명 발전, 진보 동 나아가게 하다, 진보하다
0724	**disappoint**	동 실망시키다, 좌절시키다
0725	**extreme**	형 극심한, 극단적인 명 극단, 극도
0726	**biology**	명 생물학
0727	**substantial**	형 막대한, 상당한, 실질적인
0728	**extend**	동 확대하다, 연장하다
0729	**stimulate**	동 자극하다, 활발하게 하다
0730	**breathe**	동 숨을 쉬다, 호흡하다
0731	**witness**	동 목격하다 명 목격자, 증인
0732	**hypothesis**	명 가설, 가정
0733	**entertain**	동 즐겁게 하다, 대접하다
0734	**consist**	동 구성되다, 이루어지다, 존재하다
0735	**protest**	동 항의하다, 반대하다 명 시위, 항의
0736	**phase**	명 단계, 시기 동 단계적으로 하다
0737	**deposit**	동 예금하다, 예치하다 명 보증금, 예금
0738	**crude**	형 조잡한, 대충의, 가공하지 않은
0739	**beware**	동 조심하다, 주의하다
0740	**impulse**	명 충동, 충격, 자극

0741	**wrinkle**	명 주름 동 찡그리다, 주름이 지다
0742	**comprehensive**	형 포괄적인, 종합적인, 이해하는
0743	**tackle**	동 (문제 등과) 씨름하다, 논쟁하다, 태클하다 명 태클
0744	**dimension**	명 관점, 차원, (높이·너비·길이의) 치수
0745	**configuration**	명 배치, 배열 (형태)
0746	**authentic**	형 진정한, 진짜의, 믿을 만한
0747	**designate**	동 지정하다, 지명하다
0748	**mumble**	동 중얼거리다 명 중얼거림
0749	**barbarous**	형 세련되지 못한, 미개한, 잔인한
0750	**microscope**	명 현미경
0751	**yawn**	동 하품하다 명 하품
0752	**tow**	동 끌다, 견인하다 명 견인
0753	**yearn**	동 갈망하다, 동경하다
0754	**fragile**	형 부서지기 쉬운, 취약한, 섬세한
0755	**compartment**	명 객실, (물건 등을 두는) 칸
0756	**implicit**	형 잠재된, 암시적인
0757	**nomad**	명 유목민
0758	**inflict**	동 (괴로움 등을) 가하다
0759	**forge**	동 구축하다, 위조하다 명 대장간
0760	**predominant**	형 널리 퍼진, 두드러진, 우세한

0761	**perform**	동 수행하다, 실행하다, 공연하다
0762	**specific**	형 특정한, 구체적인, 명확한
0763	**bias**	명 편견, 편향, 경향
0764	**associate**	동 연관 짓다, 연상하다 명 동료 형 연합한
0765	**concentrate**	동 집중하다, 전념하다, 모으다
0766	**mental**	형 정신적인, 정신의, 마음의
0767	**expand**	동 확장하다, 넓히다
0768	**superior**	형 뛰어난, 우월한, 상위의
0769	**employ**	동 (기술·방법 등을) 이용하다, 쓰다, 고용하다
0770	**urgent**	형 긴급한, 시급한
0771	**reinforce**	동 강화하다, 보강하다
0772	**command**	명 명령, 지휘 동 명령하다, 지휘하다
0773	**grasp**	동 이해하다, 파악하다, 꽉 잡다
0774	**invisible**	형 보이지 않는, 무형의
0775	**conform**	동 순응하다, 따르다
0776	**distort**	동 왜곡하다, 비틀다
0777	**prospect**	명 전망, 가능성
0778	**worship**	동 숭배하다, 예배하다 명 숭배, 예배
0779	**accountant**	명 회계사
0780	**keen**	형 예리한, 예민한, 열망하는

0781	**roar**	명 굉음, 으르렁거림 동 으르렁거리다, 고함치다
0782	**soothe**	동 (통증 등을) 진정시키다, 달래다
0783	**gracious**	형 자애로운, 우아한, 품위 있는
0784	**monetary**	형 금전적인, 통화의, 화폐의
0785	**liberty**	명 자유
0786	**cite**	동 인용하다, 예를 들다, (법정에) 소환하다
0787	**retrieve**	동 되찾다, 회수하다, 회복하다
0788	**literal**	형 문자 그대로의, 직역의, 융통성이 없는
0789	**epidemic**	명 유행병 형 유행성의
0790	**hydrogen**	명 수소
0791	**hospitality**	명 환대, 후대, 접대
0792	**relay**	명 계주, 릴레이 경주 동 전달하다, 중계하다
0793	**meditate**	동 명상하다, ~을 꾀하다
0794	**biography**	명 전기, 일대기
0795	**germ**	명 세균, 미생물, (생물의) 싹
0796	**nasty**	형 불쾌한, 심술궂은, 험악한
0797	**conscientious**	형 성실한, 양심적인
0798	**impartial**	형 공정한, 치우치지 않은
0799	**frantic**	형 제정신이 아닌, 극도로 흥분한
0800	**perspire**	동 땀을 흘리다, 땀이 나다

21

0801	**support**	명 지원, 지지 동 지원하다, 지지하다
0802	**impact**	동 영향을 주다 명 영향, 충격
0803	**climate**	명 기후, 풍토
0804	**decline**	동 쇠퇴하다, 감소하다, 거절하다 명 쇠퇴, 감소
0805	**explanation**	명 설명, 해명, 이유
0806	**familiar**	형 익숙한, 친숙한
0807	**blame**	동 비난하다, ~의 탓으로 돌리다 명 책임, 비난
0808	**component**	명 (구성) 요소, 성분 형 구성하는
0809	**applicant**	명 지원자, 신청자
0810	**precious**	형 소중한, 귀중한
0811	**prior**	형 사전의, 이전의
0812	**limitation**	명 한계, 국한, 제약
0813	**tense**	형 긴장한, 팽팽한 명 (동사의) 시제
0814	**brief**	형 잠깐의, 짧은, 간단한 동 간단히 보고하다
0815	**profession**	명 (전문) 직종, 직업
0816	**withdraw**	동 철회하다, 철수하다, (예금 등을) 인출하다
0817	**attendant**	명 종업원, 안내원 형 수반되는, 수행하는
0818	**midst**	명 가운데, 중앙
0819	**scoop**	동 (숟갈로) 뜨다 명 국자, 큰 숟가락, 한 숟갈(의 양)
0820	**fallacy**	명 (인식상의) 오류, 틀린 생각
0821	**simultaneous**	형 동시다발적인, 동시의
0822	**wasteful**	형 낭비적인, 낭비하는
0823	**declare**	동 선포하다, 선언하다, (세관 등에) 신고하다
0824	**imprison**	동 감금하다, 투옥하다
0825	**publicity**	명 홍보, 널리 알려짐, 언론의 관심
0826	**spouse**	명 배우자
0827	**vanish**	동 사라지다, 없어지다
0828	**lament**	동 애통해하다 명 애도, 비탄
0829	**reptile**	명 파충류
0830	**halt**	명 중단, 멈춤 동 중단시키다, 멈추다
0831	**immerse**	동 몰두하게 하다, (액체 속에) 담그다
0832	**bleed**	동 피를 흘리다, 출혈하다
0833	**forefather**	명 조상, 선조
0834	**eruption**	명 폭발, 분출
0835	**moist**	형 촉촉한, 습기가 있는
0836	**generic**	형 포괄적인, 총칭의
0837	**heredity**	명 유전 (형질), 세습
0838	**impel**	동 (생각·행동 등을) 재촉하다, 강요하다
0839	**perpetual**	형 끊임없는, 빈번한, 종신의
0840	**feat**	명 위업, 솜씨

0841	**accord**	통 일치하다, 부합하다 명 일치, 합의
0842	**appreciate**	통 감상하다, 감사하다, 진가를 인정하다
0843	**foster**	통 촉진하다, 조장하다, 육성하다
0844	**chemical**	명 화학 물질 형 화학의, 화학적인
0845	**analyze**	통 분석하다, 검토하다
0846	**recover**	통 회복하다, 되찾다
0847	**multiple**	형 여럿의, 많은, 다양한 명 배수
0848	**gender**	명 성, 성별
0849	**admit**	통 받아들이다, 인정하다, 시인하다
0850	**grab**	통 잡다, 움켜쥐다, 가로채다
0851	**substance**	명 물질, 본질, 요지
0852	**propose**	통 제안하다, 제시하다, 청혼하다
0853	**deliver**	통 전달하다, 배달하다, (연설 등을) 하다
0854	**collective**	형 집단의, 공동의 명 집단, 공동체
0855	**heritage**	명 유산, 전통
0856	**polish**	통 다듬다, 광을 내다, 닦다 명 광택(제)
0857	**profound**	형 심오한, 깊은
0858	**overload**	통 과부하를 걸다, 과적하다 명 과부하, 지나치게 많음
0859	**drill**	명 (엄격한) 훈련, 드릴 통 훈련하다, (드릴로) 구멍을 뚫다
0860	**administer**	통 관리하다, 운영하다, 집행하다

0861	**initiate**	통 일으키다, 시작하다, 착수하다 명 입회자
0862	**scheme**	명 계획, 책략 통 책략을 꾸미다
0863	**aboard**	전 부 (배·항공기 등에) 탑승하여
0864	**goodwill**	명 친선, 호의, 선의
0865	**extracurricular**	형 과외의, 정식 학과 이외의
0866	**via**	전 ~을 통해, ~를 경유하여
0867	**transcend**	통 초월하다, 능가하다
0868	**intrude**	통 방해하다, 침범하다
0869	**antibiotic**	명 항생제, 항생물질
0870	**expire**	통 만료되다, 끝나다
0871	**perish**	통 죽다, 소멸되다, 사라지다
0872	**revolve**	통 돌다, 회전하다, 회전시키다
0873	**compatible**	형 호환이 되는, 양립할 수 있는
0874	**fling**	통 (내)던지다, 내뻗치다
0875	**obese**	형 비만의, 뚱뚱한
0876	**horrible**	형 끔찍한, 형편없는, 지독한
0877	**blaze**	명 화재 통 활활 타다, 눈부시게 빛나다
0878	**fable**	명 우화, 꾸며낸 이야기
0879	**impoverish**	통 빈곤하게 하다, (질을) 떨어뜨리다
0880	**outdo**	통 앞지르다, 능가하다, ~보다 뛰어나다

23

0881	**local**	형 지역의, 현지의, 지방의 명 현지인
0882	**factor**	명 요소, 요인 동 고려하다
0883	**equipment**	명 장비, 용품
0884	**prove**	동 증명하다, 입증하다, 판명되다
0885	**invention**	명 발명(품), 날조
0886	**immediate**	형 즉각적인, 당면한
0887	**overlook**	동 간과하다, 눈감아 주다, 내려다보다
0888	**institution**	명 기관, (보호) 시설, 제도
0889	**innovation**	명 혁신, 쇄신, 획기적인 것
0890	**assign**	동 할당하다, 배정하다, 배치하다
0891	**accommodate**	동 수용하다, 공간을 제공하다, 적응시키다
0892	**ultimate**	형 궁극적인, 최후의
0893	**manipulate**	동 잘 다루다, 조종하다
0894	**flexible**	형 유연한, 적응성 있는, 융통성 있는
0895	**passenger**	명 승객
0896	**classify**	동 분류하다, 구분하다
0897	**symbolize**	동 상징하다
0898	**portable**	형 휴대용의, 휴대가 쉬운 명 휴대용 제품
0899	**persist**	동 계속되다, 고집하다, 주장하다
0900	**enrich**	동 풍요롭게 하다, 질을 높이다, 강화하다

0901	**propel**	동 나아가게 하다, 추진하다
0902	**rust**	동 녹슬다, 부식시키다 명 녹
0903	**minister**	명 장관, 성직자, 각료
0904	**flaw**	명 결함, 흠, 결점
0905	**loyal**	형 충실한, 충성스러운
0906	**outbreak**	명 발발, 발생
0907	**bankrupt**	동 파산시키다, 파산하다 형 파산한, 결핍된 명 파산자
0908	**volcano**	명 화산
0909	**stereotype**	명 고정 관념 동 정형화하다
0910	**exquisite**	형 매우 아름다운, 정교한, 예민한
0911	**vain**	형 소용없는, 헛된, 자만심이 강한
0912	**petition**	명 청원(서), 진정(서) 동 청원하다
0913	**monument**	명 기념물, 기념비적인 것
0914	**comprise**	동 구성하다, 차지하다
0915	**enlightened**	형 계몽된, 깨우친
0916	**array**	명 배열, 모음 동 진열하다, 배치하다
0917	**warrant**	동 보증하다, 정당화하다 명 영장, 보증서
0918	**cavity**	명 구멍, 빈 곳, 충치 (구멍)
0919	**industrious**	형 근면한, 부지런한
0920	**novice**	명 초보(자), 초심자

0921	**remain**	통 남아 있다, 여전히 ~이다
0922	**attitude**	명 태도, 자세
0923	**publish**	통 발행하다, 출판하다, 발표하다
0924	**species**	명 (동·식물의) 종, 종류
0925	**evolve**	통 발달하다, 진화하다
0926	**announce**	통 발표하다, 알리다
0927	**ordinary**	형 평범한, 보통의, 평상시의
0928	**sink**	명 싱크대, 개수대 통 가라앉다, 침몰하다
0929	**boundary**	명 경계, 한계
0930	**interact**	통 소통하다, 상호 작용을 하다
0931	**peer**	명 동료, 또래
0932	**conceal**	통 감추다, 숨기다
0933	**relevant**	형 관련이 있는, 적절한
0934	**innocent**	형 결백한, 무고한, 순진한
0935	**brilliant**	형 훌륭한, 뛰어난, 명석한
0936	**exotic**	형 이국적인, 외국의
0937	**counsel**	명 조언, 상담 통 조언하다, 상담하다
0938	**dip**	통 살짝 담그다, 내리다, 떨어지다
0939	**denial**	명 부정, 부인, 거부
0940	**revenge**	명 복수, 보복, 설욕

0941	**constraint**	명 제약, 제한, 통제
0942	**boom**	명 호황, 갑작스러운 인기 통 쾅 하는 소리를 내다
0943	**resent**	통 분개하다, 억울하게 여기다
0944	**superficial**	형 피상적인, 표면적인, 깊이 없는
0945	**lease**	명 임대차 계약 통 임대하다
0946	**prosecute**	통 기소하다, 고발하다
0947	**cohesion**	명 화합, 결합, 응집력
0948	**erupt**	통 분출하다, 폭발하다
0949	**textile**	명 직물, 옷감, 섬유
0950	**thorn**	명 가시, 가시나무
0951	**literate**	형 글을 읽고 쓸 줄 아는
0952	**intimidate**	통 겁을 주다, 위협하다
0953	**diameter**	명 지름
0954	**endorse**	통 지지하다, 보증하다
0955	**chronic**	형 만성의, 고질적인
0956	**statesman**	명 정치가, 정치인
0957	**overdue**	형 (지불·반납 등의) 기한이 지난, 연체된
0958	**erect**	통 세우다, 건립하다 형 똑바로 선, 일어선
0959	**intermission**	명 중간 휴식 시간, 중단
0960	**momentous**	형 중대한, 중요한

25

MP3 바로 듣기 >>

0961	**common**	휑 흔한, 보통의, 공통의, 일반적인
0962	**participate**	동 참가하다, 참여하다
0963	**deny**	동 부정하다, 부인하다, 거부하다
0964	**accurate**	휑 정확한, 정밀한
0965	**outcome**	명 결과, 성과
0966	**emission**	명 배기가스, 배출(물)
0967	**instrument**	명 악기, 도구, 수단
0968	**yield**	명 수확(량), 산출(량) 동 산출하다, 양보하다
0969	**oppose**	동 반대하다, 저항하다, 대립시키다
0970	**import**	명 수입(품) 동 수입하다
0971	**alter**	동 고치다, 바꾸다, 변하다
0972	**resolve**	동 해결하다, 결심하다, 분해하다
0973	**vivid**	휑 생생한, 선명한
0974	**translate**	동 번역하다, 통역하다
0975	**allergic**	휑 알레르기가 있는, 알레르기성의
0976	**fortunate**	휑 운이 좋은, 다행인
0977	**recite**	동 암송하다, (열거하듯) 말하다
0978	**horizontal**	휑 수평의, 가로의 명 수평
0979	**unbearable**	휑 견딜 수 없는, 참을 수 없는
0980	**errand**	명 심부름, 일

0981	**compound**	명 화합물, 복합체 휑 합성의, 복합의
0982	**preoccupy**	동 사로잡다, 몰두하게 하다
0983	**theft**	명 절도
0984	**patron**	명 후원자, 고객
0985	**awkward**	휑 어색한, 불편한, 난처한
0986	**gradual**	휑 점진적인, 완만한
0987	**continual**	휑 끊임없는, 거듭되는
0988	**synthetic**	휑 합성의, 인조의, 종합적인 명 합성 물질
0989	**ponder**	동 깊이 생각하다, 숙고하다
0990	**spontaneous**	휑 즉흥적인, 자발적인, 자연스러운
0991	**conservative**	휑 보수적인
0992	**explicit**	휑 분명한, 명쾌한, 숨김없는
0993	**eradicate**	동 근절하다, 뿌리 뽑다
0994	**feminine**	휑 여성스러운, 여성의
0995	**hospitalize**	동 입원시키다
0996	**dose**	명 복용량, 투여량 동 복용하다, 투약하다
0997	**presume**	동 추정하다, 간주하다, 상정하다
0998	**glide**	동 미끄러지듯 움직이다, 활공하다 명 미끄러짐
0999	**molecular**	휑 분자의, 분자로 된
1000	**miser**	명 구두쇠

1001	**benefit**	통 이익을 얻다, 유익하다 명 이익, 혜택
1002	**theory**	명 이론, 학설
1003	**prevent**	통 예방하다, 막다, 방지하다
1004	**establish**	통 확립하다, 정하다, 수립하다
1005	**refer**	통 나타내다, 참조하다, 언급하다
1006	**evaluate**	통 평가하다, 감정하다
1007	**fund**	통 자금을 제공하다 명 자금, 기금
1008	**aim**	통 목표로 하다 명 목적, 목표
1009	**reverse**	통 뒤집다, 거꾸로 하다 형 (정)반대의 명 (정)반대
1010	**revolution**	명 혁명, 개혁, 공전, 회전
1011	**session**	명 (수업·활동 등의) 시간, 기간
1012	**eliminate**	통 없애다, 제거하다
1013	**stir**	통 휘젓다, (감정을) 불러일으키다 명 (감정 등의) 동요
1014	**mechanic**	명 정비공, 역학, 기계학
1015	**portion**	명 부분, 몫 통 나누다, 분배하다
1016	**surgery**	명 수술
1017	**blend**	통 조화되다, 섞이다, 혼합하다 명 혼합
1018	**depict**	통 묘사하다, 그리다
1019	**outstanding**	형 뛰어난, 우수한, (부채 등이) 미해결의
1020	**prophecy**	명 예언(력)

1021	**communal**	형 공용의, 공동의, 자치 단체의
1022	**decode**	통 (암호 등을) 해독하다, (외국어를) 이해하다
1023	**tolerate**	통 참다, 용인하다, 견디다
1024	**municipal**	형 시의, 지방 자치제의
1025	**contempt**	명 경멸, 모욕, 무시
1026	**foam**	통 거품을 일으키다 명 거품, 포말
1027	**ash**	명 화산재, 재, 유골
1028	**dizzy**	형 어지러운, 아찔한
1029	**surge**	명 파도, 밀려듦, 급등 통 (파도처럼) 밀려들다, 급등하다
1030	**blink**	통 눈을 깜빡이다, (불빛이) 깜빡거리다
1031	**tame**	통 길들이다, 다스리다 형 길든, 재미없는
1032	**eminent**	형 저명한, 탁월한, 걸출한
1033	**loop**	명 올가미, 고리 통 고리 모양을 만들다
1034	**withstand**	통 견디다, 이겨내다
1035	**abnormal**	형 비정상적인, 이상한
1036	**obstruct**	통 방해하다, 막다
1037	**shatter**	통 산산이 부서지다, 파괴하다
1038	**accustomed**	형 익숙한, 평상시의, 습관이 된
1039	**paralysis**	명 마비 (상태), 정체
1040	**melancholy**	형 구슬픈, 침울한 명 우울감

1041	**opportunity**	몡 기회	1061	**chill**
				몡 한기, 냉기 통 춥게 만들다, 식히다 형 쌀쌀한
1042	**measure**	통 측정하다, 재다 몡 측정, 척도, 조치	1062	**rage**
				몡 분노, 격노 통 몹시 화를 내다
1043	**grade**	몡 성적, 학점, 등급, 학년 통 (등급을) 나누다	1063	**ambivalent**
				형 양면성이 있는, 상반된 감정이 공존하는
1044	**survive**	통 살아남다, 생존하다, 견뎌 내다	1064	**drastic**
				형 과감한, 극단적인, 급격한
1045	**remind**	통 상기시키다, 생각나게 하다	1065	**indulge**
				통 (욕구·관심 등을) 충족시키다, 마음껏 하다
1046	**region**	몡 지역, 지방, 영역	1066	**flesh**
				몡 살(점), 고기, (사람의) 피부
1047	**former**	형 이전의, 과거의 명 (둘 중에서) 전자	1067	**thorough**
				형 철저한, 빈틈없는
1048	**install**	통 설치하다, 설비하다	1068	**pronounce**
				통 발음하다, (공식적으로) 표명하다
1049	**historical**	형 역사적인, 역사(학)의	1069	**terrain**
				몡 지형, 지역
1050	**devote**	통 (노력·시간 등을) 바치다, 전념하다	1070	**glimpse**
				몡 힐끗 보기, 짧은 경험 통 힐끗 보다
1051	**victory**	몡 승리	1071	**antisocial**
				형 비사교적인, 반사회적인
1052	**diminish**	통 감소하다, 줄이다	1072	**beneath**
				전 아래에, 밑에, ~보다 못한
1053	**retail**	형 소매(상)의 명 소매(업) 통 소매하다	1073	**recession**
				몡 불경기, 불황, 후퇴
1054	**domestic**	형 국산의, 국내의, 가정의	1074	**twilight**
				몡 해질녘, 황혼, 쇠퇴기
1055	**grave**	몡 무덤, 묘	1075	**scrutiny**
				몡 정밀 조사, 철저한 검토
1056	**undergo**	통 겪다, 경험하다	1076	**alley**
				몡 골목, 좁은 길
1057	**grip**	통 꽉 잡다, 움켜잡다 몡 붙잡음, 손잡이, 장악	1077	**overthrow**
				통 타도하다 몡 타도, 전복
1058	**elusive**	형 파악하기 어려운, (교묘히) 피하는	1078	**sin**
				몡 죄, 죄악 통 죄를 짓다
1059	**commodity**	몡 상품, 물품, 유용한 것	1079	**eject**
				통 분출하다, 쫓아내다, 튀어나오게 하다
1060	**malfunction**	몡 오작동, 고장 통 제대로 작동하지 않다	1080	**persevere**
				통 꾸준히 계속하다, 인내하다

1081	**reduce**	통 줄이다, 감소시키다
1082	**compare**	통 비교하다, 비유하다
1083	**draft**	명 초안, 원고 통 초안을 작성하다, 선발하다
1084	**additional**	형 추가의, 보통의
1085	**struggle**	통 애쓰다, 분투하다 명 노력, 분투
1086	**stock**	명 재고(품), 주식 통 (물품을) 채우다, 갖추다
1087	**destination**	명 목적지, 도착지
1088	**shelter**	명 주거지, 은신처, 대피소 통 보호하다, 숨겨주다
1089	**owe**	통 지불할 의무가 있다, 빚지다, 신세 지다
1090	**assemble**	통 모이다, 모으다, 조립하다
1091	**constitute**	통 구성하다, 설립하다, 제정하다
1092	**vital**	형 필수적인, 중요한, 생명의
1093	**inevitable**	형 불가피한, 필연적인
1094	**candidate**	명 지원자, 후보자
1095	**maintain**	통 유지하다, 지속하다, 주장하다
1096	**fluid**	명 액체, 유동체 형 유동적인
1097	**patrol**	통 순찰하다, 돌아다니다 명 순찰
1098	**migrate**	통 이동하다, 이주하다
1099	**drawback**	명 결점, 문제점
1100	**tease**	통 놀리다, 괴롭히다

1101	**expel**	통 배출하다, 쫓아내다, 추방하다
1102	**contagious**	형 전염성의, 전염되는
1103	**segment**	명 부분, 조각 통 나누다, 분할하다
1104	**falter**	통 흔들리다, 불안정해지다
1105	**stall**	명 가판대, 좌판, 마구간 통 (엔진이) 멎다
1106	**epic**	명 서사시 형 서사시의, 영웅적인
1107	**fond**	형 좋아하는, 애정을 느끼는
1108	**intolerable**	형 견딜 수 없는, 참을 수 없는
1109	**medieval**	형 중세의
1110	**vulnerability**	명 취약함, 상처받기 쉬움
1111	**flourish**	통 번영하다, 잘 자라다
1112	**aviation**	명 항공(술)
1113	**verify**	통 확인하다, 입증하다
1114	**stern**	형 근엄한, 엄중한
1115	**dictator**	명 독재자, 독재자 같은 사람
1116	**notorious**	형 악명 높은
1117	**stitch**	명 바늘땀, (뜨개질에서의) 코 통 바느질하다, 꿰매다
1118	**benevolent**	형 자애로운, 자비로운
1119	**prolong**	통 연장하다, 늘이다, 길게 하다
1120	**liver**	명 간

1121	**encourage**	통 격려하다, 용기를 주다, 장려하다
1122	**prefer**	통 선호하다, ~을 더 좋아하다
1123	**principle**	명 원리, 원칙
1124	**chase**	명 추격 통 뒤쫓다, 추격하다, 추구하다
1125	**degree**	명 학위, (각도·온도 단위) 도, 정도
1126	**release**	통 방출하다, 풀어주다, 출시하다 명 방출, 석방, 출시
1127	**register**	통 등록하다, 기재하다
1128	**overall**	형 전반적인, 총체적인 부 전반적으로, 종합적으로
1129	**primary**	형 주된, 주요한, 최초의
1130	**intense**	형 극심한, 격렬한, 치열한
1131	**editor**	명 편집장, 편집자
1132	**abundant**	형 풍부한
1133	**aggressive**	형 공격적인, 적극적인
1134	**harvest**	명 수확(물), 추수 통 수확하다
1135	**burden**	명 부담, 짐 통 부담을 주다, 짐을 지우다
1136	**confine**	통 가두다, 한정하다, 국한하다
1137	**embrace**	통 껴안다, 받아들이다
1138	**decay**	명 부패, 부식 통 부패하다, 썩다
1139	**basement**	명 지하실, 지하층
1140	**moderate**	형 적당한, 보통의 통 누그러지다, 완화하다
1141	**haste**	명 서두름, 급함
1142	**reside**	통 살다, 거주하다
1143	**impersonal**	형 인간미 없는, 비인격적인
1144	**detective**	명 탐정, 형사 형 탐정의
1145	**deduct**	통 공제하다, 빼다
1146	**unity**	명 통합, 통일(성)
1147	**restrain**	통 억누르다, 저지하다, 참다
1148	**deceive**	통 속이다, 기만하다, 현혹하다
1149	**align**	통 (~에 맞춰) 조정하다, 나란히 만들다, 일직선으로 하다
1150	**erode**	통 침식시키다, 부식시키다
1151	**comparative**	형 상대적인, 비교의
1152	**tangible**	형 실재적인, 만질 수 있는
1153	**province**	명 (행정 단위인) 주, 지방, 분야
1154	**proclaim**	통 선언하다, 분명히 보여주다
1155	**brutal**	형 잔인한, 악랄한
1156	**imperative**	형 필수적인, 긴요한 명 의무 사항
1157	**strand**	명 가닥, 요소, 성분 통 오도 가도 못 하게 하다
1158	**escort**	통 인도하다, 호위하다 명 보호자, 호위대
1159	**radiant**	형 환한, 빛나는
1160	**invert**	통 뒤집다, 도치시키다

1161	**popular**	휑 인기 있는, 대중적인, 일반적인
1162	**regard**	图 ~으로 여기다, 간주하다 옝 고려, 관심
1163	**protect**	图 보호하다, 지키다
1164	**private**	휑 개인의, 사적인, 사립의
1165	**claim**	图 주장하다, 요구하다 옝 주장, 요구
1166	**industrial**	휑 산업의, 공업의
1167	**independent**	휑 독립적인, 독자적인
1168	**obvious**	휑 분명한, 명백한
1169	**punishment**	옝 처벌, 벌
1170	**occupy**	图 차지하다, 거주하다
1171	**scholarship**	옝 장학금, 학문
1172	**characterize**	图 특징짓다, ~의 특징을 나타내다
1173	**genius**	옝 천재(성)
1174	**portrait**	옝 인물 사진, 초상화
1175	**temporal**	휑 시간적인, 시간의, 현세의
1176	**frighten**	图 놀라게 하다, 겁먹게 하다
1177	**carve**	图 조각하다, 새기다
1178	**circulate**	图 순환하다, 유포시키다
1179	**allowance**	옝 용돈, 허용(량)
1180	**intermediate**	휑 중급의, 중간의 옝 중급자

1181	**intertwine**	图 뒤얽히다, 엮다
1182	**leftover**	휑 먹다 남은, 나머지의 옝 남은 음식, 잔재
1183	**introspective**	휑 자기 성찰적인
1184	**obey**	图 따르다, 순종하다
1185	**exemplify**	图 전형적인 예가 되다, 예를 들다
1186	**sanitation**	옝 위생 (시설)
1187	**terminate**	图 끝내다, 종결시키다
1188	**intelligible**	휑 이해할 수 있는, 알기 쉬운
1189	**camouflage**	옝 위장 图 위장하다, 감추다
1190	**entrust**	图 (임무·금전 등을) 맡기다, 위임하다
1191	**displace**	图 대체하다, 대신하다
1192	**prolific**	휑 다작하는, 다산하는, 먹이가 풍부한
1193	**sheer**	휑 순전한, 순수한
1194	**bypass**	图 건너뛰다, 우회하다 옝 우회 도로
1195	**diploma**	옝 졸업장, 학위 (증서)
1196	**transparent**	휑 투명한, 명백한
1197	**synchronize**	图 동시에 움직이다, 동시성을 가지다
1198	**crave**	图 갈망하다, 열망하다
1199	**reconcile**	图 화해하다, 조화시키다
1200	**seize**	图 잡다, 빼앗다

1201	**influence**	통 영향을 미치다 명 영향(력)
1202	**contact**	통 연락하다, 접촉하다 명 연락, 접촉
1203	**sweep**	통 쓸다, 청소하다
1204	**aspect**	명 측면, 양상, 관점
1205	**promote**	통 증진하다, 홍보하다, 승진시키다
1206	**trigger**	통 유발하다, 촉발하다, 쏘다 명 계기, 방아쇠
1207	**contract**	통 수축하다, 계약하다 명 계약(서)
1208	**potential**	명 잠재력, 가능성 형 잠재적인, 가능성 있는
1209	**colony**	명 집단, 식민지
1210	**dominant**	형 우세한, 우성의, 지배적인 명 우세한 것
1211	**imitate**	통 모방하다, 본뜨다, 흉내 내다
1212	**council**	명 의회, 협의회
1213	**hesitate**	통 주저하다, 망설이다
1214	**admission**	명 입장(료), 입학, 가입
1215	**leak**	통 새다, 누설하다 명 새는 곳, 누설
1216	**holy**	형 경건한, 신성한
1217	**accordingly**	부 (그에) 따라서, 부응해서
1218	**broaden**	통 넓히다, 넓어지다, 퍼지다
1219	**leisurely**	형 여유로운, 한가한, 느긋한
1220	**secondhand**	형 중고의, 간접적인 부 중고로, 간접적으로

1221	**shiver**	통 (몸을) 떨다 명 전율, 몸서리, 오한
1222	**disposal**	명 처리, 처분, 배치
1223	**toxic**	형 독성의, 유독한
1224	**painkiller**	명 진통제
1225	**vicious**	형 공격적인, 지독한, 타락한
1226	**formidable**	형 감당할 수 없는, 어마어마한
1227	**testimony**	명 증언, 증거
1228	**misunderstand**	통 오해하다
1229	**collide**	통 충돌하다, 부딪치다
1230	**viewpoint**	명 관점, (무엇을 바라보는) 방향
1231	**equate**	통 동일시하다, 일치하다
1232	**lodge**	명 오두막, 산장 통 (반대·이의 등을) 제기하다
1233	**skeleton**	명 골격, 뼈대, 해골
1234	**shipment**	명 운송, 수송(품)
1235	**compelling**	형 설득력 있는, 강제적인
1236	**haunting**	형 뇌리를 떠나지 않는, 잊을 수 없는
1237	**thrust**	통 내밀다, 밀치다, 찌르다 명 밀침, 습격, 취지
1238	**constrain**	통 제약을 주다, 강요하다, 억누르다
1239	**cynical**	형 냉소적인, 빈정대는, 비꼬는
1240	**incessant**	형 끊임없는, 쉴 새 없는

MP3 바로 듣기 >>

1241	**accept**	동 받아들이다, 수락하다	
1242	**direct**	형 직접적인 동 감독하다, 지휘하다, ~로 향하다	
1243	**assume**	동 추정하다, 가정하다, (책임을) 지다	
1244	**objective**	형 객관적인 명 목적, 목표	
1245	**relieve**	동 완화하다, 경감하다, 안심시키다	
1246	**reserve**	동 예약하다, 보존하다, 비축하다 명 비축(물)	
1247	**neighborhood**	명 근처, 이웃 (사람들)	
1248	**flat**	형 평평한, 납작한 명 아파트	
1249	**stroke**	명 (글씨·그림 등의) 획, 뇌졸중, 일격 동 쓰다듬다	
1250	**notion**	명 관념, 개념, 생각	
1251	**illusion**	명 착각, 환각, 환상	
1252	**subtle**	형 미묘한, 교묘한	
1253	**trace**	동 찾아내다, 추적하다 명 흔적, 자취	
1254	**subjective**	형 주관적인	
1255	**elect**	동 선출하다, 선택하다	
1256	**investigate**	동 조사하다, 수사하다	
1257	**adolescent**	명 청소년 형 청년기의	
1258	**nationwide**	형 전국적인 부 전국적으로	
1259	**torch**	명 횃불, 손전등 동 방화하다	
1260	**coherent**	형 일관성 있는, 논리정연한	

1261	**anthropology**	명 인류학
1262	**rob**	동 털다, 도둑질하다
1263	**slave**	명 노예 동 노예처럼 일하다
1264	**sacred**	형 신성한, 성스러운, 종교적인
1265	**oblige**	동 강요하다, 의무적으로 ~하게 하다, 베풀다
1266	**geology**	명 지질학, 지질학적 특징
1267	**orbit**	명 궤도, 영향권 동 궤도를 돌다
1268	**subsidy**	명 (국가·기관의) 보조금, 장려금
1269	**evade**	동 피하다, 모면하다
1270	**sympathy**	명 동정(심), 연민, 동조
1271	**condense**	동 응축하다, 농축시키다, 압축하다
1272	**foresee**	동 예상하다, 예견하다
1273	**fraud**	명 사기(꾼), 기만, 가짜
1274	**comply**	동 따르다, 준수하다
1275	**confidential**	형 허물없는, 기밀의, 신뢰받는
1276	**dreary**	형 음울한, 따분한
1277	**enlist**	동 요청하다, 입대하다, 징집하다
1278	**dignity**	명 위엄, 품위, 존엄성
1279	**spectacle**	명 장관, (굉장한) 구경거리
1280	**foremost**	형 일류의, 가장 중요한, 맨 앞의

1281	**subject**	명 대상, 주제, 과목 형 ~하기 쉬운
1282	**insight**	명 통찰(력), 이해
1283	**career**	명 경력, 직업
1284	**progress**	명 진전, 발전, 진행 동 진보하다, 나아가다
1285	**manage**	동 관리하다, 운영하다, 해내다
1286	**predict**	동 예측하다, 예언하다
1287	**scale**	명 규모, 척도, 저울 동 (가파른 곳을) 오르다
1288	**economic**	형 경제(학)의
1289	**attach**	동 첨부하다, 붙이다, (단체 등에) 소속시키다
1290	**electric**	형 전기의, 전자의
1291	**convenience**	명 편리함, 편의
1292	**launch**	동 출시하다, 시작하다, 발사하다 명 출시, 발사
1293	**elaborate**	형 정교한, 공들인 동 공들여 만들다, 자세히 설명하다
1294	**irritated**	형 짜증이 난
1295	**illustrate**	동 (예시 등을 통해) 설명하다, 보여주다, 삽화를 넣다
1296	**exclude**	동 배제하다, 제외하다, 막다
1297	**fatal**	형 치명적인, 죽음을 초래하는
1298	**disability**	명 (신체적·정신적) 장애, 무능력
1299	**selfish**	형 이기적인
1300	**affair**	명 정세, 일, 사건

1301	**disrupt**	동 방해하다, 지장을 주다
1302	**primate**	명 영장류, 대주교
1303	**subscribe**	동 구독하다, 가입하다
1304	**namely**	부 즉, 다시 말해
1305	**linger**	동 남다, 오래 머물다
1306	**frost**	명 서리, 성에 동 성에로 뒤덮다, 성에가 끼다
1307	**rotate**	동 회전하다, 교대하다, 순환시키다
1308	**casualty**	명 피해자, 사상자
1309	**sip**	명 한 모금 동 (음료를) 홀짝이다, 조금씩 마시다
1310	**timely**	형 시기적절한, 때맞춘 부 때마침
1311	**integrity**	명 진실성, 완전한 상태, 온전함
1312	**envision**	동 마음속에 그리다, (미래 등을) 상상하다
1313	**vocation**	명 소명 (의식), 천직, 직업
1314	**apparatus**	명 기구, 장치, (신체) 기관
1315	**demoralize**	동 의기소침하게 만들다, 사기를 꺾다
1316	**discredit**	동 신용하지 않다, 의심하다 명 불신
1317	**adore**	동 아주 좋아하다, 존경하다
1318	**esteem**	동 높이 평가하다, 존경하다 명 존경, 존중
1319	**symmetry**	명 대칭, 균형
1320	**excursion**	명 여행, 소풍

1321	**term**	명 용어, 기간, 학기, 조건	1341	**pulse**	명 맥(박), 고동 동 맥박 치다, 고동치다	
1322	**purpose**	명 목적, 의도	1342	**enlarge**	동 확대하다, 확장하다, 커지다	
1323	**attract**	동 유혹하다, (마음·주의 등을) 끌다	1343	**acute**	형 급박한, 급성의, 예리한	
1324	**element**	명 요소, 성분, (화학) 원소	1344	**disperse**	동 흩어지게 하다, 해산하다, 퍼뜨리다	
1325	**award**	동 수여하다 명 상, 상품	1345	**mediate**	동 중재하다, 조정하다 형 중개의, 간접의	
1326	**explore**	동 탐사하다, 탐험하다, 탐구하다	1346	**diplomat**	명 외교관, 외교에 능한 사람	
1327	**contemporary**	형 동시대의, 현대의 명 동년배	1347	**choir**	명 합창단, 성가대	
1328	**rescue**	동 구조하다, 구출하다 명 구조, 구출	1348	**escalate**	동 증가하다, 확대하다, 점증하다	
1329	**symptom**	명 증상, 징후	1349	**copper**	명 구리, 동	
1330	**afford**	동 제공하다, 여유가 있다	1350	**gigantic**	형 거대한	
1331	**venture**	동 위험을 무릅쓰고 가다, 감행하다 명 모험, 벤처 사업	1351	**intonation**	명 억양, 어조	
1332	**norm**	명 규범, 표준	1352	**amplify**	동 증폭시키다, 확대하다	
1333	**integrate**	동 통합되다, 합치다	1353	**weep**	동 울다, 눈물을 흘리다	
1334	**merit**	명 장점, 가치	1354	**intact**	형 온전한, 손상되지 않은	
1335	**convention**	명 관습, 집회, 협약	1355	**undergraduate**	형 학부생의, 대학생의 명 학부생, 내학생	
1336	**optical**	형 시각적인, 눈의, 광학의	1356	**profile**	명 측면, 인물 소개, 개요	
1337	**irresistible**	형 억누를 수 없는, 거부할 수 없는	1357	**adverse**	형 부정적인, 불리한, 반대의	
1338	**remedy**	명 치료(법), 해결책 동 치료하다, 개선하다	1358	**betray**	동 배신하다, 배반하다, (기밀 등을) 누설하다	
1339	**ambitious**	형 야심찬, 의욕적인, (일이) 대규모의	1359	**treaty**	명 조약	
1340	**strain**	동 혹사하다, 긴장시키다, 잡아당기다 명 부담, 중압(감)	1360	**evacuate**	동 피난시키다, 대피하다, 비우다	

1361	**suppose**	통 가정하다, 추정하다	1381	**autobiography**	명 자서전

1361	**suppose**	통 가정하다, 추정하다
1362	**complete**	형 완전한, 완벽한 통 완료하다, 끝내다
1363	**general**	형 일반적인, 보편적인 명 장군
1364	**represent**	통 나타내다, 상징하다, 대표하다
1365	**recall**	통 상기하다, 기억해내다, 회수하다 명 상기, 회상, 회수
1366	**strategy**	명 전략, 전술
1367	**crucial**	형 중요한, 중대한, 결정적인
1368	**instinct**	명 본능, 직감
1369	**bond**	명 유대, 결속, 접착제 통 유대를 맺다
1370	**invest**	통 투자하다, (노력·시간 등을) 쏟다
1371	**confront**	통 직면하다, 맞서다
1372	**convey**	통 전하다, 운반하다
1373	**undermine**	통 약화시키다, 쇠퇴시키다
1374	**prominent**	형 유명한, 탁월한, 현저한, 두드러진
1375	**dense**	형 밀도가 높은, 밀집한, 빽빽한
1376	**territory**	명 영토, 영역
1377	**suspend**	통 (잠시) 중단하다, 정학시키다, 매달다
1378	**frown**	통 눈살을 찌푸리다 명 찡그림, 찌푸림
1379	**outgrow**	통 ~보다 더 커지다, (몸이 커져서 옷 등이) 맞지 않게 되다
1380	**invariable**	형 변함없는, 변치 않는 명 변치 않는 것

1381	**autobiography**	명 자서전
1382	**startle**	통 놀라게 하다
1383	**intimate**	형 친밀한, 사적인 통 넌지시 알리다, 시사하다
1384	**illegal**	형 불법의, 비합법적인
1385	**outburst**	명 (화산·감정 등의) 폭발, 분출
1386	**illuminate**	통 비추다, 밝아지다, (이해하기 쉽게) 밝히다
1387	**naked**	형 벌거벗은, 나체의, 적나라한
1388	**endow**	통 (재능 등을) 부여하다, 기부하다
1389	**oversee**	통 감독하다, 감시하다
1390	**steer**	통 조종하다, 움직이다
1391	**deduce**	통 추론하다, 연역하다
1392	**affirmative**	형 긍정적인, 확인적인 명 긍정, 동의
1393	**quote**	명 인용문, 인용구 통 인용하다
1394	**intuitive**	형 직감에 의한, 직관적인, 이해하기 쉬운
1395	**diversion**	명 (방향·주의·기분 등의) 전환, 오락, 우회로
1396	**marvel**	통 경탄하다, 경이로워 하다 명 경탄, 경이로운 일
1397	**agony**	명 고통, 번민, 괴로움
1398	**ascend**	통 오르다, 상승하다, 승진하다
1399	**unanimous**	형 만장일치의
1400	**elicit**	통 이끌어내다, 유도해내다

36

1401	**state**	명 상태, 국가, 주 형 국가의, 주의 통 진술하다
1402	**essential**	형 필수적인, 본질적인
1403	**absorb**	통 흡수하다, 받아들이다
1404	**perspective**	명 관점, 시각, 원근법
1405	**preserve**	통 보존하다, 보호하다
1406	**arrange**	통 배열하다, 정리하다, 준비하다
1407	**advocate**	명 지지자, 옹호자 통 지지하다, 옹호하다
1408	**agency**	명 대행사, 기관
1409	**precise**	형 정확한, 정밀한
1410	**severe**	형 심각한, 맹렬한, 엄격한
1411	**attend**	통 참석하다, 출석하다
1412	**compose**	통 작곡하다, 만들다, 구성하다
1413	**plot**	명 줄거리, 구상 통 음모하다, 모의하다
1414	**principal**	명 교장, 학장 형 주요한, 주된
1415	**strict**	형 엄격한, 엄밀한
1416	**breed**	통 기르다, 번식하다, 낳다 명 (동식물의) 품종
1417	**fold**	통 접다 명 (천 등의) 주름
1418	**ratio**	명 비율, (~에 대한) 비
1419	**column**	명 기둥, 세로 열, (신문·잡지 등의) 기고
1420	**thrift**	명 검소, 절약

1421	**beloved**	형 사랑하는, 총애받는 명 아주 사랑하는 사람
1422	**suspicious**	형 의심스러운, 의혹을 품은
1423	**respective**	형 각각의, 각자의
1424	**peninsula**	명 반도
1425	**visualize**	통 시각화하다, 마음속에 그리다, 상상하다
1426	**initiative**	명 주도(권), 계획, 진취성
1427	**exclusive**	형 배타적인, 독점적인, 전용의
1428	**emigrate**	통 이민을 가다, 이주하다
1429	**greedy**	형 탐욕스러운, 욕심 많은
1430	**paragraph**	명 단락, 절
1431	**buddy**	명 친구, 단짝
1432	**withhold**	통 유보하다, 주지 않다
1433	**friction**	명 마찰 (저항), 불화
1434	**inventory**	명 재고(품), 물품 목록 통 재고 조사를 하다
1435	**ferment**	통 발효시키다, 발효하다 명 (정치적) 동요
1436	**aggravate**	통 악화하다, 화나게 하다
1437	**allot**	통 할당하다, 배당하다
1438	**timid**	형 소심한, 용기가 없는, 겁 많은
1439	**vowel**	명 모음 형 모음의
1440	**drowsy**	형 졸리는, 나른하게 만드는

1441	**involve**	통 수반하다, 포함하다, 관련되다	
1442	**apply**	통 지원하다, 신청하다, 적용하다, (약 등을) 바르다	
1443	**treat**	통 치료하다, 대우하다 명 대접, 한턱	
1444	**lonely**	형 외로운, 쓸쓸한	
1445	**decade**	명 십(10) 년	
1446	**generate**	통 발생시키다, 초래하다	
1447	**surround**	통 둘러싸다, 에워싸다	
1448	**impress**	통 깊은 인상을 주다, 감명을 주다	
1449	**guilty**	형 유죄의, 죄책감이 드는	
1450	**priority**	명 우선 사항, 우선(권)	
1451	**settle**	통 해결하다, 처리하다, 정착하다	
1452	**association**	명 협회, 연합, 연상	
1453	**starvation**	명 굶주림, 기아	
1454	**immune**	형 면역의, 면제된	
1455	**finance**	통 자금을 조달하다 명 재원, 재정	
1456	**impose**	통 부과하다, 강요하다	
1457	**personnel**	명 (회사의) 인사과, (조직·군대의) 인원	
1458	**conscience**	명 양심	
1459	**texture**	명 질감, 감촉, 구조	
1460	**geometry**	명 기하학, 기하학적 구조	
1461	**ecology**	명 생태(학)	
1462	**penetrate**	통 관통하다, 침투하다, 꿰뚫다	
1463	**interior**	명 내부, 내륙 형 내부의	
1464	**medication**	명 약, 약물 (치료)	
1465	**humility**	명 겸손	
1466	**thrive**	통 잘 자라다, 번창하다	
1467	**astronomy**	명 천문학	
1468	**catastrophe**	명 재난, 참사, 재앙	
1469	**hinder**	통 저해하다, 방해하다	
1470	**fort**	명 요새, 보루	
1471	**implement**	통 시행하다, 이행하다 명 도구, 수단	
1472	**stiff**	형 뻣뻣한, 경직된	
1473	**comet**	명 혜성	
1474	**insure**	통 보험에 들다, 보험을 팔다	
1475	**gratify**	통 (욕구 등을) 충족시키다, 기쁘게 하다	
1476	**collaborate**	통 협력하다, 협동하다	
1477	**aspire**	통 열망하다, 갈망하다	
1478	**sway**	통 흔들리다, 흔들다 명 흔들림	
1479	**apprehend**	통 이해하다, 파악하다, 체포하다	
1480	**dispel**	통 떨쳐 버리다, 없애다	

1481	**negative**	형 부정적인, 적대적인	1501	**retreat**	통 후퇴하다, 물러나다 명 후퇴, 철수
1482	**decrease**	통 감소하다, 줄다 명 감소, 하락	1502	**ironic**	형 모순적인, 반어적인, 역설적인
1483	**enhance**	통 향상시키다, 높이다	1503	**blunt**	형 무딘, 뭉툭한, 직설적인 통 둔하게 하다
1484	**opinion**	명 의견, 견해	1504	**bare**	형 빈, 벌거벗은 통 드러내다
1485	**donation**	명 기부, 기증	1505	**warrior**	명 전사, 용사
1486	**facility**	명 시설, 설비, 편의	1506	**counterpart**	명 상대, 대응 관계에 있는 사람
1487	**intellectual**	형 지적인, 지성의	1507	**misfortune**	명 불행, 불운
1488	**induce**	통 유발하다, 유도하다, 설득하다	1508	**outfit**	명 옷, 의상
1489	**apparent**	형 확실히 보이는, 명백한, 겉보기의	1509	**overwork**	명 과로, 혹사 통 과로하다, 혹사하다
1490	**prey**	명 먹이, 사냥감, 희생자	1510	**racism**	명 인종 차별, 민족 우월 의식
1491	**attain**	통 달성하다, 이루다, 도달하다	1511	**attorney**	명 변호사, (법적) 대리인
1492	**accumulate**	통 쌓이다, 축적하다, 모으다	1512	**tidy**	형 깔끔한, 정돈된 통 치우다, 정돈하다
1493	**promising**	형 유망한, 촉망되는	1513	**expend**	통 (돈·시간·에너지 등을) 쏟다, 들이다
1494	**prompt**	형 즉각적인, 신속한 통 촉구하다, 자극하다	1514	**parliament**	명 의회, 국회
1495	**alert**	명 (경계) 경보 형 기민한, 경계하는 통 경고하다	1515	**grieve**	통 비통해하다, 슬프게 만들다
1496	**eternal**	형 영원한, 영구불변의	1516	**animate**	형 살아 있는, 생물인 통 생기를 불어넣다, 만화 영화로 만들다
1497	**isolate**	통 고립시키다, 격리하다	1517	**assault**	통 폭행하다, 공격하다 명 폭행, 습격
1498	**fluctuate**	통 변동을 거듭하다, 동요하다	1518	**summon**	통 호출하다, 소환하다
1499	**graze**	통 방목하다, 풀을 뜯다, 스치다 명 찰과상	1519	**artery**	명 동맥
1500	**envelope**	명 (편지) 봉투	1520	**disinterested**	형 무관심한, 사심이 없는

1521	**approach**	몡 접근 동 접근하다, 다가가다	1541	**evaporate**	동 증발시키다, 사라지다
1522	**due**	혱 (~하기로) 예정된, 지불 기일이 된	1542	**execute**	동 처형하다, 실행하다, 해내다
1523	**contribute**	동 기여하다, 공헌하다	1543	**await**	동 기다리다, 대기하다
1524	**significant**	혱 중요한, 의미 있는, 상당한	1544	**supernatural**	혱 초자연적인
1525	**evolution**	몡 진화, 발전	1545	**collapse**	동 무너지다, 붕괴되다, 쓰러지다 몡 실패, 붕괴
1526	**contain**	동 함유하다, 포함하다	1546	**surmount**	동 극복하다, (산·언덕 등을) 오르다
1527	**fame**	몡 명성	1547	**interchange**	몡 교환, 분기점 동 서로 교환하다, 주고받다
1528	**numerous**	혱 수많은, 다수의	1548	**blunder**	몡 실수 동 실수하다
1529	**ingredient**	몡 재료, 성분	1549	**except**	젠 ~을 제외하고, ~ 외에는 동 제외하다
1530	**phrase**	몡 구절, 구 동 (말로) 표현하다	1550	**notable**	혱 유명한, 주목할 만한 몡 유명 인물
1531	**abstract**	혱 추상적인, 관념적인 몡 추상, 요약 동 추출하다	1551	**shallow**	혱 얕은, 얄팍한, 피상적인
1532	**row**	몡 열, 줄 동 노를 젓다	1552	**landfill**	몡 쓰레기 매립(지), 매립 쓰레기
1533	**certificate**	몡 증명서, 자격증	1553	**limb**	몡 (사람·동물의) 사지, (새의) 날개, 큰 나뭇가지
1534	**glance**	몡 흘깃 보기 동 흘깃 보다	1554	**overhead**	뷔 머리 위로, 하늘 높이 혱 머리 위의
1535	**admire**	동 존경하다, 감탄하다	1555	**inscribe**	동 새기다, 쓰다
1536	**priest**	몡 사제, 성직자	1556	**gasp**	동 헐떡거리다, 숨이 차다
1537	**activate**	동 활성화하다, 작동시키다	1557	**blush**	동 얼굴을 붉히다, 부끄러워하다 몡 얼굴이 붉어짐
1538	**furnish**	동 제공하다, (가구를) 비치하다	1558	**sneeze**	동 재채기를 하다 몡 재채기
1539	**priceless**	혱 매우 귀중한, 값을 매길 수 없는	1559	**artisan**	몡 장인, 기능공
1540	**prehistoric**	혱 선사(시대)의	1560	**desirous**	혱 원하는, 간절히 바라는

1561	**affect**	통 영향을 미치다, 작용하다
1562	**feature**	명 기능, 특징, 특색 통 특징으로 삼다
1563	**charity**	명 자선 (단체)
1564	**signal**	명 신호 통 신호를 보내다
1565	**bother**	통 애쓰다, 신경 쓰다, 귀찮게 하다 명 귀찮은 일
1566	**comment**	명 논평, 의견 통 논평하다, 언급하다
1567	**colleague**	명 동료
1568	**react**	통 반응하다, 반작용하다
1569	**laboratory**	명 실험실, 연구실
1570	**predator**	명 포식자, 약탈자
1571	**revise**	통 수정하다, 변경하다
1572	**executive**	명 경영진, 임원 형 경영의, 실행의
1573	**restore**	통 복원하다, 복구하다, 회복하다
1574	**stare**	통 응시하다, 빤히 쳐다보다 명 응시
1575	**guidance**	명 지도, 안내, 지침
1576	**approve**	통 승인하다, 찬성하다
1577	**compact**	형 조밀한, 꽉 찬, 작은 통 꽉 채우다, 압축하다
1578	**aesthetic**	형 미적인, 미(학)의, 심미적인
1579	**archaeology**	명 고고학
1580	**cease**	통 그치다, 중단되다, 중단하다
1581	**inhabitant**	명 주민, 서식 동물
1582	**embed**	통 (단단히) 박다, 끼워 넣다, 깊이 새겨두다
1583	**spiritual**	형 영적인, 정신의, 종교적인
1584	**stink**	통 악취를 풍기다 명 악취
1585	**privilege**	명 특권, 특혜 통 특권을 주다
1586	**resourceful**	형 수완이 있는, 자원이 풍부한
1587	**recharge**	통 (재)충전하다
1588	**biotechnology**	명 생명 공학
1589	**gymnastics**	명 체조
1590	**fluency**	명 유창성, 능숙도
1591	**undo**	통 원상태로 돌리다, 무효로 만들다
1592	**flame**	명 불길, 불꽃 통 활활 타오르다
1593	**pray**	통 기도하다, 간절히 바라다
1594	**congress**	명 의회, 국회, 회의
1595	**mercy**	명 자비, 고마운 일
1596	**descend**	통 내려가다, 내려오다
1597	**dehydrate**	통 탈수 상태가 되다, 건조하다
1598	**liable**	형 ~하기 쉬운, (법적) 책임이 있는
1599	**conceit**	명 자만, 자부심
1600	**delusion**	명 착각, 망상, 오해

1601	**depend**	图 의존하다, 의지하다, ~에 달려 있다	1621	**subsequent**	图 차후의, 그다음의
1602	**achieve**	图 성취하다, 달성하다	1622	**commerce**	图 상업, 무역
1603	**expert**	图 전문가, 권위자 图 전문적인, 숙련된	1623	**saint**	图 성인, 성자 같은 사람
1604	**twin**	图 쌍둥이의 图 쌍둥이	1624	**roam**	图 배회하다, 돌아다니다
1605	**reveal**	图 드러내다, 보여주다, 폭로하다	1625	**vigor**	图 힘, 활력, 원기
1606	**guarantee**	图 보장하다, 보증하다 图 보증(서), 담보	1626	**rejoice**	图 크게 기뻐하다
1607	**inspire**	图 영감을 주다, 고무하다, 격려하다	1627	**linear**	图 (일직)선의, 선으로 된
1608	**intelligent**	图 총명한, 똑똑한, 지능이 있는	1628	**beak**	图 (새의) 부리
1609	**bump**	图 들이받다, 부딪치다 图 충돌	1629	**enclose**	图 둘러싸다, 에워싸다, 동봉하다
1610	**forbid**	图 금지하다, 못하게 하다	1630	**cling**	图 매달리다, 꼭 붙잡다, 달라붙다
1611	**detect**	图 감지하다, 발견하다	1631	**utensil**	图 (가정에서 사용하는) 도구, 기구
1612	**ethnic**	图 민족의, 인종의	1632	**transcribe**	图 옮겨 적다, 베끼다
1613	**exact**	图 정확한, 정밀한, 꼼꼼한	1633	**spine**	图 척추, 등뼈, 가시
1614	**sculpture**	图 조각(품)	1634	**ragged**	图 누더기가 된, 다 해진, 고르지 못한
1615	**adjust**	图 조절하다, 조정하다, 적응하다	1635	**predecessor**	图 전신, 전임자, 이전 것
1616	**randomly**	图 무작위로, 임의로	1636	**speculate**	图 추측하다, 투기하다
1617	**motive**	图 동기, 이유 图 움직이게 하는, 원동력이 되는	1637	**dispense**	图 내놓다, 나누어 주다, 조제하다
1618	**alternate**	图 번갈아 하다, 대체하다 图 번갈아 하는, 교대의	1638	**compress**	图 압축하다, 꾹 누르다
1619	**cautious**	图 신중한, 조심스러운	1639	**astrology**	图 점성술, 점성학
1620	**recruit**	图 모집하다, 설득하다 图 신병	1640	**delegate**	图 대표(자) 图 (권한·업무 등을) 위임하다, 파견하다

1641	**recognize**	图 인식하다, 알아보다, 인정하다
1642	**charge**	图 청구하다, 고소하다, 충전하다 圆 요금, 고발, 책임
1643	**vehicle**	圆 수단, 차량, 탈것
1644	**gene**	圆 유전자
1645	**transport**	圆 교통, 수송 图 수송하다
1646	**sentence**	圆 선고, 형벌, 문장 图 (형을) 선고하다
1647	**wealth**	圆 부, 재산, 풍부한 양
1648	**confident**	圈 자신감 있는, 확신하는
1649	**replace**	图 교체하다, 대체하다, 대신하다
1650	**internal**	圈 내부의, 내면의
1651	**incentive**	圆 장려책, 동기
1652	**distinctive**	圈 독특한, 특유의
1653	**affection**	圆 애착, 애정
1654	**asset**	圆 자산, 재산
1655	**valid**	圈 유효한, 타당한
1656	**chief**	圆 ~장, 우두머리 圈 주요한, 최고의
1657	**sensible**	圈 합리적인, 분별력 있는, 상당한
1658	**worsen**	图 악화하다, 악화되다
1659	**equivalent**	圈 상당하는, 동등한 圆 상당하는 것, 등가물
1660	**deliberate**	圈 의도적인, 신중한 图 숙고하다

1661	**empathy**	圆 공감, 감정 이입
1662	**triumph**	圆 승리, 대성공 图 승리를 거두다, 이기다
1663	**thermometer**	圆 온도계, 체온계
1664	**litter**	图 어지럽히다, 쓰레기를 버리다 圆 어질러진 것, 쓰레기
1665	**stake**	圆 말뚝, 화형대 图 (돈 등을) 걸다
1666	**mischief**	圆 나쁜 짓, 장난(기), 해악
1667	**obscure**	图 모호하게 하다, 가리다 圈 모호한, 잘 알려지지 않은
1668	**anecdote**	圆 일화, 개인적인 진술
1669	**console**	图 위로하다 圆 제어 장치
1670	**oral**	圈 구두의, 입의 圆 구두시험
1671	**vein**	圆 정맥, 잎맥, 방식, 태도
1672	**repel**	图 쫓아버리다, 물리치다, 밀어내다
1673	**warfare**	圆 전투, 전쟁
1674	**hatred**	圆 증오, 혐오
1675	**proficient**	圈 능숙한, 숙달한
1676	**monopoly**	圆 독점(권), 전매
1677	**dwell**	图 살다, 거주하다
1678	**preliminary**	圆 예선전, 예비 행위, 서두 圈 예비의
1679	**audible**	圈 (귀에) 들리는
1680	**deform**	图 변형시키다, 기형으로 만들다

MP3 바로 듣기 >>

1681	figure	명 모습, 인물, 수치, 도형 동 판단하다, 생각하다
1682	various	형 다양한, 여러 가지의
1683	standard	형 일반적인, 보통의 명 표준, 기준
1684	disappear	동 사라지다, 없어지다
1685	attraction	명 명소, 끌림, 매력
1686	reputation	명 명성, 평판
1687	reward	명 보상(금), 대가 동 보상하다, 보답하다
1688	rational	형 합리적인, 이성적인
1689	attribute	동 ~의 결과로 보다, ~의 탓으로 하다 명 속성, 자질
1690	appeal	동 관심을 끌다, 호소하다 명 매력, 호소
1691	particle	명 (작은) 조각, 입자
1692	desperate	형 절박한, 절망적인, 필사적인
1693	cultivate	동 함양하다, 재배하다, 경작하다
1694	incorporate	동 포함하다, 통합하다, 법인으로 만든다 형 결합한, 법인의
1695	retire	동 은퇴하다, 퇴직하다
1696	margin	명 (판매) 이익, 가장자리, 여백, 차이
1697	correspond	동 일치하다, 부합하다, 상응하다
1698	prohibit	동 금지하다, 막다
1699	harbor	명 항구, 은신처 동 항구에 정박시 키다, 거처를 제공하다
1700	probable	형 그럴듯한, 있음직한

1701	anchored	형 고착된, 닻을 내린
1702	throughout	전 도처에, ~ 동안, 내내
1703	interval	명 간격, 사이, 중간 휴식 시간
1704	pirate	명 해적, 저작권 침해자 동 저작권을 침해하다
1705	ambiguous	형 모호한, 애매한, 불분명한
1706	autonomy	명 자율(성), 자치(권)
1707	mandate	동 지시하다, 명령하다 명 명령, 권한
1708	vomit	동 토하다, 게우다 명 토사물
1709	garment	명 옷, 의복
1710	damp	형 축축한, 눅눅한, 습기가 있는
1711	counteract	동 대응하다, 대항하다, 거스르다
1712	agenda	명 계획, 안건, 의제
1713	pervasive	형 만연한, 스며드는
1714	commemorate	동 기념하다
1715	stumble	동 비틀거리다, 휘청거리다, 더듬거리다
1716	refrain	동 삼가다, 그만두다 명 반복구, 후렴
1717	voyage	명 항해, 여행 동 항해하다, 여행하다
1718	outrage	동 격분하게 하다 명 격분, 격노
1719	divine	형 신의, 신성한 동 점치다, 예측하다
1720	customs	명 관습, 세관, 관세

1721	raise	통 (자금·사람 등을) 모으다, 기르다, 올리다 명 증가
1722	demand	명 수요, 요구 통 필요로 하다, 요구하다
1723	current	형 현재의, 지금의 명 흐름, 경향
1724	escape	통 벗어나다, 탈출하다 명 탈출, 도망
1725	detail	명 세부 사항 통 상세히 알리다
1726	appropriate	형 적절한, 적합한
1727	merely	부 단지, 그저
1728	harsh	형 냉혹한, 혹독한, 거친
1729	fade	통 사라지다, 희미해지다, 바래다
1730	permit	통 허용하다, 허락하다 명 허가(증)
1731	atmosphere	명 대기, 분위기
1732	receipt	명 영수증, 수령
1733	heal	통 치료하다, 치유하다
1734	endure	통 견디다, 참다
1735	sophisticated	형 복잡한, 정교한, 세련된
1736	overlap	통 중복되다, 겹치다, 포개지다 명 중복, 겹침
1737	insert	통 삽입하다, 끼워 넣다
1738	ripe	형 익은, 숙성한
1739	fertile	형 비옥한, 다산인, 번식력이 있는
1740	definite	형 분명한, 확실한

1741	surplus	명 잉여(분), 과잉, 흑자 형 과잉의, 잉여의
1742	futile	형 헛된, 소용없는
1743	tenant	명 세입자, 임차인, 소작인
1744	deployment	명 배치
1745	stroll	통 산책하다, 거닐다
1746	prescribe	통 처방하다, 규정하다
1747	coward	명 겁쟁이
1748	reassure	통 확신시키다, 안심시키다
1749	plausible	형 그럴듯한, 이치에 맞는
1750	dissent	명 반대 (의견) 통 반대하다
1751	despite	전 ~에도 불구하고
1752	childish	형 어린애 같은, 유치한
1753	discriminate	통 구별하다, 식별하다, 차별하다
1754	nominate	통 (지명하여) 추천하다, 지명하다, 임명하다
1755	immense	형 엄청난, 어마어마한
1756	regime	명 정권, 제도, 체제
1757	terrestrial	형 지구의, 육지의, 육지에 사는
1758	inhale	통 (숨을) 들이마시다, (가스·연기 등을) 빨아들이다
1759	observance	명 준수, 축하, 의식
1760	astray	부 형 길을 잃고, 잘못된 길에 빠져

1761	**concern**	몡 걱정, 관심(사) 몡 걱정시키다, ~에 관한 것이다
1762	**occur**	몡 일어나다, 발생하다
1763	**select**	몡 선택하다, 고르다 몡 엄선된, 고급의
1764	**context**	몡 맥락, 문맥
1765	**delay**	몡 연기하다, 미루다 몡 지연, 연기
1766	**operate**	몡 작동하다, 운영하다, 수술하다
1767	**dedicate**	몡 (노력·시간 등을) 바치다, 전념하다, 헌신하다
1768	**passion**	몡 열정
1769	**modify**	몡 수정하다, 변경하다
1770	**transmit**	몡 전염시키다, 전송하다, 전하다
1771	**distract**	몡 집중이 안 되게 하다, (주의를) 산만하게 하다
1772	**competent**	몡 유능한, 능숙한
1773	**raw**	몡 익히지 않은, 날것의, 가공하지 않은
1774	**pursue**	몡 추구하다, 계속하다, 추격하다
1775	**extraordinary**	몡 놀라운, 비범한
1776	**suspect**	몡 의심하다, 추측하다 몡 용의자 몡 의심스러운
1777	**infection**	몡 감염, 전염(병)
1778	**supervise**	몡 관리하다, 감독하다, 통제하다
1779	**disprove**	몡 반증하다
1780	**revive**	몡 되살리다, 소생시키다, 회복하다

1781	**stationary**	몡 고정된, 움직이지 않는
1782	**setback**	몡 실패, 차질, 좌절
1783	**embody**	몡 (사상·특질 등을) 구체화하다, 구현하다
1784	**innate**	몡 타고난, 선천적인
1785	**defective**	몡 결함이 있는
1786	**rigorous**	몡 엄격한, 철저한
1787	**reap**	몡 거두다, 수확하다
1788	**stance**	몡 자세, 입장
1789	**famine**	몡 기근
1790	**stationery**	몡 문구(류), 문방구
1791	**indispensable**	몡 없어서는 안 될, 필수적인
1792	**kinship**	몡 연대감, 친족 (관계)
1793	**multitude**	몡 다수, 많음, 군중
1794	**reign**	몡 통치 (기간) 몡 통치하다, 지배하다
1795	**radioactive**	몡 방사성의
1796	**downplay**	몡 대단치 않게 생각하다, 경시하다
1797	**itinerary**	몡 여행 일정표
1798	**lunar**	몡 달의
1799	**confer**	몡 주다, 수여하다, 상의하다
1800	**convict**	몡 유죄를 선고하다 몡 죄수

MEMO

MEMO